DER ZORN

DENIS MARQUET

DER ZORN

Aus dem Französischen
von Helga Migura

Weltbild

Besuchen Sie uns im Internet
www.sammelwerke.de

Genehmigte Lizenzausgabe für Sammler-Editionen in der Verlagsgruppe Weltbild GmbH, Steinerne Furt, 86167 Augsburg

Titel der französischen Originalausgabe: „Colère“
Einbandgestaltung: Nele Schütz Design, München, unter Verwendung einer Fotografie von Shutterstock / Erick N
Druck & Bindung: CPI Moravia Books s.r.o., Pohorelice
Printed in the EU

Prolog

Hurston, Maine, Montag, 2. Juni, neun Uhr morgens

Der alte Cliff drückte seinen Zigarettenstummel im Staub aus und blinzelte. Die Sonne stand noch nicht hoch am Horizont, doch ihre Strahlen waren schon sengend heiß. Alles schien normal. Die Leute gingen zur Arbeit, die Läden öffneten. Es war viel los auf der Hauptstraße. Nur die Luft war für einen klaren Junimorgen etwas drückend.

Doch abgesehen davon schien alles normal.

Alles schien normal, doch da war etwas, das Cliff störte. Aber er wusste nicht, was. Und das machte ihn langsam nervös.

Er zündete sich eine weitere Zigarette an.

Der alte Cliff, so nannte man ihn hier, verbrachte seit fünfzehn Jahren seine Tage damit, rauchend auf einem Holzstuhl zu sitzen, den er jeden Morgen um neun von sich zu Hause mitbrachte und hier aufstellte, vor der gekalkten Mauer der kleinen Schule, in der er fast vierzig Jahre lang gearbeitet hatte. Als Grundschullehrer. Er stellte seinen Stuhl auf, setzte sich hin und schaute. Die Leute gingen vorbei. Und es musste schon mit dem Teufel zugehen, wenn nicht binnen fünf Minuten einer seiner ehemaligen Schüler auftauchte, ihn begrüßte und einen kleinen Schwatz mit ihm hielt… Ungefähr drei Vierteln der Stadtbevölkerung hatte er als Kindern den Hintern versohlt; da war es klar, dass er nie lange alleine dasaß…

Und natürlich kannte er die Straße wie seine Westentasche…

Doch heute… Alles war da, wo es hingehörte: die völlig gleich gebauten Holzhäuser, oder jedenfalls fast gleich; der kleine Supermarkt, wo ganz Hurston sich mit nahezu allem eindeckte; die Leute, die unterwegs waren und es ein wenig eilig hatten…

Alles schien normal ...

Und dennoch ...

Da war etwas ...

Aber was?

Das irritiert mich, sagte sich Cliff. Gerade hatte ihm jemand von der anderen Straßenseite aus freundlich zugewunken, er jedoch kaum darauf reagiert. Etwas war anders als sonst.

Cliff hob den Kopf und sah zum Himmel, als könne er in den Wolken, die sich träge über der kleinen Stadt ausbreiteten, eine Antwort lesen.

Dann begriff er.

Es war die Stunde der Spatzen. Die Stunde, in der sich zu dieser Jahreszeit die Spatzen wie zum Appell auf den Ästen des großen Baums aufreihten, der die Straße beherrschte, ehe sie sich auf Insektenjagd machten ...

Es war die Stunde der Spatzen.

Doch da waren keine Spatzen. Nicht ein einziger. Der Himmel war völlig leer. Man sah nur die Spur eines Linienflugzeugs, ganz weiß, ganz hoch oben. Aber keinen Vogel.

Und auch kein Insekt.

Das war merkwürdig.

Merkwürdig, wie man gar nicht mehr wahrnahm, was die kleinsten Grundkonstituenten des Alltags ausmachte. Die Insekten waren wie Flecken auf der Netzhaut, die vor unserem Blick herumtanzen, so nah und vertraut, dass man gar nicht mehr darauf achtet, weil sie nicht wirklich zur Außenwelt gehören ... Die Fluginsekten – Fliegen, Mücken, Moskitos, Wespen, Bienen und Hornissen –, die die Morgenluft mit ihrer Spur aus schierer Geschwindigkeit durchschnitten, waren etwas so Alltägliches, dass man sie gar nicht mehr wahrnahm. Doch an diesem Morgen ... An diesem Morgen war die Luft leer, und die Stille, die kein Summen und kein Vogelgezwitscher durchbrach, die Stille, gegen die sich nur noch die Stimmen der Menschen abhoben, wurde plötzlich bedrückend ... Beklemmend ...

Und die Hunde?, fragte sich Cliff.

Wo war der Hund vom alten Bart? Der alte Bart wohnte im Haus gegenüber, und sein Hund beobachtete den ganzen Tag die Leute, die vorbeigingen – ein bisschen so wie Cliff; es war ein sehr alter Hund, dessen Zeit abgelaufen war wie die Cliffs und der das auch wusste… Gestern Morgen war er da, dachte der alte Mann bei sich, der sich sehr gut daran erinnerte; er hatte seine Sinne noch alle beisammen, die Bilder in seinem Gedächtnis waren klar… Er sah das alte Tier mit seiner sabbernden Schnauze genau vor sich, das zu müde war, um noch nach Streicheleinheiten zu betteln…

Und die Katze von Miss Brondby?

Und…

Cliff hatte begriffen. Irgendetwas war wirklich anders als sonst. Und das lag nicht an seiner erschöpften Phantasie, die ihm da vielleicht einen Streich spielte.

Man sah kein einziges Tier mehr auf der Straße.

Da waren keine eigenbrötlerischen Hunde mehr, die mit wichtigtuerischer Miene dahertrabten, als gingen sie Beschäftigungen nach, die nur ihnen allein bekannt waren… Auch keine scheuen, stolzen Katzen mehr, die an den Mauern entlangschlichen, stets auf der Lauer nach etwas Essbarem…

Da waren nur noch Menschen.

Und Cliff wurde bewusst, wie wertvoll die Anwesenheit der Tiere war. Denn wenn sie fehlten, überkam ihn ein Gefühl der Einsamkeit. Die Einsamkeit des Menschen…

Cliff fragte sich nun ernsthaft, was da eigentlich vor sich ging.

Er war beunruhigt.

Er hätte gerne mit jemandem gesprochen. Doch er fürchtete, für verrückt gehalten zu werden… – Und dennoch, das alles war wirklich nicht normal. Wenn er nur mit jemandem sprechen könnte…

Plötzlich brach ein Mann auf der Straße zusammen. Kaum hatte sich ein Menschenauflauf um ihn gebildet, da stürzten zwei weitere Personen, eine junge Frau und ihr kleiner Sohn, zu Boden.

Cliff erhob sich von seinem Stuhl. Er war müde.

Schreie waren zu hören.

Eine noch junge Frau kam dem alten Mann entgegen. Sie war blass, ihre Augen waren schwarz umrandet, wie mit Kohle akzentuiert. Da erkannte er die kleine Kate. Die beste Schülerin seines letzten Jahrgangs. Sie arbeitete jetzt als Ingenieurin in Bangor und verbrachte ein paar freie Tage hier …

Die junge Frau war vor Cliff stehen geblieben. Ihr Mund stand offen, und aus ihren vor Entsetzen starren Augen tropfte etwas Blut.

Dann brach sie zusammen.

Cliff stürzte zu ihr.

In einer letzten Zuckung ergoss sich eine Mischung aus Schleim und Blut aus ihren Nasenlöchern, dann starb sie.

Der alte Mann blickte um sich.

Überall lagen Tote. Menschen rannten, Frauen standen reglos da und schrien. Leblose Körper wurden über den Boden geschleift.

Cliff spürte ein Brennen in der Brust, das immer stärker wurde. Eine Schwäche lähmte seine Glieder. Er fiel auf die Knie.

Da begriff er, dass er nun sterben würde.

ERSTER TEIL

1

Cap May, Dienstag, 3. Juni

Die drei Idioten hatten sich dem Ufer genähert, und der Lärm wurde nun wirklich unerträglich. Amy ertappte sich dabei, wie sie heftig kleine Hautstückchen um den Nagel ihres Zeigefingers abzupfte, was ihre Gereiztheit noch verstärkte. Das seien keine Finger mehr, das seien nur noch Stümpfe, pflegte Tom mit einem Ausdruck von Abscheu zu sagen und drohte, ihr nicht mehr die Hand zu halten. Dann entschuldigte sie sich, oder sie war beleidigt, je nach ihrer momentanen Stimmungslage, doch er hatte gar nicht so Unrecht. Er war nur etwas grob; er traf irgendwie nicht den richtigen Ton, und möglicherweise war ihm der richtige Ton im Grunde auch egal; jedenfalls hatte er nicht Unrecht. Sie mochte sich selbst nicht, wenn sie so war. Zu nervös. Vielleicht war sie eben nicht fürs Studieren geschaffen. Ganz einfach. Wenn man überhaupt keinen Spaß an einer Sache hat, ist man vielleicht einfach nicht dafür geschaffen, sagte sie sich und hätte am liebsten laut gelacht. Doch sie beherrschte sich. Außerdem hatte sie keine Lust, für verrückt gehalten zu werden. Der Strand war schwarz von Menschen, und die brauchte sie nicht unbedingt auf sich aufmerksam zu machen. Nicht fürs Studieren geschaffen. Vielleicht wurde es langsam Zeit, das zu erkennen! Drei Tage vor dem Abschlussexamen... Drei Tage bis zum Abschlussexamen, und sie hätte nichts Besseres zu tun, als sich im feinen Sand von der Sonne bräunen zu lassen! Ich habe einfach die Nase voll, ich muss mich entspannen, hatte sie gedacht und den Band mit dem armen Milton in die Ecke geworfen, *Das verlorene Paradies*, das sie eigentlich kommenden Freitag ab acht Uhr morgens in- und auswendig kennen sollte. Ich muss mich entspannen! Sie war nun zwanzig Jahre alt und durchforschte ihre Erinnerungen vergebens nach einem Moment, in dem sie sich wirklich entspannt gefühlt hatte. Wenn sie wenigstens hätte schwimmen, sich im frischen, salzigen Wasser aalen, Salz und Frische auf ihrer Haut spüren, ein wenig vergessen können... Doch da waren plötzlich die drei Idioten aufgetaucht, mit ihren Jet-Skiern für dreißigtausend Dollar, ihren Ray-Ban-Sonnenbrillen und ihrer billigen Protzerei, und hatten Panik unter den Schwimmenden verbreitet; noch dazu konnten sie leicht jemanden umbringen, wenn er in ihre Antriebsschraube geriet, sie konnten ein Kind töten oder ihm ein Bein abhacken... und sie machten nicht den Eindruck, als wollten sie mit ihrem Radau aufhören! Dabei war sie kaum zwei Minuten, nachdem sie ins Wasser gegangen war, schon fast dabei gewesen, alles zu vergessen und sich treiben zu lassen, die Ohren in den bauschigen Wogen... Einer von ihnen hatte sich sogar an sie herangemacht, der Affigste von den dreien, mit einem Augenzwinkern über den Rand der Brille hinweg, wie wär's mit einer kleinen Runde, meine Süße? Ganz bestimmt! Danach vögelst du mich dann hinten in der Bucht, bringst mich anschließend wieder zurück, und wenn ich schön lieb gewesen bin, schenkst du mir einen großen grünen Schein! Idiot! Idiot... Sie hatte fluchtartig das Wasser verlassen, wie die meisten Badenden. Und jetzt musste sie sich das Heulkonzert ihrer Motoren anhören...

Amy warf den Kopf in den Nacken und schloss die Augen. Wenn man doch nur die Ohren schließen könnte, wie man die Augen schließt... und, wenn man wollte, nichts mehr hören müsste, von der grenzenlosen, dröhnenden Idiotie der Leute nicht mehr belästigt werden würde. Von der Dummheit der Leute... Der Dummheit der Kerle... Wenigstens war Tom durchaus nicht dumm. Ein bisschen unbeholfen zwar, aber nicht dumm... Er war zumindest rührend... Doch Tom, der keinerlei existentielle Probleme hatte, war gerade dabei, Mathe zu wiederholen, und würde sein Examen lässig bestehen, er schon. Amy war müde. Ob die drei Idioten wohl irgendwann abhauten? Dann würde sich der

Lärm immer weiter entfernen und schließlich ganz aufhören, und sie könnte sanft eindösen ... Oder das Gedröhne der Motoren würde unvermittelt abbrechen, und es würde Stille eintreten, tiefe, friedliche Stille ... Es bedürfte nur eines starken Strudels, einer gut gezielten kleinen Flutwelle, die sie auf einen Schlag verschlingen würde, mit einem satten Blubb wie im Waschbecken ... Der Ozean wäre ein großes Waschbecken, und sie würde den Stöpsel herausziehen, schwupp! Die Idioten würden ein wenig herumwirbeln und dann im Siphon verschwinden ...

Als Amy sich der Stille bewusst wurde, schreckte sie auf. Die Motoren waren verstummt. Dann hörte man Schreie, immer zahlreicher. Amy blickte aufs Meer. Sie konnte gerade noch das Gesicht des Jungen erkennen, der sich vorhin an sie herangemacht hatte. Er trieb im Wasser, seine Brille hatte er nicht mehr, sein Gefährt auch nicht; das Meer wirkte ganz sonderbar. Er machte Bewegungen, als kämpfte er gegen etwas an. Dann verschwand er. Das Meer war ruhig. Und leer.

Amy packte ihr Handtuch, ihre kleine rote Ledertasche und rannte in Richtung Straße. Sie lief an Männern in Badehosen vorbei, die zum Wasser rannten, an Müttern, die ihre Kinder zurückhielten, an verstörten Gesichtern. Amy lief. Sie sind ertrunken. Ich war es nicht. Nur weg von diesem Strand. Ich habe den Stöpsel nicht herausgezogen, es war ein Unfall. Das Meer ist kein Waschbecken. Das Meer ist kein Waschbecken.

Der dicke Bobby verkaufte sein Eis aus gegebenem Anlass mit Katastrophenmiene. Um ihn herum drängten sich die Schaulustigen. Zwölf Jahre. Zwölf Jahre verkaufte er nun sein Eis von seinem Wohnwagen aus, immer an derselben Stelle, an dieser kleinen Straße, die bis zum Strand führt, aber so etwas hatte er noch nie gesehen ... Es war, als wären sie eingesaugt worden ... Jugendliche, nicht von hier, nein, Kinder reicher Leute, mit ihren komischen Wassermotorrädern, einfach eingesaugt ... Wahrscheinlich eine Strömung ... Nein, kein Hai; alle waren fast gleichzeitig untergegangen, zusammen mit ihren Maschinen, also kein Hai, allenfalls einer, der Anabolika geschluckt hatte! Bobby holte tief Luft, als wollte er seinen dicken Körper vor Lachen ausschütten, doch niemand schien seine geistreiche Bemerkung zu würdigen, also setzte er wieder die ernste, betroffene Miene auf, die dem Augenblick angemessen war. Was für ein schreckliches Unglück! Die armen Kinder... Und ihre Eltern, die noch gar nichts davon wussten... Noch nie hatte er so etwas gesehen... Förmlich eingesaugt!

Ein paar Schritte entfernt schöpfte Amy, den Rücken an einen Elektromast gelehnt, wieder Atem. Über den Strand glitt das kreisende Blaulicht eines Feuerwehrwagens, der bis ans Meer vorgefahren war. Ein Menschenauflauf, den man in einiger Entfernung zurückhielt, verbarg die nutzlosen Rettungsmaßnahmen, die man den drei Jungen zukommen ließ, vor Amys Augen. Es hatte über eine Viertelstunde gedauert, sie ans Ufer zu bringen. Keinerlei Hoffnung. Sie sind tot, Amy... Wie du es dir gewünscht hast, nicht wahr? Ein starker, gut gezielter Strudel und dann wohltuende Stille... Das ist es doch, was du wolltest, oder? Schau nur, Amy, welche Macht du hast! Du brauchtest nur einmal daran zu denken! Die Macht des negativen Denkens, Amy... Bravo!

Sie machte sich auf den Heimweg.

Wenn doch nur diese Stimme endlich schwiege! Heimgehen. Schlafen, aufwachen, und nichts von alledem wäre geschehen. Ein Alptraum wie damals, als sie ein Kind war und geträumt hatte, dass ihr kleiner Bruder gestorben sei und sie ihn getötet habe, doch sie hatte es nicht absichtlich getan, es war ein Unfall, sie hielt ihn in ihren Armen, er war so klein, so niedlich, und dann hatte sie ihn aus Unachtsamkeit, in einem Augenblick von Unaufmerksamkeit fallen lassen, und sein zartes Köpfchen mit dem feinen blonden Flaum schlug auf dem Fliesenboden in der Küche auf, und sie weinte und schrie, sie liebte es doch so sehr, dieses Baby! Sie war aufgewacht und ins Zimmer ihres kleinen Bruders gelaufen, der selig schlief... Sie hatte keinen Schlaf mehr gefunden.

Es kann nicht sein. Es ist ein Zufall. Nicht ich habe das gemacht. Ich wollte es nicht wirklich. Es war lachhaft, sie hatte sich nur abreagiert, jeder hat solche Gedanken, es waren solche Idioten ... Es waren solche Idioten, und sie sind tot, Amy! Bravo, Tod den Idioten, wie du oft sagst, der Satz stammt doch von dir, Amy, oder?

Sie blieb wie angewurzelt stehen. Vor ihr erhob sich die große Tanne am Straßenrand, die man vom Fenster ihres Zimmers und auch vom Strand aus sehen konnte, die große hundertjährige Tanne, die ihre dunkelgrünen Äste gen Himmel reckte. Amy schloss die Augen. Sie überließ sich ihrer Phantasie und stellte sich den Baum in allen Einzelheiten vor: wie er im Licht des Tages aufrecht stand, dann gleichsam unter der Wirkung einer übernatürlichen Kraft ins Wanken geriet, sich in der Mitte spaltete und auseinander brach und seine grüne Spitze in einem Gesplitter aus Holz und Nadeln niederstürzte ...

Die Vorstellung war täuschend echt ...

Von Entsetzen gepackt, hielt Amy die Augen geschlossen, ballte die Fäuste in den Taschen ihrer Hose. Ein Auto fuhr vorbei. Jenseits des Hügels erklang das Rauschen des Meers, und die Vögel sangen ihr Abendlied. Ein weiteres Auto, dessen Motorgeräusch sich langsam entfernte. Amy öffnete die Augen. Zu ihren Füßen stand ein kleiner Junge und betrachtete sie erstaunt und ungeniert mit aufgerissenen Kinderaugen. Amy lächelte ihn etwas verlegen an. Du drehst durch, meine Liebe. Der Baum stand nach wie vor da, kein Zweifel, bog sich im Abendwind, wodurch der Eindruck entstand, er würde gleich umkippen. Doch er kippte nicht um, er stand ganz fest, tief verwurzelt, würdevoll. Die besorgte Stimme einer Mutter rief nach dem Kind, und schon lief es weg. Ich drehe durch, dachte sie und lachte los. Nicht fürs Studieren geschaffen, definitiv! Jetzt nach Hause, ein kleines Glas Rotwein vor dem Fernseher, um zehn ins Bett ... Morgen wird gebüffelt!

Auf dem Bildschirm bewegte sich stumm ein Sänger, ein Teenagerschwarm, der bestimmt schwul war und so wirkte, als würde er fürchterlich leiden. Man sollte ihm den Gnadenstoß geben, dachte Amy, die den Ton des Fernsehers ausgeschaltet hatte, und spülte einen Mund voll Popcorn mit dem letzten Schluck aus ihrem Weinglas hinunter. Dann packte sie die Angst. Nein, das nehme ich zurück. Den Finger auf der Fernbedienung, stellte sie den Ton laut. Der geschniegelte Sänger mit seinen schmachtenden blauen Augen und seiner trostlosen Fönwelle starb beinahe vor Liebeskummer. Doch er war quicklebendig, wie seine einstudiert hohe, brüchige Stimme bezeugte. Hör auf damit, dachte sie. Lächerlich. Es ist ein Zufall, du darfst dir das nicht zu Herzen gehen lassen! Die Tanne steht, der Sänger singt, und deine Gedanken haben genauso wenig Kraft wie Tom nach drei Gläsern Wein! Dabei musste sie laut losprusten ... Tom ... Und wenn ich ihn jetzt anriefe? Nein, er lernt.

Ja, aber die Sendung ist vielleicht nicht live ...

Amy stand auf, um diesen Gedanken zu verscheuchen. Ach, ich bin ja bekloppt! Schluss jetzt, ich gehe ins Bett; morgen sieht alles anders aus! Sie stieg die Treppe hinauf. – Aber die Tanne, die liebst du doch ... – Was hat denn das damit zu tun? – Du siehst sie gern an, wenn du morgens die Fensterläden aufmachst: wie sie sich über der Landschaft erhebt, wie ihre Spitze über den kleinen Hügel ragt ... Ja und? – Ja, und eben deswegen ist sie nicht umgestürzt ... Du hasst sie nicht ... Aber die ›drei Idioten‹ ...

Amy stand mitten auf der Treppe, reglos, und barg den Kopf in ihren Händen. Ich verliere die Nerven. Ich denke wie eine Verrückte, wie eine total Übergeschnappte! So etwas gibt es nicht! Ich war das nicht, ich habe überhaupt nichts damit zu tun, ich bin schließlich nicht der Herrgott! Wenn ich bloß irgendwelche Leute hassen müsste, um auf sie ein Unglück herabzubeschwören, dann würde angesichts der vielen Menschen, die mir auf den Geist gehen, hier in der Gegend Bevölkerungsmangel herrschen, und als Erste wäre meine gute alte Freundin Linda dran, die Tom Briefe schreibt. Sie war schon immer eifersüchtig auf mich; jedes Mal, wenn ich irgendwie Erfolg habe, was sowieso nicht so oft vorkommt, dann will sie es auch, diese Schlange ... Amy begann zu zittern. Erst heute Morgen hatte sie Tom am Telefon deswegen eine Szene gemacht, obwohl der Arme gar nichts dafür konnte; zumal Linda nicht gerade sein Typ sein dürfte, was Amy jedoch nicht daran gehindert hatte, Linda als alles Mögliche zu beschimpfen und ihr wahrlich nichts Gutes zu wünschen… Eine eisige Hand schnürte ihr das Herz zu. Dass sie der Schlag treffen sollte… Das hatte sie zu Tom am Telefon gesagt, aber das war nicht ihr Ernst, nur so dahingesagt… – Wie sie auch den Tod der drei Idioten nicht wirklich gewollt hatte, es war nur so dahingesagt, Amy, nur so dahingesagt…

Sie musste wissen, was los war. Amy stieg die Stufen wieder hinunter, öffnete die Wohnzimmertür und nahm den Telefonhörer ab. Lindas Nummer wusste sie auswendig. Sie hatten so viel miteinander telefoniert, manchmal bis drei Uhr morgens, hatten die Welt neu erschaffen und waren über alle Leute hergezogen; darin waren sie ganz groß: Da gab es das *Linda-Special*, heimtückische Finesse à la ›unschuldige Giftnudel‹, oder den *Amy-Standard*, etwas mehr die direkte Art, ätzend wie Napalm, wie Linda immer sagte… Der dritte Klingelton… Nimm ab, Linda… Nimm ab! Amy spürte, wie ihr ein Tropfen Schweiß gleich einem Insekt über die Schläfe kroch, dann über die Wange… Der fünfte Klingelton… Der sechste…

»Linda Evans…«

»Linda, bist du's?«

»Amy? Was ist los? Du hörst dich an, als wärst du in Panik…«

»…«

»Amy?«

»…Alles in Ordnung, Linda, ich wollte nur wissen, ob es dir gut geht… Geht's dir gut?«

»Aber ja, mir geht's gut… Du klingst komisch… Na ja, mir geht's halt so, wie es einem zwei Tage vor dem Examen geht… Ich habe von nichts eine Ahnung…«

Amy trat aus dem Haus und machte ein paar Schritte im Garten. Die feuchte, frische Nachtluft roch angenehm nach Frühsommer.

Es war eine gute Idee gewesen, die zehn Tage vor dem Examen im zweiten Wohnsitz ihrer Eltern, am Meer, zu verbringen, in einem Haus, das für sie viele schöne Erinnerungen barg, an die Ferien, an ihre Cousins, die hereingeschneit kamen, an Spiele, Lachen und allerlei Unfug... Amy ging langsam unter den Bäumen weiter und lauschte auf die Stille, vor der sich das Schnarren der Heuschrecken abhob... Momentan war das Haus völlig verwaist... Jess, der große deutsche Schäferhund, der das Grundstück bewachte oder zumindest so tat (dazu war er zu gutmütig und zu einfältig, wie Amy immer sagte...), kam ihr freudig entgegengelaufen. Das liebe, grobschlächtige Tier... Sie hatte ein einstündiges Gespräch mit Linda über sich ergehen lassen müssen, in dem es um Milton und die Unsicherheitsfaktoren beim Examen ging, doch nun war sie beruhigt. Sie ärgerte sich auch über sich selbst. Dass ihre Phantasie so mit ihr durchgegangen war... Amy kraulte Jess am Hals; der Hund schloss die Augen vor lauter Glück, und plötzlich hatte sie keine Lust mehr, die Nacht allein zu sein. Es war eine Woche her, seit ihre Eltern mit Joe in den Süden zu den Großeltern gefahren waren. Joe hatte sich sehr darauf gefreut; er liebte seinen Großvater sehr, doch als er Amy zum Abschied umarmte, weinte er... Letztlich hatte sie ihn dieses Jahr wenig gesehen; an der Universität verbrachte sie ihre Zeit auf dem Campus – man musste dazusagen, dass dies das erste Jahr war, das sie nicht mehr bei ihren Eltern verbrachte, und sie hatte sich in ihrem kleinen Studentenzimmer gleich so viel freier gefühlt als in der großen Familienwohnung mit dem unverbauten Blick auf den Washington Square... Doch ihr kleiner Bruder fehlte ihr wirklich, und auch die Eltern, die üblichen Wutanfälle ihrer Mutter und das Zeitungsrascheln ihres Vaters...

»Komm, Jess! Einmal ist keinmal...«

Sie öffnete die Haustür und bedeutete dem Hund, hereinzukommen. Jess zögerte erst einen Moment und stürzte dann durch die Türöffnung, überglücklich über diese einmalige Gelegenheit.

Ich bräuchte eine Schlafkur, sagte sich Amy, während sie sich vor ihrem Spiegel auszog. Meine Güte … Man darf doch wohl einen Schock bekommen, wenn man miterlebt, wie drei Personen ertrinken, oder? Hab doch ein bisschen Nachsicht mit dir, meine Liebe! Wenn du dich selbst nicht magst, wie sollen dich dann die anderen mögen, sagte Tom bisweilen zu ihr. Und er hatte nicht Unrecht … Letztendlich hatte Tom selten Unrecht, und es wäre schön, wenn er jetzt hier wäre. Amy fühlte sich irgendwie verwundbar. Sie warf ihrem Hund über die Schulter einen Blick zu.

Jess saß ganz aufrecht da und blickte sie an. Mit einem merkwürdigen Blick, den sie noch nie zuvor an ihm wahrgenommen hatte. Das waren nicht mehr die großen, sanften Augen, liebesfeucht und hingebungsvoll; es lag etwas Starres in diesem Blick, etwas Totes. Und so etwas wie kühles Interesse.

Amy schauderte es. Dann schlug sie sich selbst ins Gesicht. Hör auf damit! Hör auf mit dem Blödsinn! Du bist ja vollkommen verrückt … Vor Jess Angst zu haben! Das arme Tier … Vielleicht hatte Linda Recht, und ich sollte zu einem Psychiater gehen. Sie würde mit Tom darüber sprechen; er hatte ihr eine gute Adresse gegeben.

Wirklich, alle wollen, dass ich wieder richtig im Kopf werde! Doch ihr war nicht zum Lachen. Sie neigte tatsächlich dazu, ihre Wahnvorstellungen für real zu halten, und es sah nicht so aus, als würde sich das legen … Das ist der Schock, meine Liebe, das ist ganz normal … Und das mitten in der Prüfungsphase! Jetzt aber ins Bett, morgen geht's mir besser! Eine ganze Nacht Schlaf … Eigentlich ging es ihr jetzt schon besser. Amy war etwas beruhigter und steuerte auf ihr Bett zu.

Doch zuerst ließ sie den Hund hinaus.

2

Tagebuch von David Barnes, Dienstag, 3. Juni
Zeitungsausschnitte

UNGEWÖHNLICHE ERDBEBENAKTIVITÄT IN VIRGINIA

Eine Reihe schwacher Erdbeben hat den Süden Virginias zwischen Martinsville und Norfolk heimgesucht. Die Erschütterungen erreichten nur die Stärke 4,2 auf der Richter-Skala und verursachten lediglich Sachschäden.
Dennoch wirft diese Erdbebenaktivität in einer Gegend, die nicht als »Gefahrengebiet« gilt, Fragen auf. Ist mit einer Verschärfung des Phänomens zu rechnen? Professor Berkamp, Leiter des Labors für Geophysik an der Virginia-Commonwealth-Universität in Richmond, sagt zwar offen, er sei nicht in der Lage, die Vorkommnisse zu erklären, gibt sich jedoch zuversichtlich: »Es besteht keinerlei Grund zu glauben, es könne sich hier um den Beginn einer Serie oder um den Auftakt zu einem schwereren Erdbeben handeln.«
Trotzdem ist eine größere Katastrophe nie auszuschließen, auch nicht in einem Gebiet, das als stabil gilt. So hatte im August 1886 ein Beben von sehr starker Magnitude, das bis heute in unguter Erinnerung geblieben ist, in Charleston, South Carolina, mehrere Dutzend Menschenleben gefordert …
Wissenschaftler geben zu, dass die Ursachen des Erdbebens von Charleston sowie weiterer kleinerer Beben, die seitdem in South und North Carolina auftraten, nach wie vor nicht bekannt sind.
Deswegen besteht in naher Zukunft jedoch noch lange kein Grund zur Beunruhigung, da man weiß, dass geologische

Zeiträume sich nach Jahrtausenden bemessen oder gar nach mehreren Zehntausenden von Jahren!

The Virginian Pilot, S. 5, Dienstag, 3. Juni

Kommentar: Keiner.

3

Locust Street, Philadelphia

Moment mal, Peter, du tust ja so geheimnisvoll! Geht es bei der Sache um ein Verteidigungsgeheimnis?«

»Du weißt gar nicht, wie gut du es triffst. Ich kann dir am Telefon nicht viel dazu sagen. Ich bin etwas in Eile, und außerdem ...«

Greg machte einen Rückzieher.

»O. k., o. k.! Dann also wie abgemacht: Wir sehen uns am Dienstag, und du erklärst mir alles. Und wie geht es dir sonst?«

»Es geht so, es geht. Und dir? Mary ist abgereist, oder?«

»Gestern. Für zwei Monate.«

»Dann ist Greg jetzt ein freier Mann! Das wirst du ausnützen, oder? Du hast doch bestimmt verliebte Groupies im Hörsaal sitzen ...«

»Das denkst du ... Zugeknöpft, bebrillt, verklemmt ...«

»Du bist ganz schön gemein! Und ein Lügner noch dazu! In dem Alter haben sie Pickel, da gebe ich dir ja Recht, aber es sind doch sicher auch gut aussehende Mädchen darunter, oder? – Mit leuchtenden Augen, rosigen Wangen und noch etwas tapsiger Sinnlichkeit, aber zu allem bereit ...«

Greg brach in Lachen aus.

»Jetzt sprichst du von dir! So vernaschst du also deine Studentinnen! Stell dir vor, ich könnte dich damit erpressen ... Nur schade, dass du dauernd pleite bist! Peter Basler, der große Verführer, der junge Herzen bricht ...«

»Du bist ja nur eifersüchtig! Weil ich nämlich frei bin und keine Mary habe, die jeden Abend in der Küche steht und aufpasst, wann ich heimkomme ...«

»Ach, das ist nicht ihre Art! Sie kommt oft später heim als ich ...«

»Auf jeden Fall hast du zwei Monate, um die verlorene Zeit wieder wettzumachen ...«

»Hör zu, das ist wiederum nicht meine Art, dazu habe ich einfach keine Lust. Im Moment fühle ich mich sonderbar ... Nervös ... Außerdem habe ich das Gefühl, dass die Leute auch irgendwie komisch sind ... Als sei die Luft elektrisch geladen ... Ich muss wohl etwas überarbeitet sein ...«

»Ja ... Mir geht es auch so ähnlich wie dir ... Und nicht nur die Menschen benehmen sich komisch, mein Lieber! Übrigens hat das auch etwas mit dem zu tun, wovon ich dir berichten möchte ...«

»Ach?«

»Mehr sage ich nicht! Ich muss jetzt weg. Ich verabschiede mich herzlich, ich weiß, dass du das auch tust, wir haben einander lieb, und jetzt lege ich auf.«

Er legte auf.

Greg Thomas war nachdenklich geworden. Er kannte Peter seit fünfzehn Jahren; sie hatten auf den Hörsaalbänken Hunderte von Schreibspielen miteinander gemacht und gemeinsam entdeckt, welche Freuden einem die Frauen schenken konnten, die Wissenschaft und ein guter Joint, während man Jim-Morrison-Songs mitsummte, und Peter war nicht der Typ, der sich mit kleinen Geheimnissen profilieren musste ... Das machte ihn stutzig.

Greg war ein neugieriger Mensch, was in seiner Branche eher als gute Eigenschaft galt. Er lernte gern, er entdeckte gern. Er forschte gern. Also war er Forscher geworden. Schon als er noch ganz klein war ... Greg lächelte. Er sah sich wieder vor sich, wie er als Kind den ganzen Tag in der Gegend herumlief und die Pflanzen und Tiere beobachtete, wie er nach Einbruch der Dunkelheit heimkam, völlig verdreckt und glücklich, bisweilen mit kleinen Mitbringseln aus Flora und Fauna ... Seine Mutter, auf einem Stuhl stehend, als er einmal unabsichtlich eine völlig harmlose Schlange losgelassen hatte; er war so stolz darauf gewesen, sie gefangen zu haben ... Im Grunde machten ihn dieselben Eigenschaften, die ihm als Kind Rügen und Strafen eingetragen hatten, heute zu einem angesehenen und bewunderten Mann. Man darf sich nie ändern, sagte er sich.

Er hatte plötzlich Lust auf ein Glas Whisky. Ein harter Tag. Harte Zeiten. Wenn einfach alles schief geht ... Seine Hand tat ihm weh. Er betrachtete die Wunde. Schlimm ... Zwischen Daumen und Zeigefinger war seine Hand übel zugerichtet gewesen und dann genäht worden. Getrocknetes Blut ließ die Punkte der Naht hervortreten fast wie ein Märtyrermal. Der Schmerzensmann ... So hatte Mary diese wirklich äußerst empfindliche Stelle bezeichnet und ihm dann aber ganz wunderbar die Hand massiert, und nicht nur die Hand; niemand konnte wie Mary einen Menschen so mit den Händen in den Schlaf massieren, mit ihren seltsamen Techniken, taoistisch oder irgend so etwas, doch höllisch wirksam, oder himmlisch (das hätte sie bestimmt lieber gehört ...), und sie »besuchte den Schmerzensmann«, wie sie ihn nannte, nie, ohne als Zeichen des Respekts sanft den Kopf zu neigen, so wunderbar versponnen war sie ... Und genau dort hatte dieser dämliche Hund zugebissen ... Greg liebte Hunde, aber jener Hund, ein schöner Husky mit verschiedenfarbigen Augen, schien das nicht zu wissen. Er hatte ihn angesprungen; glücklicherweise hatte Greg reflexartig reagiert und sich mit der rechten Hand geschützt, sonst wäre er ihm an die Kehle gegangen – dieser Hätschelhund wurde plötzlich von einem Heißhunger auf Halsschlagadern erfasst, und als er begriffen hatte, dass Gregs Halsschlagader nicht auf der Speisekarte stand, war er auf sein Frauchen losgegangen ... Die Ärmste ... Er hatte ihr ein Stück Wade herausgerissen ... Greg hatte sie ins Krankenhaus gefahren, und jetzt konnte er seine Sitze neu beziehen lassen; Blut bekommt man am schlechtesten heraus, sagte seine Mutter immer, Gott hab sie selig ... Und die arme Frau, die seine Mutter hätte sein können, heulte wie ein Schlosshund, nicht so sehr wegen der Schmerzen, sondern weil sie es einfach nicht fassen konnte ... Ein so braves Tier ... So lieb, und er spielt so gern – ja, mit den Halsschlagadern von Passanten, hatte Greg gedacht und seine Beifahrerin getröstet: Das kommt vor, wissen Sie, ich befasse mich mit dem Verhalten von Tieren, ja, beruflich; nun, es gibt tatsächlich Fälle, in denen ganz zahme Haustiere plötzlich wild werden, ja, selbst äußerst liebe, sanfte Tiere, aber ja …

Greg schenkte sich ein zweites Glas ein. Er hatte es nötig. Kann man ein solches Gift ›nötig‹ haben, fragte eine Stimme in seinem Kopf, und er erkannte die Stimme von Mary. Halt den Mund. Der Whisky ist gut, und du hättest ja nicht wegzufahren brauchen. Ich trinke, um zu vergessen. Du hättest mich nicht allein lassen dürfen. Und wenn ich jetzt Lust habe, mich voll laufen zu lassen, dann lasse ich mich eben voll laufen, und jemandem, der nicht da ist, gestehe ich nicht das Recht zu, mein Verhalten vom Flugzeug aus zu überwachen! Wenn dir deine Indianer wichtiger sind als der Mann, der dich liebt, dann kannst du in deinem Urwald bleiben!

Greg merkte, dass seine Gedanken ein wenig von ihrer legendären Klarheit verloren. Er hielt seine Nase ins Glas und ließ sich von der golden schimmernden Flüssigkeit hypnotisieren, deren Geruch sein Gehirn angenehm lähmte. Mary. Im Grunde mochte er es, wenn sie einen strengen Ton anschlug und die Stirn runzelte; er spürte sehr wohl, dass sie es nicht wirklich so meinte, sie meinte es nie wirklich so, Mary, die immer dieses Funkeln in den Augen hatte, außer vielleicht, wenn er sie nicht mehr sah, sondern nur noch erahnte; sie liebten sich immer im Halbdunkel, damit sie sich mit der Haut sehen konnten, wie Mary es ausdrückte, und es stimmte, ihre Haut verriet ihm in solchen Momenten wirklich, dass sie sich hingab … Wenn ihre Augen ganz anders funkelten, dann meinte sie es vielleicht doch so … Mary war nie ernst, außer wenn sie sich liebten, und das war vielleicht das Einzige, was es verdiente, ernst genommen zu werden: Mary zu lieben …

Mist, sie fehlt mir … Jetzt ist sie noch keine acht Stunden weg, und schon fehlt sie mir, das kann ja heiter werden … Zwei Monate! Greg spürte, wie in seiner Brust ein Hauch jener alten, grenzenlosen, tiefen Traurigkeit hochstieg, dieser nur allzu vertrauten Gefährtin, die ihn schon als Kind heimgesucht hatte, ohne dass es einen Grund dafür gab, und dieses Tier nährte sich vom Leid und vom Kummer des Tages, doch sein Reich war die Nacht, und in der Nacht packte es ihn und führte ihn in maßlos tiefe Brunnen, in innerliche Abgründe voll düsterer, schwankender Schatten. Dann wartete er mit offenen Augen auf die Morgendämmerung, das Herz so bedrückt, dass er fast zu sterben meinte; es war die Stunde, zu der man in den Armen der Mutter Zuflucht suchen durfte, doch seine Mutter hatte selten Zeit, ihn lange an sich zu drücken, gleichwohl zehrte er von diesen kurzen Umarmungen, bis es wieder hell wurde ...

Wie spät war es gewesen, als Mary, die vor ihm aufgestanden war, heute Morgen nochmals ins Bett gekommen und sich an ihn gekuschelt hatte? Vielleicht Viertel vor acht; sie hatte ihn sanft geweckt, und so hatte der Tag gut angefangen. Schon komisch, sagte sich Greg, wie schnell alles kaputtgehen kann ... Gut, es war der Tag ihrer Abreise, aber sie hatten sich beide darauf vorbereitet, auf Marys Abreise. Seit ihrer Heirat waren sie noch nie so lange getrennt gewesen, aber hier handelte es sich um eine Gelegenheit, die sie am Schopf ergreifen musste, eine Expedition, die vom Forschungszentrum für Kulturanthropologie der Universität von Pennsylvania, wo Mary arbeitete, finanziert wurde, und man hatte sie mit der wissenschaftlichen Leitung des Unternehmens betraut, eines Projekts, das ihr so sehr am Herzen lag ... Er wusste bereits seit vier Monaten, dass sie fahren würde, und freute sich aufrichtig für sie; es war ihm bewusst, dass sie wichtig war, ihre Arbeit, eine Leidenschaft, die sie, nebenbei bemerkt, zu etwas Faszinierendem machte, wenn sie darüber sprach. Sie musste eine unvergleichliche Dozentin sein, und witzig noch dazu; ihre Studenten waren bestimmt ganz verrückt nach ihr. Er hatte sich oft gesagt, dass er liebend gern an einem ihrer Kurse teilnehmen würde, irgendwann ...

Greg kippte den letzten Schluck aus seinem Glas hinunter und füllte es erneut. Also, warum hatte er sich so schlecht gelaunt geben müssen? ... Unfreundlich. Denn er war es, der unfreundlich gewesen war, auch wenn er lieber gestorben wäre, als dies auch nur einen Moment lang zuzugeben, und vor allem sollte sie nicht sehen, dass ich traurig bin, weil sie wegfährt… Ich bin kindisch, sagte sich Greg. Er hatte ein schlechtes Gewissen. Er hatte sich kühl gegeben, und sie waren kühl auseinander gegangen, und jetzt hätte er alles darum gegeben, sie an sich zu drücken, ihren Atem zu spüren und die sanfte Berührung ihres Haars. Und ihr zu sagen, dass er sie liebte, wie einfach das doch ist. Warum muss man sich das Leben so schwer machen? Sie war jetzt sicher traurig, in ihrem Flugzeug… Um welche Uhrzeit landet sie? Wenn sie mich anrufen würde… Aber das wird mitten in der Nacht sein, da wird sie sich nicht trauen… Was bin ich nur für ein Idiot! Danach war eins zum anderen gekommen… Der Hund, der ihn gebissen hatte, der Vormittag, den er im Krankenhaus vertan hatte… Resonanz, sagte Mary immer. Nichts geschieht zufällig, meinte sie das? Was in unserem Leben geschieht und wem wir begegnen, entspricht dem, was wir sind: einem mehr oder weniger tiefgründigen Zustand unseres Wesens. Mary sagte, man könne immer eine Lehre aus dem ziehen, was einem zustößt, etwas daraus lernen… Greg war eher geneigt, das als Frauengerede zu betrachten, als schwach ausgeprägten analytischen Geist, als Neigung, alles durcheinander zu bringen – das hatte er ihr natürlich nie so gesagt… Doch jetzt war er sich über nichts mehr sicher. Was wollte dieser dämliche Hund mir beibringen? Dieser dämliche Hund…

Als Greg die Augen wieder öffnete, saß er immer noch auf der Wohnzimmercouch, mit einem leeren Glas Whisky auf den Knien und Whiskydunst um sich herum, von dem ihm leicht übel wurde. Es war ein Uhr morgens. Greg verspürte keine große Lust, sich in das viel zu leere Bett zu begeben, doch seine Lider waren bleischwer, und der Gedanke, auf der Wohnzimmercouch vom Licht der Morgendämmerung zu erwachen, war ihm unerträglich. Er stand auf und ging ins Bett.

4

University City, Philadelphia

Ba-nal!«, entfuhr es Tom, und er begann hektisch, ein leeres Blatt mit mathematischen Zeichen zu füllen, wobei er jeden Abschnitt seiner Beweisführung mit kleinen Juchzern der Genugtuung begleitete. Dann zog er wütend einen Strich und stand so schnell von seinem Stuhl auf, dass dieser umkippte. Er warf die Arme nach oben und drehte eine Ehrenrunde an den Wänden seines Zimmers entlang, am Wandschrank vorbei, quer über das Bett; er warf einen weiteren Stuhl um und blieb schließlich vor dem Spiegel stehen. Er sah sich bewundernd an. Ein Genie. Tom ist ein Genie. Euklid, Newton, Einstein... Tom Altman! »Bereits seit frühester Kindheit zeichnete sich Tom Altman durch außergewöhnliche Begabung in den naturwissenschaftlichen Fächern aus, speziell in der Mathematik. Im Alter von zehn Jahren verblüffte er seinen Lehrer mit seinem kühnen Denkvermögen und seinen fulminanten Eingebungen. Im Laufe seines erfüllten Lebens machte er zahlreiche Entdeckungen, doch insbesondere wird ihn die Nachwelt als einen der größten Mathematiker aller Zeiten ehren. Dies verdankt er dem berühmten Altman-Theorem, das er mit achtundzwanzig formulierte« – äh, nein, sagte sich Tom, mit... siebenundzwanzig – »und das, wie hinreichend bekannt ist, die Naturwissenschaften revolutionierte und in außergewöhnlichem Maße bereicherte. Er verstarb als reicher und geehrter Mann in seinem achz...« neunzigsten, beschloss Tom, »Lebensjahr im Vollbesitz seiner geistigen Kräfte.«

Tom war erschöpft von den vier Vormittagsstunden, in denen er sich mit seinen Übungsaufgaben beschäftigt hatte, und von seiner erfüllten Biographie... Er verspürte Hunger. Im Übrigen war es dreizehn Uhr, er hatte sich wirklich eine Pause verdient. In seinem Minikühlschrank befand sich noch ein Croque-Monsieur, ein Käse-Schinken-Sandwich, möglicherweise schon etwas hart geworden, doch Tom liebte Croque-Monsieurs und kaufte sie immer im Zwölferpack. Wenn man sie kurz in die Mikrowelle legte, wurden sie etwas mürber, aber ihre Konsistenz war ihm eigentlich egal; er liebte einfach den Geschmack, und außerdem war die Mikrowelle wirklich praktisch: Während seiner ersten sechs Monate auf dem Campus hatte er lediglich eine Kochplatte gehabt, und da er mit Restaurantbesuchen sparen wollte, hatte das zur Folge, dass er sich mit im Wasserbad erhitzten Konservendosen durchgebracht und die Hälfte des Jahres immer wieder die gleichen Gerichte gegessen hatte, ein halbes Dutzend insgesamt – nicht sehr abwechslungsreich und diätetisch ziemlich wertlos, wie Amy immer sagte! Allerdings, seit er die Mikrowelle hatte, aß er vor allem Croque-Monsieurs ... Amy wäre nicht gerade entzückt, wenn sie das erfahren würde, zumal sie ihm bei der Finanzierung seiner Mikrowelle kräftig unter die Arme gegriffen hatte.

Das tat Toms Begeisterung jedoch keinen Abbruch, und er verschlang das erste Viertel seines Croque-Monsieur auf einen Sitz. Er bekam Studienbeihilfe, musste jedoch halbtags arbeiten, um wohnen und essen und sich ab und zu einen Kinobesuch mit Amy leisten zu können. Zwar bot sie ihm immer an, ihn einzuladen, doch Tom wollte nicht, dass Amy für ihn aufkam. Hin und wieder war das in Ordnung, da hatte er keinen falschen Stolz, aber nicht auf Dauer! Außerdem machte er ihr gern kleine Geschenke, nicht sehr oft, das verstand sie durchaus, aber zumindest zu besonderen Anlässen: Geburtstag, Weihnachten oder Thanksgiving ... So hatte er ihr zu ihrem Geburtstag im vergangenen April, am fünften April, das wusste er auswendig, ein wunderschönes kleines Halstuch geschenkt, nichts Luxuriöses, doch mit Bedacht ausgewählt; er war einen ganzen Tag lang durch die Geschäfte der Stadt gezogen und in Chinatown dann endlich fündig geworden. Es war aus hübschem hellblauem Stoff und hatte ihr sehr gut gefallen. Sie trug es oft, wenn sie durch den

Fairmount-Park schlenderten oder wenn sie sich bei Smoky Joe's ein Chili gönnten ... Das war »ihr« Lokal, das Smoky Joe's, dort hatten sie sich Anfang Oktober kennen gelernt – am siebten Oktober, sagte sich Tom stolz vor ... Sie saß auf der Terrasse, mit einer Freundin, Linda, und sie unterhielten sich. Diese Linda war offensichtlich ein ganz schön heißer Ofen ... Aufgefallen war ihm jedoch Amy – nicht, dass Linda nicht gut gebaut wäre; ganz im Gegenteil! Aber das war etwas anderes ... Amy ... Erstens war sie auch gut gebaut, vom Typ her weniger ... »gepolstert« als Linda, o. k., aber feingliedrig, schlank und mit den richtigen Rundungen an den richtigen Stellen ... Doch darum ging es eigentlich gar nicht. Jedes Mal, wenn Tom sich seine Begegnung mit Amy wieder ins Gedächtnis rief, bemühte er sich, in Worte zu fassen, was er empfunden hatte, aber das war schwer. Nicht nur, weil seine Begabung mehr auf mathematischem als auf sprachlichem Gebiet lag, sondern vor allem, weil er es nicht wirklich verstand ... Sie hatte ein hübsches Gesicht und einen hübschen Mund mit reizend geformten Mundwinkeln; Tom küsste sie mit Vorliebe auf die Mundwinkel. Und dann hatte sie unglaublich blaue Augen, so blau wie der Himmel; ihre Augen waren wirklich zum Sterben schön, aber es war nicht nur das ... Sie hatte etwas an sich ... das ihn sofort schwach werden ließ ... etwas Unnahbares, total Respektloses und gleichzeitig völlig Hilfloses ... Das ist es!, sagte sich Tom, den Mund noch voll vom letzten Bissen Croque-Monsieur. Irgendwo ist sie ein hinreißendes kleines Biest, aber in Wirklichkeit, wenn man genau hinsieht, ist sie völlig hilflos!

Als er an dem bewussten Tag an der Terrasse von Smoky Joe's vorbeigegangen war, hatte er einen langen, etwas düsteren Blick über die beiden Mädchen schweifen lassen, so nach Art von Humphrey Bogart in *Casablanca*; er hatte den Film vier- oder fünfmal gesehen und beherrschte das jetzt ganz gut, und die beiden hatten nicht die Augen niedergeschlagen, vielleicht, er wusste es nicht so recht, hatte Linda ihm sogar kurz zugezwinkert, auf jeden Fall aber seinen Blick wohlgefällig erwidert, doch er hatte nur Amy gesehen, Amy, die den Blick bereits in dem Moment abgewandt hatte, als er an ihnen vorbei war und sie nicht länger beäugen konnte, ohne dass es so aussah, als würde er eine Schau abziehen, oder ohne dass er in jemanden hineingerannt und wie ein Idiot dagestanden wäre... Also war er um das Lokal herumgegangen, war unauffällig wieder zu seinem Ausgangspunkt vor der Terrasse zurückgekehrt und hatte gewartet, bis die beiden Freundinnen Anstalten trafen zu gehen, und dabei Amy beobachtet. Das Ganze hatte vielleicht eine Stunde oder länger gedauert, dann waren sie aufgestanden, und er war ihnen gefolgt (es war das erste Mal, dass er etwas Derartiges tat...); glücklicherweise hatten sie sich bald darauf getrennt. Amy ging in Richtung Campus, und er hatte sie angesprochen. Normalerweise spreche ich keine Frauen an, hatte er angefangen. Das sagen alle Aufreißer, hatte sie erwidert, und sie sah so aus, als würde sie sich damit auskennen... Es hatte sich also eher schlecht angelassen... Doch dann hatte er diese großartige Eingebung gehabt, die Worte waren ihm ganz natürlich über die Lippen gekommen, und er hatte protestiert: Und wenn jetzt ein Typ total hingerissen von einer Frau ist, soll er sie dann einfach ziehen lassen, um ihr zu beweisen, dass er kein Aufreißer ist, oder wie? Er musste ungeheuer aufrichtig und ungeheuer motiviert gewirkt haben, denn Amy begann zu lachen, ein kleines kehliges Lachen, einfach süß, so wie eine Frau lacht, die durchblicken lässt, dass sie nicht gänzlich abgeneigt ist, dass das Eis gebrochen, dass alles möglich ist, und Tom hatte gespürt, wie in seiner Brust die Sonne aufging. Sie waren etwas trinken gegangen; es blieb nicht bei einem Glas... Als sie sich kurz vor Mitternacht verabschiedeten, hatte sie ihn ganz leicht auf die Lippen geküsst, dann war sie in der Dunkelheit verschwunden... In jener Nacht hatte er nicht allzu viel geschlafen...

Schäm dich!, sagte sich Tom, als er auf seine Uhr sah, Viertel nach zwei! Er sollte jetzt vielleicht langsam wieder zu büffeln anfangen... Doch seine Lider waren schwer und das Zimmer von einer Art Trägheit durchdrungen, von Siesta-Atmosphäre. Er blickte auf sein ungemachtes Bett, das die Arme nach ihm auszustrecken schien; es würde ihm schon reichen, sich in die Decke zu rollen, nur ein Viertelstündchen, nur um danach wieder fit zu sein... Nein, das geht nicht, du kannst Siesta halten, wenn du dein Examen in der Tasche hast, und zwar mit Prädikat! Im Waschbecken türmten sich mehrere ziemlich schmutzige Tassen; er nahm eine davon heraus, ließ das warme Wasser laufen, spülte sie mehr symbolisch unter dem Wasserhahn ab, gab Pulverkaffee hinein und goss ihn auf. Dann stellte er die Tasse in die Mikrowelle und die Zeitschaltuhr auf dreißig Sekunden. Ein guter Kaffee... Tom nahm die Dose mit dem Pulverkaffee und schnupperte ausgiebig an ihrem Inhalt. Einen kleinen Schluck Kaffee, dachte er, nicht schlecht... Nicht schlecht... An der Mikrowelle klingelte es, und Tom nahm die Tasse heraus. Sie war heiß, und Tom merkte, dass er etwas fröstelte. Er fühlte sich irgendwie sonderbar.

Er hielt die dampfende Tasse zwischen den Handflächen ganz nahe an seine Brust, und die Wärme und der Geruch weckten seine Lebensgeister wieder ein wenig. He, was ist los mit dir, Alter, ein moralisches Tief? Glaubst du, das ist der richtige Moment dafür? Er trank einen Schluck Kaffee. Das Gesöff war kochend heiß und bitter; so mochte Tom seinen Kaffee, ohne Zucker, aber dieser hier war etwas stark geraten. Er verzog das Gesicht, fühlte sich leicht bedrückt. Zugegeben, einen ganzen Vormittag in einem ungelüfteten Zimmer über Examensaufgaben zu brüten, ist nicht sehr intelligent; seit vielleicht zwei Tagen hatte er das Fenster nicht mehr geöffnet! Wenn Amy sein Zimmer betrat, sagte sie zuweilen, es rieche wie in einem Raubtierkäfig... Tom stand auf, öffnete die Zimmertür und ging zum Fenster. Ein bisschen Durchzug... Er hatte Lust, Amy anzurufen. Sie musste gerade beim Lernen sein... Seit drei Tagen hatte er nichts mehr von ihr gehört; hoffentlich geht es ihr gut, dachte er. Aber warum sollte es ihr nicht gut gehen? Ist bei dir eine Schraube locker, oder was? Sie ist am Meer, sie lernt, sie geht jeden Abend eine halbe Stunde schwimmen, sie denkt viel an dich, und morgen Abend kommt sie zurück! Also, jetzt hol mal tief Luft! Mit den Ellenbogen auf den Fensterrahmen gestützt, sah Tom auf den Campus hinunter. Es liefen nicht sehr viele Studenten herum, natürlich, alle waren beim Lernen. Und das solltest du besser auch wieder tun! Tom trank den letzten Schluck Kaffee. So, jetzt mache ich mich wieder daran. Aber vorher rufe ich kurz Amy an, nicht länger als fünf Minuten, versprochen! Tom stellte die Tasse ins Waschbecken und ging zum Telefon. Da begann dieses zu klingeln.

Tom fuhr zusammen. Es dauerte einen Moment, bis ihm klar wurde: Wenn das Telefon klingelt, kann ich Amy nicht anrufen, sagte er sich mit nicht ganz klarem Kopf. Ein drittes Klingeln ertönte. Und wenn sie es ist? Es muss Amy sein! Er nahm den Hörer ab.

»Tom?«

Es war Amy. »Das ist ja ein unglaublicher Zufall! Ich habe gerade an dich gedacht und wollte dich anrufen! In ungefähr zehn Sekunden hätte ich ...«

»Tom!«

Ihre Stimme klang anders als sonst. Um einige Tonlagen höher, mit kaum verhüllter Anspannung, als würde sie jeden Moment in Tränen ausbrechen. Tom spürte, wie er von dumpfer Unruhe und gleichzeitig erstaunlicherweise von tiefer Ruhe erfasst wurde. »Amy, ist etwas nicht in Ordnung? Sag's mir.«

» ... «

»Amy?«

Am anderen Ende der Leitung wurde das Schweigen von kurzen Geräuschen unterbrochen, die Tom nicht einordnen konnte. Ob sie weint?, fragte er sich.

»Weinst du, Amy?«

Plötzlich glaubte Tom zu verstehen. Schlechte Nachrichten. Ihre Eltern waren mit dem Auto weggefahren, zusammen mit ihrem kleinen Bruder, Richtung Süden, wie er meinte... Es musste ihnen etwas zugestoßen sein ...

»Amy ... Ist etwas passiert?«

»Tom ... oh Gott ...«

Ihre Stimme war jetzt tiefer, fast wieder normal, aber dumpf, wie ausgelaugt. Ja, das musste es sein. Wahrscheinlich ihre Eltern ... Lieber Gott ... Und vielleicht auch ihr kleiner Bruder.

»Amy, du kannst mit mir sprechen. Sag es mir.«

»Tom ... Kannst du kommen? ... Komm und hol mich ab ...«

»Dich abholen? In Cap May?«

»Ach Tom ... Ich bin am Durchdrehen ...«

»Was ist passiert, Amy, um Himmels willen, sag's mir!«

»Nichts ist passiert, Tom ... Ich glaube, ich drehe langsam durch ... Ich habe Angst ...«

»Angst wovor?«

»Ich weiß nicht ... Es liegt etwas in der Luft ... Die Bäume ... Ich habe Angst vor dem Hund ...«

»Vor Jess? Du hast Angst vor Jess? Aber vor Jess brauchst du doch keine Angst zu haben, Amy! Was ist los mit dir?«

Tom war völlig verwirrt. Er hatte sich in der Lage gefühlt, auf die Mitteilung einer Katastrophe genau richtig zu reagieren, er hatte einen kurzen Moment lang unvermutet die Kraft in sich gespürt, zuhören, trösten, stark sein zu können. Doch jetzt sah er sich mit Dingen konfrontiert, die er überhaupt nicht verstand, die er einfach nicht begriff. Ich drehe durch, sagte Amy. War es wirklich das, was sich dort anbahnte?

»Hör zu, Amy ...«

»Tom, komm und hol mich ab, ich bitte dich inständig ...«

Aus ihrer Stimme sprach eine solche Verzweiflung, dass Tom jede weitere Diskussion für sinnlos hielt. »Aber wie? Ich habe doch kein Auto ...«

»Das von meiner Mutter ist da, der Ford. Er steht in der Tiefgarage des Hauses. Der Parkwächter hat die Schlüssel. Ich habe ihn angerufen; er wird sie dir geben ... Komm und hol mich ab, Tom, ich habe Angst.«

»Gut ... ich komme so schnell wie möglich.«

»Danke.«

Sie legte auf.

Cap May war etwa eineinhalb Autostunden von Philadelphia entfernt. Tom fuhr mit zusammengebissenen Zähnen. Er hatte ganz schön herumkurven müssen, bis er aus der Stadt draußen war, aber das war zu erwarten gewesen, bei all den Einbahnstraßen war das Fahren höllisch, selbst mitten am Nachmittag. Dann war der Autostrom nach und nach versiegt, und jetzt fuhr Tom die zulässige Höchstgeschwindigkeit. Wenn es nach ihm gegangen wäre, hätte er das Gaspedal bis zum Anschlag durchgedrückt, doch er zwang sich zu einer vernünftigen Fahrweise, damit er Ruhe bewahrte, und auch, weil jetzt nicht gerade der richtige Zeitpunkt war, von den Bullen angehalten zu werden. Wenn alles gut ging, würde er in weniger als einer Stunde bei Amy sein und sich um sie kümmern können. Was sie nur haben mochte? Tom wusste sehr wohl, dass sie eher schwache Nerven hatte, wie viele andere Mädchen auch, vielleicht etwas schwächer als der Durchschnitt, aber schließlich war Amy nicht verrückt... Nur reagierte sie manchmal ein wenig überempfindlich; sie musste sich irgendetwas eingebildet haben. Dazu der Examensstress... Sie nahm sich ihr Studium zu sehr zu Herzen, das hatte er ihr schon gesagt, aber gut... Amy war nicht der Typ, der sich leicht beeinflussen ließ; sie hatte sogar einen ganz schönen Dickkopf... Verlorene Mühe zu hoffen, man könne sie ändern! Aber wenn sie sich ihr eigenes Studium vielleicht auch zu sehr zu Herzen nahm, dann ganz offensichtlich nicht das seine, da sie soeben dabei war, ihm einen Lernnachmittag zunichte zu machen, und das zwei Tage vor dem Examen! Tom, dessen Beunruhigung sich aufgelöst hatte, fühlte leichten Ärger in sich hochsteigen. Manchmal ganz schön lästig, die Kleine, dachte er. Lästig, lästig, ganz schön lästig, begann er vor sich hinzusummen, doch sogleich überfielen ihn mächtige Schuldgefühle. Amy hatte am Telefon geweint und wirklich schlecht geklungen... Sie braucht mich, sagte sich Tom, ich bin derjenige, den sie anruft, wenn es ihr schlecht geht, und er verspürte unbändiges Verlangen, sie an sich zu drücken, ihr zärtliche Worte ins Ohr zu flüstern und sie in seinen Armen zu wiegen... Tom warf einen Blick auf den Tacho. Noch etwa sechzig

Kilometer, rechnete er aus, doch er merkte, dass seine Geschwindigkeit deutlich über dem Limit lag... Er zwang sich, langsamer zu fahren.

Tom war erst einmal in Cap May gewesen, im März dieses Jahres; Amys Eltern hatten ihn über das Wochenende eingeladen, und er war mit dem Bus gekommen. Das genügte ihm, um sich zurechtzufinden. Das Haus lag nicht weit vom Strand entfernt, und er erinnerte sich an die große Tanne, deren Wipfel er hinter dem kleinen Hügel erspähte. Das Haus musste direkt dahinter sein.

Als er hinter dem Hügel war, kannte sich Tom sofort wieder aus. Amy liebte diese Tanne sehr, und sie ragte auch wirklich eindrucksvoll vor dem Anwesen empor. Er fuhr noch ein paar Dutzend Meter, da tauchte schon das Haus vor ihm auf. Er hatte einen guten Orientierungssinn. Das Tor stand offen. Tom steuerte seinen Wagen in den von hohen Linden gesäumten Zufahrtsweg, und ihm war, als könne er trotz der Klimaanlage im Auto die Frische der Bäume riechen. Die Reifen quietschten laut auf dem Kies; das Anwesen schien in vollkommener, fast andächtiger Stille zu liegen.

Während jenes Winterwochenendes hatte Tom die Ruhe dieses Hauses schätzen gelernt, das Gefühl der Entspannung, das einen überkam, sobald man über die Schwelle trat, das Rascheln des Winds in den Blättern, und auch den Wunsch zu schlafen, während einem sonst der Stadtlärm und die hektische Betriebsamkeit auf dem Campus die Nerven wach hielten... Doch jetzt war die Stille bedrückend... Tom war aus dem Wagen gestiegen und hätte sich gewünscht, dass Amy die dreistufige Eingangstreppe heruntergekommen wäre, sich in seine Arme geworfen und ihm dabei zugeflüstert hätte: Oh Tom, da bist du ja, vielen Dank, verzeih mir, ich habe mich idiotisch benommen, jetzt geht's mir besser, wenn du willst, bleiben wir heute hier und verbringen einen schönen Abend zusammen, und morgen früh fahren wir zurück...

»Amy?«

Das Fenster ihres Zimmers stand offen, doch das Mädchen

antwortete nicht. Tom rief lauter: »Amy! Bist du da? Antworte mir doch!« Er glaubte zu hören, wie sich etwas im Haus bewegte. Dann eine Art klagendes Stöhnen ... »Amy? Bist du das? Alles in Ordnung?« Das Stöhnen erklang erneut, kurz, fast wie ein Jaulen, und etwas kam die Treppe herunter, oder besser, stürzte sie beinahe herunter, und kratzte dann gegen die Tür. Gebell.

»Jess!« Tom verstand nichts mehr. Amy war nicht da. Doch sie war sicher nicht schwimmen gegangen, nach der Krise, die sie am Telefon gehabt hatte ... Wenn sie im Haus geblieben ist, kann ihr nichts zugestoßen sein ... Vielleicht macht sie einen kleinen Spaziergang ... Sie marschiert oft lange Strecken, wenn es ihr nicht gut geht ... Der Junge legte seine Hand an die Haustür. Sie war nicht abgeschlossen. Er drückte sie langsam auf. Dahinter kläffte der Hund immer rasender.

»Ruhig, Jess, ruhig!« Das Tier war an ihm hochgesprungen und begrüßte ihn mit unbändiger Freude. »Platz, Jess, Platz!« Tom liebte Hunde, doch jetzt war er nicht in der richtigen Stimmung und wehrte Jess zerstreut ab.

Das Haus wirkte unbewohnt, als wären seine Bewohner plötzlich von einer schrecklichen Katastrophe ereilt worden und hätten auf der Stelle weglaufen und alles so zurücklassen müssen, wie es war. Der Hund, der es plötzlich leid war, den Ankömmling zu begrüßen, ließ von ihm ab, sprang zur Treppe und rannte ein paar Stufen hoch. Dann blieb er stehen, drehte sich zu Tom um und begann zu kläffen, als wollte er ihm bedeuten, ihm zu folgen.

»Halt die Klappe, Jess! Amy?« Das Kläffen wurde stärker. In diesem Moment bemerkte Tom die roten Spuren am Maul des Tiers. »Jess? Was hast du da an der Schnauze? Lass mich mal sehen ...« Tom verspürte einen Anflug von Panik. Er stürzte zur Treppe. Das Tier bellte und machte sich in Richtung erster Stock davon.

»Jess! Hierher!« Der Hund blieb am Treppenabsatz stehen. Ein raues, dumpfes Heulen entrang sich seiner Kehle und schien Tom zu sagen: »Komm, komm schauen ...« Als Tom bei ihm war, sprang er wieder hoch und lief auf Amys Zimmer zu. Am Ende des dunklen Korridors drang ein Lichtschimmer durch die einen Spalt breit geöffnete Tür. Der Hund stürmte ins Zimmer. Tom folgte ihm mühsam; er sah nichts und fühlte einen Prellungsschmerz am rechten Oberschenkel. Er war gegen ein Möbelstück gestoßen und erinnerte sich vage an eine große Anrichte, die irgendwo dort stand... Was um alles in der Welt geht hier vor? Wo ist Amy? Er stieß die Tür zu ihrem Zimmer auf.

Durch das offene Fenster flutete Tageslicht ins Zimmer. Tom war geblendet und orientierte sich an dem Hecheln des Hundes, der in der Nähe von Amys Bett saß. Ein Stück weiter weg lag ein umgekippter Stuhl. Der Kopf des Hundes ruhte auf etwas, das auf dem Boden lag und das Tom zunächst für eine Decke hielt, die man nachlässig dort hingeworfen hatte. Allmählich gewöhnten sich seine Augen an das Licht...

Was dann kam, erlebte Tom wie in Zeitlupe, wie den schlimmsten Alptraum überhaupt. Amy lag auf dem Boden vor dem Bett, völlig reglos, mit weit geöffneten Augen, leicht zur Seite geneigtem Kopf und lässiger Körperhaltung. Doch auf ihren Gesichtszügen stand das Entsetzen geschrieben. Wie erstarrt trat Tom ganz langsam näher, so als würde dann alles plötzlich verschwinden, als würde er wie so viele Male zuvor wieder neben ihr aufwachen, ihren Arm berühren, um sich zu vergewissern, dass sie da war, sie atmen hören... Er kauerte sich zu Amy nieder und lauschte mit seinem ganzen Körper. Sie atmete nicht mehr. Von der anderen Seite her leckte Jess ihr eifrig die Kehle, und Tom sah, wie unter seiner unermüdlichen Zunge gleich einem klaffenden Lächeln eine mindestens zehn Zentimeter lange, unregelmäßige Wunde mit deutlichen Bissspuren zum Vorschein kam.

Jess hatte Amy sorgfältig von ihrem Blut gesäubert.

5

Tagebuch von David Barnes, Donnerstag, 5. Juni
Zeitungsausschnitte

IMMER MEHR TODESFÄLLE DURCH ERTRINKEN
AN DER ATLANTIKKÜSTE

Die Behörden empfehlen äußerste Vorsicht.
Seit zwei Wochen sind im Atlantik etwa hundert Personen unter schwer erklärbaren Umständen in Strandnähe ertrunken. In Rehoboth Beach, in Cap May, in Virginia Beach wie auch in Georgia und Florida verschwanden Badende plötzlich ohne sichtbaren Grund und bei Wetterbedingungen, die keinerlei Gefahr darzustellen schienen.

Eine »geheimnisvolle Strömung« ...
Mehreren Zeugen zufolge sollen einige der Opfer von einer plötzlichen Strömung oder einem Strudel eingesogen worden sein.
An einem Strand in Cap May, von dem normalerweise keine gefährlichen Strömungen bekannt sind, wurden drei junge Leute mit ihren Jet-Skis gleichzeitig abgetrieben.
Die Behörden weisen zwar einen Zusammenhang zwischen den tragischen Vorkommnissen zurück, empfehlen Badenden jedoch, vorsichtig zu sein und nicht zu weit hinauszuschwimmen.

The Atlantic City Herald, S. 6, Donnerstag, 5. Juni

Kommentar: Keiner.

6

Locust Street, Philadelphia, Dienstag, 10. Juni

Greg stand mit nacktem Oberkörper auf dem Balkon, eine Tasse dampfenden Kaffees in der Hand, und ließ die Milde des beginnenden Sommers auf sich einströmen. Die Temperatur war ideal, doch es war erst acht Uhr morgens, und es sah nach einem schwülen Tag aus. Bereits seit ein paar Tagen war es so drückend ... Gewitteratmosphäre, kein Windhauch ... Schon um zehn Uhr morgens stand die Sonne hoch am Himmel und begann zu stechen; die Hitze überzog einen unter der Kleidung mit klebrigem Schweiß, der die Bewegungen zu verlangsamen schien und einem beständig Lust auf Wasser machte, auf das Meer oder auf eine frische Dusche ... Außerdem war die Luft stark elektrisch aufgeladen, doch das Gewitter, das jeden Moment auszubrechen schien, wurde gleichsam von einer Spannung zurückgehalten, die die Atmosphäre durchtränkte und die Nerven der Leute bloßlegte ... Greg versuchte sich zu entspannen. Der Schuylkill River floss friedlich um den Campus herum, dessen rote Ziegelgebäude und weite Grasflächen er in einigen hundert Metern Entfernung sehen konnte. Grün ist eine beruhigende Farbe, dachte Greg und ließ seinen Blick über das Panorama schweifen. Seit ihrem ersten Besuch hatte Mary diese Wohnung unbedingt gewollt. Sie war natürlich traumhaft gelegen, so nahe am Campus der U-Penn (Universität von Pennsylvania), wo beide arbeiteten, doch Mary hatte sich vor allem in die Aussicht verliebt. Die Wohnung befand sich im siebten Stock eines Gebäudes an der Ecke Locust- und 28. Straße und hatte zum Fluss hin kein Visavis. Der Ausblick nach Norden erstreckte sich über die Grenzen des riesigen Campus hinweg am Wasserlauf entlang bis zu den satten Grünflächen des

Fairmount-Parks… Ein Gefühl wie auf dem Land, und dabei wohnten sie mitten in der Stadt!

Greg trank den letzten Schluck Kaffee. Der bittere Geschmack und der aromatische Dampf des Getränks hatten es nicht geschafft, seinen Geist wachzurütteln. Seit ein paar Nächten fand er keinen Schlaf. Sein Körper entspannte sich erst am frühen Morgen, wenn die unsichtbare Hand, die sein Herz umklammerte, ihre Umklammerung lockerte und er ein wenig schlafen konnte. Seit Marys Abreise verspürte er eine diffuse Angst, die sich mit keiner konkreten Vorstellung verband; es war keine Angst vor etwas Bestimmtem, nur ein Unbehagen, das sein ganzes Wesen erfasst hatte… Er wusste natürlich, dass das mit Marys Abwesenheit zu tun hatte und auch mit ihrem verpatzten Abschied… Er konnte seine Gefühle nicht ausdrücken, und jetzt nahm Mary ihm das übel, und er nahm es sich selbst übel. Tags zuvor hatte sie eine knappe Nachricht auf dem Anrufbeantworter hinterlassen; dass sie gut angekommen und dass alles in Ordnung sei, Küsschen… Der Anrufbeantworter hatte die Uhrzeit ihres Anrufs aufgezeichnet. Sie hatte angerufen, während er seinen Ethnologiekurs über Kommunikation bei Tieren hielt; sie wusste also genau, dass sie ihn da nicht antreffen würde… Im Übrigen, dachte Greg, ist es nicht ausgeschlossen, dass sie mir etwas mitteilen wollte, indem sie genau dann anrief, als der Kurs stattfand… Kommunikation! Mary war eine sehr… bedeutungsbewusste junge Frau, die ein Talent dafür hatte, einem verschlüsselte Botschaften zukommen zu lassen, wenn man es am wenigsten erwartete. Bei ihr ist es ratsam, seine Interpretationsfähigkeit zu schärfen – auf die Gefahr hin, in völlige Paranoia zu verfallen! Greg hielt sich den Kopf mit beiden Händen. Er wusste nicht mehr, was er denken sollte. Aber lieber darüber lachen als darüber weinen, sagte er sich.

Jedenfalls war er letzte Nacht erst um fünf Uhr morgens eingeschlafen, und das Läuten des Weckers hatte ihn mit einem Ruck aus dem Tiefschlaf gerissen. Im Grunde genommen war er deshalb tagsüber so missgelaunt. Dazu kam noch das Klima, und

Greg fühlte, wie seine Müdigkeit wuchs. Tja, ich bin eben keine zwanzig mehr, dachte er; mit zwanzig waren drei Stunden Schlaf pro Nacht mehr als ausreichend, um in Form zu sein; außerdem habe ich das oft im Kurs nachgeholt... Das Problem ist nur, dass ich die Kurse jetzt selbst halte und dabei schwerlich ein Nickerchen machen kann...

Greg trat wieder in sein Zimmer und zog sich langsam an. Um neun hatte er eine Verabredung mit Peter, und zu dessen Büro waren es zehn Minuten zu Fuß, wenn man langsam ging... Er sah das Gebäude von seinem Fenster aus. Vier Stockwerke aus rotem Ziegelstein, die das Laboratorium für Tierbiologie der Drexel-Universität beherbergten, das Peter leitete. Die beiden waren lange Zeit Kollegen gewesen, angehende Biologen, danach geschätzte und bald anerkannte Forscher... Und der eine wie der andere, sofern man den Gerüchten an der Universität Glauben schenkte, war für bedeutende Auszeichnungen vorgesehen... Doch glücklicherweise waren sie nie zu Konkurrenten geworden, da Greg sich nach seiner Promotion taktvollerweise auf tierische Verhaltensforschung spezialisiert hatte. Da sie nun keine Kollegen im eigentlichen Sinne mehr waren, konnten sie es sich erlauben, Freunde zu bleiben, worüber Greg sehr froh war. Eine merkwürdige Freundschaft übrigens, die darin bestand, dass sie miteinander lachten, Tennis spielten und sich gegenseitig aufzogen wie in guten alten Zeiten... Über ernste oder allzu persönliche Dinge unterhielten sie sich so gut wie nie; ihre Beziehung schien auf einer stillschweigenden, doch von beiden gewollten Distanziertheit zu gründen, gegen die zu verstoßen sie für unangemessen gehalten hätten. Trotzdem wusste Greg, dass er, wenn etwas Schlimmes passieren sollte, auf seinen alten Kumpel zählen konnte, und umgekehrt war es genauso.

Greg nahm die Wohnungsschlüssel von dem kleinen Brett am Eingang, vergewisserte sich, dass er nichts vergessen hatte, und ging hinaus. Jedenfalls hoffte er, dass es sich umgekehrt genauso verhielt... Greg war sich in letzter Zeit über nichts mehr richtig sicher und fragte sich beunruhigt, ob darin nicht die ersten

Symptome einer schweren Depression zu sehen waren ... Wusste Peter eigentlich, dass er auf ihn zählen konnte? Und er selbst, konnte er wirklich auf Peter zählen? Wenn etwas Schlimmes passieren sollte, würde er sich lieber auf Mary stützen ... Aber falls Mary etwas zustoßen sollte? Waren Peter und er wirklich Freunde?

Greg betrachtete sich im Spiegel des Aufzugs, streckte sich mit einer hässlichen Grimasse selbst die Zunge heraus und beschloss, sich einen Termin beim guten alten Doktor Lansdowne geben zu lassen, der bestimmt das richtige Mittelchen finden würde, um seine überhitzten grauen Zellen wieder abzukühlen ...

Die frische Luft auf dem kurzen Weg tat ihm gut, und so schritt Greg in bester Laune durch den Eingang zum Campus der Drexel-Universität. Die Drexel-Uni und die U-Penn lagen nebeneinander, waren verwaltungstechnisch jedoch getrennt, so dass zwischen den Forschern der beiden Universitäten bisweilen herzlichere Beziehungen bestanden als unter den Kollegen innerhalb der eigenen Universität, wo zumeist Konkurrenzdenken, Feindseligkeiten und Ressentiments herrschten, mit ihrem Rattenschwanz an Klatsch und Tratsch und Intrigen, mittels derer Karrieren geschmiedet und zerstört wurden ... Peter und Greg teilten eine entschiedene Abneigung gegen solche Grabenkämpfe, die sie für lächerlich hielten, und hatten es sich zur Regel gemacht, nie den ersten Stein zu werfen. Zudem schirmte ihre Position sie allmählich zumindest vor grober Heimtücke ab, wenn auch nicht vor Eifersüchteleien.

Greg stieg die vier Stockwerke zu Fuß hinauf. In dem langen, anonymen, kalten Korridor, von dem die Büros der Laborforscher abgingen, hätte er sich selbst mit geschlossenen Augen zurechtgefunden. Peters Büro verriet durch nichts die herausgehobene Stellung dessen, der dort residierte, abgesehen davon, dass in ihm ein heilloses Durcheinander herrschte, das sich wahrscheinlich kein Forscher hätte erlauben können, dem es um Überzeugungskraft ging. Wie immer, wenn er seinen Freund besuchte, hatte

Greg die Tür geöffnet, ohne zuvor anzuklopfen. Nun hielt er kurz inne. Inmitten der gewohnten Unordnung saßen zwei Männer Peter gegenüber, den Rücken zur Tür gewandt. Damit hatte Greg nicht gerechnet. Einer der Männer trug anscheinend eine Militäruniform. War das eine offizielle Besprechung? Darüber hätte Peter ihn doch informieren können, statt den Geheimnisvollen zu spielen, dann hätte er sich zumindest eine Krawatte umgebunden! Sein Freund bedeutete ihm hereinzukommen und ergriff das Wort:

»Meine Herren, darf ich Ihnen Greg Thomas vorstellen, von dem Sie sicher bereits gehört haben.«

Die beiden Männer erhoben sich. Derjenige, der ihm als Erster die Hand drückte, hatte ein rundes, ansprechendes Gesicht, das Greg gleich für ihn einnahm.

»Greg, das ist Steve Rosenqvist, den du wahrscheinlich vom Hörensagen kennst. Mr Rosenqvist leitet seit zwei Jahren – das stimmt doch, oder?« – Rosenqvist nickte zustimmend – »das Laboratorium für Meeressäugetiere an der Universität Honolulu.«

Greg verbeugte sich kurz.

»Sehr erfreut, Mr Rosenqvist. Ich habe Ihre Abhandlung über kollektive Tropismen und die Koordinierung der Atemsysteme bei den Odontozeten mit großem Interesse gelesen. Die Welt der Zetazeen scheint der Tierpsychologie Perspektiven zu eröffnen, die mehr als vielversprechend sind …«

Rosenqvist wirkte geschmeichelt. »Das glaube ich in der Tat, zumal …«

Peter unterbrach sie: »Meine Herren, es ist äußerst bewegend, wenn zwei ganz offensichtlich passionierte Experten sich persönlich kennen lernen, doch ich möchte Sie daran erinnern, dass wir im Moment andere Sorgen haben …«

Er wandte sich an den Mann in Uniform. »Greg, darf ich dir Colonel Bosman vorstellen?«

Greg hielt dem Militärangehörigen etwas verlegen die Hand hin. »Verzeihen Sie bitte, Colonel. Ich freue mich, Sie kennen zu lernen.«

»Aber ich bitte Sie! Ich freue mich auch. Die Leidenschaft ist es, die einen guten Forscher ausmacht, und Mr Basler hat Sie uns für diese nicht ganz gewöhnliche Aufgabe wärmstens empfohlen.«

Greg machte große Augen. Der Colonel lächelte. »Wie ich sehe, hat Ihr Freund den Mund gehalten. Doch ehe wir Näheres besprechen, Mr Thomas, gestatten Sie mir, Ihnen ein kleines Geschäft vorzuschlagen.«

»Ein Geschäft?«

»Sagen wir so: Sie werden eine Entscheidung treffen müssen.«

»Eine Entscheidung? ... Gut, Colonel, ich höre ...«

Der Colonel vergewisserte sich, dass die Tür geschlossen war.

»Also. In zwei Minuten sind Sie entweder durch diese Tür wieder draußen, ohne erfahren zu haben, womit wir uns hier befassen, oder wir sind dabei, Ihnen zu erklären, worum es geht. In letzterem Fall haben Sie zuvor dieses Papier hier unterschrieben und gehören damit zu unserem Team. Und Sie unterliegen dann der militärischen Geheimhaltung.«

Er reichte Greg ein einfaches Formular. Es trug den Briefkopf des Verteidigungsministeriums, Abteilung für weiterführende Forschungsprojekte, Staatssicherheit. Der Text darauf war sehr kurz.

Hiermit bestätige ich, ... , dass ich durch meine Unterschrift dem Staatlichen Verteidigungsministerium (SV) ab dem .... für einen Zeitraum von sechs (6) Monaten, der sich bis auf Widerruf durch die zuständige Behörde automatisch verlängert, als geheimer Sonderbeauftragter zur Verfügung stehe.
Ich verpflichte mich zur Wahrung des Militärgeheimnisses bei allen Aufgaben, mit denen ich im Rahmen meines Sonderauftrags vom SV betraut werde. Geheimhaltungsstufe [roter Stempelaufdruck]: HÖCHSTE VERTRAULICHKEIT.
Ich bekomme ein halbamtliches Gehalt, das sich nach Art. 92 a CPM, Passus Sonderdienste in Friedenszeiten, errechnet.

Greg wurde leicht schwindlig. Er legte das Papier in eine Schreibtischecke. »Warten Sie«, sagte er mit etwas zu bedächtiger Stimme, »wenn ich recht verstanden habe, soll ich mich auf unbefristete Zeit verpflichten, und das für eine Aufgabe, die ich überhaupt nicht kenne?«

Das nach wie vor liebenswürdige Lächeln des Militärangehörigen begann Greg leicht auf die Nerven zu gehen.

»Ich verstehe, dass Sie sich wundern, doch es handelt sich hier um ein Ausnahmeverfahren, abgestimmt auf eine Ausnahmesituation. Die Entscheidung liegt bei Ihnen.«

»Eine Ausnahmesituation?«

Das Lächeln des Colonel wurde noch breiter. »Verzeihen Sie mir, doch ich kann Ihnen nicht mehr darüber sagen.«

»Aber inwiefern könnte mein Spezialgebiet für das Militär auch nur im Mindesten von Nutzen sein?«

»Verzeihen Sie mir, doch ich kann Ihnen darüber keine weitere Auskunft geben.«

Greg fragte sich, wie sein Gesprächspartner wohl reagieren würde, wenn er ihn an die Hoden fassen und fest zudrücken würde. Dann verspürte er das Verlangen, die Tür hinter sich zuzuschlagen und alle drei einfach sitzen zu lassen. Peter legte ihm die Hand auf die Schulter.

»Ich verstehe deine Ratlosigkeit, Greg. Mir ging es genauso, als der Colonel zu mir kam ... Und ich habe unterschrieben. Und ich bereue es wahrhaftig nicht. Und unser Freund Rosenqvist hat auch unterschrieben. Du kannst natürlich machen, was du willst ... Aber ich würde bei dieser Sache sehr gern mit dir zusammen arbeiten.«

Bosman ergriff wieder das Wort. Greg sah ihn nicht an, doch er spürte sein unerträgliches Lächeln.

»Mr Thomas, ich möchte ergänzend hinzufügen, dass Sie nach Aussage Ihres Freundes Peter Basler für diese Aufgabe der qualifizierteste Forscher sind.«

Greg sah dem Colonel in die Augen. »Colonel, es gehört nicht zu meinen Aufgaben als Wissenschaftler, einen Beitrag zur Steigerung des Massenvernichtungspotentials der Menschheit zu leisten. Ich liebe mein Land, aber es lässt sich nur schwer mit meinen ethischen Grundsätzen vereinbaren, für das Militär zu arbeiten.«

Der Colonel lächelte immer noch, doch seine Augen glänzten kalt. Er wollte gerade antworten, als Peter sich einmischte:

»Greg, es geht nicht um die Herstellung von Waffen! Wenn du nicht unterschreiben willst, dann lass es! Aber ich spreche als Freund zu dir; vertraue mir: Es handelt sich um eine absolut wissenschaftliche, absolut gewaltfreie Arbeit, und noch dazu höchst interessant für dein Fachgebiet. Außerdem ist sie sinnvoll. Ungeheuer sinnvoll.«

»Mr Basler«, unterbrach ihn der Militärangehörige, »es ist nicht ratsam, noch mehr darüber zu erzählen. Lassen wir unseren Freund nach bestem Gutdünken seine Entscheidung treffen. Ich schlage vor, wir machen inzwischen einen kleinen Spaziergang ...«

Colonel Bosman öffnete die Tür und trat mit einer höflichen, aber gebieterischen Bewegung zur Seite. Die beiden anderen gingen hinaus, und er folgte ihnen. Ehe er die Tür wieder schloss, lächelte er Greg noch einmal zu. Dieser wandte den Blick ab.

Greg sah aus dem Fenster. Peter und Rosenqvist machten ein paar Schritte auf dem Kiesweg entlang des Gebäudes und unterhielten sich. Etwas weiter weg stand der Colonel an einen Baum gelehnt und rauchte eine Zigarette.

Greg wusste, dass er unterschreiben würde. Und genau das war es, was ihn an dieser absurden Geschichte am meisten aufregte. Alles hatte sich so abgespielt, als hätte dieser verdammte Offizier längst begriffen, dass er ihn nicht mit Glacéhandschuhen anzufassen brauchte, weil seine Neugier sowieso stärker war. Er muss sich über mich informiert haben, dachte Greg. Dieser Scheißkerl muss mein Leben in- und auswendig kennen. Wenn diese Aufgabe so wichtig ist, werden sie bestimmt ihre Spitzel auf mich angesetzt und in ihren Akten alles über mich vermerkt haben: meine Vorlieben, meine Erinnerungsstücke und meine Unterhosengröße. Sie müssen mich beschattet und sich über meinen

Lebenswandel erkundigt haben... Litt er an Verfolgungswahn? Vielleicht, doch die Erfahrung lehrt einen, dass man gar nicht genug an Verfolgungswahn leiden kann, sagte sich Greg und ging zum Schreibtisch. Er nahm das Formular, trug seinen Namen und das Datum ein und unterschrieb. Dann setzte er sich mit dem Gesicht zur Tür und wartete.

Es waren kaum zwei Minuten verstrichen, als die Bürotür sich öffnete und die hohe Gestalt des Offiziers im Türrahmen erschien. Bosman trat sofort zur Seite und ließ die beiden anderen vorbei. Dann ging er zum Schreibtisch, nahm das Formular, faltete es, ohne es anzusehen, zweimal zusammen und steckte es in einen Aktenkoffer.

»Jetzt ist alles geregelt, und wir können uns an die Arbeit machen. Draußen wartet ein Wagen auf uns.«

Peter ging zu Greg. »Willkommen im Club«, flüsterte er ihm ins Ohr.

Rosenqvist lächelte ihm zu. Greg hatte das unangenehme Gefühl, schwer hereingelegt worden zu sein. »Wohin fahren wir denn?«, fragte er so neutral wie möglich.

»An einen ruhigeren Ort«, antwortete die Stimme des Colonel.

Das Licht ging aus. Greg fühlte sich schlecht. Er saß auf einem der Stahlrohrstühle, mit denen der Vorführraum ausgestattet war – denkbar unbequem waren sie, diese Stühle, typisch Militär: Man konnte sich nicht zurücklehnen, ohne dass sich einem eine Metallstange ins Kreuz bohrte, und er musste daher eine völlig steife, verklemmte Haltung einnehmen, wie in Kolonnen-Habtachtstellung... Doch das Unbehagen, das er verspürte, saß tiefer. Während der Fahrt zur Militärbasis hatte er sich gefragt, ob er nicht vielleicht die größte Dummheit seines Lebens begangen habe, dieses dämliche Formular zu unterzeichnen, und jetzt, wo er gleich etwas mehr über das Wespennest erfahren sollte, in das er sich gesetzt hatte, war er hin- und hergerissen zwischen Besorgnis und verzehrender Neugier. Was war das für ein Film, den man ihm nun vorführen würde? Rosenqvist hatte ihn mitgebracht. Der Colonel machte es ganz spannend und beantwortete keine seiner Fragen. »Ein wenig Geduld noch, Mr Thomas« war alles, was man ihm entlocken konnte, und dabei lächelte er wie ein Vampir vor einer entblößten Halsschlagader... Ein wenig Geduld... Gregs Geduld stieß langsam an ihre Grenzen. Plötzlich wurde die Leinwand hell. Bilder erschienen, verwackelt und unscharf. Der Film schien nicht gerade von erstklassiger Qualität zu sein... Dann sah man etwas Blaues, und das Objektiv richtete sich ziemlich ungeschickt auf eine Art Schwimmbecken. Keinerlei Ton. Das darf nicht wahr sein, dachte Greg, Rosenqvist hat seinen Urlaub auf Video aufgenommen, und jetzt führt er es uns vor... Gleich werde ich aufwachen, das ist nur ein Alptraum, Mary wird da sein, wir werden zusammen frühstücken und dabei plaudern, und ich werde ihr von diesem idiotischen Traum erzählen, na, da wird sie lachen... Auf der Leinwand erschien eine graue Flosse, die das Wasser in alle Richtungen durchpflügte. Ein Delphin. Das ist das Bassin, das zu Rosenqvists Labor gehört... Das Tier erhob sich halb aus dem Wasser, zeigte ein breites Lächeln, das von einem Auge zum anderen zu reichen schien, öffnete das Maul und stieß unhörbare Laute aus. *Tursiops truncatus*, murmelte Greg, der sich langsam für das, was er sah, zu interessieren begann. Dann kippte das Bild weg, und man sah nun den Beckenrand, an dem mehrere Männer standen, unter denen auch Rosenqvist zu erkennen war. Einer von ihnen trug eine Badehose und sprang ins Becken. Der Delphin drehte eine Runde im Wasser, entfernte sich von dem Mann und schwamm dann zu ihm. Sie sind miteinander vertraut, dachte Greg. Tatsächlich streckte der Mann die Hand aus, und das Tier ließ sich anfassen. Anschließend tauchte es auf den Grund des Beckens, und der Mann tauchte ihm nach.

Was dann kam, vollzog sich mit rasender Geschwindigkeit und ließ Greg auf seinem Stuhl erstarren. Der Delphin schoss plötzlich durch das blaue Wasser auf seinen Freund zu. Ein paar Sekunden lang schäumte das Wasser heftig und verdeckte das Geschehen. Dann sah man den Delphin, wie er sich im Arm des

Mannes verbiss und wie wild herumschwamm, wobei er sein Opfer wie eine Marionette hin und her schüttelte. Eine dunkelrote Flüssigkeit stieg langsam an die Oberfläche. In diesem Moment stellte sich das Bild, das schon seit mehreren Sekunden stark wackelte, auf den Kopf. Ein paar Wolken zogen von oben nach unten über die Leinwand, dann wurde sie schwarz.

Man hörte nur noch das kaum wahrnehmbare Geräusch des Projektors, dessen Motor immer noch lief. Der Raum lag für ein paar nicht enden wollende Sekunden im Dunkeln. Greg sah undeutlich die Umrisse von Peter und Rosenqvist, die nebeneinander vor ihm saßen. Dann tauchte die hohe Gestalt des Colonel auf, der etwas abseits auf der rechten Seite gesessen hatte. Er bewegte sich zur Tür. Das Licht ging wieder an.

»Das ist ja schrecklich«, sagte Greg. »Schrecklich und ganz und gar unglaublich ... Delphine greifen keine Menschen an. Nicht einmal, wenn sie bedroht werden ... Noch nie hat man bei ihnen aggressives Verhalten feststellen können ...«

»Tja, hier haben Sie es sehr wohl ...«, bemerkte Bosman.

Rosenqvist räusperte sich und ergriff das Wort: »Tatsächlich haben wir hier ein vollkommen atypisches Phänomen vor uns, wenn man von den bisher gemachten Beobachtungen an Zetazeen und speziell Delphinen ausgeht. Doch es handelt sich nicht mehr um einen Einzelfall. Man könnte fast meinen, dass die Ausnahme inzwischen zur Regel zu werden beginnt ...«

Greg starrte ihn entsetzt an. »Was wollen Sie damit sagen?«

»Wenn dies hier auch leider der spektakulärste Fall ist, so ist er doch nicht der einzige, bei dem wir aggressives Verhalten seitens der von uns gehaltenen *Tursiops* festgestellt haben ... Wir konnten drei weitere Male feindseliges Auftreten beobachten, das allerdings keine schlimmen Folgen hatte. Ich muss hinzufügen, dass wir nach dem, was dem armen Teddy zugestoßen ist, stärkere Sicherheitsvorkehrungen getroffen haben ...«

»Und was ist aus dem Delphin geworden, der den Mann angegriffen hat?«

»Nach vollbrachter Tat zeigte er ein paar Tage lang Anzeichen von Niedergeschlagenheit... Wir haben ihn zunächst unter den normalen Bedingungen, unter denen er gehalten wurde, beobachtet, ohne einzugreifen. Danach haben wir einige Experimente mit ihm durchgeführt, um sicherstellen zu können, dass es sich nicht um eine physiologische Störung handelte...«

»Und?«

»Nichts. Wir haben ihn genauestens untersucht, zuerst in lebendem, dann in totem Zustand; wir haben ihn seziert und analysiert... Nichts! Zudem wird die Hypothese eines idiosynkratischen Phänomens dadurch entkräftet, dass wir bei drei anderen Delphinen vergleichbare Verhaltensanomalien beobachtet haben...«

Peter ergriff das Wort: »Das ist noch nicht alles, Greg. Du musst wissen, dass im Marineland in Miami vor knapp einer Woche ein *Tursiops truncatus* einen Dresseur, der seit mehr als zwei Jahren mit ihm arbeitet, schwer gebissen hat. Und gestern hat ein Forscher im Aquarium von Vancouver einen Arm verloren...«

»Das ist wirklich unglaublich! Man weiß doch, dass Delphine sich lieber abschlachten lassen, als einen Menschen anzugreifen! Das habe ich mit eigenen Augen gesehen! Ich war bei den Vorkommnissen auf Yuki Island vor Ort; Sie wissen ja, was dort passiert ist: Die Japaner haben Tausende von Delphinen niedergemetzelt, mit Hieb-, Stich- und Stoßwaffen, einen nach dem anderen... Die Delphine verteidigten sich nicht einmal! Hätten sie es getan, wären die Fischer dabei draufgegangen! Ein Delphin ist nämlich unter bestimmten Umständen durchaus in der Lage, es sogar mit einem Hai aufzunehmen!«

»Enschuldigen Sie«, unterbrach Bosman, »was ist auf Yuki Island passiert? Warum hat man dort Delphine abgeschlachtet?«

»Die Fischer aus der Gegend hatten die Küstengewässer zu stark abgefischt und dadurch eine Fischknappheit verursacht. Auch Delphine ernähren sich ja von Fischen... Somit standen die Fischer und die Delphine sozusagen miteinander in Konkurrenz, aber das Abschlachtmanöver, das übrigens bestens organisiert und äußerst spektakulär war, hatte vor allem das Ziel, die japanische Regierung weich zu klopfen, damit sie Subventionen gewährte… Eine Werbeaktion sozusagen… Ich war damals aktives Mitglied in einer ökologischen Bewegung, und…«

»Sie behaupten also«, unterbrach ihn der Colonel, »dass sich ein Delphin in seinem… sagen wir… normalen Zustand eher umbringen lässt, als dass er einen Menschen angreift?«

»Sehr richtig. Mr Rosenqvist wird Ihnen das bestätigen.«

»Das untermauert in der Tat die Ausführungen, die Mr Rosenqvist gemacht hat, ehe Sie zu uns gestoßen sind… Meine Herren, muss ich daraus schließen, dass Sie das Phänomen, mit dem wir uns hier beschäftigen, ganz und gar nicht begreifen?«

Peter ergriff erneut das Wort: »Beim momentanen Stand unserer Kenntnisse ist die Situation als Ganzes noch nicht erklärbar, das stimmt…«

»Nun, Mr Basler, wie wäre es, wenn Sie bei dieser Gelegenheit Ihren Freund über die Situation als Ganzes unterrichten würden…«

Greg sprang überrascht auf. »Das ist noch nicht alles?«

Peter lächelte ihm zu. »Nein, Greg, es gibt noch etwas anderes, und ich würde dir raten, dich wieder zu setzen.«

»Was ist das für eine Geschichte? Lämmer, die Wölfe jagen?«

»Da liegst du gar nicht so weit daneben! Es geht um unsere lieben vierbeinigen Freunde… Es ist nämlich so, dass Haustiere, speziell Hunde, wenn auch nur in Ausnahmefällen, plötzlich wild werden und ihre Besitzer oder andere Personen angreifen…«

Greg schoss das Bild des großen Huskys durch den Kopf, den sein Frauchen als gutmütig geschildert hatte…

»Was bedeutet das?«

»Das bedeutet, dass unsere Freunde, die Tiere, die Statistiken über den Haufen werfen! Und nicht nur die Wauwaus… Heute Morgen verzeichnete man auf amerikanischem Staatsgebiet insgesamt dreihundertdreiundfünfzig Tote innerhalb eines knappen Monats… Und ein paar Tausend mehr oder weniger schwer Verletzte, wobei das nur diejenigen sind, die erfasst wurden…«

»Darunter meine Wenigkeit«, sagte Greg und zeigte seine verbundene Hand. »Ich wurde letzte Woche von einem Köter angegriffen, der offensichtlich sehr in Rage war, obwohl er, wenn man seiner Besitzerin glauben soll, ein eher liebenswertes Naturell hat…«

»Na«, bemerkte der Colonel, »das dürfte doch eine zusätzliche Motivation für Sie sein, uns bei der Lösung unseres Problems zu helfen. Für mich ist klar, dass da irgendetwas vor sich geht. Tiere spielen verrückt. Unsere Politiker würden gerne wissen, weshalb. Und was zu tun ist, damit das keine verrückten Ausmaße annimmt… Bis zum heutigen Tag hat noch niemand bemerkt, wie umfassend das Phänomen ist. Aber wenn die Statistiken weiterhin exponentiell steigen, ist das nur noch eine Frage von Tagen… An die Arbeit, meine Herren!«

Colonel Bosman schlug die Hacken zusammen und ging.

»Der Typ meint wohl, er sei in einem Hollywood-Film«, murmelte Greg.

Peter lachte höhnisch. »Dann würde ich ein Wörtchen mit dem Drehbuchautor reden… Weil diese Geschichte total unglaubwürdig ist! Irgendetwas macht diese Tiere völlig wahnsinnig, aber es ist ein aggressiver Wahnsinn, der sich bisher ausschließlich gegen Menschen zu richten scheint… Ich glaube, es liegt im allgemeinen Interesse, möglichst schnell eine Erklärung dafür zu finden.«

Er öffnete die Tür und bedeutete den anderen, hinauszugehen. »Aber jetzt, meine Herren, möchte ich Ihnen zunächst unseren neuen Arbeitsplatz zeigen!«

7

Manaus, Mittwoch, 11. Juni

Mary hatte das Ende des ungeheuer langen Korridors erreicht und musste sich eingestehen: Sie hatte sich schon wieder verlaufen! Dieses Hotel ist der reine Wahnsinn, sagte sie sich, so etwas habe ich noch nie erlebt! Jetzt wohnte sie bereits eine Woche im Amazonas-Hotel und schaffte es immer noch nicht, sich in den endlosen Fluren des gewaltigen Gebäudes zurechtzufinden. Man sollte sich mit dem Fahrrad darin fortbewegen oder auf Rollschuhen, überlegte sie. Resigniert machte Mary kehrt. Wenn ihr nur jemand begegnet wäre... Doch der riesige Betonklotz war wie ausgestorben; keine Menschenseele, die sie nach dem Weg hätte fragen können. Das Hotel wirkte unbewohnt, als seien die Menschen, die es erbaut hatten, schon vor langer Zeit von einer Naturkatastrophe hinweggefegt worden... So war dieses Manaus... Eine von gefährlichen Schatten bevölkerte Stadt, die von der Erinnerung an einstige Pracht lebte, von der nur noch die Maßlosigkeit und die von einer dicken Schmutzschicht bedeckten Ruinen zeugten... Mary war müde. Mit Sylvain, dem Assistenten von Professor Legal, war sie eine Woche lang kreuz und quer durch die Stadt gelaufen, um Material zusammenzustellen und Kontakte aufzunehmen. Die Logistik einer solchen Expedition war nicht einfach. Nicht etwa, dass sie aufwändiges Material mitnehmen mussten... Doch der kleinste Irrtum, die geringste Nachlässigkeit konnten, so harmlos sie auch scheinen mochten, zum Verhängnis werden, wenn man sich mitten im Regenwald befand. Was das anbelangte, hatte der Professor bei ihrer letzten Unterredung äußerste Strenge gezeigt. Er hatte sich über die »Stubenanthropologen« lustig gemacht, die die

Amerikaner in seinen Augen waren. »Sie halten Vorlesungen, aber sie gehen nicht vor Ort.« Die ewige Rivalität zwischen den verschiedenen Schulen und Nationalitäten! Schließlich war Diego Legal, anders als sein Name vermuten ließ, Franzose … Doch in diesem Punkt hatte er vielleicht nicht ganz Unrecht. Sie selbst jedenfalls hatte ihre Universität nie verlassen und war damit unter ihren Kollegen durchaus kein Ausnahmefall, was so weit ging, dass die Ankündigung ihrer Expedition so etwas wie Skepsis hervorgerufen hatte. Mary wusste genau: Ohne die Rückendeckung, die der Name Diego Legal leistete, hätte sie nie die erforderlichen Mittel für dieses Unternehmen bekommen …

Mary war denselben Weg wieder zurückgegangen und befand sich nun in der Mitte einer Art überdimensionaler Kreuzung, von der ein Dutzend Korridore abgingen, in alle Richtungen und ohne das kleinste Hinweisschild … Es gab auch eine Reihe von Aufzügen, die merkwürdigerweise alle in diesem Stockwerk stehen geblieben waren und durch deren geöffnete Türen fahles Licht fiel. Alles war menschenleer. Ich bin im Herzen des Labyrinths, dachte die junge Frau. Alle Richtungen sehen gleich aus, doch nur eine ist die richtige … Bin ich überhaupt im richtigen Gebäudeflügel? Mary hatte die Nase voll von der unfreiwillig komischen Sucherei … Wenn sie eines Tages von ihren Abenteuern in Amazonien berichten sollte, wäre es romantischer, sich im endlosen Regenwald verirrt und von wilden Früchten und Kleintieren ernährt, als sich in den Korridoren eines Luxushotels verlaufen zu haben! Sie brauchte nur zur Rezeption hinunterzugehen und sich von dort zu ihrem Zimmer bringen zu lassen; sollten diese Machos aus dem hintersten Brasilien doch hämisch grinsen! Mit einem Seufzer steuerte sie auf die Aufzüge zu. Mein Zimmer … Mein Bett! Schlafen, dachte sie, schlafen … vielleicht träumen? Bei dieser Reminiszenz (an Shakespeare, wie sie glaubte) musste sie lächeln. Mary hatte keine Angst vor ihren Träumen … »Glauben Sie an Schicksal?«, hatte Diego Legal sie gefragt. »Ich glaube, dass es keinen Zufall gibt«, lautete ihre Antwort, »und dass wir alle eine Bestimmung haben … Doch wir können sie ablehnen oder verfehlen.« Er hatte sie mit seinen ernsten, klaren Augen angeblickt. Welche Augenfarbe hat er eigentlich?, überlegte sie und konnte es nicht sagen. Und doch hatte sie ihn seit ihrem ersten Treffen in Paris vor zwei Jahren dreimal gesehen, und jedes Mal hatten sie sich bis spät in die Nacht unterhalten… Aber bei Diego waren es nicht die Augen, die sich einem einprägten, sondern der Blick. Das Privileg von Männern, die das Leben im Griff haben und daran gewachsen sind, dachte Mary. In diesem Moment meinte sie diesen Blick auf sich ruhen zu fühlen, der bisweilen ungeheures Wohlwollen mit erschreckend fordernder Strenge in sich zu vereinen wusste…

Mary wollte gerade in den ersten Aufzug steigen, als sie merkte, dass sie nicht allein war. Halb verdeckt von einem Betonpfeiler, zeichnete sich ein paar Meter links von ihr eine kleinwüchsige Gestalt gegen das Licht ab. Dann fiel ein großer roter Ball auf den Boden und sprang in ihre Richtung. Da trat ein kleines Mädchen aus dem Schatten des Pfeilers und kam langsam auf Mary zu, wobei es sie aus aufmerksamen, tiefschwarzen Augen beobachtete, ohne besondere Vorsicht oder Zurückhaltung, doch mit einer Langsamkeit, die der Kleinen eigen zu sein schien… Mary wollte ihr zulächeln, doch in ihrem Blick lag ein allzu tiefer Ernst, und so begnügte sich die junge Frau damit, sie einfach zu betrachten. Der rote Ball war bis zu Marys Füßen gerollt, und sie hob ihn auf. Das Kind streckte die Hände aus; Mary gab ihm den Ball. Sie hätte gern mit ihm gesprochen, konnte jedoch kein Wort Portugiesisch. Das kleine Mädchen rührte sich nicht und sah sie immer noch an. Mary holte ein Stück Papier und einen Bleistift aus ihrer Tasche und schrieb ihre Zimmernummer darauf, gefolgt von einem Fragezeichen. Sie reichte dem Kind den kleinen Zettel, das ihn las und sie dann erneut ansah. »Ich habe mich verlaufen«, sagte Mary in ihrer eigenen Sprache. Das kleine Mädchen klemmte sich den Ball unter den Arm, griff mit der anderen Hand nach der von Mary, setzte sich in Bewegung und zog die junge Frau, die ohne zu zögern folgte, in eine bestimmte Richtung. Sie bogen in einen Flur, dann in den nächsten, und langsam kannte Mary sich wieder aus ... Plötzlich ließ das Kind ganz unvermittelt ihre Hand los, begann zu laufen und verschwand am Ende des Korridors.

Reglos verharrte Mary einige Sekunden und suchte den langen, leeren Flur mit den Augen ab. Ihr war, als habe sie geträumt ... Zugleich verspürte sie in ihrer Brust eine unbestimmte Angst und wünschte sich, das seltsame kleine Mädchen wäre noch da, sagte etwas zu ihr ... Dann ging sie zu ihrer Tür und schloss auf.

Als sie ins Zimmer trat, begann das Telefon zu klingeln.

Dunkelheit senkte sich über Manaus. Mary stand, die Ellenbogen aufs Geländer gestützt, auf dem Balkon und ließ sich vom Lärm der Stadt einlullen, von den Lichtern, die die Nacht durchdrangen, von dem wimmelnden, finsteren, fremden Leben zu ihren Füßen ... Sie brauchte nur noch einzuschlummern, sanft in den tiefen Schlaf zu gleiten, der sich hinter ihren Augen ganz leise heranpirschte ... Es war ein ausgefüllter Tag gewesen, und nun war alles erledigt. Es gab keine Schwachstellen in der Organisation, ganz wie Diego es gewollt hatte. Vor ein paar Minuten hatte Sylvain angerufen und berichtet, dass es ihm gelungen sei, einen Motor für das Boot zu beschaffen. Das nötige Benzin würden sie in der Mission kaufen. Was den Rest betraf ... Sechs Kisten mit Material gemäß der von Diego erstellten Liste standen im Kellergeschoss des Hotels, die Liste selbst lag auf dem Schreibtisch in ihrem Zimmer – drei Blätter, die sie gewissenhaft abgehakt, überprüft und abermals überprüft hatte: ein paar Macheten und Feilen sowie Feuerzeuge, Messer, Nylonfäden, Äxte und Angelhaken, ein paar Dutzend Meter roter Baumwollstoff, polyvalentes Serum gegen Schlangengift, fünf oder sechs Kilo Korallenperlen, Zündhölzer, Kleidungsstücke und die erforderlichen Lebensmittelvorräte für fünf Personen, um sechs Wochen im Dschungel überleben zu können ... Ein buntes Sammelsurium wie in einem Trödelladen, angesichts dessen es Mary schwer fiel, zwischen den für den Fortgang ihrer Expedition und ihre Sicherheit unerlässlichen Gegenständen und den zur Kontaktaufnahme mit den Eingeborenen dienenden Geschenken zu unterscheiden.

Morgen, bei Tagesanbruch, würde das Flugtaxi starten und sie später in der Mission von Mucajai absetzen, wo Diego sie erwartete. Dann begann das Abenteuer… Ein Schauer lief ihr über den Rücken. Mary wusste nichts vom Dschungel. »Stubenethnologin«, klar, Legal hatte Recht! Er, der fast dreiundzwanzig Jahre seines Lebens bei den Yanomami-Indianern verbracht hatte, konnte leicht über seine junge »Kollegin« spotten, die so stolz war, Tonnen von Büchern verschlungen zu haben! Mit seinem sanften Lächeln, das nie von ihm wich… Und dennoch gelang es ihm, sehr deutlich das hohe Anspruchsniveau zu zeigen, das ihm zu Eigen war, und wenn sein Blick bisweilen blau und kalt aufblitzte, merkte man auch, dass Zorn ihm nicht fremd war… Wie sich Diego Legals Zorn wohl äußert?, fragte sich Mary. Sicher ganz anders als alles, was sie kannte, dachte sie. Eigentlich wollte sie es lieber nie erfahren…

Mary spürte, wie ihre Lider schwer wurden und der Schlaf sie übermannte. Jetzt aber rasch ins Bett, sagte sie sich… Das ist nicht der richtige Moment, lange aufzubleiben. Doch der Gedanke ans Schlafengehen erfüllte sie mit Beklemmung; der Gedanke, das Licht zu löschen und allein zu sein… Ich bin es nicht mehr gewohnt, allein zu schlafen, dachte sie, und Gregs Gesicht schien in der Nachtluft zu schweben, mit seinem männlichen Lächeln, ruhig und sicher, und einer Miene, als wolle er sagen: Alles wird gut gehen… Alles wird gut gehen… Greg gab ihr Kraft, manchmal vielleicht einfach die Kraft, sie selbst zu sein… Er hatte solches Vertrauen in sie, in ihre Lebenseinstellung… »Du bringst mir mehr bei als die Hälfte der Menschen«, hatte er einmal gesagt. Unter ihr zerzauste der Wind die Blätter der großen Straßenbäume. Mary wurde bewusst, wie sehr sie Greg brauchte. Warum war ihr Abschied so ungut verlaufen? Wahrscheinlich hatte sie nicht die richtigen Worte gefunden, um mit Greg über ihre Reise zu sprechen und ihn zu beruhigen… Wenn sie ihn diese Woche doch nur hätte erreichen können… Doch seit ihrer Ankunft in Manaus hatte sie sich von der Hektik der Vorbereitungen mitreißen lassen und an nichts anderes mehr gedacht… Und jetzt hätte sie alles darum gegeben, Gregs Stimme zu hören. Ich kann ihn nicht mehr anrufen, sagte sie sich, es ist zu spät ... Wenn ich ihn neulich nur angetroffen hätte, aber da muss er im Kurs gewesen sein, und infolge der Zeitverschiebung habe ich nicht darauf geachtet ... Sie hatte ihm nur eine Nachricht hinterlassen, die ein wenig kühl geklungen haben musste ... Das wird er mir übel nehmen, dachte sie.

Die Stadt war jetzt ruhig; vereinzelt kreuzten sich stille Schatten – Nachtschwärmer, die die Nachtluft genossen, Paare, die den Moment des Nachhausegehens gern noch etwas hinauszögerten ... Eine leichte, warme Brise mit den Gerüchen exotischer Bäume strich ihr über die Haut. In der lauen Nacht wirkte Manaus zum ersten Mal fast wie eine menschliche Stadt. Doch Mary gelang es nicht, sie zu mögen ... Das schlafende Manaus ist eine lügnerische Stadt, sagte sie sich. Wenn man sie im vollen Tageslicht vom Flugzeug aus sieht, enthüllt sie ihre Wahrheit. Eine Woche zuvor, als das Charterflugzeug langsam tiefer gegangen war, war Mary ergriffen gewesen von dem phantastischen und gleichzeitig grauenerregenden Anblick. Über eine Stunde lang hatte sie sich vom grünen Meer des Regenwalds fesseln lassen, dessen Vegetation sich wellenförmig bis zum Horizont ausdehnte, und von dem wimmelnden Leben, dem unbändigen Überfluss der Natur, der sich dort bot: ein unzugängliches, dem Menschen fremdes Universum, den primitiven Gesetzen von Leben und Tod preisgegeben ... Dann hatte sie in weiter Ferne eine rote Abgrenzung gesehen, gleich einer Frontlinie ... Nach und nach tauchten im Herzen des Regenwalds riesige Flächen feuerfarbener, verbrannter Erde auf, durch die sich die Mäander des Amazonas zogen ... Und als das Flugzeug zum Landeanflug ansetzte, konnte sie das geschäftige Treiben von Menschen am Rande des Regenwalds ausmachen, denen das Grün unbarmherzig zum Opfer fiel ... dann, nach einigen Minuten, war mitten in dem roten Kreis eine hitzeflimmernde, von einem Fluss mit schwärzlichem Wasser gesäumte Stadt aufgetaucht ... Manaus war von einem riesigen Kranz ziegelfarbener Ödnis umgeben, der sich nach und nach ins Grün des umliegenden Regenwalds fraß, wie ein Tumor, der in gesundes Gewebe eindringt...

Mary hatte sich an Sylvain gewandt. »Warum ist die Erde dort unten rot?«

Er hatte sie mit seinem sonderbaren, ironisch-traurigen Lächeln angesehen. »Weil sie tot ist.«

Er hatte ihr erklärt, wie wahnsinnig die Menschen waren, wie blind und brutal sie die Ressourcen des Regenwalds ausbeuteten... Die trockenen, roten Erdflächen, die Manaus im Umkreis von Hunderten von Kilometern umgaben, waren das Zeichen ihrer Gier. Dreihundert Millionen Bäume wurden jedes Jahr von ganzen Armeen von Planier- und Kettenraupen entwurzelt oder auf Arealen von Millionen von Hektar niedergebrannt, um dem Boden für wenige Jahre magere Ernten oder Weideflächen abzupressen... Nach einiger Zeit war die mit Humus und Asche gedopte Erde ausgelaugt. Der Boden in diesen Breiten war fruchtbar, doch nicht sehr tief; der Äquatorregen schwemmte die gute Komposterde ins Bett der Flüsse und Ströme, und was übrig blieb, verbrannte die Sonne... Manaus, zu dessen Lärm sich zu dieser Stunde die Milde des Abends gesellte, war eine gigantische Kriegsmaschinerie, die ihre Umgebung verschlang und sich mit einem Totenkranz schmückte...

Die Nacht war jetzt schwarz... Der Mercado Principal auf der anderen Straßenseite war verlassen und finster, und die wenigen Passanten gingen verstohlenen Schritts dicht an den Mauern entlang. Mary schauderte es. Tags zuvor hatte sie die Kolonie von Urubus-Geiern gesehen, die den ganzen Tag auf den rostigen Gerüsten am alten Markt hockten. Das ist die Stunde, in der die Geier wieder zu Kräften kommen, dachte sie. Am Horizont zeichneten sich die riesigen Schatten der alten Gebäude ab, die von dem längst vergangenen Glanz zeugten, als Manaus ein Kautschukimperium war und die großen Feudalherren, denen der Grund und Boden gehörte, aufsässige Arbeiter umbringen ließen und ihre eigenen Hemden nach London zum Waschen schickten, und als das Teatro Amazonas, ein gewaltiges

Opernhaus inmitten des Dschungels, auf Sarah Bernhardt wartete…

Plötzlich begann sich ein warmer Regenschauer zu ergießen und riss die junge Frau aus ihrer Grübelei… Sie flüchtete in ihr feuchtes Zimmer, schloss das Fenster und sah zu, wie die Tropfen auf die Balkonfliesen prallten. Alles Wasser vom Himmel würde nicht ausreichen, um die Stadt von den Menschen rein zu waschen, dachte sie. Irgendwie fühlte sie sich traurig und unruhig, wie von einer Vorahnung gequält, deren Wesen sie nicht begriff…

In jener Nacht schlief Mary schlecht.

8

Auf der Straße nach Clydesburg, Illinois

Rechter Hand schlängelte sich eine schmale Straße bis zum Gipfel des Adlerbergs, der sich über Clydesburg erhob, und Kenneth bog im letzten Moment mit einem brüsken Lenkradeinschlag in sie ein. Geradeaus führte die Landstraße direkt zu der kleinen Stadt, die nur mehr wenige Kilometer entfernt war, doch irgendetwas sagte ihm, dass er gut daran täte, von hier oben einen Blick auf sie zu werfen. Die ganze Sache roch komisch, und mit Gerüchen kannte sich Kenneth Pilar aus... Schon als Berufsanfänger hatte er sich schnell den Ruf erworben, ein außergewöhnlich gutes Näschen zu haben, eine Art sechsten Sinn. Wenn er eine bestimmte Richtung einschlug, befand er sich, wie sich wenig später herausstellte, immer auf der richtigen Spur. Er selbst schrieb dies lieber dem Zufall zu und verbuchte derartige Erfolge als Glückstreffer... Doch da sich die Glückstreffer häuften, sprach jeder von Kenneth Pilars feinem Näschen, und so hatte er sich diese Deutung am Ende selbst angewöhnt. Wenn man ihn damals fragte: »Wie machst du das eigentlich?«, kniff er leicht die Augen zusammen, setzte eine geheimnisvolle Miene auf und sprach von Intuition, einer Fähigkeit, die jeder habe, aber nur wenige zu nutzen wüssten – und es tat schließlich gut, in den Augen der anderen Bewunderung zu lesen... In Wirklichkeit wusste Kenneth nicht, wie er es machte, und auch nicht, was man unter Intuition zu verstehen hatte. Er war nur oft zum richtigen Zeitpunkt am richtigen Ort, das war alles.

Im Grunde genommen hätte er wirklich nicht sagen können, weshalb er sich an einem seiner seltenen freien Tage, an denen es nicht regnete, um vier Uhr nachmittags auf dieser abgelegenen

Straße befand und am Steuer seines alten Lincoln saß, von dem er nicht wusste, ob er bis zum Abend noch durchhielt... Ganz zu schweigen von den fünfundvierzig Kilometern Rückfahrt nach Cairo, dachte er. Im Kofferraum hatte er eine komplette Mechanikerausrüstung und war darauf gefasst, ölverschmiert auf freiem Feld an seinem Auto herumbasteln zu müssen. Das war schon zur Gewohnheit geworden. Seit zwanzig Jahren hielt er diesem Auto die Treue, das er liebevoll seine »kleine Nutte« nannte und das langsam ernsthafte Anzeichen von Erschöpfung zu erkennen gab, an diversen Stellen auslief und oft nicht ansprang... Nicht etwa, dass er, was Autos betraf, besonders sentimental gewesen wäre (und was Weiber anging auch nicht, dachte er mit halbem Lächeln und zündete sich eine Zigarette an); es lag wohl eher daran, dass ihm seine herausragenden Fähigkeiten als Journalist nicht gerade die erträumte große Karriere beschert hatten, die es ihm ermöglicht hätte, alle zwei Jahre einen neuen Wagen zu kaufen... Vor zwei Tagen hatte ihn Clive Burnett angerufen, und das war wirklich nett von ihm, im Vergleich zu vielen seiner Kommilitonen von der Journalistenschule, die ganz einfach vergessen hatten, dass es ihn überhaupt noch gab, doch jedes Mal, wenn er mit Clive telefonierte, spürte Kenneth sein Magengeschwür, das ihm seit gut einer Woche erneut zusetzte. Noch dazu hatte Clive ihm wieder einmal seinen üblichen Ratschlag gegeben, den Beruf zu wechseln (»Ich weiß, dass du es schaffen wirst, du hast Talent«, hatte er zu ihm gesagt). Wahrscheinlich hatte er damit sogar Recht. Dennoch wusste Kenneth, dass er nie etwas Derartiges tun würde. »Ich bin Journalist, Herrgott noch mal, und ich werde als Journalist sterben«, murmelte er mit zusammengebissenen Zähnen.

Clive war jetzt ein großer Reporter bei der *Chicago Tribune*, seit drei Jahren oder länger; jedenfalls war es gut zehn Jahre her, dass er die unschätzbare *Cairo Clarion* verlassen hatte, in deren Diensten er selbst mit hoher Wahrscheinlichkeit dahinvegetieren würde, bis er die schäbige Rente bekam, die ihm zustand... Und trotzdem wussten sie beide, dass Kenneth ein viel besserer

Reporter war, vielleicht sogar der beste Reporter im Umkreis von vielen hundert Kilometern. Clive hatte im Grunde nie aufgehört, ihn zu bewundern. Wenn sie in den guten alten Zeiten ihrer Zusammenarbeit einen Coup planten, fragte er ihn immer: »Und, Ken, was sagt deine Nase dazu?« Und Kenneth kniff die Augen zusammen, tat so, als habe er eine Erleuchtung, und richtete sich dann ganz nach seinem Gefühl, und natürlich funktionierte es, zumindest in drei Vierteln der Fälle ...

Die Straße stieg immer steiler an. Bald würde man Clydesburg sehen können. Mit einem bitteren Lächeln schnippte Kenneth seine Zigarette durchs offene Fenster. Der Unterschied bestand lediglich darin, dass der gute alte Clive nicht dabei gewesen war, als er seine Nase in eine Angelegenheit steckte, in die er sie besser nicht gesteckt hätte; Clive hatte die gute Idee gehabt, krank zu werden, ziemlich krank sogar ... Und so hatte Kenneth, wie ein großer Reporter, Senator Russell gegen sich allein aufgebracht, weil er in dessen schmutzigen kleinen Geld- und Sexgeschichten herumschnüffelte, die übrigens nicht genau zu trennen waren, denn es handelte sich um Steuergelder, mit denen er seine kleine Tänzerin ausgehalten hatte ... Kenneth hatte alles ans Licht gebracht, handfeste Beweise geliefert und damit unglaublich viel Staub aufgewirbelt: Der tugendhafte Senator musste zurücktreten – er, der in all seinen Reden immer vom lieben Gott sprach, als würde er ihn persönlich kennen. Das einzige Problem war, dass seine Frau nachher die gesamte Hausapotheke geschluckt hatte ... Sie war nicht über die Sache hinweggekommen. Außerdem war Senator Russells Nachfolger noch korrupter als dieser, und dazu dumm wie Bohnenstroh, so schlimm, dass schließlich alle dem alten Senator nachtrauerten. Und ihn flehentlich baten, wieder anzutreten ... Russell war gegenwärtig Gouverneur von Illinois, und keiner scheute sich davor, sogar von seiner Kandidatur für die Republikaner zu sprechen ... Russell im Weißen Haus! Wie durch Zufall war es mit Kenneth Pilars eigener Karriere langsam den Bach hinuntergegangen, seit man den Senator wieder in Gnaden aufgenommen hatte. Keines der größeren Blätter, bei denen er sich bewarb, hatte »im Moment eine entsprechende Stelle frei«, und wenn er sich irgendwo vorstellte, genügte die bloße Nennung seines Namens, um verlegenes Schweigen hervorzurufen. Ihm war schnell klar geworden, dass er Cairo wahrscheinlich nie verlassen würde; der *Clarion* hatte sich bereit erklärt, ihn zu behalten, und er beschränkte sich darauf, von überfahrenen Hunden zu berichten und über Hausfrauenklatsch zu schreiben... Angelegenheiten von Bedeutung waren den Kollegen vorbehalten, in der Regel den jungen, die in Cairo ihre Grundausbildung machten, ehe sie ihre Karriere an aufregenderen Orten vorantrieben, und an solchen herrschte kein Mangel...

Das war auch der Grund, weshalb er einen seiner freien Tage hatte hernehmen müssen, um in Clydesburg herumzuschnüffeln. Das tat er gewöhnlich nicht, es war das erste Mal, doch bei dieser Sache hier sagte ihm sein Gefühl, dass irgendetwas nicht stimmte.

Angefangen hatte alles mit Janie. Janie war die Frau des Sheriffs von Clydesburg, und es sah so aus, als ob der Sheriff von Clydesburg sich nicht sehr um sie kümmerte, oder jedenfalls nicht so, wie er sollte, denn Janie kam oft nach Cairo, um Einkäufe zu machen oder einfach nur ein bisschen herumzubummeln. Und so waren sie sich beim Zeittotschlagen schließlich über den Weg gelaufen, und es passierte unweigerlich das, was passieren muss, wenn Menschen sich vernachlässigt fühlen... Sie waren nicht gerade ineinander verliebt, nein, das nicht, doch es lief ziemlich gut; er bekam das, was er wollte, und sie, wie es aussah, ebenfalls; auf jeden Fall schien sie zufrieden. Kenneth hatte also tags zuvor versucht, sie zu erreichen, mitten am Nachmittag, zu einer Uhrzeit, zu der sie normalerweise zu Hause war, und meistens allein... Er hatte die Nummer gewählt, die er auswendig wusste, und am anderen Ende der Leitung eine charmante weibliche Stimme gehört, die allerdings nicht Janies Stimme war, eine professionelle Stimme, die ständig wiederholte: »Wegen einer Störung ist der Anschluss des von Ihnen gewünschten Teilnehmers im Moment nicht erreichbar. Versuchen Sie es bitte zu einem späteren Zeitpunkt wieder.« Er hatte es mehrere Male zu einem späteren Zeitpunkt versucht; immer das Gleiche... Einmal hatte er sich verwählt. Und auch hier passierte das Gleiche; dieselbe Stimme, angenehm zwar, doch sie brachte einen zwangsläufig allmählich zur Verzweiflung... Die Sache machte ihn stutzig, und so hatte er sich, wie es sich für einen guten methodischen Ermittler gehört, das Telefonbuch von Clydesburg vorgenommen und systematisch gut hundert Nummern angewählt. Jedes Mal das Gleiche. Alle Verbindungen waren unterbrochen. Wenn es sich um eine Störung handelte, musste es eine größere Störung sein, doch niemand hatte etwas davon erzählt, und keine Agenturmeldung spielte darauf an. So hatte Kenneth beschlossen, selbst einen Blick auf die Sache zu werfen.

Es war nun nicht mehr weit bis zum Gipfel des Adlerbergs, und der Reporter spürte, dass er sich nicht getäuscht hatte. Er verfolgte eine Spur. Worum es dabei ging, konnte er noch nicht sagen, doch da war dieses aufregende Gefühl, das er schon vor fünfzehn Jahren empfunden hatte, wenn er an einem heißen Ding dran war... Das alles lag natürlich vor der Sache mit Senator Russell; seitdem hatte er dieses Gefühl nie wieder gehabt, und das war es auch, was ihm am meisten fehlte, wie er in diesem Moment merkte. Es lag ihm einfach im Blut.

Von dem aufregenden Gefühl abgesehen, gab es da auch noch ein etwas objektiveres kleines Detail, nämlich die Tatsache, dass er seit fünfzehn Kilometern keinem einzigen Auto begegnet war, das auf der Straße von beziehungsweise nach Clydesburg fuhr, und das kam ihm, der sie schon oft befahren hatte, nun wirklich sehr merkwürdig vor... Die Straße gehörte zwar nicht gerade zu den Strecken mit übermäßiger Verkehrsdichte; Clydesburg war nur eine Kleinstadt mit knapp sechstausend Seelen, doch überhaupt niemandem zu begegnen... Da ist irgendetwas faul, sagte sich Kenneth, und ich würde nur gerne wissen, was...

In diesem Moment entdeckte er auf der linken Seite eine Lücke zwischen den Sträuchern, durch die man ins Tal sehen konnte. Er hielt an und schaltete den Motor aus. Er war am Ziel. Von hier aus konnte er Clydesburg in aller Ruhe beobachten. Er nahm sein Fernglas aus dem Handschuhfach und stieg aus dem Auto.

Zuerst glaubte Kenneth, sich im Ort geirrt zu haben. Dann, dass er verrückt geworden war. Er ließ das Fernglas fallen, das lautlos im Moos landete, und schloss die Augen. Als er sie wieder öffnete, sah er nicht mehr ins Tal, sondern nahm die gegenüberliegenden Berge ins Visier, die sich in der flirrenden Luft abzeichneten. Das sind doch die richtigen Berge, dachte er leicht verwirrt. Das sind sie doch... Tatsächlich sah er den Mount Paterson mit seinem gräulichen Gestein aufragen, umgeben von dunkelgrünen Wäldern, die auch den Mount Arkwell und die Woolfmountains bedeckten, und er konnte nichts Ungewöhnliches erkennen...

Kenneth ließ seinen Blick langsam hinunter ins Tal gleiten und versuchte sich zu überzeugen, dass er eine Halluzination gehabt hatte.

Wieder spürte er einen Stich ins Herz, ebenso intensiv wie zuvor. Dort, wo eigentlich Clydesburg hätte sein müssen mit seinen hingeklecksten Wohngebäuden in der Stadtmitte und seinen Reihen kleiner Häuser, die sich alle ein wenig ähnelten, mit seinem Supermarkt im Norden und seiner alten, stillgelegten Kartonfabrik, an der Stelle von Clydesburg befand sich... nichts. Nur eine weite, dunkle, verbrannte, tiefbraune Fläche, exakt in den Umrissen dessen, was einst Clydesburg gewesen war, als habe die Stadt ihren Schatten auf den Boden geworfen... Doch die Stadt selbst war nicht mehr da. Im Osten begann die Landstraße, die nach Cairo führte, genau am Rand des Erdflecks, und auch sie wies eine dunkle Färbung auf, die sich nach einiger Entfernung wieder in Asphaltgrau aufhellte.

Kenneth fühlte, wie sein Gehirn sich umnebelte, und konnte

nur schwer dagegen ankämpfen. Das ist ein Traum, dachte er, einer von diesen idiotischen Träumen ... Er bückte sich, um sein Fernglas aufzuheben, was ihn erhebliche Anstrengung kostete. Sein Körper war gleichsam gefühllos. Dann richtete er es auf das Tal. Ein verschwommenes Braun trat vor seine Augen; seine Hand zitterte, und er brauchte einige Zeit, um das Fernglas scharf zu stellen. Dann nahm das Braun Gestalt an, es sah aus wie Erde, eine dicke, narbige Erde, dunkler, als sie ihm zunächst erschienen war, beinahe schwarz. Er ließ seinen Blick über das Tal schweifen. Abgesehen von der Tatsache, dass eine Stadt mit ein paar tausend Einwohnern verschwunden war, schien nichts anormal. Alles war menschenleer. Kenneth sah Vögel, die friedlich durch die Hitze flogen. Er wischte sich die Stirn ab und richtete sein Fernglas auf die Landstraße. Sie schien wie aus den Tiefen der schwärzlichen Erde hervorzutauchen. Über den Asphalt zogen sich große dunkle Streifen, als habe die Straße dort, wo sie auf die Stadt traf, gebrannt.

Plötzlich sah Kenneth, wie sich etwas in der Nähe der Straße bewegte. Er dachte, es sei ein kleines Tier. Doch als er sein Fernglas gezielt darauf richtete, erkannte er, dass es die Form eines Menschen hatte, wie ein Kind in einer Art Soldatenuniform. Das Kind lief; Kenneth folgte ihm mit dem Fernglas – und sah das Lager. Nur ein paar Zelte, ein schnell aufgestelltes Barackenlager, alles in derselben Farbe wie die dunkle Erde. Dort gab es noch mehr Männchen, die wie Ameisen hin und her liefen, und eine ganz kleine Tanne. Da begriff Kenneth, dass ihn die Perspektive getrogen hatte. Es waren keine Kinder. Es war ein perfekt getarntes Militärlager. Männer liefen in alle Richtungen, eine viel größere Anzahl von Männern, als er zuerst angenommen hatte. Manche schienen in den Boden zu tauchen und darin zu verschwinden. Unterirdische Gänge, sagte sich Kenneth ... sie haben unterirdische Gänge gegraben. Was ist da nur los?

In diesem Moment fühlte er etwas Kaltes in seinem Nacken, und eine Stimme flüsterte ihm ins Ohr: »Bleiben Sie ganz ruhig, Mr Pilar, und legen Sie die Hände auf den Kopf.«

Als er sich umdrehte, sah er eine P-38 zehn Zentimeter vor seinem Gesicht, die von einem großen, lächelnden Typ in Uniform gehalten wurde. Zwei Meter dahinter hatten zwanzig Soldaten ihre Kriegswaffen auf ihn angelegt.

9

Fort Detrick, Maryland

Ohne die beiden jungen Ordonnanzen, die ihn stramm grüßten, eines Blicks zu würdigen, nahm Colonel Bosman die sechs Stufen der Eingangstreppe und stürmte in das Gebäude, in dem sich die Kommandozentrale befand. Nach der drückenden Hitze, die draußen herrschte, traf ihn, als er durch die schwere Flügeltür in die große Eingangshalle getreten war, die kühle Luft der Klimaanlage wie ein Schock. Sofort wurde er von gut zehn Mann Militärpolizei umringt. In ihren blauen Hosen, den schwarzen, rot gesäumten Jacken und mit ihren Schirmmützen, weißen Gürteln und den ausdruckslosen Gesichtern schienen sie bereit, ihre Faustfeuerwaffen zu ziehen, obwohl sie ihn in den letzten drei Wochen mindestens zwanzigmal hatten durchgehen sehen... Bereitwillig ließ der Colonel die vorgeschriebenen minutiösen Kontrollen über sich ergehen: Leibesvisitation, Metalldetektor, Durchleuchten... Dann legte er seine Hand auf den Monitor eines Scanners, der nur eine Sekunde brauchte, um sein Urteil zu fällen. Die Militärpolizisten entfernten sich salutierend. Bosman durchquerte die Halle. Besser als jeder andere wusste er um die Notwendigkeit solcher Kontrollen, deren Verschärfung er selbst angeordnet hatte. Es war von geradezu lebenswichtiger Bedeutung, dass über die jüngsten Ereignisse absolutes Stillschweigen bewahrt wurde.

Der Colonel nahm den Aufzug und fuhr bis zum fünften Stock. Als sich die Türen öffneten, sah er sich mit den gleichen Sicherheitsvorkehrungen konfrontiert wie im Erdgeschoss. Nichts blieb dem Zufall überlassen, denn »der Zufall ist der stärkste Panzer«, wie er gegenüber seinen Kadetten an der Militärakademie immer wieder zu sagen pflegte. Bosman liebte die zwei Tage in der Woche, die er der Ausbildung dieser handverlesenen jungen Männer widmete, die eines Tages die Elite der amerikanischen Verteidigung bilden würden. Normalerweise … Denn seitdem er mit der Leitung der Aktionen im Zusammenhang mit den Ermittlungen für die Akte »Cat« betraut war, musste sich Bosman vertreten lassen. Es war ein Zeichen außerordentlichen Vertrauens gegenüber dem jungen Stabsoffizier Bosman, der noch keine vierzig war, und eine unverhoffte Karrierechance, an einer Sache arbeiten zu dürfen, die für das Verteidigungsministerium absolute Priorität hatte und in die aufgrund der Geheimhaltungsstufe nur ein halbes Dutzend Personen eingeweiht waren, darunter der Präsident …

Doch was bei »Cat« auf dem Spiel stand, ging weit über jede Karriereplanung hinaus und ließ es sogar ungewiss erscheinen, so sagte er sich, ob der Gedanke an »Karriere« von nun an überhaupt noch einen Sinn hatte …

Der Colonel passierte ein weiteres Mal problemlos die Kontrollen und ging auf die schwarze Tür am Ende des Korridors zu. Darauf stand schlicht: T. Merritt. Niemand in der Basis wusste über die Gründe für die Anwesenheit General Merritts in Fort Detrick Bescheid; angeblich befand er sich bereits im Ruhestand. *Major general* Clarke, der den Stützpunkt befehligte, hatte lediglich einen Anruf vom Pentagon erhalten und war instruiert worden, etwa zwanzig Männer in der Basis aufzunehmen, die ›mit einer Sondermission‹ betraut waren …

Bosman sah auf seine Uhr, dann klopfte er.

Er wartete einige Sekunden und trat ein, ohne abzuwarten, dass er dazu aufgefordert wurde. Am Ende des Zimmers zeichnete sich, mit dem Rücken zum Fenster reglos hinter einem großen Schreibtisch sitzend, eine massige Gestalt gegen das Licht ab. Eine dünne blaue Rauchfahne trieb von ihr weg und leuchtete im Glanz der untergehenden Sonne. Colonel Bosman setzte sich und wartete. Der General hielt die Augen halb geschlossen und zeigte keine Regung. Dann nickte er mit dem Kopf. Bosman ergriff das Wort: »Die Teams sind auf ihrem Posten.«

»Voneinander abgeschottet?« General Merritts Stimme klang heiser.

»Vollkommen. Keines ahnt etwas von der Existenz der anderen.«

»Ergebnisse?«

»Noch keine. Team A hat erst gestern zu arbeiten begonnen. Team B richtet sich gerade ein ...«

»Team B«, unterbrach der General, »beschäftigt sich mit den Infektionskrankheiten?«

»Ja. Im Moment tragen wir alle verseuchten Gebiete zusammen, die von Viren oder Bakterien befallen sind; die Aufstellung legen wir Ihnen dann vor.«

»Abriegelung der Zonen?«

»Optimal. An allen Infektionsherden kommt Code D01 zur Anwendung. Wir konnten jedes Mal rasch durchgreifen, das Gebiet unter Quarantäne stellen und die Seuche eindämmen. Bisher handelt es sich um begrenzte, relativ abgelegene Gebiete... Und wir haben eine Chance, wenn man so sagen kann... diese Viren töten sehr schnell. In rund zwanzig Minuten. Die angesteckten Personen sterben, ehe sie das Gebiet verlassen können. Doch es bräuchte nur ein Virus aufzutreten, bei dem die Inkubationszeit ein bisschen länger ist, dann ...«

»Ach, wissen Sie, ich glaube nicht, dass uns das droht«.

Der Colonel zog überrascht die Brauen hoch. Merritt hatte den Satz mit wissender Miene ausgesprochen, als kenne er sich aus. Einen Moment herrschte Schweigen; der General schien die Wirkung seiner Worte auszukosten. Dann fuhr er fort:

»Und die Presse?«

»Nun... Vorerst schluckt sie unsere kleinen Verlautbarungen noch. Im Fall Hurston wurde die These, dass es sich um eine Vergiftung fließender Gewässer handelt, anstandslos akzeptiert. Das ist ganz normal – es gibt ihnen die Möglichkeit, nach Verantwortlichen zu suchen. Im Fall Clydesburg ist es problematischer. Immerhin geht es um eine größere Stadt. Bis jetzt funktioniert der Blackout. Aber sehr lange werden wir nicht so weitermachen können.«

Merritt schlug mit der Faust auf den Tisch. »Deshalb täten Ihre Biologen gut daran, aktiv zu werden!«

Dann lehnte er sich weiter zurück und zündete seine ausgegangene Zigarre wieder an. Die Sonne ging am Horizont unter, und Bosman konnte nun die Züge seines Gesprächspartners erkennen. Das Gesicht des Generals war von strengem, schmerz- und tatenreichem Leben gezeichnet, das es mit Furchen zerklüftet hatte und fleischige Massen hervortreten ließ... Ein Gesicht, dessen Profil selbst im vollen Licht Schatten warf. Sein Gesicht ist sein Werk, dachte Bosman, während er sein Gegenüber stumm betrachtete. Er wusste alles über die glanzvollen Leistungen seines Vorgesetzten, von denen die vielfarbigen Abzeichen auf dessen Uniformjacke zeugten. In seiner Strategievorlesung hatte Bosman die Heldentaten General Merritts in Vietnam und anderswo geschildert, ohne zu ahnen, dass er ihm eines Tages direkt unterstellt sein würde, und das in einer Mission von höchster Geheimhaltungsstufe in Sachen Staatssicherheit... Die zwar heisere, doch sonore Stimme, die ihm inzwischen vertraut war, erklang erneut:

»Und wie weit sind Sie mit den Geophysikern?«

»Ich glaube, sie haben bereits eine Reihe von Daten gesammelt. Prescot, der Leiter des Teams, ist ganz offensichtlich schnell und kompetent.«

Bosman legte eine Pause ein.

»Da wir gerade von ihm sprechen – er hat mir eine Frage gestellt, die ich Ihnen gerne unterbreiten möchte.«

»Was für eine Frage?«

»Er möchte mit einem chinesischen Kollegen Kontakt aufnehmen, der uns, wie er sagt, helfen könnte. Ein gewisser... Wang-Tse-Ming, glaube ich.«

»Ein chinesischer Forscher?«

»Prescot sagt, es sei sehr wichtig. Durch seine Mitarbeit könnten wir wertvolle Zeit sparen.«

Merritt paffte langsam eine Rauchwolke aus seiner Zigarre. »Colonel Bosman...«

»Ja?«

»Ich glaube, es gibt da etwas, das Sie nicht so ganz begreifen.«

Der Colonel verspannte sich leicht.

»Wir wissen nicht, was geschieht«, fuhr der General fort. »Es ist etwas vollkommen Neues, sehr Gefährliches. Und vor allem... wissen wir nicht, wer hinter der ganzen Sache steckt.«

»Was meinen Sie damit?«

»Bosman, Sie sind brillant. Soweit ich weiß, gibt es nicht viele ehemalige Marineangehörige mit einem Doktortitel in Mathematik. Sie sind in der Lage, ein Team von Wissenschaftlern zu leiten; aus diesem Grund hat man Sie ausgesucht. Nur... Sie sind noch immer ein Theoretiker, mein Freund, denn Sie wissen nicht, was Kampf bedeutet. Aber nur im Kampf und nirgendwo sonst lernt man, den Feind zu wittern.«

»Den Feind? Sie glauben, dass...«

»Ach! Ich glaube gar nichts! Ich beobachte. Und ich halte mich bereit.« Der General unterbrach sich einen Moment. »Sehen Sie sich diese Virusgeschichten an. Es gibt keine wirksamere Waffe, ein Land zu vernichten. Ein Virus, das tötet und sich ausbreitet. Unabwendbar. Doch es gibt ein Problem. Nämlich, dass die Welt heute sehr klein ist. Und dass ein Virus sehr dumm ist. Ein Virus ist kein Patriot. Es macht vor keiner Grenze Halt; es fliegt. Sie verstehen?«

»Ja. Ein Virus, das sich weitflächig ausbreitet, ist eine wirkungsvolle Waffe, die sich jedoch auch gegen denjenigen wenden kann, der sie einsetzt. Bei einem Virus, das sich nur in geringem Maß verbreitet, weil es schnell tötet, besteht dieser Nachteil nicht. Aber es müssen mehrfache Infektionsherde geschaffen werden.«

»Richtig, mein Junge, richtig. Deswegen würde es mich nicht wundern, wenn genau das zuträfe.«

»Entschuldigen Sie bitte. Nehmen wir an, diese Viren sind eine bakteriologische Waffe. Aber die anderen Phänomene? Glauben Sie, auch sie könnten... ausgelöst worden sein?«

»Darüber weiß ich verdammt noch mal gar nichts. Aber dafür weiß ich eins: Gegenwärtig betreffen diese Phänomene nur die Vereinigten Staaten von Amerika. In diesem Punkt hat sich der

Geheimdienst klar ausgedrückt. Zweitens: Diese Phänomene können unser Land erheblich destabilisieren und es sogar, wenn sie sich weiter in dem momentanen Tempo ausbreiten, an den Rand der Vernichtung bringen. Drittens: Falls es einen Feind gibt, der all das verursacht, besteht sein bester Trumpf immer noch darin, uns im Ungewissen zu lassen! Fazit, Bosman: Solange wir nicht in der Lage sind, klarer zu sehen, ist es völlig ausgeschlossen, dass wir unser kleines Problem mit Ausländern besprechen, insbesondere mit Chinesen! Ist das klar?«

»Klar.«

»Und setzen Sie alle unter Druck! Wir brauchen Ergebnisse. Und zwar schnell! Wir tun unser Möglichstes, um diese verdammte Sache unter Verschluss zu halten, und der kleine Cocktail aus falschen Fährten und Halbwahrheiten, den wir für die Presseschnüffler zusammengebraut und mit ein paar realen, aber nebensächlichen Fakten gewürzt haben, wurde von ihnen bis jetzt fast anstandslos geschluckt... Aber die Phänomene verstärken sich mit einer Geschwindigkeit in der Größenordnung V, und wenn einer von den Typen ein bisschen schlauer ist als die anderen und damit anfängt, die Phänomene miteinander in Zusammenhang zu bringen, sind wir ihm ausgeliefert...«

»Zu diesem Thema...«

»Ja?«

»Glauben Sie nicht, dass die Abschottung der Teams gegen uns spielt? Wir haben drei Expertenteams; jedes davon beschäftigt sich mit einer Reihe relativ homogener Phänomene, ohne sich jedoch mit den anderen Teams zu verständigen und ohne überhaupt etwas von deren Existenz zu wissen...«

»Und?«

»Es könnte doch sein, dass diesen Phänomenen, ob nun eine feindliche Macht dahinter steckt oder nicht, eine umfassende Ursache zugrunde liegt. Wenn man sie nur von einer Warte aus untersucht, könnte es passieren, dass die einzelnen Teams die Gesamtbedeutung nicht erkennen. Während bei einem multidisziplinären Vorgehen...«

»Die Synthese ist Sache der Experten von der Armee! Strikte Geheimhaltung, Bosman! Von Ihren Spezialisten will ich lediglich, dass sie mir jedes einzelne dieser verdammten Phänomene erklären! Was das für unbekannte Viren sind, die plötzlich überall auftauchen, warum diese dreckigen Viecher auf einmal Menschen angreifen, warum die Elemente verrückt spielen; das möchte ich wissen! Der Rest ist keine wissenschaftliche, sondern eine strategische Frage, Bosman! Klar?«

»Klar. Aber ohne jetzt wieder die Abschottung der Teams in Frage zu stellen... es könnte doch sein, dass zwischen den ungewohnten Erdbebenaktivitäten und dem Verhalten der Tiere irgendein Zusammenhang besteht... Oder dass besagtes Verhalten durch ein Virus bedingt ist, das wiederum mit den Viren zu tun haben könnte, die Team B untersucht... Und es könnte weitere derartige Verbindungen geben...«

»Bosman, die Erdbebenaktivitäten gehen bereits durch die Presse, und zwar ziemlich ausführlich, finden Sie nicht? Und Ihre Experten für die Tierchen sind sicher schlau genug, einer solchen Hypothese nachzugehen, oder?«

»Ja.«

»Fein. Und wenn sie ein Virus finden, erzählen wir den Ärzten, woher es stammt. Vom Rest lassen wir im Moment die Finger. Colonel, unsere Vorgesetzten – und Sie wissen, dass das bei dieser Sache nicht viele sind, dafür aber ziemlich hochrangige –, unsere Vorgesetzten also haben uns mit zwei Aufgaben betraut: möglichst zu begreifen, was vorgeht, und so zu handeln, dass alles absolut geheim bleibt, solange man nicht weiß, was es überhaupt ist und wie wir darauf reagieren müssen. Ich glaube, genau das trifft im Moment zu; halten wir uns also an die Anweisungen! Je weniger wir wissen, desto besser.«

General Merritt zündete sich eine neue Zigarre an und schloss die Augen, als er den ersten Zug machte. Dann stieß er einen dünnen Rauchfaden aus den Nasenlöchern und sah Bosman ins Gesicht:

»Bis morgen, Colonel. Zur gleichen Zeit.«

»Bis morgen.«

Bosman schlug die Hacken zusammen und ging in Richtung Tür. Er wollte gerade hinausgehen, als die Stimme des Generals erneut ertönte:

»Bosman ...«

»Ja?«

»Versuchen Sie ein wenig zu schlafen.«

Die Nachtluft war fast angenehm, ein bisschen feucht zwar, doch nicht zu vergleichen mit der Bruthitze tagsüber. Colonel Bosman ging langsam den breiten Weg hinunter, der zu einigen der zahlreichen Laboratorien des Stützpunkts führte. Seit den sechziger Jahren war in Fort Detrick das medizinische Forschungsinstitut für Infektionskrankheiten der Armee der Vereinigten Staaten untergebracht, das etwa sechzig Bereiche umfasste, deren Forschungsergebnisse größtenteils dem Militärgeheimnis unterlagen, da es um die Entwicklung chemischer und bakteriologischer Waffen ging. Während des Kalten Kriegs waren reichlich Gelder geflossen, und der Stützpunkt hatte sich über Dutzende Hektar ausgedehnt ... Nach dem Zusammenbruch der Sowjetunion versiegte das Manna dann etwas, und gleichzeitig bewegten sich die wissenschaftlichen Aktivitäten allmählich in eine andere Richtung. Die Zielsetzungen waren weniger offensiv geworden, und die Forscher auf dem Stützpunkt widmeten ihre Energie und ihre unbestrittene Fachkenntnis der Erforschung der neuen Viren, die zu jener Zeit aufzutauchen begannen: Aids, Ebola, Sabia, Lassa, Hanta, Gelbfiebermutanten und haemorraghische Fieber aller Art sowie andere erfreuliche Neuheiten ... Wenn ihnen das Spaß macht, dachte Bosman, dann sind sie seit ein paar Tagen wahrlich gut bedient! Als die ersten Infektionsherde aufgetreten waren, hatte man unter höchster Geheimhaltung die drei besten Forscher des Stützpunkts auf dem Gebiet der Biologie von Infektionskrankheiten zusammengezogen. Team B wurde von Professor Clive Barkwell geleitet, einem Militärangehörigen, der als weltbester Spezialist für tropische Virenerkrankungen galt ... Der Colonel blickte auf. Er war am Fuß von Gebäude 6 angelangt, in dessen letztem Stockwerk aus zwei Fenstern fahles Neonlicht einen schwachen Schein in die Nacht warf. Sie sind immer noch bei der Arbeit, dachte er und betrat das Gebäude. Drei Männer mit den Armbinden der Militärpolizei hielten ihn sofort auf, um ihn zu überprüfen. Das erlebte er an diesem Tag nun schon mindestens zum zwölften Mal. Danach traten sie salutierend zurück. Doch als er auf den Aufzug zuging, folgte ihm einer der Militärpolizisten auf dem Fuß.

»Ich kenne den Weg«, sagte Bosman und verstellte ihm den Weg.

Der Mann zuckte nicht mit der Wimper. »Ich habe meine Vorschriften!«

Bosman drehte sich um und betrat den Aufzug. Der Militärpolizist folgte ihm und drückte auf den Knopf für den fünften Stock. Dann stand er ruhig da, mit strengem Ausdruck und ohne zu sprechen, die Pistole auf der Hüfte. Der Colonel wusste, dass sein Zerberus Anweisung hatte, ihn zu töten, falls er versuchen sollte, sich aus seiner Aufsicht zu stehlen – schließlich hatte er besagte Vorschriften selbst erteilt... Er ließ sich bis zum Labor von Team B bringen. Der Militärpolizist öffnete die Tür. Der Colonel trat ein.

Hinter einer Scheibe aus Plexiglas arbeiteten über einen Tisch gebeugt zwei Männer in weißen Schutzanzügen, deren Luftkissenisolierung mittels mehrerer Druckventile erzeugt wurde. Die beiden Männer waren hinter drei durchsichtigen, leicht nach innen geneigten Plastikfenstern abgeriegelt. Atmosphärendruckausgleich, sagte sich Bosman... Sie haben eine sterile Zone geschaffen. Tatsächlich entdeckte er, als er die Vorrichtung genauer betrachtete, auf beiden Seiten jedes der Fenster eine Art Filter, durch welche die Luft, die die Forscher atmeten, passieren musste. Alle Filter waren an ein Gerät mit einem digitalen LED-Zählwerk angeschlossen... Einer der beiden Forscher hob den Kopf und erblickte Bosman. Er legte seine Instrumente nieder und ging auf eine Schleusenkammer zu, die vom ersten der drei Plastikfenster ihren Ausgang nahm und bis zur Tür des Raums führte. Diese öffnete sich nach fünf bis sechs Minuten, und der Forscher erschien. Er trug nun nicht mehr seinen Schutzanzug, sondern stattdessen einen einfachen blauen Kittel. Es war Barkwell. In den letzten drei Tagen war sein Gesicht eingefallen, und er hatte tiefe, dunkle Ringe unter den Augen ...

»Die Dekontaminationsschleuse«, sagte er. »Aus diesem Labor darf nichts lebend herauskommen ... außer uns natürlich«, fügte er lächelnd hinzu. »Guten Tag, Colonel.«

»Guten Tag, Professor. Ich sehe, dass Sie sich umgehend eingerichtet haben, gratuliere ... Sagen Sie mir ...«, er deutete auf das Gerät, an das die Filter angeschlossen waren, »was ist das für ein Apparat?«

»Ein Partikelzähler. So haben wir eine Vorstellung davon, was in dieses Labor hinein- und was aus ihm herauskommt. Manchmal würde so ein Tierchen gerne verduften ... Sie sind zwar nicht groß, aber wahre Bestien! Das Virus, das wir gerade untersuchen, könnte den Stützpunkt hier an einem Tag erledigen.«

»Ist es das Virus von Clydesburg?«

»Ja, das letzte, das wir bekommen haben. Sehr interessant ...«

»Haben Sie Ergebnisse?«

»Wir untersuchen es seit zwei Tagen, aber unsere Einrichtungen sind erst seit etwa zehn Stunden komplett ... Das genügt jedoch schon, um eines zu erkennen ...«

Der Professor machte eine Pause. Aufgrund seiner Müdigkeit oder weil er auf Wirkung bedacht war?

»Jedenfalls habe ich so etwas noch nie gesehen ...«

»Das heißt?«

»An ein- und demselben Herd«, fuhr Professor Barkwell fort, »treten keine zwei identischen Exemplare auf! Das Virus ist in beständiger Mutation begriffen, und das in absolut beängstigendem Tempo! Ich sage es Ihnen nochmals – so etwas habe ich noch nie erlebt ...«

»Was bedeutet das?«

»Keine Ahnung.«

»Wäre es denkbar, dass Menschen so etwas bewerkstelligt haben?«

»Wenn es so wäre, gäbe ich viel darum zu erfahren, wie sie das geschafft haben! Sie wissen ja, dass in der Wissenschaft nur selten aus dem Nichts plötzlich kleine Genies auftauchen ...

»Außer, wenn sie unter Militärgeheimnis arbeiten.«

»Richtig. Aber das sagt mir nicht, wie es möglich ist, ein DNS-Molekül mit einem genetischen Mutationsbeschleuniger zu kodieren ... Oder es müsste uns jemand unglaublich weit voraus sein, ohne dass wir auch nur das Geringste davon geahnt haben, und es würde nicht schaden, wenn man dem Nachrichtendienst mal kräftig die Leviten liest! ... Die zweite Hypothese ...«

»Ja?«

»Dass die Natur ausrastet! Sie verhält sich anarchisch und gehorcht ihren Gesetzen nicht mehr ... Oder vielmehr *unseren* Gesetzen! Die wir ihr aufgestülpt haben ...«

»Das ist absurd! Nicht wir stülpen der Natur ihre Gesetze auf! Wir entdecken sie lediglich ...«

Bosman merkte, wie sein Gesprächspartner plötzlich in Schwung kam. »Aber wir bezeichnen sie als ›Gesetze‹ ... Doch alles, was wir beherrschen, ist nur, eher generelle Verhaltensweisen über einen im Vergleich zur Entstehung der Welt lächerlich kurzen Zeitraum zu beobachten ... In der Natur ändert sich alles, alles ist vergänglich ... Und wenn nun die Natur von Zeit zu Zeit auch die Prinzipien umstellen würde, die sie regulieren? Beispielsweise alle milliarden Jahre?«

Barkwell brach in ein angespanntes Lachen aus, das den Colonel zusammenzucken ließ.

»Professor, wie lange arbeiten Sie schon?«

Der Forscher schien sich wieder zu fassen, doch über sein Gesicht huschte ein eigenartiges Lächeln. »Seit etwas mehr als sechsunddreißig Stunden ...«

»Wie wäre es, wenn Sie sich ein wenig ausruhen würden?«

»Sie haben Recht, Colonel. Ich lege mich für ein paar Stunden schlafen ...«

»Schonen Sie sich, mein Lieber. Wir brauchen Sie womöglich noch eine Zeit lang…«

Barkwell nickte. »Allerdings, Colonel… Was ist mit Clydesburg? Und seiner Umgebung?«

»Wir mussten es kauterisieren.«

Ein leichtes Grinsen verzerrte einen Moment den Mund des Forschers. »Ich verstehe. Schlafen Sie gut, Colonel.«

»Danke. Ich komme morgen im Laufe des Abends wieder vorbei.«

Bosman drehte sich um, öffnete die Tür und ging hinaus. Draußen erwartete ihn der unvermeidliche Militärpolizist, der ihn bis zum Ausgang des Gebäudes begleitete.

10

Tagebuch von David Barnes, Donnerstag, 12. Juni
Zeitungsausschnitte

MÜSSEN WIR UNS
VOR UNSEREN HUNDEN FÜRCHTEN?

In den letzten Wochen wurden auf dem gesamten amerikanischen Staatsgebiet Hunde extrem aggressiv gegenüber Menschen.

Dutzende von Personen, darunter viele Kinder, sind in den letzten Wochen nach Angriffen von Hunden gestorben.

So wurden am Sonntag, 8. Juni, in Dexter (Arizona) drei Kinder aus derselben Familie beim Spielen auf der Straße von zwei Dobermann-Hunden getötet, die Nachbarn gehörten. Am selben Tag wurde in Eastbourne (Alabama) eine Frau auf der Straße von einem Hund unbestimmbarer Rasse tödlich verletzt; es gelang nicht, diesen einzufangen. Am Montag, 9. Juni, fiel eine Meute von vier Hunden zwei Polizisten an, die in Dupont Circle in Washington auf Streife gingen. Die ernstlich verletzten Polizisten waren gezwungen, die Tiere zu erschießen. In Toledo (Kentucky) wurde ein achtunddreißigjähriger Familienvater nach der Rückkehr von einem Spaziergang von seinem Hund getötet. Das Tier wurde als ›sanft und friedlich‹ geschildert...

Es gibt zahlreiche weitere Beispiele dieser Art.

Wie lässt sich ein solches Phänomen erklären? Wir haben diese Frage Jack Wyler, Professor für tierische Verhaltensbiologie am Massachusetts Institute of Technology, gestellt:

»Die plötzliche Regression eines Haustiers in einen Zustand der Wildheit ist ein bekanntes Phänomen«, so Professor Wyler. »Auffallend an dieser Sache hier ist jedoch die Zunahme der Fälle

innerhalb eines derart kurzen Zeitraums; das ist absolut ungewöhnlich.«
»Es wäre interessant«, fügte Professor Wyler hinzu, »wenn man ein lebendes Tier hätte, das sich aggressiv verhalten hat und an dem man verschiedene gründliche Experimente durchführen könnte…«
Es wäre in der Tat wünschenswert, dass das Rätsel der Killerhunde schnell eine Lösung findet. Denn über das Problem der öffentlichen Sicherheit hinaus, das sich im ganzen Land stellt, ist zu befürchten, dass sich ein Psychosensyndrom entwickelt.
Mehrere Gemeindeverwaltungen haben Verordnungen erlassen, die für alle Hunde an öffentlichen Orten zwingend das Tragen eines Maulkorbs vorschreiben. Der Bürgermeister von Bloomington (Texas) hat einen Sonderdienst eingerichtet, dessen Aufgabe darin besteht, alle streunenden Hunde einzufangen und zu erschießen. Mehrere Tierschutzvereine haben gegen diese Anordnung Rechtsmittel eingelegt.
Die Firmengruppe Damco Inc., die ein paar auf Hundefutter spezialisierte Tochtergesellschaften hat, kündigte ihrerseits eine große Informationskampagne an, die darauf abzielen soll, die Bevölkerung zu beruhigen.
Mehr denn je in Amerika erweist sich das Thema Haustiere als höchst sensibles Problem, und zwar in einem gleichermaßen tragischen wie beunruhigenden Kontext.

The New York Times, S. 9, Donnerstag, 12. Juni

Kommentar: Keiner.

11

University City, Philadelphia

Tom saß auf seinem Bett und dachte an nichts. Seit einer Stunde saß er schon so, reglos, den Kopf so voll mit Bildern, dass er sich auf keines richtig konzentrieren konnte; Tausende von Bildern, die zu schnell herumwirbelten, um greifbar zu sein. Er spürte kein besonderes Gefühl; der Schmerz hatte sich schon seit geraumer Zeit aus seinem Herzen zurückgezogen. Er wusste, dass es besser war, wenn dieser ihn später erneut übermannte, doch im Moment war er froh über den Aufschub, den der Zustand der Benommenheit ihm schenkte. Er war allein, endlich. Er hatte darum gebeten, dass man ihn allein ließ, und seine Eltern waren für einige Stunden weggegangen, wenn auch widerstrebend. Sie hatten Angst. Angst wovor? Dass er aus dem Fenster sprang? Vom zweiten Stock?! Tom lachte hämisch. Er hatte sehr wohl gesehen, wie seine Mutter, ehe sie wegging, einen kleinen Umweg zu ihrem Arzneimittelschränkchen machte und das Glas mit den Schlaftabletten einsteckte ... Er hatte kein Verlangen zu sterben. Nicht jetzt gleich. Schon möglich, dass ich mich mit irgendwelchen Mitteln zuknalle, dachte er, in ein paar Tagen vielleicht ... aber nicht jetzt gleich. Ich muss nachdenken ... Tom hatte lange gewartet, bis er allein dem unsäglichen Schmerz gegenüberstand, der ihn nie wieder verlassen würde, und er spürte eine Art dunkles Verlangen, diese Momente auszuleben. Er wartete. Und allmählich, in dem Maße, in dem seine Gedanken sich beruhigten und die Bilder für einen kurzen Augenblick klarer wurden, fühlte er ihn, den Schmerz, der erneut über ihn kam. Als der Sargdeckel sich endgültig über Amy geschlossen hatte und ihm bewusst geworden war, dass er sie nie wieder sehen würde ... Und als er sie zwei Tage zuvor auf ihrem Kinderbett in seinen Armen gehalten und in seinem tiefsten Inneren begriffen hatte, dass das, was er an sich drückte, nicht Amy war, sondern eine leblose, leere Hülle, die sie verlassen hatte...

Als Tom gemerkt hatte, dass Amy nicht mehr lebte, bestand sein erster Reflex darin, aus dem Haus zu stürzen. Er war einige Minuten umhergeirrt, ehe er einen Passanten alarmierte. An die Stunden danach erinnerte er sich nur sehr bruchstückhaft: an die Aufregung, die Schreie, die Tränen... an die Polizisten und ihre Fragen, die er nicht verstand... und an den Arzt, der ihm etwas zu trinken gegeben hatte, das ihn leicht schläfrig machte... und wie dann seine Eltern aufgetaucht waren... Amys Eltern waren in der Nacht mit dem kleinen Bruder gekommen. Und Jess hatte alle freudig begrüßt und sich dann in eine Ecke gesetzt und das Geschehen beobachtet. Später mussten Polizisten Amys Vater zurückhalten, der den Hund erschießen wollte. Später hatten sie ihn eingeschläfert; sie hatten ihn gepackt und in einem grauen Lieferwagen mitgenommen... Am Morgen danach hatten sie ihn getötet. Er hatte Amy umgebracht. Er hatte Amy umgebracht, und keiner wusste, weshalb.

In der Woche danach war Tom unablässig beschäftigt. An den ersten beiden Tagen hatte die Polizei ihm zahlreiche Fragen gestellt, zuerst der Sheriff von Cap May, dann die beiden FBI-Beamten, die dazugestoßen waren, und er hatte nicht verstanden, inwiefern Amys Tod das FBI interessieren konnte... Dann Amys Begräbnis in Philadelphia. Dann musste die Auflösung ihres Haushalts organisiert werden... Seine Eltern waren ständig um ihn gewesen; sein Vater wie immer stumm in einer Wolke von Zigarettenrauch und seine Mutter, die sich nie so in ihrem Element fühlte wie bei einer Katastrophe, beflissen und übereifrig...

Tom hatte seine Prüfungen nicht bestanden. Er war nicht in der Lage gewesen, sich zu konzentrieren. Er hatte versucht, eine Mathe-Übungsaufgabe zu lösen, doch nach einer halben Minute war ihm wilder Schmerz durch die Brust gezuckt, und er war an seinem Schreibtisch zusammengesackt und in Tränen ausgebrochen. Der Schmerz erforderte ununterbrochene Wachsamkeit und beständige Aufmerksamkeit, damit er im Zaum blieb und nicht über die Dämme brach und sich überall hin ausbreitete ... So hatte Tom seinen Studienkram weggeräumt, seine Bücher und Ordner, seine Kugelschreiber und seine Kleidung ... Das alles war nun in auf dem Boden verstreuten Kisten verstaut. Am Fenster stand das Holzregal, das Amy ihm geschenkt hatte – bei dessen Montage sie ihm geholfen und das er nun allein auseinandergebaut hatte; die Hilfe seines Vaters hatte er abgelehnt. Und daneben stand die Mikrowelle, auch ein Geschenk von ihr – sie hat mir nie etwas Unnützes geschenkt, dachte Tom. Einmal hatte sie zu ihm gesagt: »Du denkst mehr an mich, wenn du gezwungen bist, jeden Tag meine Geschenke zu benutzen, und so kannst du mich nicht vergessen ...«

Tom fühlte, wie der Schmerz unvermittelt in seinem Bauch explodierte; er brach in Schluchzen aus und sackte auf dem Bett zusammen. Ich brauche dich, dachte er, ich brauche dich ... Als sie lebte, hatte Amy über ihn gewacht, und selbst wenn sie nicht anwesend war, glaubte er zu spüren, wie ihre wachsamen blauen Augen sich vergewisserten, dass alles in Ordnung war ... Und jetzt war unermessliche Leere über sein Leben gekommen, die sich immer tiefer grub. Während jener Woche hatte er sich in dem Maß, in dem ihm bewusst geworden war, dass er sie nie wiedersehen würde, immer einsamer gefühlt – eine Einsamkeit, die umso grausamer war, als er von Leuten umgeben war: von seinen Eltern mit ihrer Fürsorge und ihrer elterlichen Zuneigung, die nicht verstanden, wie er sich fühlen musste ... Tatsächlich war Amy die Einzige, die ihn verstand, die einzige, die wusste, wer er war ... Und jetzt wusste er es selbst nicht mehr. Er hatte keine Zukunft mehr vor sich, nur noch eine dunkle Mauer, auf der sich Amys Schatten abzeichnete ...

Tom hatte ihr nie gesagt, dass sie die Frau seines Lebens war. Hatte er sich das eigentlich selbst eingestanden? Alles ist so schnell gegangen, dachte er. Das Leben ist absurd. Kaum ein Jahr ... Acht

Monate… Nicht einmal acht Monate, korrigierte er sich, in zwei Tagen hätten wir unser Achtmonatiges gefeiert… Am siebten jedes Monats gingen Amy und er ins Smoky Joe’s. Der Besitzer gab ihnen einen Aperitif aus; er nannte sie »die Verliebten«, mit lauter Stimme, so dass das ganze Lokal es mitbekam, und es gab immer ein paar Studenten, die sie damit aufzogen, doch das kümmerte sie nicht, sie feierten ihren »Monatstag« wie sie sagten, und zu ihrem ersten richtigen Jahrestag wollte Tom Amy in ein Super-Restaurant einladen; er sparte dafür… Sie hätten bei Smoky Joe’s einen Aperitif getrunken, weil das »ihr« Lokal war, und dann wäre er ganz feudal mit ihr Taxi gefahren und hätte mit ihr im besten Restaurant von Philadelphia zu Abend gegessen, mit Champagner und allem Drum und Dran… Und dort hätte er es ihr gesagt, das wusste Tom jetzt, er hätte ihr gesagt »ich liebe dich«, aber das hatte er ihr schon gesagt, doch er hätte ihr auch gesagt, dass er sie heiraten und Kinder mit ihr haben wollte… Sie träumte von einem großen Haus inmitten der Natur; sie hatten einmal darüber gesprochen. Eine Art Ranch, aber kleiner, weil eine Ranch vielleicht ein wenig ihre Mittel überstieg, zumindest anfangs… Auch wenn Amys Vater ganz schön viel Geld hatte… Und auch Tom, der eigentlich durch und durch ein Stadtmensch war, hatte begonnen, vom Land und von weiten Räumen zu träumen, von Spaziergängen im Wald zusammen mit ihr und den Kindern, die aussehen würden wie sie beide…

Tom weinte, auf seinem Bett zusammengekauert, den Kopf zwischen den Händen, und es tat ihm gut, einfach zu weinen und die Wellen von Kummer nicht zurückzuhalten, deren unerschöpfliche Quelle tief in seinem Bauch saß. Wenn seine Mutter da war, stopfte sie ihn mit Beruhigungsmitteln voll, die zwangsläufig irgendwann nicht mehr wirkten, abgesehen davon, dass sie ihn davon abhielten, wie ein Kind zu heulen und zu schreien… Tom fragte sich, ob er es den ganzen Sommer bei seinen Eltern aushalten würde… Ich muss allein sein, sagte er sich. Allein, Herrgott noch mal!

Es klopfte an der Tür.

Das darf doch nicht wahr sein, dachte sich Tom, nicht schon wieder! Sie haben mich kaum eine halbe Stunde allein gelassen!

»Lasst mich in Ruhe!«, schrie er. »Kommt in einer Stunde wieder!«

Hinter der Tür herrschte zunächst Schweigen. Dann war eine leise Stimme zu vernehmen. Eine weibliche Stimme, die Tom bekannt vorkam.

»Tom, mach auf... Ich bin's.«

Einen Moment schien das Universum zu beben. »Amy?«

Tom war an der Tür und hielt den Atem an. Die Stimme setzte zögernd erneut an: »Tom, ich bin's, Linda... Kann ich reinkommen?«

Tom öffnete die Tür. Sein Herz schlug wie verrückt; er hatte Tränen in den Augen und schämte sich ein wenig. Einen Moment lang hatte er tatsächlich geglaubt... Gegen das Licht zeichnete sich Lindas Silhouette im Türrahmen ab.

»Komm rein«, sagte er und trat beiseite.

Linda ging zum Bett, setzte sich und beobachtete ihn dabei. »Wie geht's dir?«

Er begnügte sich damit, bitter zu lächeln. Was für eine idiotische Frage! Linda war ein nettes Mädchen, das Amy aufrichtig gemocht hatte und sichtlich sehr erschüttert war... Doch es mangelte ihr derart an Feingefühl, dass man sich fragte, wie die beiden überhaupt miteinander ausgekommen waren... Tom ging zum Fenster. Der Campus war menschenleer.

»Und dir?«

»Oh, mir... Ich glaube, ich kann es immer noch nicht fassen. Sind deine Eltern weg?«

»Sie sind nicht sehr weit. Ich habe ihnen gesagt, sie sollen spazieren gehen...«

»Möchtest du allein sein? Störe ich dich?«

Tom zögerte. Er musste allein sein, doch er wollte nicht, dass sie ging, jedenfalls nicht gleich... »Nein, du kannst einen Moment bleiben.«

Es entstand eine ziemlich lange Pause. Linda sagte nichts, und

Tom hatte keine Lust, als Erster zu sprechen. Dann setzte er sich neben sie. Das Mädchen ließ den Kopf auf seine Schulter fallen. Sie gab ein merkwürdiges Schluchzen von sich, das seltsam im Zimmer widerhallte ... »Oh, Tom, sie fehlt mir so ...«

Tom schwieg. Er wusste nicht, was er sagen sollte. Es war unmöglich, das, was er fühlte, mit jemandem zu teilen, und Linda schien ihm so anders zu sein als er ... eine Fremde. Doch ihre Wärme tat ihm gut.

Nach einer Weile begann das Mädchen erneut zu sprechen. »Hast du in diesen Tagen nicht Radio gehört?«

Als wäre er in der Stimmung, Radio zu hören ... Warum nicht gleich ins Kino gehen oder in die Disko ... »Nein«, erwiderte er mit schwacher Stimme.

»Gestern bin ich auf eine Kurznachricht gestoßen, es ging um zwei Kinder, die in der Nähe von Camden von ihrem Hund getötet wurden ... Und in Philadelphia liegt anscheinend ein Fünfzigjähriger im Koma ... Und ich glaube, es hat noch weitere Fälle gegeben ...«

Tom richtete sich leicht auf, und Linda folgte seiner Bewegung.

»Was sind das für Geschichten?«

»Ich weiß nicht ... Man könnte meinen, es handle sich um eine Art Serie ...«

»Haben sie gesagt, warum? Ich meine, weiß man, was los ist?«

»Sie haben gesagt, dass möglicherweise irgendetwas die Hunde nervös macht, aber es hat sich nicht so angehört, als wüssten sie groß Bescheid ... Sie haben gesagt, man soll aufpassen.«

»Aufpassen ...«

Tom erinnerte sich an Amys Anruf. Sie hatte Angst gehabt, sie hatte »aufgepasst«, aber das hatte auch nichts geändert ... Sie hatte ihn um Hilfe gerufen, und alles, was er hatte tun können, war nur, sie als Erster zu finden ... Tom ballte die Fäuste. Seit einer Woche träumte er, sofern er überhaupt schlafen konnte, von bluttriefenden Monsterhunden, die ihn verfolgten, ihn – eigenartigerweise kam Amy nicht in seinen Träumen vor –, und wie er dann mit dem Gewehr auf sie schoss, aber das machte ihnen nichts aus, und er, der Tiere so sehr liebte, und ganz besonders Hunde, er konnte keinen mehr auf der Straße sehen, nicht einmal einen kleinen; er hatte das Gefühl, sie würden sich gleich auf ihn stürzen, und gleichzeitig hätte er sie am liebsten getötet.

»Tom, geht es dir gut?«

Linda hatte ihre Hand auf seinen Arm gelegt und entspannte sich ein wenig.

»Ja, Linda«, seufzte er, »es geht mir gut, es geht mir sehr gut. Warum sollte es mir schlecht gehen, siehst du irgendeinen Grund dafür?«

Das Mädchen legte den Kopf wieder auf seine Schulter. »Entschuldige bitte... Aber du weißt, dass ich verstehe, was du fühlst.«

Dieses Mädchen würde sich perfekt in einer Sitcom machen, dachte Tom. Gleich sagt sie mir, dass alles gut werden wird...

»Alles wird gut«, sagte Linda. »Im Moment machst du Schlimmes durch, aber du wirst wieder zu dir kommen.«

Mein Gott, dachte er seufzend. Das Mädchen legte ihm den Arm um die Schulter. Tom fühlte ihren Oberschenkel warm an seinem.

»Du wirst darüber hinwegkommen, daran musst du glauben! Im Leben ist man immer mal ganz unten und kommt dann doch wieder hoch. Du bist stark!«

Tom drehte den Kopf nach hinten, lehnte ihn an die Wand und schloss die Augen. Es war bestürzend, was dieses Mädchen für eine Philosophie hatte, doch seltsamerweise tat es ihm gut, ihr zuzuhören... Er fühlte, wie ihre Hand über seine Stirn strich.

»So ist es gut«, murmelte sie, »entspann dich...«

Linda massierte ihm sanft die Augenbrauen und den Scheitel, und Tom spürte, wie er sich entspannte. Seine Augen waren kaum mehr einen Spalt weit offen, und er sah Lindas Schatten, der sich über ihn beugte, und er roch ihr Parfum, ein komisches Parfum, eine Nuance zu stark, nie hätte Amy so ein Parfüm getragen, schwer und etwas vulgär; ihm wurde davon leicht schwindlig...

»Entspann dich«, flüsterte sie, »entspann dich ...«

Linda massierte ihm jetzt den Nacken, und er spürte ihre Brüste auf seiner Brust und ihren Atem, der ziemlich heiß war; sie atmete beinahe hingebungsvoll, und ihre Hände taten ihm tatsächlich gut. Ein Schauder lief ihm über den Rücken, vom Nacken bis zum Becken ... Sie hat hübsche Brüste ... wenn sie nur den Mund halten würde, dachte er wie benebelt. Ihn überkam das Verlangen zu lachen und vermischte sich mit einem Wunsch nach Lethargie und gleichzeitig mit einem eigenartigen Gefühl: einem Bedürfnis, sich auszustrecken und tiefer zu atmen ... Da hörte er, wie Linda ihm ins Ohr flüsterte: »Habe ich das bei dir bewirkt?«

Die Hand des Mädchens lag auf seinem Oberschenkel und berührte leicht sein Geschlecht, und Tom merkte, dass er eine starke Erektion hatte. Leicht verlegen traf er Anstalten, sich von Linda zu lösen, die angefangen hatte, ihn langsam zu streicheln, und er fühlte sich sonderbar: leicht benebelt und völlig kraftlos ...

»Hör auf«, sagte er.

Als habe sie ihn nicht gehört, bewegte sie ihre Hand langsam weiter, ihre Wange an Toms Wange, und flüsterte ihm ins Ohr:

»Das ist nichts Schlechtes, Tom ... Das tut gut ... Du brauchst das ...«

Tom fühlte plötzlich rasenden Zorn in sich aufsteigen, etwas wie absoluten Hass. Er stieß das Mädchen aufs Bett und begann ihr die Kleider vom Leib zu reißen.

Linda rauchte auf dem Bett, und Tom war sicher, dass sie sich nicht bewegt hatte, seit er mit dem Rücken zu ihr vor dem Fenster stand und in den bedeckten Himmel sah ... Sie lag nackt auf dem Bett, ermattet und völlig schamlos ... Sie hatte so geschrien, wie er sich nie hätte vorstellen können, dass eine Frau schreien konnte, sie hätte das ganze Haus zusammengetrommelt, doch glücklicherweise war so gut wie niemand mehr da! Wenn man mit Linda bumst, sollte man mindestens mitten in der Wüste sein oder auf dem Mond, dachte er, und es stimmte, dass es mehr als gut getan hatte, mit ihr war es unmöglich, an irgendetwas anderes zu denken, sie beanspruchte völlige Aufmerksamkeit, sie bewegte sich hin und her, kratzte und biss, am Anfang hatte er ein wenig Angst gehabt, doch einen Moment später hatte er nur noch vage Erinnerungen ... Und dann die Lust, die ihn plötzlich überraschend gepackt hatte, eine brutale Lust, wie er sie nie zuvor verspürt hatte ...

Mit Amy war es ganz anders gewesen. Sie hielten sich lange im Arm, eng umschlungen, zärtlich, es ging ihnen gut in jenen Momenten, Tom fühlte sich vollkommen in Frieden und Sicherheit ... Manchmal kam es ihm vor, und Amy hatte ihm gesagt, dass es ihr auch so ging, dass sie es nur einmal machten, es dauerte ein paar Minuten, lang wie Stunden oder ganze Tage, als würde die Zeit nicht mehr verstreichen ... Und es stimmte, dass sie nicht oft miteinander schliefen, ab und zu und sehr sanft, denn tief in seinem Inneren spürte Tom, dass Amy sich vielleicht ein wenig davor ängstigte, und außerdem hatten sie sowieso nicht das Bedürfnis, es oft zu tun ... Sie liebten sich ... Und trotzdem spürte er Lust mit Amy, er mochte es gern, wenn er sie nachher an seinem ganzen Körper spürte ... Tom beobachtete einen Spatz, der sich gerade auf dem Fensterbrett niedergelassen hatte. Als er sich leicht bewegte, flog der Vogel davon. Auf jeden Fall, dachte er, hatte das nichts mit dem zu tun, was er vorhin erlebt hatte, mit dieser Lust, die sich im Bruchteil einer Sekunde in seinem ganzen Körper ausgebreitet hatte, mit dem hellen Aufblitzen, durch das er sich ein paar Minuten absolut gut gefühlt hatte, als fühle er, wie das Blut in seinen Adern zirkulierte ...

Danach war er aufgestanden, hatte seine im Zimmer verstreuten Kleidungsstücke aufgehoben, die zwischen denen von Linda lagen, und sich rasch wieder angezogen. Er wollte nicht mehr nackt sein. Nicht wegen Lindas Blick, nein, es war etwas anderes, ein eigenartiges Gefühl, das immer stärker wurde ... Ich bin ein Haufen Scheiße, dachte er und verspürte plötzlich enormes Verlangen nach Amys Armen, danach, seinen Kopf an ihren Hals zu legen, doch es war, als würde sie sich entfernen, als würde sie ihm den Rücken kehren, und zum ersten Mal wusste er, dass es wirklich so war.

Tom hörte, wie Linda sich auf dem Bett bewegte, und merkte, dass sie weinte. »Hau ab«, sagte er.

12

Bei Clydesburg, Illinois

Kenneth fing sich langsam wieder. Seit gut zwei Stunden war er in diesem Raum mit Wänden aus Stahlbeton, zu dem man über endlos lange Treppen heruntersteigen musste, und seine Lage war nicht eben glänzend. Er war etwa zehn Meter unter der Erde eingesperrt und wurde gut bewacht (an der Tür saßen drei bis an die Zähne bewaffnete Militärangehörige)... und Clydesburg war verschwunden. Doch immerhin hatten sie ihn nicht getötet, und unter der Decke, in die man ihn gehüllt hatte, sog Kenneth den Dampf des Kaffees ein, den man ihm gebracht hatte, und nahm dies als gutes Vorzeichen. Wenn sie es nicht als unerlässlich erachtet hatten, ihn auf der Stelle zu liquidieren, wenn sie drei Ordonnanzen mobil gemacht hatten, um sicherzustellen, dass er sich nicht aus dem Staub machte, dann hieß das vielleicht, dass sie die Absicht hatten, Zigaretten, Alkohol und den moralischen Katzenjammer das ihre tun zu lassen, ohne die Dinge zu überstürzen... Außer, sie mussten zuerst noch einiges überprüfen und würden ihn anschließend töten... Aber wie es aussah, wussten sie schon ziemlich viel über ihn; sie kannten seinen Namen, und als sie im Lastwagen saßen, der sie zu dieser Art unterirdischem Stützpunkt gebracht hatte, hatte ihr Anführer, das war der, der die Faustfeuerwaffe auf ihn gerichtet hatte, angefangen, mit ihm über seine Arbeit als Journalist zu sprechen und sogar über Senator Russell, was ihm ziemlich übel aufgestoßen war... Woher wussten sie das alles? Man hätte meinen können, sie hätten auf ihn gewartet... Doch er hatte sich doch erst an diesem Morgen entschlossen, nach Clydesburg zu fahren, und er hatte niemandem davon erzählt. Auf jeden Fall wussten sie viel über ihn, genug, um ihn sofort abzuknallen, vorzugsweise mit einem Schuss in den Rücken, wenn sie es für erforderlich gehalten hätten ...

Nun, sie hatten es nicht für erforderlich gehalten, und Kenneth fühlte sich immer besser. Er war wirklich an einer Sache dran! Und das Gefühl, das ihn allmählich durchdrang und die Angst weit an den Rand seines Geistes drängte, war eine Aufregung, die sein ganzes Wesen erfasste und ihn jede Parzelle seines Körpers spüren ließ, als würde jedes Stückchen Haut, jeder kleine Knochen sich zur Tat bereit machen. In seinen Armen und Beinen kribbelte es; er wollte sich bewegen, etwas tun. Dennoch fühlte er sich seltsam gelassen. Er atmete tief durch und konnte spüren, wie beim Einatmen die kühle, feuchte Luft und beim Ausatmen sein warmer Atem durch seine Nasenlöcher strömte. Kenneth hatte das Gefühl, zu neuem Leben zu erwachen, und er wusste, dass er sein erbärmliches Dasein in Cairo nie wieder würde aufnehmen können. Lieber soll mich der Schlag treffen, dachte er, lieber sterbe ich auf der Stelle ... Plötzlich hörte Kenneth Schritte. Die Tür öffnete sich. Es war der Captain, flankiert von zwei bewaffneten Wachen.

»Entschuldigen Sie bitte, dass ich mich nicht schon eher vorgestellt habe. Captain Gordon. James Gordon. Wie geht es Ihnen, Mr Pilar?«

Kenneth sah ihn mit herausfordernder Miene an: »Sehr erfreut. Es wird mir besser gehen, sobald Sie mir ein paar Erklärungen gegeben haben ...«

Der Captain lächelte; es war ein leicht mondänes, doch herzliches Lächeln. Für einen Militärangehörigen war er nicht unsympathisch.

»Ich schließe das nicht aus. Aber vorher müssen ein paar Formalitäten erledigt werden.«

»Das heißt?«

»Wir benötigen Ihre Mitarbeit.«

»Was haben Sie mit Clydesburg gemacht? Wo sind die Einwohner?«

»Sie sind tot, Mr Pilar.«

Kenneth war sichtlich betroffen. Im Grunde hatte er immer gehofft, sie wären nicht tot, sondern lediglich irgendwo eingesperrt, so wie er... Trotz des unerklärlichen Verschwindens der Stadt war es ihm nicht gelungen, sich den Tod von sechstausend Leuten vorzustellen, einfach so, auf einen Schlag. Und auch jetzt konnte er es nicht wirklich fassen. Und Janie?, dachte er plötzlich. Auch tot... Kenneth fühlte, wie Schwindel ihn erfasste und sich das Zimmer um ihn zu drehen begann. Er war nicht in Janie verliebt, doch sie verstanden sich gut, und jetzt würde er nie wieder ihr leises Lachen hören. Sie lachte viel mit ihm; sie sagte, er sei der Einzige, der sie so zum Lachen bringen könne, und Kenneth wurde bewusst, dass er Janie schrecklich gern zum Lachen brachte... Und dass sie ihm fehlen würde.

»Ist etwas nicht in Ordnung, Mr Pilar?«

Kenneth zuckte zusammen. Die Augen des Captains waren nur wenige Zentimeter von seinem Gesicht entfernt und musterten es aufmerksam, und Kenneth trat rasch einen Schritt zurück.

»Doch, natürlich ist alles in Ordnung! Sie teilen mir kühl mit, dass Sie ein paar Tausend Leute umgebracht haben, und ich habe nicht die geringste Ahnung, warum; Sie halten mich gefangen, und ich weiß nicht, ob ich in einer Stunde noch leben werde, aber abgesehen von diesen Kleinigkeiten ist alles in bester Ordnung!«

Kenneth hatte sich erhoben, und die fünf Wachen ließen in schönem Gleichklang die Magazine ihrer Automatikwaffen klicken. Die Stimme des Captains schnarrte einen kurzen Befehl, und die Ordonnanzen ließen die Waffen wieder sinken.

»Beruhigen Sie sich, Mr Pilar«, sagte er etwas sanfter, doch bestimmt. »Es stimmt nicht ganz, dass wir diese Leute getötet haben, abgesehen von ein paar wenigen, und sobald Sie wissen, weshalb wir es getan haben, werden Sie merken, dass wir keine andere Wahl hatten. Was Sie betrifft, so besteht keinerlei Grund, Ihnen auch nur ein Haar zu krümmen, das versichere ich Ihnen. Und es liegt allein an Ihnen, uns keinen Anlass zu geben.«

»Ich verstehe. Das ist eine Drohung.«

»Das ist der Stand der Dinge, Mr Pilar. Wir durchleben eine

sehr schwere Krise, und wir haben Anweisung, mit allen Mitteln zu versuchen, sie unter Kontrolle zu bringen. Wenn Sie damit aufhören würden, sich selbst in einem Verfolgungsthriller zu sehen, würden Sie sich daran erinnern, dass die Aufgabe des Militärs darin besteht, die Menschen zu schützen. Und auch Sie gehören zu den Menschen, die wir schützen sollen.«

»So wie die Bevölkerung von Clydesburg?«

»Wir werden Ihnen alles erklären. Doch zunächst benötigen wir Ihre Mitarbeit.«

Kenneth beschloss, sich zu beruhigen. Er hatte sowieso kaum eine Wahl, und zudem verzehrte ihn die Neugier. Warum hatte es das amerikanische Militär für nötig befunden, eine ganze Stadt dem Erdboden gleichzumachen und ihre Bewohner zu vernichten? War das ein Putsch oder etwas in der Art? Doch dafür gab es strategisch wichtigere Orte als Clydesburg! Und die Jungs hatten so etwas Offizielles an sich wie Leute, die lediglich Befehle ausführten ... Doch welche Befehle und weshalb?

»Was wollen Sie?«, gab er schließlich nach.

»Mr Pilar, unseren Informationen zufolge gibt es nur eine einzige Person, die sich wegen Ihres Verschwindens Sorgen machen könnte, nämlich Ihre Mutter.«

Kenneth schauderte. In der Tat, abgesehen von seiner schrecklichen Erzeugerin würde kein Mensch auf der Welt sich Sorgen um ihn machen und etwas unternehmen, wenn er kein Lebenszeichen mehr von sich gab. Außer vielleicht Clive, doch manchmal verstrichen drei Monate, ohne dass sie Kontakt hatten, was seinen Kerkermeistern ausreichend Spielraum ließ ...

»Wie kommt es, dass Sie so gut informiert sind?«

»Ach, ganz einfach. Wir haben Sie schon von weitem kommen sehen ...«

»Das verstehe ich nicht. Ich habe eine Stunde bis Clydesburg gebraucht ... Sind wir schon so genau erfasst, dass Sie in einer Stunde alles über mein Leben wissen?«

»Wir hatten die ganze Nacht, um Erkundigungen über Sie einzuholen.«

»Wie das? Ich habe mich erst heute Morgen beim Aufwachen dazu entschlossen, nach Clydesburg zu fahren, und niemandem etwas davon gesagt …«

»Sicher, Mr Pilar, aber wir verfügen über ein System, das es uns erlaubt, alle Telefonate nach Clydesburg zu orten. Wie Sie sich denken können, sind Ihre Anrufe gestern Nachmittag nicht unbemerkt geblieben, und wir haben Sie unter Beobachtung gestellt. Und jetzt hören Sie mir zu und unterbrechen Sie mich nicht mehr.«

Die Stimme des Captains hatte einen gebieterischen Ton angenommen. »Sie werden in Kürze Mrs Pilar anrufen«, fuhr er fort, »und ihr sagen, dass alles in Ordnung ist, dass Sie für Ihre Zeitung in Clydesburg sind, dass ein Unwetter die Verbindungen lahmgelegt hat, dass im Moment erst eine Leitung wieder funktioniert, die aber dringenden Telefonaten vorbehalten ist, und dass Sie deshalb nicht lange mit ihr sprechen können. Dann legen Sie auf.«

»Wenn Sie glauben, dass es so einfach ist, ein Gespräch mit meiner Mutter abzubrechen …«, murrte Kenneth.

Der Captain lächelte. »Sie werden ihr sagen, dass man Sie aus der Leitung werfen wird, und dann werden wir Sie aus der Leitung werfen.«

»Ich möchte zuerst, dass Sie mir die Situation erklären.«

»Mr Pilar, es hat keinen Sinn, Sie auch nur im Geringsten in Versuchung zu führen, in einem Akt von unangebrachtem Heroismus, den ich Ihnen durchaus zutraue, am Telefon Informationen weiterzugeben … Und ein solcher Akt hätte ebenso unerfreuliche Folgen wie eine Weigerung Ihrerseits, Ihre liebe Mama in den nächsten drei Minuten anzurufen …«

»Nämlich?«

»Um es klar auszudrücken: In ebendiesem Moment stehen zwei unserer Männer unten vor der Wohnung Ihrer Mutter. Sie haben Anweisung, sie unschädlich zu machen, falls es Ihnen nicht gelingen sollte, ihr jegliche Sorge um Sie zu nehmen. Eine Sorge, die ansonsten von jenem Augenblick an sehr wohl begründet wäre …«

Der Ton des Captains war bei den letzten Worten sehr kühl gewesen, und Kenneth nahm den Telefonhörer, den man ihm reichte.

Zum ersten Mal in seinem Leben hatte Kenneth bei einem Telefonat mit seiner Mutter den Hörer aufgelegt, und sein Herz war von Siegesgefühl erfüllt. Er folgte dem Captain, der sein herzliches Lächeln wiedergefunden hatte und ihn über ein Gewirr von Fluren zur Kommandozentrale führte. Endlich würde er erfahren, was los war, und er fühlte sich wohl. Sie hatten ihn auch bei seiner Zeitung anrufen und sagen lassen, er würde für einige Zeit weg sein, und wie er erwartet hatte, war es allen offenkundig egal... Doch das kümmerte Kenneth nicht weiter. Von ihm aus konnte sich der *Cairo Clarion* mit all seinen Journalisten in Luft auflösen – er hatte wieder zum großen, wahren Abenteuer gefunden! Das gefällt mir, dachte er, verdammt nochmal, das gefällt mir...

Der Captain brachte ihn in einen großen Raum, der mit komplizierten Geräten voll gestellt war, die Kenneth noch nie gesehen hatte, und hieß ihn, auf einem Stahlrohrsessel Platz zu nehmen.

»Mr Pilar«, sagte er, »Sie befinden sich hier in unserer Schaltzentrale. Ich werde Ihnen die Situation erklären.«

Kenneth schlug die Beine übereinander. Der Captain legte los: »In Clydesburg ist eine äußerst virulente Epidemie aufgetreten, die die Hälfte der Einwohner getötet und die andere Hälfte krank und hoch ansteckend gemacht hat. Es handelt sich um ein neues Virus. Wenn man davon befallen wird, spuckt man nach einer sehr kurzen Inkubationszeit zunächst dunkelgrünen Schleim, ungefähr so wie in dem Film *Der Exorzist*... Dann blutet man aus allen Körperöffnungen und nach einer knappen halben Stunde ist man hinüber.«

»Nett«, murmelte Kenneth, dem ein wenig schwindlig geworden war.

»Das Virus verbreitet sich offensichtlich über die Atemwege, und zwar mit einer Schnelligkeit, die alles übertrifft, was wir bisher kennen. Uns stellte sich also folgendes Problem: Wie lässt sich die Epidemie innerhalb des besagten Gebiets eindämmen?«

Kenneth seufzte. Er hatte verstanden. »Und für Sie bestand die Lösung darin, Clydesburg mit allen seinen Einwohnern zu vernichten …«, sagte er nachdenklich.

»Für diese Art Fälle sind Maßnahmen vorgesehen. In unserem Code bezeichnen wir das als Kauterisieren. Es geht darum, sicherzustellen, dass keiner lebend aus dem Gebiet herauskommt. Wir bedienen uns ausgefeilter Techniken, doch mehr darf ich Ihnen nicht darüber sagen. Topsecret.«

»Und Sie glauben, dass Sie das lange geheim halten können? Sechstausend Tote – da wird es viele Leute geben, die sich Sorgen machen!«

»In der Tat, wir werden das nicht sehr lange geheim halten können. Das ist auch nicht unser Ziel. Wir möchten nur eine Panik verhindern, solange wir nicht in der Lage sind, das Virus zu identifizieren und zu bekämpfen. Unsere Wissenschaftler befinden sich im Großeinsatz. Es ist nur noch eine Frage von Tagen.«

»Sie sind sehr optimistisch, Captain … Und die Leute, die ihre Angehörigen anrufen und irgendwann schließlich dort aufkreuzen, so wie ich, wollen Sie die auch alle einsperren?«

»Das wird nicht nötig sein. Wir haben sie für eine Weile beruhigt.«

»Wie das?«

»Die Geräte, die Sie hier sehen, sind Stimmen-Generatoren: Computer, die jede beliebige Stimme numerisch kodieren und dann jeden Laut in dieser Stimme wiedergeben können, und zwar in der von uns gewünschten Reihenfolge und in Realzeit.«

»Wollen Sie damit sagen, dass Sie Ihre Maschinen hier mit der Stimme jeder beliebigen Person sprechen lassen können?«

»Genau. Vorausgesetzt, wir verfügen über Proben aller Laute. Wir haben daher alle Einwohner von Clydesburg gebeten, einen kurzen Text aufzunehmen, der alle gängigen Laute enthält, die im üblichen Sprachgebrauch vorkommen. Das heißt, alle noch lebenden Einwohner. Zum Glück waren wir sehr frühzeitig vor Ort ...«

»Und was haben Sie mit den Lauten gemacht?«

»Wir haben die Angehörigen der besagten Personen angerufen und sie beruhigt; wir haben ihnen gesagt, dass ein Unwetter die Leitungen lahm gelegt habe und es nur eine einzige Notleitung gebe ...«

»Mit der Stimme der betreffenden Personen ...« Kenneth pfiff durch die Zähne. »Warum haben Sie die Leute nicht direkt anrufen lassen?«

Der Captain sah ihn kurz an, als hätte er einen Schwachsinnigen vor sich.

»Weil es länger dauert, ein paar Tausend Leute davon zu überzeugen, ihren Angehörigen etwas vorzulügen, als einfach dreißig Techniker auf einer Tastatur genau das eintippen zu lassen, was wir wollten. Noch dazu wäre im ersten Fall die Hälfte der Leute schon tot gewesen, ehe wir alles organisiert hätten ...«

Kenneth hatte begriffen. »Es haben also Leute mit Mitgliedern ihrer Familie gesprochen ... nachdem sie schon mehrere Stunden tot waren?«

Das nette Lächeln glitt erneut über das Gesicht des Captains. Er sah sehr zufrieden aus, sehr stolz auf seine technologischen Wundergeräte. »Genau so ist es, Mr Pilar.«

Der Typ ist verrückt, dachte Kenneth. Er wirkt völlig normal und sympathisch, aber er ist total verrückt.

»Sie können also Gespräche in Realzeit führen?«, fragte er nach einer Weile.

»Es kommt zu einer ganz leichten Verzögerung«, gab der Captain zu. »Aber die schieben wir dann auf wetterbedingte Störungen in der Leitung und unterlegen das Ganze mit ein bisschen Rauschen ... und die Täuschung ist perfekt!«

Kenneth schauderte. Man konnte heutzutage also die Toten sprechen lassen ... Und noch dazu ließ man sie genau das sagen, was man wollte! Der Captain genoss die erzielte Wirkung und zündete sich ein Zigarillo an.

»Und was ist mit denen, die schon tot waren, bevor Sie eingetroffen sind?«

»Wir sind Fall für Fall durchgegangen. Manche Angehörigen waren leicht zu beruhigen, andere ... weniger leicht.«

Der Captain hatte die letzten Worte in bedeutungsschwangerem Ton ausgesprochen, doch Kenneth, der es mit einem Mal leid war, wollte nicht noch mehr darüber hören.

»Und was machen Sie jetzt mit mir?«

»Wir behalten Sie ein paar Tage hier bei uns, aber an einem gastfreundlicheren Ort ... Wenn Sie keine Fragen mehr haben, bringe ich Sie zu Ihrem Wagen; dort warten schon Ihre Kameraden auf Sie.«

»Meine Kameraden?«

»Ein Wilderer, ein Liebespaar und eine junge Frau, die ein bisschen ... sagen wir, überspannt ist. Wir haben sie alle in der Umgebung von Clydesburg eingesammelt. Wenn Sie mir bitte folgen würden?«

13

Irgendwo über Brasilien

Mary betrachtete Sylvain, der sich ein wenig zu entspannen schien. Das Flugzeug hatte jetzt seine normale Höhe erreicht, und das Gerüttel hatte aufgehört. Sonnenlicht durchflutete die Kabine. Die Gefahr war vorüber.

Die Hölle lag hinter ihnen.

Eine halbe Stunde zuvor waren sie bei Gewitter gestartet. Das kleine Flugzeug hatte sich in ein wildes Gewirr aus Blitz und Donner gestürzt und war von den Böen der wutschäumenden Luft in alle Richtungen gepeitscht und mit faustgroßen Hagelkörnern beschossen worden. Ein einziger Horrortrip. Man kann sich kaum vorstellen, dachte sie, dass diese Wolken, die einem so vertraut sind, so viel Gewalt und Chaos in sich bergen. Sylvain lächelte ihr mit Beschützermiene zu. Mary war gerührt. Fünf Minuten zuvor war er vor Angst fast gestorben, zusammengekauert in seinem Sitz und Gebete vor sich hinmurmelnd wie ein alter Betbruder... Sie lächelte zurück. Es ist schwer, ein Mann zu sein, dachte sie. Wie viel besser würde es ihm gehen, wenn er seine Angst einfach herausbrüllen, nach seiner Mama rufen und seinen Tränen freien Lauf hätte lassen können. Dann würde er jetzt auf den Himmel blicken und vor Freude übersprudeln, dass er noch am Leben ist... statt sich eine Zigarette anzuzünden und das Zittern seiner Finger mühsam zu unterdrücken... Mary selbst hingegen hatte gar keine so große Angst gehabt, was sie überraschte. Oder doch, am Anfang, da war ihr recht mulmig geworden, sie hatte an Greg gedacht, und die Vorstellung, ihn nie wiederzusehen, war schrecklich. Sie liebte ihn aus ihrem tiefsten Inneren heraus und hatte bei dem Gedanken, dass sie aus seinem

Leben gerissen werden sollte, unermesslichen Kummer verspürt … Aber es war eben mehr Kummer als Angst, denn während der nicht enden wollenden Minuten, als die kleine zweimotorige Maschine in dem blitzenden Unwetter wie ein Strohhalm hin- und hergeworfen worden war, stellte sie alsbald eine ungeheure Ruhe in sich fest, als hätte die Zeit sich ausgedehnt. Sie hatte geschrien, doch ihr Bewusstsein folgte einem anderen Rhythmus als ihr Körper, einem viel langsameren und helleren Rhythmus … Tatsächlich hatte sie gefühlt, dass sie nicht sterben würde. Merkwürdig, sagte sie sich … Weiß man irgendwie, wann einem die Stunde schlägt? Doch auch die von Sylvain hatte noch nicht geschlagen, und er hatte sich schon im Jenseits gesehen! Aber Sylvain Charonne war im Grunde noch ein Kind. Er sah aus wie der ewige Student, der das Leben aus Büchern kannte und bei fast allem mitreden konnte, überzeugt davon, erlebt zu haben, worüber er sprach … Gab es eine Frau in seinem Leben? Jedenfalls bewunderte er Mary sehr, und sie hatte das vage Gefühl, dass es bei ihm von Bewunderung bis Verliebtheit nicht weit war … Und doch, dachte sie, hat Diego Legal sich Sylvain als Assistenten ausgesucht, und Diego machte nicht gerade den Eindruck, als würde er Salonintellektuelle besonders schätzen … Jetzt hör auf, über die Leute zu urteilen! Sylvain scheint dafür geschaffen, zehn Stunden am Tag vor dem Computer seine Skoliose weiterzuentwickeln und dabei auf die Gelegenheit zu warten, in einem asthmatischen Flugzeug über den Dschungel zu fliegen, und zwar zu einem Ort, von dem er nicht die geringste Ahnung hat … Wie du selbst übrigens auch! Lass dich überraschen!

Der Pilot drehte sich zu seinen beiden Passagieren um. »Alles in Ordnung?«, schrie er mit seinem komischen, holprigen Akzent.

»Es wird schon!«, antwortete Mary. »Wir sind gerade noch mal davongekommen, oder?«

Er brach in Gelächter aus. »Ach was, meine Liebe! So etwas passiert hier dauernd! Man duckt sich, und schon ist es vorbei …«

Mary sah die dicken Schweißperlen auf seiner Stirn und fragte sich, ob er ehrlich war. »Ist ein solcher Hagel nicht gefährlich?«

»Er ist gefährlich, wenn man Angst hat.«

Der Pilot fuhr mit den Fingern über ein paar Knöpfe auf dem Instrumentenbrett. Dann ließ er den Steuerknüppel los und drehte sich zu ihnen um.

»Sind Sie Freunde von Mr Legal?« In seiner Stimme lag Respekt.

»Ich bin sein Assistent«, antwortete Sylvain, »und Mrs Thomas ist eine Kollegin, die er sehr schätzt.«

Mary hätte am liebsten gelacht, doch sie hielt sich zurück. Rogulski wurde ernst. »Das ist ein Mensch!«

»Kennen Sie ihn gut?«, fragte die junge Frau.

»Ich bin so etwas wie sein Haus- und Hofpilot, wenn er Lust bekommt, wieder in die Zivilisation zurückzukehren... Oder sie zu verlassen. Ich habe ihn nach Mucajai gebracht, als er zum ersten Mal seinen Fuß dort hinsetzte. Er hatte für den Hin- und Rückflug bezahlt, und es dauerte drei Jahre, bis er wegen des Rückflugs wieder Kontakt mit mir aufnahm. Drei Jahre im Dschungel... Das ist jetzt zwanzig Jahre her...«

»Sieht so aus, als würden Sie ihn sehr mögen.«

Die Augen des Piloten strahlten ein wenig. Er drehte ihnen den Rücken zu, setzte sich in seinen Sitz und übernahm wieder das Steuer.

»Er ist ein Mensch. Er versteht die Menschen.«

Mary überließ sich der Schläfrigkeit. Der Motor summte friedlich, unter ihnen dehnte sich, so weit das Auge reichte, in absoluter Gleichförmigkeit das tiefe Grün des Regenwalds aus, unterbrochen nur von eigenartigen, abgeflachten Bergmassiven, die hier und da aufragten. Dort unten leben Menschen, dachte sie, und zum ersten Mal wurde ihr klar, wie fremd deren Art zu leben all dem, was sie kannte, sein musste. Und dabei hatte sie jahrelang die Sitten und Gebräuche der Amazonas-Indianer und einige ihrer Sprachen studiert... Vier davon beherrschte sie und hatte Kenntnisse in sechs weiteren, und sie pflegte zu sagen, dass man ein Volk nicht wirklich kenne, wenn man nichts über seine Sprache wisse; dass die Sprache den Geist der Menschen widerspiegele. Aus diesem Grund hatte sie sich auf Ethnolinguistik spezialisiert. Sie war brillant in ihrer Disziplin, und dennoch ... Als sie diese Welt überflogen, die nichts von dem ähnelte, was sie kannte, wurde ihr bewusst, wie Recht Diego hatte, wie leer reines Buchwissen war und dass man bei den Menschen leben musste, wenn man sie kennen lernen wollte ... wenn einen das berühren sollte, was sie berührte, wenn einem das gefallen sollte, was ihnen gefiel, wenn man vor dem Angst haben wollte, vor dem sie sich fürchteten ...

Mary hatte Diego zwei Jahre zuvor in Paris kennen gelernt. Sie war für einen Monat eingeladen worden an das von Claude Lévi-Strauss gegründete renommierte Labor für Sozialanthropologie am Collège de France. Es war ihre erste richtige akademische Anerkennung, die sie einer kurz zuvor publizierten Monographie verdankte, einem Vergleich verschiedener amerikanischer Indianersprachen. Diego war der Assistent von Lévi-Strauss gewesen und arbeitete gerade an der Fertigstellung eines wissenschaftlichen Werks über Indikatoren der Subjektivität in den Yanomami-Sprachen, was für Mary von größtem Interesse war. Diego seinerseits schien sich ebenfalls für die Forschungsarbeiten der jungen Frau zu interessieren. Sie hatten zusammen gearbeitet und danach fesselnde Gespräche geführt, die bisweilen die ganze Nacht dauerten ... Er war faszinierend. Sie hätte ihm endlos zuhören mögen, doch seltsamerweise war er es, der sie vieles fragte, über ihre Forschungen, doch auch über sie selbst, und schließlich hatte hauptsächlich sie gesprochen ... Es war beinahe so, als versuchte er, mich auszuloten, dachte Mary. Natürlich waren ihre eigenen Forschungen nicht uninteressant, und sie besaß eine Art Intuition für den Lebensbezug, der sich aus einer Sprache erschloss, für die ganz eigene Beziehung eines jeden Volks zur Welt und zu den Menschen ... Doch sie hatte nie praktische Erfahrungen gesammelt, hatte ihre Vorstellungen nie mit der Wirklichkeit konfrontiert ... Sie wusste nichts vom konkreten Leben der Volksstämme, deren Sprachen sie studierte. Diego dagegen hatte fast die Hälfte seines Lebens bei den Indianern verbracht; er war einer der ihren geworden, ohne je aufgehört zu haben, er selbst zu sein, und Diegos Wesen war von einer Güte und Tiefe, wie sie ihr nie zuvor begegnet waren ... Was konnte er von einer jungen amerikanischen Professorin erwarten, deren Erfahrungen nur aus Bibliotheken stammten?

Im Jahr danach hatte sie ihn in den Vereinigten Staaten wiedergesehen, wo er auf Vortragsreise war. Er hatte darauf bestanden, dass sie ihn begleitete und ihm als Führerin diente. Und vor vier Monaten hatte er sie aus Brasilien angerufen. »Ich brauche Sie«, hatte er lediglich gesagt ... Inwiefern konnte Professor Legal sie brauchen? Darüber hatte er sich ausgeschwiegen. Und über die Reise selbst wusste sie auch nicht sehr viel. Diego hatte ihr nur gesagt, dass es darum ging, sich an einen bestimmten Ort mitten im Dschungel zu begeben, der von der Missionsstation ein paar Tagesreisen mit dem Boot und zu Fuß entfernt war ... Und dass an diesem Ort ein außergewöhnliches Ereignis stattfinden werde, ein Zusammentreffen, bei dem sich erstmals Vertreter der wichtigsten Yanomami-Stämme um einen Mann versammeln würden, der als spirituelle Autorität galt ... Wenn sie richtig verstanden hatte, sollte nach dem Willen dieses Mannes eine Frau aus der westlichen Welt anwesend sein ...

Das alles hört sich ziemlich romanhaft an, dachte Mary.

Tatsächlich hätte sie diese Geschichte nie ernst genommen, wenn sie ihr nicht von Diego Legal persönlich erzählt worden wäre. Widersprach sie nicht allen gesicherten Kenntnissen über die Yanomami, die ja im Übrigen wesentlich von Diegos eigenen Forschungen herrührten? Soweit bekannt, hatten diese Indianer, auch wenn sie einem Volk angehörten, nie das geringste Anzeichen eines gemeinsamen ethnischen Bewusstseins gezeigt. Sie lebten in Stämmen, die zwischen vierzig und dreihundert Mitglieder umfassen konnten und die ihre Zeit eher damit verbrachten, sich gegenseitig zu bekämpfen, sofern sie einander überhaupt kannten ... Auch hatte man noch nie davon gehört, dass sie eine gemeinsame spirituelle oder sonstige Autorität anerkannten; dies umso mehr, als die Yanomami sich wie die meisten Indianer

Amazoniens jeglichem Konzept von Autorität heftig widersetzten! Und vor allem schien ein solches »außergewöhnliches Ereignis«, welcher Art auch immer, schlicht unvorstellbar für diese Form von Gesellschaft, die auf dem Vorbild der legendären großen Alten gründete und getreulich die aus einer jahrtausendealten Tradition hervorgegangenen Verhaltensweisen reproduzierte... Was könnte diese Stämme dazu veranlassen, einer solchen Tradition, die ihr Wesen an sich ausmachte, zuwiderzuhandeln und etwas Neues einzuführen?, fragte sich die junge Frau. Außergewöhnliche Umstände? Doch welche? Diese Stämme zählten zu den letzten, die noch nie mit der »Zivilisation« in Berührung gekommen waren... Es bedurfte schon der Glaubwürdigkeit eines Professor Legal und seines Charismas obendrein, um Mary zu bewegen, aufgrund derart phantastisch anmutender Grundlagen und wegen eines derart ungewissen Abenteuers Heim und Herd zu verlassen! Um die Zustimmung ihres Fachbereichsleiters zu bekommen, hatte sie übrigens die Fakten leicht verfälschen und dem Projekt einen wissenschaftlicheren Anstrich geben müssen. In der gegebenen Form wäre es nie genehmigt worden...

Mary hatte plötzlich den Eindruck, es tue sich unter ihr eine Leere auf, und fühlte sich gleichsam nach oben gezogen, was sie aus ihren Grübeleien riss. Ein Luftloch... Rogulski drehte sich zu seinen Passagieren um.

»Der Sinkflug nach Mucajai wird etwas turbulent werden. Es sind Störungen angekündigt worden... Nichts Ernsthaftes.«

»Wie lange dauert es noch bis zur Landung?«, fragte Sylvain.

»Eine knappe Viertelstunde.«

Das Flugzeug vibrierte immer stärker. Mary sah auf ihren Reisegefährten. Er war bleich. Sie legte ihm die Hand auf den Unterarm. »Alles in Ordnung?«

Er sah sie seinerseits an und versuchte ein Lächeln, das eher einer Grimasse ähnelte. Dann gab ein weiteres Luftloch Mary wieder das Gefühl zu schweben, während der Gurt ihr den Bauch einschnürte. Das Bild einer Achterbahn erschien vor ihrem geistigen Auge: Ihr Vater, der sie an sich drückte, und sie, die vor Glück bebte; das war in Grant Heights, erinnerte sie sich, auf dem Jahrmarkt, der alljährlich im April stattfand, ich war nicht älter als sechs … Sie meinte fast, den leicht süßlichen Duft der Zuckerwatte zu riechen, als ein seltsames Geräusch sie veranlasste, den Kopf zu Sylvain zu drehen. Er übergab sich gewissenhaft in eine zu diesem Zweck vorgesehene Papiertüte; er hatte es gerade noch geschafft, sie rechtzeitig auseinanderzufalten. Mary schloss die Augen; ein weiteres Luftloch drehte ihr den Magen um, und sie schaute aus dem Seitenfenster. Große Dunstschwaden hingen über dem Wald und zogen Spitzen über den Baumwipfeln, die unter dem Flugzeug vorbeiglitten. Wir sind schon ziemlich tief, sagte sie sich und blickte dann auf Rogulskis Nacken, den er ganz unerschütterlich kerzengerade hielt. Das Flugzeug folgte dem Lauf eines Flussarms, und alsbald erblickte die junge Frau am Horizont einen breiten Streifen gerodeter Erde mit vereinzelten Behausungen. Mucajai …

»Ein wahres Glanzstück von Landung!«, verkündete Rogulski, nachdem er seine Maschine sanft aufgesetzt hatte.

Vom anderen Ende des Geländes kam eine kleine Gruppe auf sie zu. Rogulski lenkte sein Flugzeug ganz langsam in deren Richtung. »Das Gelände hier ist ein Morastloch, und ich habe keine Lust, stecken zu bleiben.«

Mary glaubte von weitem Diegos hohe Gestalt zu erkennen. Um ihn herum standen zwei Frauen, die Schleier trugen, anscheinend Nonnen, und ein paar Indianer, die sie nur schwer unterscheiden konnte.

Diego hatte seine Haare ganz kurz geschoren, was ihm ein etwas strenges Aussehen verlieh. Doch er lächelte breit und winkte Mary zu, als ihre Blicke sich durch das Seitenfenster kreuzten. Er schien sich auf die Begrüßung zu freuen, und die junge Frau spürte, wie ihr Herz sich mit Wärme füllte. Diego war ein Vertrauter für sie, und es tat gut, ihn in diesem so fremdartigen Land wiederzusehen …

Rogulski schaltete den Motor aus, und der Propeller kam langsam zum Stillstand. Die Gruppe scharte sich um das Flugzeug. Rogulski öffnete die Tür, und als Mary den Kopf hinausstreckte, strich ein lauer Lufthauch über ihr Gesicht. Diego half ihr beim Aussteigen und küsste sie auf beide Wangen. Er trug nur eine Leinenhose und einen alten Pullover auf der bloßen Haut.

»Willkommen«, sagte er mit tiefer Stimme.

Die beiden Nonnen begrüßten sie herzlich.

»Mein Lieber, Sie machen aber keinen guten Eindruck!«, rief Diego, als er Sylvain aussteigen sah. »War der Flug hart?«

»Am Schluss schon ein bisschen«, murmelte der junge Mann. »Und am Anfang auch …«

Rogulski stieß ein Gebrüll aus, das alle zusammenfahren und drei Indianer zurückspringen ließ, die Rumpf und Motor des Flugzeugs untersuchten.

»Das Flugzeug wird nicht angefasst!«, stellte Rogulski beim Aussteigen klar. »Professor, ich grüße Sie!«

Der Pilot reichte Diego drei Flaschen Cognac und ein Päckchen Zigarren, die Diego lächelnd in einer Tasche verstaute. »Mr Rogulski kennt mich sehr gut.«

Mary wurde von einer seltsamen Trunkenheit erfasst. Die Luft war angenehm, und sie fühlte sich quicklebendig. Alle liefen geschäftig hin und her, und sie sah zu, ohne an irgendetwas zu denken, das Herz voll gewaltiger Zuversicht. Eine der Nonnen sprach in schnellem Fluss ein paar Worte auf Yanomami, und Mary merkte, dass sie nicht einmal die Hälfte davon verstanden hatte. Die Indianer öffneten den Laderaum und begannen, die Kisten mit dem Material auszuladen. Dann sah sie, wie Diego sich von Rogulski verabschiedete und ihm sagte, er solle sie in sechs Wochen wieder abholen. Er fügte noch etwas hinzu, das Rogulski zum Lachen brachte, dann stieg dieser in sein Flugzeug. Alle traten ein paar Schritte zurück; sie tat desgleichen. Darauf begaben sie sich zum Flussufer, das gut zweihundert Meter unterhalb des Geländes zu sehen war.

Der lange Einbaum glitt gemächlich auf dem Mucajai dahin. Diegos Haus lag von der Rollbahn nur zehn Minuten durch den Wald entfernt, doch ihr Material war zu schwer, um zu Fuß zu gehen, und auf dem Fluss brauchte man eine gute Stunde. Sylvain sah nicht so aus, als würde er sich besser fühlen. Die vier Indianer, die eng aneinander gedrückt am einen Ende des Einbaums saßen, beäugten ihn, lachten dabei und stießen sich mit den Ellenbogen an. Die beiden Nonnen hatten rote Wangen, und ihre Augen strahlten auf eine Weise, die Mary beeindruckte. Was Diego betraf, so sog er die feuchtheiße Luft ein wie ein Tier, das eine Fährte aufnimmt, und betrachtete die großen Bäume, die majestätisch am Ufer vorbeizogen. Er machte einen sehr glücklichen Eindruck. Er liebt das Leben, dachte Mary, er genießt jeden flüchtigen Augenblick... Es war das erste Mal, dass sie Diego auf seinem Terrain sah, und er hatte jetzt nichts mehr von dem Intellektuellen an sich, den sie kannte. Man hätte meinen können, er denke mit seiner Haut.

Einer der Yanomami, der nicht älter als achtzehn aussah, setzte sich neben Mary. Der Lärm des Motors übertönte die Geräusche des Waldes, doch sie vermeinte ein Lachen zu hören, und der junge Indianer flüsterte ihr ein paar Worte ins Ohr. Sie verstand nicht. Er trug nur ein T-Shirt und einen Streifen aus rotem Baumwollstoff, der kaum sein Geschlecht verhüllte. Sie glaubte, das Wort gehört zu haben, das auf Yanomami für Heirat und sexuelle Beziehungen steht... Diego lächelte. Er stieg über die zwei Bänke, die sie voneinander trennten, und sagte etwas zu dem Indianer, der kurz antwortete und sich dann rasch wieder zu den anderen setzte.

»Nohokuwë findet Sie sehr nach seinem Geschmack, meine Liebe!«

»Na, die sind aber ziemlich direkt...«

»So wird im Hörsaal nicht darüber gesprochen, stimmt's?«

»Allerdings, das stimmt... Es heißt nur, dass sie in dieser Hinsicht recht freizügig sind; danach wird schnell von etwas anderem gesprochen...«

Diego lachte leise. »Die Ethnologie ist immer noch ziemlich puritanisch... Sex hat für die Yanomami tatsächlich eine große Bedeutung. Ja, man hört viel über Religion und über Heirat, über Kunst und über Verwandtschaftsbeziehungen, über symbolisches Gedankengut und dergleichen, und wenn man dann bei ihnen lebt, merkt man, dass sie vor allem ›daran‹ denken.«

Mary lächelte ihm zu. Sie hatte das eigenartige Gefühl, in der dunstigen Luft zu schweben. Diego neigte sich zu ihr. »Also, was soll ich ihm sagen?«

»Bezüglich worauf?«

»Nun, er möchte wissen, ob Sie einverstanden sind.«

Mary öffnete den Mund, doch es kam kein Laut daraus hervor. Diego brach in Gelächter aus und fasste sie liebevoll um die Schulter.

»Sie werden sich daran gewöhnen, meine Liebe, Sie werden sich daran gewöhnen...«

Mary erwachte, als der Einbaum an die kleine Landungsbrücke stieß. Ein wenig verwirrt merkte sie, dass sie, an Diegos Schulter gelehnt, eingeschlafen war. Er erhob sich ganz sacht, sagte etwas zu den vier Indianern, die bereits am Ufer standen, und sie liefen auf ein Haus zu, das wenige Meter entfernt lag.

»Willkommen bei mir!«, rief Diego.

Es war ein ziemlich großes Haus mit Mauern aus braunem Strohlehm und einem Vordach aus Palmenzweigen. Darum herum standen noch ein kleineres weißes Gebäude und mehrere Pavillons. Mary wusste, dass sich Diego hier nicht viel aufhielt, meist nur so lange, bis er die bei seinen Expeditionen zusammengetragenen Informationen geordnet hatte, und wenn er seine Bücher schrieb. Die Indianer kamen, zwei Holzschubkarren vor sich herschiebend, wieder aus dem Haus und begannen, den Einbaum auszuladen. Sylvain stand mit leicht zitternden Beinen und kreidebleichem Gesicht neben Mary.

»Ich glaube, Sie sollten sich ein wenig ausruhen«, sagte Diego. »Ich zeige Ihnen Ihre Unterkunft und kümmere mich dann ums

Essen. Wir essen hier gewöhnlich früh zu Abend. Ihnen bleibt eine knappe Stunde Zeit.«

Die Essensglocke riss Mary aus ihrem Nickerchen. Sie hatte Hunger. Sie stand rasch auf und zog sich an. Das Ausruhen war ihr gut bekommen; sie hatte jetzt wieder einen klaren Kopf. Sie trat aus dem Pavillon und machte einen Besichtigungsrundgang. Die kleine Schule mit den Mauern aus geweißtem Strohlehm neben Diegos Haus stand gegenwärtig leer, und Mary fragte sich, ob sie vorhin nicht geträumt hatte: Als sie zu ihrem Zimmer ging, hatte sie gehört, wie eine weibliche Stimme spanische Zahlen herunterbetete, die von einem Chor aus Kinderstimmen nachgesagt wurden. Durch das Fenster hatte sie eine junge Nonne mit weißem Schleier gesehen, die vor einer großen schwarzen Tafel stand. Mary war näher getreten und hatte unauffällig hineingeblickt. Im Klassenzimmer wiederholten etwa zwanzig Kinder, deren ältestes noch keine acht war, begeistert das Einmaleins, ganz wie kleine Amerikaner... Nur dass es sich hier um kleine Yanomami-Kinder mit glattem schwarzem Haar handelte, die nichts weiter trugen als einen schmalen Lendenschurz aus rotem Stoff. Ihre Gesichter waren sorgfältig mit Kreisen und Bögen bemalt, und einige von ihnen hatten dünne weiße Stäbchen in der Haut stecken, die so aussahen, als seien sie mit einem Blasrohr durchgeblasen worden...

»Gehen Sie nicht essen?«

Die Stimme riss Mary aus ihren Gedanken. Sie drehte sich um und lächelte Sylvain zu, der ihr entgegenkam. »Doch, doch... Die Schule hat mich fasziniert. Haben Sie vorhin die Klasse gesehen?«

»Nein. Ich muss gestehen, dass ich direkt in mein Zimmer gegangen bin.«

Sylvain schien sich etwas erholt zu haben. Sie gingen auf Diegos Haus zu. Leckerer Essensduft hing in der Luft.

»Eine Nonne hat den kleinen Indianern das Zählen beigebracht. Das fand ich irgendwie komisch...«

»Warum?«

Sie gingen ins Haus. Der Tisch war gedeckt, und aus dem Raum nebenan hörte man Geschirrgeklapper.

»Setzen Sie sich«, rief Diego. »Es ist fast fertig!«

»Eigentlich«, fuhr Mary fort, während sie sich setzte, »habe ich das Gefühl, dass man nie kleine Westler aus ihnen machen wird... Dafür kann man sie aber sehr wohl aus ihrer eigenen Kultur reißen... Ich habe Angst, dass diese Kleinen einmal zwischen zwei Welten hin- und herirren und in beiden Fremde sein werden.«

»Oh ja, die Gefahr besteht. Aber wissen Sie, die Missionare haben in fünfundzwanzig Jahren viel gelernt, und Diego trägt auch seinen Teil bei. Haben Sie schon von der ›interkulturellen zweisprachigen Erziehung‹ gehört?«

Mary schüttelte den Kopf.

»Die Nonnen, die wir vorhin gesehen haben, sind Salesianerinnen. Das ist eine katholische Ordensgemeinschaft, die 1956 eine Mission hier in der Gegend gegründet hat. Damals ging es darum, primitiven Wilden Kultur beizubringen, sie sozusagen zu zivilisieren. Heute leben diese zivilisierten Wilden als Stadtstreicher in Manaus und Pôrto Velho... Sie sind nach wie vor keine Westler, aber sie sind auch keine Indianer mehr. Eine ganze Generation wurde geopfert. Doch jetzt lehrt man die Kinder beide Kulturen. Die Missionare kennen die Yanomami jetzt viel besser, und daher respektieren sie sie...«

Ein Duft nach Gemüse und Gewürzen machte sich im Zimmer breit, als Diego mit einer Suppenschüssel in den Händen hereinkam.

»Heiß!« Er stellte die dampfende Schüssel auf den Tisch und setzte sich. »Ich muss sagen, meine Schwestern hier leisten gute Arbeit...«

Mary nahm die Suppenkelle, die Diego ihr reichte. »Sylvain sagte, Sie haben hier eine wichtige Rolle gespielt?«

»Als ich herkam, betrachtete man die Yanomami noch als blutrünstige, barbarische Wilde und Kannibalen. Man hatte Angst vor ihnen, weil man nichts über sie wusste. Ich habe ein wenig dazu beigetragen, diesen Nebel aufzulösen... zumindest bei denjenigen, die das auch selbst wollten ... Die Salesianer haben ihre Vorurteile überwunden. Was man von Ihren Landsleuten nicht behaupten kann, meine Liebe!«

»Was meinen Sie damit?«

»Die amerikanischen Missionare haben die Zivilisierung nie wirklich aufgegeben. Und ihre Strategie besteht immer noch darin, die Indianer in einem Zustand wirtschaftlicher Abhängigkeit zu halten, um deren Seelen besser in den Griff zu bekommen. Sie haben nicht die geringste Ahnung vom Reichtum der indianischen Kultur und tragen zu ihrer Zerstörung bei.«

Es entstand eine Pause. Die Suppe war köstlich; sämig und würzig. Sie bestand aus unbekannten Gemüsesorten und einer Art von Riesengarnelen, und es blieb ein Nachgeschmack von Banane. Mary war sehr hungrig. »Zu ihrer Zerstörung?«

Sylvain ergriff das Wort: »Versuchen Sie sich an das Bild zu erinnern, das Sie von den Amazonas-Indianern hatten, ehe Sie deren Sprache und Kultur studierten ...«

Mary dachte einen Moment nach und begann dann zu lachen. »Kopfjäger und blutdürstige Krieger ... mit Curare vergiftete Pfeile ... wild und gefährlich ...«

»Sehen Sie«, fuhr Diego fort, »das entspricht im Großen und Ganzen dem Bild, das die selbst ernannten ›Ethnologen‹ in den amerikanischen Missionen nach wie vor vermitteln! Sie schildern alle Gewaltakte von Indianern bis ins kleinste Detail, jedoch völlig aus dem Zusammenhang gerissen, und stellen damit ihren eigenen Mut heraus, es mit so furchterregenden Geschöpfen aufzunehmen, und nebenbei dient ihnen das dazu, ihre Methoden zu rechtfertigen ... Das Problem ist, dass die Zeitungen in Brasilien die Interessen derjenigen vertreten, die die Bodenschätze abbauen und diese Schilderungen mit Vergnügen aufgreifen.«

Sylvain sah sie mit einem merkwürdigen Lächeln an. »Und das soll dann den Völkermord rechtfertigen, den die Unternehmen, die die Bodenschätze abbauen, mithilfe der brasilianischen Armee begehen.«

»Völkermord«, murmelte Mary. »Ist es wirklich so schlimm?«

»Seit der ersten Berührung mit Weißen«, sagte Diego, »sind die Yanomami in großer Zahl gestorben: an Malaria, Masern und Grippe. Ihr Immunsystem war in Bezug auf westliche Krankheiten völlig jungfräulich … Dann fand man Gold auf ihrem Land, und es kam zu Zusammenstößen mit den Minenarbeitern, den *garimpeiros* … Sie wurden niedergemetzelt und werden es immer noch, wenn sie sich nicht enteignen lassen. Die Minenarbeiter kippen tonnenweise das Quecksilber in die Flüsse, das sie einsetzen, damit der Goldstaub verklumpt. Die Fische sterben, das Wasser ist verseucht … Die Indianer sterben. Die Armee unterstützt die Abbauinteressen, die Regierung muckt möglichst wenig dagegen auf, und da man die Indianer als blutrünstige Monster hinstellt, ist es der Öffentlichkeit egal …«

Mary war nachdenklich. »Ich habe manchmal das Gefühl, dass ein Ethnologe ein bisschen wie jemand ist, der Sterbenden einen Besuch abstattet, um schnell noch ein paar Erinnerungen an ihr Leben zu ergattern, bevor sie verscheiden …«

Sylvain lachte bitter auf. »Der Genauigkeit halber sollte man hinzufügen, dass Ihr Besucher zugleich auch der Mörder derjenigen ist, denen er zuhört. Der Abendländer zerstört alles, was anders ist als er, und hat dann nichts Eiligeres zu tun, als ein Maximum an Informationen über seine Opfer zu sammeln. Und dann schafft er Menschenmuseen …«

Diego lächelte. »Sie haben Recht. Doch zu jeder Regel gibt es eine Ausnahme. Und diesmal haben wir vielleicht eine Chance, ein wenig mehr zu tun, als die Hinterlassenschaften einer im Sterben liegenden Kultur zu ordnen!«

Mary ergriff die Gelegenheit beim Schopf. »Wie wäre es, wenn Sie uns etwas über diese Expedition erzählten?«

Diegos Lächeln wurde breiter. »›Demain, dès l'aube, à l'heure où blanchit la campagne …‹«, zitierte er auf Französisch. »›Morgen, wenn der Tag anbricht, zur Stunde, wenn das Land hell wird …‹, gehen wir an Bord des großen Einbaums und bleiben sechs Tage auf dem Wasser. Die Landschaft ist schön, doch wir werden einige Zeit auszufüllen haben … Dann werde ich Ihnen alles erzählen –

jedenfalls alles, was ich weiß! Heute Abend möchte ich Ihnen nur ein ganz kleines Geheimnis enthüllen ...«

Diego machte eine Pause.

»Hat Ihnen die Suppe geschmeckt?«

»Sie war köstlich«, antwortete Mary.

»Umso besser«, lächelte Diego. »Dann mögen Sie Soldatentermiten. Das ist eine Spezialität aus der Gegend! Und unsere Yanomami-Freunde werden uns bestimmt noch viele davon auftischen!«

Sylvain war erneut blass geworden. Mary lächelte leicht angeekelt. Die vermeintlichen Riesengarnelen waren also Termiten gewesen ... Nun gut, immerhin hatte man sie essen können ... Die Indianer essen auch Raupen, dachte sie. »›Der Mensch ist ein Tier, das sich an alles gewöhnt‹, sagt Dostojewski.«

»Wie wäre es, wenn wir jetzt schlafen gingen?«

Diegos Augen funkelten leicht. Sylvain und Mary wechselten einen Blick. Es blieb ihnen nichts anderes übrig, als gute Miene zum bösen Spiel zu machen. Sie erhoben sich gleichzeitig.

»Lassen Sie«, sagte Diego, »ich räume schon ab ...«

14

Eine Straße in Illinois

Kenneth vergaß über dem, was er sah, die Schlaglöcher auf der Straße, die seinen Ischias wieder aufweckten, und die Unbequemlichkeit des Militärfahrzeugs, das nichts von dem angekündigten ›Wagen‹ an sich hatte: Ihm gegenüber saß, mit einer Zwangsjacke um den Oberkörper und von einem Militärarzt flankiert, der sie aus dem Augenwinkel überwachte, diese Frau, die er ganz einfach beobachten musste. Sie hingegen sah ihn nicht an. Sie war der Welt gegenüber gleichgültig und schien auf einen Gedanken fixiert, auf etwas ganz Bestimmtes, doch Kenneth konnte nicht feststellen, was es war, zu dem ihr ganzer Körper hinstrebte. Vor allem faszinierte ihn ihre Mimik. Sie hatte den Mund geöffnet, und es sah so aus, als versuche sie vergeblich, mit ihrem Kiefer nach etwas zu schnappen, das nur sie allein sah... Sie verdrehte den Hals und biss unablässig ins Leere; in ihrem Blick lag nichts als der Ausdruck absoluter Dringlichkeit...

Rechts von Kenneth warf das verschreckte Pärchen verstohlene Blicke auf die Verrückte und schmiegte sich eng aneinander. Der junge Mann wirkte, als würde ihn die Situation überfordern, und seine bemühten Worte, die sein Schätzchen, das übrigens einen sehr hübschen Busen hatte, beruhigen sollten, klangen schrecklich falsch... »Alles wird gut, Baby.« Von wegen! Er war ein Tollpatsch mit dem Gesicht eines Studenten auf Lebenszeit, bebrillt und voller Pickel, und schwitzte vor Angst. In den Bergen, wo sie in trauter Zweisamkeit zelteten, waren sie festgenommen worden und begriffen nicht, was mit ihnen geschah. Ebenso wenig wie der Alte, der gegenüber saß, rechts neben der Verrückten, der ›Wilderer‹, der sich exakt im Viertelstundentakt ein paar Schlucke aus einem Fläschchen genehmigte, das er sorgsam an die Brust gepresst hielt... Die restliche Zeit über wurde er von einem stummen Lachen geschüttelt, als ob er sich einen guten Witz erzählen würde, den außer ihm niemand verstand...

Kenneth selbst hatte keine Angst. Die fünf bis an die Zähne bewaffneten Soldaten, die sie vom vorderen Teil des Wagens aus bewachten, beeindruckten ihn nicht. Tatsächlich war sein Geist nie so klar gewesen. Er sah die Situation als Ganzes in absoluter Präzision. Es blieben ihm zwei Möglichkeiten: sich wie ein braves Schäfchen verfrachten zu lassen (doch wohin? An einen befestigten Ort oder in ein Militärlager, wo er tagelang keinen Kontakt zur Außenwelt haben würde...) oder seinen Beruf auszuüben, das heißt, zu informieren. Und das Zwischenziel lautete: diese Idioten einfach stehen zu lassen.

Bei der ersten Möglichkeit (der mit dem braven Schäfchen) war das Risiko minimal. Gleich Null war es natürlich nicht, denn das vom Captain festgelegte Programm konnte ja auch ganz anders ablaufen als angekündigt: Sei es, dass die Aussage, man werde die Öffentlichkeit früher oder später über alles informieren, nur leeres Gerede war, um ihn einzulullen, und sie es letztlich so einrichteten, dass die ganze Geschichte vertuscht würde – vor allem, wenn man die großzügige Unterstützung bedachte, die das Militär dem Virus bei dessen Liquidierungsvorhaben gewährt hatte... in diesem Fall müsste man natürlich alle, die, wie er, ein bisschen zu viel wussten, beseitigen, doch weshalb hatte man ihm dann so stolz das Geheimnis verraten und ihn nicht auf der Stelle abgemurkst? ... Oder sei es, was wahrscheinlicher war, dass nichts so ablief wie geplant: dass die Wissenschaftler in dem optimistisch kurzen Zeitraum, den man dafür veranschlagt hatte, kein Gegenmittel gegen das Virus fanden, dass die Gefangenen noch länger festgehalten werden mussten, vielleicht noch wochenlang... Kenneth hatte keine Lust, bei den Glatzköpfen wochenlang vor sich hin zu vegetieren und darauf zu warten, dass alles vorbei war...

Eigentlich hatte er sich bereits entschieden.

Fünfzehn Jahre ... Fünfzehn schlecht bezahlte Jahre, in denen man ihn hinters Licht geführt und er so getan hatte, als würde er seinen Beruf ausüben, den er über alles liebte, der ihm Berufung war ... Und zu einem Zeitpunkt, als er schon alle Hoffnung aufgegeben hatte, je wieder den berauschenden Duft des Enthüllungsjournalismus zu riechen, und nur noch von Besäufnissen und Erinnerungen lebte, genau zu diesem Zeitpunkt bot sich ihm ... Information! Der absolute Megaknüller! Noch heißer, als wenn er beweisen könnte, dass Aristoteles Onassis Kennedy umgebracht hatte! So stark, wie wenn er die Szenenausstattung entdecken würde, mit der man die angebliche Eroberung des Mondes gefilmt hatte! Clydesburg kau-te-ri-siert! »Um die Menschheit zu retten, eliminierte die Armee der Vereinigten Staaten Tausende von Amerikanern!« Für eine solche Nachricht konnte man ruhig sterben ...

Das Problem war, herauszufinden, ob auch nur die geringste Möglichkeit bestand, dass etwas schieflaufen konnte, nachdem er sich klar für die zweite Lösung entschieden hatte, nämlich, sich aus dem Staub zu machen. Er musste sich nicht nur der Wachsamkeit seiner ›Betreuer‹ entziehen, der fünf bis an die Zähne bewaffneten Orang-Utans, die ihn wie ihren Augapfel hüteten, und sich dabei aus einem Panzerwagen stürzen, sondern auch noch der gewaltigen Treibjagd entkommen, die dann unweigerlich einsetzen würde, und Kenneth wusste, dass er kein Rambo war ... Seit mindestens zehn Jahren bestand seine einzige körperliche Ertüchtigung darin, einen zu heben, aber das beherrschte er allmählich ausgezeichnet, was Beständigkeit und Ausdauer anging ... Und falls er dann noch ganz sein sollte, musste er, in einem letzten Härtetest gewissermaßen, seinen Megaknüller irgendwie an die Öffentlichkeit bringen, und wie man das unter den Lebensbedingungen in der freien Wildbahn bewerkstelligte, stand noch nicht im Lehrplan der Journalistenschulen ...

Die Verrückte gab ein raues Stöhnen von sich, das alle zusammenschrecken ließ und Kenneth aus seinen Überlegungen riss. Sie regte sich auf. Ihre Bewegungen waren schneller geworden, und sie biss hektisch in die Luft unter ihrem Kinn. Kenneth wandte sich an den Arzt: »Was will sie denn?«

Der Mann schenkte ihm ein müdes Lächeln. Er hatte gelbe Zähne.

»Was sie will? Hmm ... das ist ein interessanter Fall ... Wenn ich die wenigen, ziemlich zusammenhanglosen Brocken, die ich ihr entlocken konnte, richtig verstanden habe, dann ... hmm ... hält sie ihren Hals für eine Nabelschnur ... Und die möchte sie durchtrennen.«

»Mit den Zähnen?«

»Hmm ...«

Neugierig betrachtete Kenneth sie von neuem. Nach der Erklärung des Arztes bekamen ihre mechanischen, zwanghaften Bewegungen Sinn ... Sie versuchte, sich den Hals abzubeißen!

Kenneth zog einen Moment die Brauen hoch, dann fragte er nach: »Und wer ist die Mutter? Ihr Kopf oder ihr Körper?«

Der Arzt sah ihn von unten her an: »Hmm?«

»Ach, nichts ...«

Langsam nahm ein Plan in seinem Kopf Gestalt an, und Kenneth hatte Mühe, ein aufgeregtes Zittern zu unterdrücken. Dreist, sagte er sich. Dreist ... aber es könnte funktionieren ... Ihm stand eine Waffe zur Verfügung, die wirksamer war als die Schnellfeuergewehre, die seine Kerkermeister auf ihn angelegt hatten, wenn es ihm nur gelang, sie richtig einzusetzen ... ihre eigene Phantasie! Und dieser fürchterliche Heuschnupfen, den er seit seiner frühesten Kindheit immer zu Anfang des Sommers bekam und den er so oft verflucht hatte und der sich vielleicht als Geschenk des Himmels erweisen würde ... Ganz unauffällig begann Kenneth, die Nase hochzuziehen und sich das Innere seines Mundes aufzubeißen ...

Im Rückspiegel sah er, wie die Soldaten ihre Waffen sinken ließen. Er stieß ein Triumphgeheul aus und nahm den Fuß etwas vom Gaspedal. Der Wagen wurde langsamer. Ein Glück, dass die Kiste ein Panzerwagen ist, dachte er. Und ein Glück, dass sie die

Reifen verfehlt hatten! Kenneth brach in Gelächter aus. Sie waren in einer derartigen Panik aus dem Wagen gestürzt, dass er, bis sie endlich begriffen, dass sie sich hatten hereinlegen lassen, schon längst außer Reichweite war… Was für ein Ding! Himmel noch mal, was für ein supertolles Ding… Die Götter sind mit mir…

Alles hatte sich in dem Augenblick entschieden, als der Arzt diesen Schrei ausstieß. »Das Virus«, hatte er gebrüllt. »Er hat sich angesteckt!« Da hätte einer der Glatzköpfe auf die Idee kommen können, eine Salve auf ihn abzufeuern. Doch stattdessen waren sie allesamt schreiend aus dem Wagen nach hinten auf die Fahrbahn gesprungen und sich gegenseitig auf die Füße, ehe sie schließlich mit der Geschwindigkeit eines gedopten Flash Gordon zu einem Hundertmeterspurt ansetzten… Ciao, ihr Idioten! Sie hatten gerade noch das Heck des abfahrenden Wagens gesehen, und am Steuer saß der alte Ken und erfreute sich, Gott sei's gedankt, bester Gesundheit!

Kenneth hatte einen bitteren Geschmack im Mund und spuckte aus dem Fenster. Immer noch Blut… Er hatte wirklich ganz schön zugeschlagen! Eine halbe Stunde hatte er sich den Mund aufgebissen, bis er blutete, und dabei auch noch so viel Speichel gesammelt, dass man damit eine Salatschüssel hätte füllen können. Gleichzeitig war er bemüht gewesen, leidend zu wirken, wobei er sich immer stärker auf seine entzückende Nachbarin stützte; er hatte sogar mit seinem Unterarm ihren Busen gestreift… Er machte seine Sache so gut, dass der Arzt schließlich nachfragte. »Alles in Ordnung, mein Freund?«, wollte er wissen und war zu ihm gekommen. Da hatte Kenneth eine Art Röcheln ausgestoßen und ihm seine appetitliche Mischung direkt ins Gesicht gespuckt! »Das Virus, das Virus!«

Ein Glück auch, dass dieser Idiot von Captain so viel Spaß daran gehabt hatte, ihm alle Einzelheiten der Geschichte zu schildern, darunter auch die Symptome, die das kleine Tierchen hervorrief… »ungefähr so wie in dem Film *Der Exorzist*…«. Kenneth lachte hämisch. Das würde er bitter bereuen, wenn seine Männer ihm Meldung machten ... Mein guter Ken, du bist der Allerstärkste, sagte er sich und gab Gas. Du bist der King!

Ein Stöhnen hinter ihm veranlasste ihn, sich umzudrehen. Die Verrückte sah ihn mit ebenso sanfter wie verblüffter Miene an. Wie es schien, hatte sie eine Weile darauf verzichtet, ihre Stimmbänder zu strapazieren. Dich muss ich leider irgendwo aussetzen, dachte er. Sein meisterhaft ausgeführter Plan hatte offensichtlich keinerlei Auswirkungen auf die arme Frau hier gehabt, die nur in hysterisches Gelächter ausgebrochen war, als sie die allgemeine Panik bemerkte ... Doch bei seinen weiteren Unternehmungen konnte sich Kenneth nur schwer als Irrenpfleger vorstellen, der sich mit dieser kaputten Type belastete, auch wenn sie ihm im Grunde irgendwie Leid tat ... Denn dass er den Trotteln entwischt war, hieß noch lange nichts ... er musste sie wirklich abhängen.

Kenneth kam an eine Kreuzung. Er bremste und sah auf die Uhr. Seinem Gespür nach würde es eine halbe Stunde dauern, bis die Soldaten Alarm auslösten. Wahrscheinlich brauchten sie sogar länger, zu Fuß auf freiem Feld, doch er wollte lieber kein Risiko eingehen ... Wenn sie dann erst in ihren Hubschraubern säßen, würde alles sehr schnell gehen. Seit seiner Flucht waren jetzt genau vierzehn Minuten vergangen ... Er hatte zweimal die Richtung geändert, um seine Spur etwas zu verwischen, und jetzt war es Zeit, den Wagen loszuwerden. Er bog nach rechts auf eine sehr schmale Straße ab. Auf ihr fuhr er ein paar Minuten gemächlich dahin und musterte dabei die Umgebung. Da sah er plötzlich einen Feldweg, der ins Unterholz abzweigte. Er bog in den Weg ein. Nach gut hundert Metern schlug er das Lenkrad hart ein, und der Wagen rumpelte hinunter in ein dichtes Gebüsch.

»Alles aussteigen!«, rief er und schaltete den Motor aus.

Die Verrückte sah immer noch erstaunt drein. Strohblondes Haar umrahmte ihr etwas kindliches Gesicht. Früher dürfte sie gar nicht schlecht ausgesehen haben ... Kenneth nahm sie am Arm und brachte sie hinaus, wobei er darauf achtete, dass sie sich nicht das Gesicht an den Sträuchern zerkratzte. Dann verbarg er den Wagen so gut wie möglich, indem er ihn mit Ästen und

Zweigen bedeckte, und machte sich daran, die Reifenspuren auf dem Weg zu verwischen. Er war schweißgebadet. Dann wandte er sich an die Frau.

»Hör zu. Ich nehm dir jetzt die Zwangsjacke ab und lass dich dann hier am Straßenrand stehen. Du musst irgendwie sehen, dass du jemanden findest. Ich kann mich nicht um dich kümmern. O.k.? Verstehst du, was ich dir sage?«

Die Verrückte sah ihn aus großen Augen vertrauensvoll an. »Mama?«, fragte sie.

Kenneth seufzte tief. »Ach du lieber Gott! Nein, nicht Mama! Ich bin nicht deine Mama...«

Er nahm sie wieder am Arm und führte sie zum Rand der Straße. Sie ließ es geschehen; um ihre Lippen spielte ein flüchtiges Lächeln.

Nach rechts wie nach links zog sich die Straße verlassen bis zum Horizont. Kenneth fing an, die Bänder der Zwangsjacke aufzuknoten. Das war gar nicht so leicht. Die Verrückte ließ es geschehen und sah ihn ruhig an.

»Mama?«, erkundigte sie sich erneut.

»Nein, tut mir Leid«, antwortete er und machte mit seiner Arbeit weiter, die Zunge zwischen den Zähnen. »Nicht Mama...«

Unvermittelt gab das letzte Halteband, das sich als das störrischste erwiesen hatte, nach. Kenneth nahm ihr die Zwangsjacke vorsichtig ab. Die Frau drehte sich zu ihm, streckte sich und lächelte ihn freundlich an. Er hatte ein schlechtes Gewissen. Würde sie es allein schaffen? Das war höchst unwahrscheinlich... Doch was sollte er sonst tun?

»Mamaaaa!!«, brüllte die Verrückte triumphierend. Dann stürzte sie sich auf ihn.

Kenneth war zu überrascht, als dass er sich hätte verteidigen können, und wurde brutal zu Boden geworfen. Um seinen Hals schlossen sich zwei Hände mit einer Kraft, die er in einem so zierlich aussehenden Geschöpf niemals vermutet hätte. Langsam bekam er keine Luft mehr. Die Knie der Rasenden drückten auf seinen Magen und machten ihm jede Bewegung unmöglich. Als ihm langsam die Sicht verschwamm, lehnte etwas in Kenneth sich auf. Er ließ jegliche Skrupel fallen und schlug der Verrückten hart mit der Faust ins Gesicht, was sie dazu brachte, ihre Umklammerung zu lösen. Dann stieß er sie heftig zurück. Er sah, wie sie nach hinten fiel, und sprang mit einem Satz auf. In Sekundenschnelle war er über ihr, packte sie an den Armen und hielt sie im Haltegriff. Doch sie war wieder reglos geworden, und er hatte das Gefühl, ein Bündel Lumpen in der Hand zu halten. Ich werde dich wohl wieder festbinden müssen, dachte er… sonst bringst du am Schluss noch jemanden um.

Mühsam legte er ihr wieder die Zwangsjacke an.

Kenneth drehte sich um. Die Verrückte sah ihm traurig nach und winkte ihm zum Abschied mit der Hand, die er ihr nicht festgebunden hatte. Sie hatte ein großes Veilchen am rechten Auge. So ist's richtig, auf Wiedersehen, dachte er. Und viel Glück… Er beschleunigte seinen Schritt. Querfeldein musste er wieder auf die andere Straße gelangen, die an der Kreuzung links abbog. Danach musste er ein Telefon finden.

Und dann… dann brauchte er wieder Glück, viel Glück sogar, um seinen Plan erfolgreich durchführen zu können.

15

Fort Detrick, Maryland

Hier haben nur Befugte Zutritt.«

Der Militärpolizist stand kerzengerade und verstellte Greg den Weg. Er war bis an die Zähne bewaffnet und hatte die Freundlichkeit einer Dogge, die ausschließlich mit Magerjoghurt gefüttert wird.

»Ich will mit Colonel Bosman sprechen«, sagte Greg.

»Er ist nicht in seinem Büro.«

»Wann kommt er wieder?«

»Das weiß ich nicht.«

Der Blick des Soldaten war starr in die Ferne gerichtet, und Greg sah ihn eine Weile an. Der Polizist stand in vorschriftsmäßiger Haltung und sprach in vorschriftsmäßigem Ton mit leicht gehobener Stimme. Nur ein kaum wahrnehmbarer Glanz in seinen Augen verriet, wie viel Freude es ihm bereitete, seinem Gegenüber unter dem Deckmantel seiner unwiderlegbaren Vorschriften auf den Wecker gehen zu können.

»Dann warte ich hier auf ihn«, sagte Greg.

Er setzte sich auf den Boden und lehnte sich an das Geländer der kleinen Steintreppe, zwei Schritte nach links von dem Wachmann entfernt.

Dieser warf ihm einen bösen Blick zu. Greg lächelte ihn breit an. Der Typ hätte ihn gerne vom Platz verwiesen – im Namen der Vorschrift. Doch das konnte er nicht. Denn in den Vorschriften war nicht vorgesehen, dass eines Tages jemand auf die hirnrissige Idee kommen würde, sich in der Hitze vor dem Eingang des Gebäudes, das die Kommandozentrale beherbergte, auf den Boden zu setzen.

Greg hatte keine Lust, sich von den Militärs den Mund verbieten zu lassen. Er würde den ganzen Tag warten, und die ganze Nacht, wenn es sein musste. Doch er wollte Colonel Bosman sprechen. Er wollte ihn unbedingt sprechen.

Gregs Hemd klebte unangenehm auf seiner Haut, und Schweiß lief ihm übers Gesicht. Die Hitze war höllisch, und die Ordonnanz begann ihm spöttische Blicke zuzuwerfen. Seit mindestens einer Stunde wartete er nun schon unter der bleiernen Sonne, in seiner eigenen Falle gefangen. Überhaupt, was für eine Idee… Warum hatte er sich nicht ein paar Meter weiter weg im Schatten eines Baums auf dem kühlen Rasen niedergelassen? Eigentlich wollte Greg diesem Idioten auf die Nerven gehen, aber letztendlich sah es so aus, als sei er selbst der Idiot. Denn wenn er jetzt wegginge, würde er sein Gesicht verlieren.

Na und?, sagte eine Stimme in seinem Kopf. Was macht es schon groß aus, wenn du dein Gesicht verlierst? Willst du in der Hitze umkommen, bloß um jemanden zu beeindrucken, den du verachtest?

Das stimmt, sagte sich Greg. Ich nehme den Typen viel zu wichtig. Wie wäre es, wenn ich mich jetzt in den Schatten setze?

Greg wollte gerade aufstehen, als hinter ihm eine Stimme ertönte. »Was machen Sie denn hier?«

Es war Colonel Bosmans Stimme.

»Ich höre.«

Im Büro des Colonel lief eine Klimaanlage, und Greg spürte, wie ihm ein Kribbeln in Kehle und Nase hochstieg.

»Colonel, heute Morgen wollte ich zwei Briefe aufgeben. Einer davon war für meine Frau bestimmt, die gerade auf Reisen ist, damit sie bei ihrer Rückkehr Bescheid weiß, wo ich bin. Nun, im Postamt des Stützpunkts rief mich ein Offizier zu sich, der mir erklärte, er habe Anweisung, meine Post nicht zu befördern. Jetzt hätte ich gerne ein paar Erklärungen von Ihnen.«

»Ganz einfach: Sie unterstehen der militärischen Geheimhaltung. Und auch Ihre Anwesenheit auf diesem Stützpunkt fällt unter das Militärgeheimnis.«

»Ich darf nicht einmal meine Angehörigen benachrichtigen?«

»Es kommt nicht in Frage, dass irgendwo ein Brief herumschwirrt, aus dem Ihre Anwesenheit hier hervorgeht.«

Greg schlug mit der Faust auf den Schreibtisch des Colonel. »Sie glauben doch wohl nicht, dass ich mich auf unbestimmte Dauer hier einsperren lasse, ohne meine Frau zu informieren?«

»Mr Thomas«, sagte Bosman kühl, »ich darf Sie daran erinnern, dass Sie einen Vertrag unterschrieben haben. Sie haben sich aus freien Stücken dem Verteidigungsministerium zur Verfügung gestellt. Das heißt, der Befehlsgewalt der Armee. Und bei der Armee gehorcht man Befehlen.«

»Ich trete von dem Vertrag zurück.«

»Das ist nicht möglich. Sie wissen zu viel.«

»Ich werde unter diesen Bedingungen nicht arbeiten.«

»Wenn Sie nicht arbeiten wollen, Mr Thomas, bringen wir Sie kostenlos in einem Militärgefängnis unter. In Einzelhaft. Bis die Krise vorüber ist.«

Greg schüttelte den Kopf. »Sie sind absolut unmenschlich ...«

Er nieste heftig. Sein schweißnasses Hemd klebte eisig auf seiner Haut. Bosman reichte ihm ein Päckchen Papiertaschentücher.

»Mr Thomas ...« Bosman schien sich ein wenig besänftigt zu haben. »Mr Thomas, Sie verkennen offenbar den Ernst der Lage. Wenn die Presse erfährt, dass die Regierung ihre herausragendsten Forscher für unser Problem hier mobilisiert hat, kommt es unter Garantie zu einer Panik. Wissen Sie, unsere Mitbürger haben schwache Nerven.«

»Und Sie glauben, Ihre herausragendsten Forscher verschwinden zu lassen, ohne irgendjemanden zu verständigen, ist das beste Mittel, um das Geheimnis zu wahren? Meine Frau wird, sobald sie zurück ist, zu den Bullen gehen ...«

»Das ist sehr richtig, Mr Thomas. Es liegt weder in unserem Interesse noch in unserer Absicht, Sie schlicht und einfach verschwinden zu lassen. Machen Sie sich keine Sorgen, wir werden Ihre Angehörigen beruhigen. Aber auf unsere Weise.«

»Das heißt?«

»Sobald Ihre Gattin zurück ist, wird einer unserer Männer Kontakt mit ihr aufnehmen und ihr eine Nachricht von Ihnen übermitteln. So können wir sicher sein, dass es nicht zu einer Flucht kommt.«

»Moment, Mr Colonel. Wenn meine Frau zurückkommt, würde ich sie gerne wiedersehen, stellen Sie sich das mal vor!«

»Das verstehe ich. Doch ich fürchte, das wird nicht möglich sein.«

»Dann bringen Sie sie her!«

»Das ist genauso unmöglich.«

»Wie bitte?«

»Mr Thomas, Sie haben einen Vertrag unterschrieben. Ich gehe davon aus, dass Sie ihn vorher gelesen haben. Und niemand hat Ihnen dabei den Stift geführt.«

Greg griff sich mit der Hand an die Stirn. Er hatte Kopfschmerzen. Der Colonel sah ihn mit einem unpersönlichen Ausdruck in den Augen an, der von vorneherein jede Absicht, ihn umzustimmen, zunichte machte. Er hielt sich an die Vorschrift. Er war der Ansicht, darüber nicht weiter nachdenken zu müssen. Und das schien ihm weder Leid zu tun noch zu gefallen.

Greg stand wortlos auf und verließ den Raum.

16

Eine Straße in Illinois

Die untergehende Sonne stach Kenneth voll ins Gesicht, und er hatte Blasen an den Füßen. Seit über einer Stunde war er stramm marschiert und hatte kein einziges Auto gesehen und auch sonst nichts, was irgendwie darauf hingewiesen hätte, dass er verfolgt wurde. Doch auf dem Stützpunkt mussten sie alle Kopf stehen ... Endlich zeichneten sich etwas weiter unten im Schatten die Umrisse von Häusern ab. Hoffentlich gibt es dort eine Telefonzelle, dachte er. Es war besser, wenn er unbemerkt blieb.

Es gab eine. Und kein Anzeichen von Leben, außer den Geräuschen einiger Fernseher durch die Fensterscheiben der Häuser. Es war Abendessenszeit. Kenneth pirschte sich leise an den Apparat, blickte erst nach rechts und nach links und hob dann den Hörer ab. Clives Nummer wusste er auswendig. Ein Klingelzeichen ... Hoffentlich ist er noch bei der Zeitung ... Zwei Klingelzeichen ... Kenneth hörte ein Klicken und stieß einen Seufzer der Erleichterung aus.

»Clive Burnett.«

»Clive, ich bin's. Hör zu und sag nichts. Es ist sehr wichtig.«

»Was? Wer ist am Appa ... Bist du es?«

»Pst. Code TP. Treffpunkt HQ. Schnellstmöglich. Bring dein Notebook mit. Clive, ich muss auflegen. Das ist kein Scherz. Treffpunkt HQ. Bring dein Notebook mit.«

Dann legte er auf. Natürlich wurde Clives Telefon abgehört. Natürlich hatten sie zu orten versucht, woher er anrief. Doch es war ihnen nicht genug Zeit geblieben.

Kenneth wischte sich den Schweiß von der Stirn. Küchendunst

hing in der warmen Abendluft. Er hatte Hunger. Er warf einen Blick auf das nächstgelegene Fenster. Es war hell erleuchtet und sah wie ein Küchenfenster aus… Doch er durfte nicht das geringste Risiko eingehen. Er musste weiter. Kenneth seufzte. Jetzt ging es – ganz einfach – nur darum, zum HQ zu kommen, gut hundert Kilometer von hier entfernt… und dort auf Clive zu warten.

In der Hoffnung, dass Clive ihn auch wirklich ernst genommen hatte und auf einen so knappen Telefonanruf hin spät in der Nacht quer durch Illinois fuhr, um sich mitten in den Feldern mit seinem alten Kumpel zu treffen…

Als Erstes musste er die Landstraße finden…

Eines ist sicher, die Götter sind mit mir, dachte Kenneth, während er kräftig in sein Sandwich biss. Er hatte gut zwei Stunden gebraucht, um zu Fuß bis zur Landstraße zu gelangen, doch kaum hatte er sie betreten, war der Lastwagen vorbeigefahren, ein Futtermitteltransporter mit einem Fahrer, der nett genug war, einen armen Anhalter mitzunehmen, der sich mitten in der Nacht in einer abgelegenen Gegend verirrt hatte, und ihm eines seiner belegten Brote zu geben! Leicht altbacken, gewiss, doch immerhin ein belegtes Brot… Langsam entspannte sich Kenneth ein wenig. Der Fahrer hatte die Hände am Steuer und sah mit ziemlich abgestumpfter Miene auf die Straße, eine Kippe zwischen den Zähnen. Kenneth fühlte sich in Sicherheit. Außerdem schien der Fahrer keiner von denen zu sein, die erwarten, dass man sich mit ihnen unterhält… Umso besser, sagte er sich und schloss die Augen. Sieben Sekunden später schlief er tief.

»He, mein Freund!«

Kenneth riss die Augen auf und zuckte zusammen. Das derbe Gesicht des Fernfahrers musterte ihn abschätzend.

»Wachen Sie auf, mein Lieber. Sie haben mir gesagt, ich soll Sie vor Cairo rauslassen… Wir sind da!«

»Schon?«

Die Nacht war tiefschwarz. Kenneth hatte das Gefühl, nur zehn Minuten geschlafen zu haben. Er reichte dem Fahrer die Hand.

»Danke. Wenn ich meine Aufgabe erledigen kann, dann haben Sie zu etwas Historischem beigetragen!«

Der Mann sah ihn ohne besonderen Ausdruck an.

»Ich möchte Sie noch um einen letzten Gefallen bitten ...«

Kenneth zog einen Zwanzigdollarschein aus seiner Tasche. »Haben Sie zufällig eine Taschenlampe? Ich kaufe sie Ihnen ab.«

Der Mann öffnete das Handschuhfach und reichte ihm eine große Taschenlampe, die recht leistungsstark wirkte. »Ich schenke sie Ihnen.«

Kenneth machte große Augen. »Sind Sie sicher?«, fragte er.

Doch der Mann startete bereits wieder den Motor. Kenneth stieg aus. »Es gibt noch Heilige«, murmelte er und sah den Scheinwerfern des sich entfernenden Lasters nach.

Trotz des Lichtkegels der Taschenlampe, der über die Landschaft glitt, und des schwachen Mondscheins sah der Weg nachts anders aus, als er ihn in Erinnerung hatte. Dabei war er ihn doch so oft gegangen, diesen Weg, der zu der alten, verlassenen Hütte führte ... Zum »HQ«, ihrem Hauptquartier ... Doch das war immer tagsüber gewesen, und jetzt war Kenneth sich nicht mehr sicher, ob er sich nicht gründlich vertan hatte ... Verflixt, ich wusste gar nicht mehr, dass es so weit ist, dachte er. Mir tun schon die Füße weh ... Das Einzige, was stimmte, war der dumpfe Geruch nach feuchter Erde und morschen Baumstümpfen, der ihn umgab ... Das HQ ... Es war seine Idee gewesen (falls es nicht doch Clive gewesen war, dem es zuerst eingefallen war; er erinnerte sich nicht mehr genau ...), damit sie einen sicheren Ort hatten, an dem sie sich treffen konnten, wenn mal Chaos ausbrach, und an dem man etwaige brandheiße Dokumente verstecken konnte. Und wenn es einen sicheren Ort gab, dann diesen! Die alte Hütte war zwei Stunden Fußmarsch von Cairo entfernt in einem ziemlich ungesunden Sumpfgebiet, das nie jemand betrat ... Doch die Hütte lag etwas höher und war in Ordnung, nur etwas mühsam zu erreichen ... Gut, Chaos war nie ausgebrochen, sieht man von dem

Skandal um Senator Russell ab, und das war ein großes Chaos gewesen, aber damit hatte Clive nichts zu tun … Dennoch trafen sie sich von Zeit zu Zeit im HQ, um einen Joint zu rauchen und sich Coups auszudenken und um Spekulationen über ihre künftige berufliche Karriere anzustellen. Kenneth lachte hämisch. Und jetzt, dachte er, wird er akut, der gigantische Teufelsplan, der Code TP. Wir sind dran, mein lieber Clive!

Vorausgesetzt, Clive glaubte ihm und kam … Vorausgesetzt, der brillante, renommierte Reporter setzte noch genug Vertrauen in seinen alten Kumpel, den Versager … Wenn er mich, verdammt nochmal, nur nicht versetzt!

Plötzlich sah Kenneth Licht. Er schaltete seine Taschenlampe aus und blieb reglos stehen. Die Militärs? Sie konnten ihm nicht gefolgt sein … Außer, sie hätten das HQ ausfindig gemacht. Kenneth ging klopfenden Herzens in der Finsternis weiter und machte einen leichten Bogen, bis er allmählich näher zu dem leuchtenden Fleck kam. Dieser bewegte sich nicht. Dann zeichnete sich plötzlich eine Silhouette ab, wie in einem Schattenspiel, und verschwand wieder. Ein Fenster! Da war jemand … Kenneth kniff die Augen zusammen, um die Nacht besser mit dem Blick durchdringen zu können. Jetzt sah er die Umrisse einer kleinen Behausung …

Da erkannte er die Hütte. Das HQ! Doch wer war drin? Er blieb stehen und spitzte die Ohren. Die nächtliche Stille wurde nur durch weit entfernte Schreie von Tieren gebrochen. Keine Anzeichen für die Anwesenheit von Menschen, außer dem Mann drinnen. Wenn es die Militärs waren, sagte er sich, würde die Gegend vor Leuten wimmeln. Vielleicht ein Landstreicher? Kenneth näherte sich vorsichtig dem Fenster. Außer … nein, unmöglich, dachte er. Nicht so schnell … Er warf einen flüchtigen Blick in den einzigen Raum, aus dem die Hütte bestand, und sah einen Mann, der mit dem Rücken zu ihm saß und um dessen Kopf Rauch schwebte. Zigarrenrauch …

Clive! Kenneth durchfuhr eine Woge der Erleichterung. Er stürzte auf die Tür zu und stieß sie hart auf. Auf einmal spürte er keine Müdigkeit mehr... Er war nicht mehr allein bei diesem Coup! Das magische Duo war wieder vereint!

Clive zuckte leicht zusammen und drehte den Kopf in seine Richtung. Er saß mit dem Profil zu ihm, die Finger auf der Tastatur seines eingeschalteten Notebooks. Mit einem unmerklichen Lächeln schaltete er es aus.

»Ich hoffe für dich, dass es etwas Ernstes ist!«

Kenneth musterte ihn. »Wärst du hier, wenn du Zweifel hättest?«

»Ehrlich gesagt, ungeachtet meines Vertrauens zu dir... haben schon deine Freunde (über die du mich dann vielleicht ein wenig aufklärst) dafür gesorgt, dass ich keine Zweifel mehr habe...«

Kenneth trat beunruhigt zu ihm. »Ist man dir gefolgt?«

»Ich habe sie abgehängt...«

»Bist du sicher?«

»Komm, entspann dich und erzähl mir alles.«

Kenneth atmete tief ein. Dann griff er nach dem Notebook und schaltete es wieder ein. »Freu dich, Alter... Du wirst mein erster Leser sein!«

Clive stand hinter seinem alten Kumpel und kommentierte dessen Ausführungen bereits zum siebzehnten Mal mit einem entsetzten »Ach du lieber Himmel«, als der erste Helikopter zu hören war. Kenneth tippte fieberhaft den Schluss seines Textes.

»Verdammt«, sagte Clive und sah flüchtig aus dem Fenster, »wie haben sie uns nur ausfindig gemacht?«

Kenneth schrieb wie verrückt mit auf den Bildschirm gehefteten Augen.

»Was hast du gerade mit der Kiste gemacht, als ich gekommen bin?«, murmelte er durch die Zähne.

»Ich war in einer Datenbank, warum?«

Kenneth lachte höhnisch. »Da haben wir die Antwort...«

Es waren jetzt mehrere Helikopter, die wie Geier in immer enger werdenden konzentrischen Kreisen über ihnen schwebten. Das durchdringende Leuchten der starken Scheinwerfer erfüllte das Innere der Hütte immer wieder kurz mit weißlichem Licht. Plötzlich übertönte eine verzerrte Lautsprecherstimme den Lärm der Rotoren.

»Heben Sie die Hände über den Kopf und kommen Sie heraus! Letzte Aufforderung! Heben Sie die Hände über den Kopf und kommen Sie heraus!«

»Ken«, schrie Clive, »die meinen es ernst! Die werden uns gleich ins Visier nehmen! Wir müssen rausgehen!«

Kenneth sah, wie der Text, den er schrieb, ohne auch nur auf seine Finger zu sehen, fehlerlos und rasend schnell über den Bildschirm des Notebooks lief. Innerlich vollkommen ruhig, registrierte er jeden Laut, jede Farbschattierung, jeden Lichteinfall, und dabei kamen ihm die Wörter, exakt und stimmig, wie von selbst. Endlich setzte er einen Schlusspunkt unter seinen Artikel, gab über die Shortcuts auf der Tastatur den Sendebefehl ein und legte den Finger auf die Enter-Taste.

»Ken!«, brüllte Clive, »die knallen uns ab! Komm!«

Kenneth drehte sich um und sah wie in Zeitlupe seinen Freund zur Tür stürzen und sie öffnen. Draußen drehten sich die Scheinwerfer in einem wilden Lichtertanz und glitten über den Wald. Einer der Helikopter hing unbeweglich zehn Meter über dem Boden, und Kenneth hatte das Gefühl, dass die Maschine ihn beobachtete. Genau in dem Moment, als er die Enter-Taste drückte, flammten zwei Feuerblitze aus den Seiten des Hubschraubers.

Da wusste Kenneth, dass alles zu Ende war.

Sein letzter Gedanke galt seinem Artikel, der soeben mit Schallwellengeschwindigkeit wegflog und sich im gesamten Netz verbreiten würde.

Er hatte vergessen, ihn zu unterschreiben.

17

Tagebuch von David Barnes, Freitag, 13. Juni
Zeitungsausschnitte

WAS PASSIERTE IN CLYDESBURG?

Mysteriöses Killervirus. Zutrittsverbot für gesamtes Gebiet. Alles begann mit einem anonymen Artikel im Web.

The Virginian Pilot, Titel, Freitag, 13. Juni

CLYDESBURG EXISTIERT NICHT MEHR!

Unser Sonderkorrespondent durchkreuzt die Sicherheitsmaßnahmen und bezeugt: Die Stadt Clydesburg (Illinois), sechstausend Einwohner, wurde ausradiert. Es soll sich um ein Virus handeln.

The New York Daily News, Titel, Freitag, 13. Juni

GANZE STADT VON AMERIKANISCHER ARMEE AUSGELÖSCHT!

Es soll Millionen Tote gegeben haben. Man spricht von einem Virus.

The Houston Post, Titel, Freitag, 13. Juni

CLYDESBURG: TRAGÖDIE UNTER STAATSGEHEIMNIS

Nach einer Virusepidemie wurde eine Stadt in Illinois von der amerikanischen Armee dem Erdboden gleichgemacht. Zwei unserer Ermittlungsreporter konnten die Sicherheitsmaßnahmen umgehen.

The Los Angeles Inquirer, Titel, Freitag, 13. Juni

Kommentar:

Dennoch sollte ich nun endlich das Wort ergreifen... Es ist verrückt! Das ist mein Tagebuch... Mein verdammtes Tagebuch, und ich bin nicht imstande, darin das Wort zu ergreifen!

He, David! Wach auf. Weshalb hast du dich entschlossen, ein Tagebuch zu führen?

Um darin über mich zu sprechen.

Über dich? Wirklich? Und deshalb bist du seit zehn Tagen nicht in der Lage, etwas anderes zu tun, als Zeitungsausschnitte dort hineinzukleben, in dein verdammtes Tagebuch?

Und wenn es das wäre, das Persönliche? Und wenn ich nichts anderes Persönliches hätte als mein morbides Interesse an dieser verdammten Welt, die den Bach runtergeht?

An dieser verdammten Welt, die untergeht. Langsam. Ohne dass jemand es merkt. Titanic: *Die Passagiere sind auf Deck und trinken. Sie tanzen. Sie gehen unter.*

Seien wir doch ganz offen: Genau deswegen möchte ich Tagebuch schreiben. Weil ich sehe. Und weil ich niemanden habe, mit dem ich meine Einsichten teilen kann. Ich möchte Tagebuch schreiben, weil ich mich allein fühle.

Ein persönliches Tagebuch?

Dann mal los:

Ich heiße David Barnes, bin einundvierzig Jahre alt und Journalist.

Verdammt, so geht es nicht... Das ist nichts Persönliches! Das steht auf meinem Presseausweis. Ich habe nicht angefangen, Tagebuch zu führen, um die Angaben auf meinem Presseausweis abzuschreiben!

Was bedeutet »Persönliches«?

Ich...

Ich, ich, ich...

Verdammt ... Das Wort tut mir in der Seele weh! Ich ... Das ist das Wort, oder vielmehr das Etwas, das es geschafft hat, dass ich seit mehr als vierzig Jahren davonlaufe. Das »Ich« habe ich immer fest unter Verschluss gehalten.

Und das ist mir nicht schlecht gelungen.

Ich habe überlebt ...

Ich ... David Barnes. Der Mann aus nirgendwo. Ich habe es nie geschafft, mich irgendwo zugehörig zu fühlen. Nie geschafft, Teil eines Ganzen zu sein.

Ich kann nicht dazugehören.

»Du lässt es nicht zu, dass jemand dich liebt.« Das hat Kate mir gesagt, bevor sie mich definitiv aus ihrem Leben strich, und wahrscheinlich stimmt es ... Pech, dass ich erst hinterher gemerkt habe, dass ich von Kate gerne ein bisschen Liebe zugelassen hätte, sogar eine ganze Menge. Aber da war es schon etwas zu spät, und wahrscheinlich war das kein Zufall. Ein Zuhause gründen! Nicht mein Ding.

Vielleicht hat das damit zu tun, dass mein Vater eines schönen Tages die Schublade öffnete, in der seit fast fünfundzwanzig Jahren seine Smith & Wesson verstaubte. Er lud sie und schoss dann dreimal. Auf meine Mutter.

Damals war ich elf Jahre alt.

Und all die Psychologen und Psychiater, die für einen Haufen Dollar die Freundlichkeit hatten, sich meine Geschichte anzuhören, haben bestätigt, dass das nicht gerade dazu beigetragen hat, mir ein positives Bild von der Ehe zu vermitteln ...

Gut.

Ich glaube, mein Tagebuch hat begonnen. Na, dann wollen wir mal.

Mein Vater starb vier Jahre später im Knast.

Ich wurde von meiner Großmutter väterlicherseits aufgenommen. Es hätte sich auch die Familie meiner Mutter um mich kümmern können, doch zufällig hatte ich die noch nie gesehen. Mein Vater war dem im Weg gestanden. Er hatte alles getan, um meine Mutter von ihren Wurzeln zu trennen. Das war ihm ziemlich gut gelungen. Verrückt, wozu man eine verliebte Frau bringen kann!

Mein Vater mochte die Indianer nicht. Gewiss, er hatte eine Indianerin geheiratet - meine Mutter war eine Hopi-Indianerin -, aber die Indianer mochte er nicht. Er wollte meine Mutter, aber ohne das Indianische an ihr. Deshalb hat er sie dann schließlich auch umgebracht. Denn meine Mutter konnte nie etwas anderes sein als eine Indianerin.

Väterlicherseits bin ich ein echter Amerikaner: weiß, angelsächsisch, protestantisch – und mörderisch. Von Seiten meiner Mutter bin ich nichts. Sie durfte nichts an mich weitergeben. Alles, was an ihre Ursprünge hätte erinnern können, musste ausgelöscht werden. Weshalb hat sie sich diesem tödlichen Spiel gefügt? Weil sie meinen Vater liebte? Ich glaube nicht, dass sie ihn liebte. Wie hätte sie meinen Vater lieben können? Er war ein Mann, der nicht atmen konnte, der nicht auf der Erde gehen und der die Nacht nicht sehen konnte. Er hatte seine Vorstellung von der Welt und vom Leben, und alles, was nicht seiner Vorstellung entsprach, konnte er nur hassen. Die Welt und das Leben entsprachen nie seiner Vorstellung. Ich glaube, dass meine Mutter an meinem Vater nur ihren eigenen Tod geliebt hat.

Es stimmt nicht, wenn ich sage, meine Mutter habe nichts an mich weitergegeben. Sie hat mir das Wichtigste geschenkt: sich selbst. Ich kann in allem, was beginnt, das Ende sehen. Ich kann in allem, was geboren wird, den Tod sehen.

Ich kann sehen. Gibt es auf dieser Erde jemanden, der sieht, was ich sehe? Ja, natürlich... Bei den Indianern, meinen Blutsbrüdern, sehen manche... Manche verstehen.

Es ist mehr als zehn Jahre her, dass ich zum letzten Mal auf den Mesas war. Doch etwas von mir ist dort geblieben. Etwas von mir gehört zu den kargen Felsplateaus, wo das Volk meiner Mutter lebt.

Sieh an...

Sollte der Mann von nirgendwo das Gefühl brauchen, irgendwo dazuzugehören?

Lächerlich.

Ich bin kein Indianer. Als ich zum ersten Mal nach Hotevilla kam, war ich gerade neunzehn geworden. Ich war ein Fremder. Oh, natürlich nahm mich die Familie meiner Mutter wie einen der ihren auf.

Hätte ich überlebt, hätte ich den nötigen Lebenswillen gehabt, ohne die Erfahrung des Aufgenommenseins gemacht zu haben? Ohne die Wärme, ohne das bedingungslose Ja zu dem, was ich war... Kein einziges Mal sprachen die Brüder meiner Mutter über meinen Vater. Sie öffneten mir ihre Tür, und weit mehr als ihre Tür – wie einem Bruder, von dem man sich erst tags zuvor verabschiedet hat. Ohne besonderen Überschwang. Als sei es ganz natürlich. Das habe ich bei ihnen gelernt: Natürlichkeit.

Warum konnte ich nicht bleiben?

Weil ich kein Indianer bin! Genauso wenig, wie ich Amerikaner bin.

Ich bin nichts.

Ich bin nur, was ich sehe.

Ich durchschaue die Täuschung, und ich sehe den Tod, der an den Dingen arbeitet. Das ist ein und dasselbe Wissen. Denn die Täuschung dient nur dazu, den Tod und sein stummes Wirken zu verschleiern.

Heute ist die Welt nur noch eine Täuschung. Und noch nie war der Tod so nah. Alles zeugt von seinem Vormarsch, doch man schließt die Augen oder wendet den Blick ab. Der Mensch hat die wunderbare Gabe erhalten, nur das zu sehen, was er will, nur das zu glauben, was ihm gelegen kommt. Zu vergessen.

Ich kann nicht vergessen. Ich kann die Augen nicht abwenden.

Dafür muss ich meinen Preis bezahlen. Wenn man die Augen schließt, wenn man sich betäubt, um nichts zu sehen, dann geschieht das aus der Angst heraus, leiden zu müssen. Um sich zu narkotisieren. Ich habe kein Betäubungsmittel. Das ist der Preis.

Das macht einen guten Journalisten aus mir.

Ich kratze, wo es wehtut. Ich kratze am Schorf, um die Wunde freizulegen. Sehen Sie, alles sieht wieder zusammengeflickt aus, wie gesundes Gewebe, aber wenn man ein wenig kratzt, kommt Abstoßendes zum Vorschein, Eiter, der Tod... Das macht mir einen Heidenspaß.

Wenn überhaupt etwas in meinem verdammten Leben funktioniert, dann ist es mein Job. Seit einem Jahr darf ich eine halbe Stunde täglich bei WCK auf Sendung gehen. Top-Einschaltquoten! »Die beste Radiosendung seit dem Krieg...« Ich habe Angebote von mehreren Fernsehsendern, darunter NBC. Das ist mir piepegal. Ich pfeife auf die Kohle. Was mich interessiert, ist die Wahrheit hinter der Maske. Ich möchte aussprechen, was verschwiegen werden soll. Zeigen, was verborgen werden soll...

Zeigen. Zeigen, was ich sehe.

Damit ich mich ein bisschen weniger allein fühle.

Das ist der Grund, weshalb ich die Fackel übernehme.

Clydesburg... Der Kollege hat nicht unterschrieben. Ich verneige mich vor ihm. Er diente nicht seinem eigenen Ruhm, sondern der Wahrheit. Er ist für sie gestorben. Ich hätte ihn gern kennen gelernt.

Heute habe ich meine Ermittlungen abgeschlossen. Wenn alles gut geht, werden morgen ein paar von den Arschlöchern, die uns regieren, dumm aus der Wäsche schauen. Ihr Job: die Leute für Idioten zu verkaufen und sie nur das sehen zu lassen, was sie sehen sollen. Mein Job: die Realität. Und sie, wenn die Realität Scheiße ist, mit der Nase hineinzustoßen.

Die Welt steckt in der Scheiße.

18

Auf dem Rio Mucajai

Halt!«, schrie Diego.

Mary fuhr zusammen und hielt in ihrer Bewegung inne. Diego saß im hinteren Teil des Boots und lächelte ihr zu, wobei er auf den Baum mit den riesigen Blättern zeigte, unter dem sie soeben durchfuhren und den sie gerade mit der Hand berühren wollte.

»Wenn Sie diese Blätter anfassen«, erklärte er, »haben Sie in Kürze Hunderte von Ameisen in den Haaren und unter Ihrem T-Shirt! Sie leben nämlich unter diesen Blättern...«

Mary sah dem Baum nach, der sich langsam entfernte, und erwiderte Diegos Lächeln.

»Haben Ihnen das die Indianer beigebracht?«, fragte sie.

Diego lachte.

»Nein! Die Indianer sind wie gute Eltern – sie lassen Sie Ihre Erfahrungen selbst machen! Allerdings mit dem Unterschied, dass sie sich nicht um Sie kümmern, wenn Ihnen ein derartiges Missgeschick passiert... Diese Ameisen hier sind groß und rot, sie stechen und bescheren Ihnen Fieber und Ausschlag...«

Mit ernsterer Stimme fuhr er fort: »Wissen Sie, ich musste gut zwei Jahre unter ihnen leben, ehe ich ihr Vertrauen gewinnen konnte. Zwei Jahre, in denen ich fast nackt herumgelaufen bin, ohne Feuerwaffen und ohne Medikamente... zwei Jahre voller Schikanen...«

Diegos Blick verschwamm, in Erinnerungen versunken.

Du meine Güte, dachte Mary, das dürfte nicht immer leicht gewesen sein...

»Schauen Sie«, begann Diego wieder, »sehen Sie diese Vögel?«

Er deutete mit dem Finger auf ein Paar kleiner gelber Vögel mit schwarzem Hinterteil, die auf einem niedrigen Ast saßen.

»Hüten Sie sich vor ihnen! Nicht, dass sie selbst gefährlich wären ... Aber sie haben gefürchtete Leibwächter!«

»Leibwächter?«, wiederholte Mary, ohne zu verstehen.

»Diese Vögel leben mitten unter den Wespen und haben die gleiche Färbung wie sie. Das schlägt ihre Feinde in die Flucht! Ein interessanter Fall von Symbiose ... Die Vögel sind immer ein Anzeichen dafür, dass sich in der Nähe ein Wespennest befindet.«

Mary war beeindruckt. Die Landschaft zog gemächlich vorüber. Sonnenflecken spiegelten sich im grünen Wasser. Von den beiden Ufern her vermischten sich Schreie von Tieren mit dem dumpfen Raunen der Pflanzen.

»Wie haben Sie es geschafft zu überleben, ganz am Anfang? Nachdem die Indianer Sie wohl in sämtliche Fallen stolpern ließen ...«

»In sämtliche Fallen, in denen man nicht auf der Stelle tot ist«, präzisierte Diego. »Im ersten Jahr haben sie mir zweimal das Leben gerettet ...«

Die beiden Einbäume glitten im Rhythmus des kleinen 8-PS-Motors langsam auf dem gewundenen Fluss dahin. Im ersten saß Sylvain mit zwei Indianern. Im zweiten war Mary mit Diego allein. Wir müssen über einiges sprechen, hatte Letzterer gesagt. Die junge Frau hoffte, endlich mehr über den Sinn und Zweck dieser Expedition zu erfahren.

Das unentwirrbare Geflecht aus Lianen und Blättern bildete einen Tunnel aus dunklem Grün über dem Rio Mucajai und verband dessen Ufer. Es gab Wolken weißer Schmetterlinge, die um die Köpfe flatterten und sich bisweilen auf einer Schulter niederließen. Und Wolken von Moskitos, die man unablässig wegscheuchen musste, sofern es einem nicht gelang, sich, wie Diego und die Indianer, an ihre ständige Präsenz zu gewöhnen. Im Übrigen sah es so aus, als interessierten sich die Insekten vor allem für Mary und Sylvain, als sei deren zarte, helle Haut ein Festmahl erster Güte ... Gleich nach der Abfahrt hatte Diego sich über sie lustig gemacht: »In zwei Tagen werden Sie nach Rauch und Ruku riechen wie ich und dann nicht mehr belästigt werden«, hatte er gesagt. Ruku war die Pflanzenfarbe, mit der die Yanomami ihre Körper einrieben ... Mary fragte sich, ob sie wie die Indianer leben würden. Nackt im Wald ...

Ein Gefühl der Angst schnürte ihr unvermittelt das Herz zusammen.

Greg fehlte ihr. Sein Gesicht war da, seltsam gegenwärtig, als würde er sie mit seinen großen, hellen Augen ansehen, in denen manchmal die Ängste eines kleinen Jungen standen ... Doch er war nicht da, und seine Abwesenheit hinterließ im Herzen der jungen Frau eine grausame Leere.

Vage Gewissensbisse stellten sich ein. War sie ihm gegenüber denn wirklich ehrlich gewesen, was diese Expedition betraf? Sie hatte die rein wissenschaftlichen Aspekte hervorgehoben. Doch hatte sie nicht mehr oder weniger bewusst das Wesentliche im Dunkeln gelassen? Hätte er genauso reagiert, wenn sie ehrlicher gewesen wäre? Doch ehrlicher in Bezug auf was eigentlich? Eben in Bezug auf die Tatsache ... dass sie nicht die geringste Ahnung vom Sinn und Zweck dieser Reise hatte! Da saß sie nun mitten im feindlichen Dschungel, von Moskitos geplagt, und das alles wegen der schönen Augen eines alten französischen Anthropologen, der sich gerne geheimnisvoll gab!

Vielleicht wäre es an der Zeit, dachte sie, dass Mr Legal mir ein paar Erklärungen gibt!

Da riss Diegos Stimme Mary aus ihren Grübeleien. »Vielleicht wäre es an der Zeit, dass wir uns endlich den ernsthaften Dingen zuwenden, meinen Sie nicht?«

In seinen Augen lag eine Spur Ironie. Konnte er jetzt auch noch Gedanken lesen?

»Das wollte ich gerade sagen«, antwortete die junge Frau in leicht schmollendem Tonfall.

Legal versenkte seinen Blick in den ihren. »Mary, weshalb sind Sie hier?«

»Sie wissen doch«, antwortete sie, leicht aus der Fassung gebracht, »für eine junge Anthropologin wie mich ist es eine große Chance, mit dem berühmten Professor Legal arbeiten zu dürfen…«

»Ja dann…«

Diego betrachtete sie mit etwas kühlem Wohlwollen, und sie merkte, wie unangebracht ihre Antwort gewesen war.

»Entschuldigen Sie bitte. Ich war ein bisschen wütend auf Sie…«

Diego brach in lautes Gelächter aus. Zwei große rote Papageien flogen empört kreischend auf.

»Aber Sie haben ja Recht, meine Liebe!«

Mary lachte mit ihm.

»In Wirklichkeit«, fuhr sie fort, »weiß ich nicht, weshalb ich hier bin… Aber ich fühle, dass es… richtig ist… dass ich hier bin…«

»Richtig?«

»Dass es mit dem übereinstimmt… dass es mit dem in Einklang ist, was ich bin…«

»Was meinen Sie damit? Dass es einem Wunsch von Ihnen entspricht?«

»Nein! Ich glaube, Sie verstehen sehr gut, was ich sagen will… Es ist tiefer als ein Wunsch… oder sogar ein Verlangen…«

»Was ist tiefer als ein Verlangen?«

»Vor drei Minuten habe ich mich gefragt, was ich hier eigentlich tue, stellen Sie sich vor! Und jetzt weiß ich es nicht mehr; ich bin müde, und ich habe einen Horror vor diesen Ameisen! Ich möchte zu Hause sein, bei meinem Mann! So sieht es aus! Das sind meine Wünsche, mein Verlangen…«

»Und das Tiefergehende?«

»Dass ich gleichzeitig mit mir im Einklang bin. Ich glaube, es gibt Handlungsweisen… durch die wir uns ausdrücken, das ist es. Und hier zu sein, drückt etwas aus, das tief in mir steckt…«

»Was?«

Mary fühlte erneut Zorn aufsteigen. »Diese Frage könnte ich Ihnen womöglich beantworten, wenn Sie mir mehr erzählen würden! Sie haben von Anfang an geheimnisvoll getan, und jetzt ist es so, als würde ich einer Prüfung unterzogen, oder… einem Verhör! Vielleicht wäre jetzt die Reihe an Ihnen, etwas zu sagen!«

Diegos Blick wurde ernster, erfüllt von großer Sympathie... ein Blick, der, so schien es, alles beinhalten und alles aufnehmen konnte. Mary fühlte keinerlei Zorn mehr.

»Sie möchten also, dass ich Ihnen sage... was Sie hier zu suchen haben?«

»Nein, das... das ist es nicht«, stammelte sie.

Dann spürte Mary, wie sich ein Abgrund in ihr auftat. War es nicht genau das, was sie erwartete? Sie hatte sich auf diese Expedition eingelassen, ohne recht zu wissen, weshalb, auf der Grundlage simpler Intuition... Auf das ganz persönliche Gefühl hin, dass das ihr Weg sei, dass diese Reise einen Teil ihrer selbst ausdrückte, der tief in ihrem Inneren verborgen lag... Erwartete sie nicht von Diego, dass er ihr diesen dunklen Teil enthüllte, dass er ihr, indem er ihr die versteckten Gründe für diese Reise mitteilte, gleichzeitig etwas über sie selbst offenbarte, das sie nicht kannte?

»Mary, sind Sie gläubig?«, fragte Diego unvermittelt.

Sie sah ihn erstaunt an. »Vielleicht nicht im landläufigen Sinn... Ich wurde katholisch erzogen. Und ich fühle mich als Christin... Doch ich glaube, dass alle Religionen wahr sind.«

»Auch wenn sie sich widersprechen?«

»Alle Religionen sind wahr... außer wenn sie von anderen Religionen sprechen! Ich glaube zum Beispiel nicht, dass Jesus von Nazareth ein ›Avatāra‹ war oder ein ›großer Initiierter‹. Ich finde es viel... fruchtbarer zu versuchen, ihn als Inkarnation des göttlichen Wortes aufzufassen. Doch ich glaube an die ›Avatāras‹ der hinduistischen Religion wie Krishna. Ich denke eigentlich nicht, dass man eine Religion von einer anderen Religion her interpretieren kann... ohne sie herabzusetzen oder jedenfalls ihr Ansehen zu mindern. Die Verschiedenheit religiöser Erfahrungen scheint einen Sinn zu haben – doch ich weiß nicht, welchen! Im Grunde mag ich den Synkretismus nicht, bei dem fröhlich Inhalte vermischt werden, die aus unterschiedlichen Religionen hervorgehen, doch alles, was von ihnen gewahrt bleibt, ist deren Oberfläche.«

Mary schwieg einen Moment.

»Andererseits«, fuhr sie fort, »praktiziere ich Meditation und studiere andere Religionen ... Und das hat mir dabei geholfen, meine eigene zu vertiefen. Ich fühle mich gleichermaßen als Christin wie als Buddhistin, Hinduistin oder Taoistin ... Der einzige Unterschied besteht darin, dass ich als Christin getauft wurde, das ist mein ... Boden.«

»Ich verstehe.«

»Diego, warum stellen Sie mir all diese Fragen? Warum wollen Sie immer, dass ich über mich spreche? Ich brenne darauf, mehr über den Sinn unserer Arbeit hier zu erfahren, über das, was uns erwartet ... Warum weichen Sie immer aus?«

Diego betrachtete sie mit ruhiger Nachsicht.

»Verstehen Sie denn nicht?«

»Was soll ich verstehen?«

»Dass wir keine Sekunde lang aufgehört haben, von dem zu sprechen, was Sie beschäftigt?«

»Nein, das verstehe ich nicht ... Was mich beschäftigt, bin nicht ich, sondern der Sinn und Zweck unserer Reise!«

Diego sah sie noch immer an. Er antwortete nicht. Mary hielt seinem Blick stand. Sie war entschlossen, hartnäckig zu bleiben. Er würde nicht ewig mit ihr spielen! Dann schloss Diego die Augen, und Mary sah nur noch sein Gesicht vor sich, ruhig wie im Gebet. Sie fühlte, wie sich ihre Schultern verspannten, und zwang sich, tief durchzuatmen. Entspann dich, dachte sie, entspann dich ...

Dann gab etwas in ihr nach. »Wollen Sie damit sagen«, fragte sie, »der Sinn und Zweck dieser Reise ... bin ich?«

Diego hielt die Augen immer noch geschlossen. »Das ... was Sie davon mitnehmen.«

»Was meinen Sie damit?«

»Ich gehe jede Wette darauf ein, dass Sie nach Ihrer Rückkehr nicht mehr ganz dieselbe sind ... Und die Welt, auf die Sie stoßen werden, wird auch nicht mehr ganz dieselbe sein ...«

Mary fühlte, wie ihr, gleich einer undeutlichen Furcht, ein

Schauer den Rücken entlanglief. Der Diego, der ihr gegenüberstand, war nicht mehr der derselbe Mann, den sie kannte. Er war weit weg, und sie spürte die Wärme nicht mehr, die sonst von seiner Gegenwart ausging. Er schien aus der Unendlichkeit zu sprechen.

Dann beugte er sich zu ihr und ergriff ihre Hand. Seine Augen waren nicht mehr geschlossen, doch sein Blick schien durch sie hindurchzugehen. »Und Sie haben vielleicht die Möglichkeit, sich einzusetzen«, fügte er hinzu.

Seit fast einer Stunde hatten Diego und sie kein weiteres Wort mehr gewechselt. Mary, den Blick zum Bug des Einbaums gerichtet, sah nachdenklich das Wasser vorbeiziehen. Sie verstand nicht, was Diego sagen wollte, doch sie spürte undeutlich, dass es nicht nur so dahingesagt war... und dass für sie noch nicht die Zeit gekommen war, all das zu verstehen.

»Und Sie haben vielleicht die Möglichkeit, sich einzusetzen...«

Mary hob den Kopf. Über ihr ließ eine Lücke in der Vegetation ein Fragment blauen Himmels erkennen.

Hier bin ich, dachte sie schlicht.

19

Fort Detrick, Maryland

»Was ist das hier für ein Saustall?«

General Merritts Stimme klang noch heiserer als sonst, und Bosman, der den dunklen Raum gerade betreten hatte, schluckte mühsam. Sein Vorgesetzter deutete mit theatralischer Geste auf die Zeitungen, die sich massenhaft auf seinem Schreibtisch stapelten.

»Wir hatten ein Problem ...«

»Sieh an!«

Bosman fragte sich flüchtig, seit wann das Zimmer nicht mehr gelüftet worden war. Er konnte kaum atmen.

»Ein Journalist ist nach Clydesburg gefahren; wir haben ihn geschnappt, aber er ist entwischt ... Er hat die ganze Sache ins Internet gebracht ...«

»Er ist entwischt! Wunderbar! Die Elite der amerikanischen Armee ist nicht in der Lage, einen gefangen genommenen Schmierfink festzuhalten! Warum haben Sie ihn nicht unschädlich gemacht?«

»Das schien uns nicht erforderlich.«

Merritt stieß einen Seufzer aus. »Hören Sie mir gut zu, Bosman«, sagte er. »Wissen Sie, was Staatssicherheit bedeutet?«

»Ja.«

Die Stimme des Generals wurde unvermittelt lauter und schien den ganzen Raum zu füllen: »Gut! Sie sind also sentimental geworden, und jetzt lässt sich die gesamte Presse über Clydesburg aus! Das State Department wird mit Fragen bestürmt, und wir werden ...«

Der General machte eine Pause. Dann wurde seine Stimme

dumpfer, so als gäbe er etwas Gotteslästerliches von sich: »... die Wahrheit sagen müssen, Bosman! Ist Ihnen das bewusst?«

»Ja.«

»Die Wahrheit ...«

Merrit wirkte plötzlich müde. Sein Kiefer sackte ein wenig ab. Mit einem Mal sah man ihm sein Alter an. Wie alt er wohl sein mag?, fragte sich Bosman.

»Der Präsident ist natürlich wütend ...«

»Ja.«

Der General richtete sich wieder auf. »Ich möchte Sie daran erinnern, dass diese Sache die Staatssicherheit betrifft und dass wir uns keine Gefühlsduseleien erlauben dürfen! Keine Zeugen, Bosman, ist das klar?«

»Ja.«

»Wiederholen Sie!«

»Verzeihung?«

»Wiederholen Sie, Herrgott noch mal! Kei-ne-Zeu-gen!«

»Keine Zeugen.«

»Gut. Nachdem die Öffentlichkeit jetzt über das Virus von Clydesburg Bescheid weiß, ist es umso wichtiger, dass sie von der Existenz weiterer Infektionsherde nicht das Geringste erfährt. Und auch nicht von den anderen Problemen, die uns auf den Nägeln brennen ... Bosman, Sie sind doch intelligent?«

»Ja.«

»Gut. Sie haben zwei Stunden Zeit, eine verdammte Pressekonferenz vorzubereiten. Die Journalisten sind für elf Uhr dreißig ins Pentagon bestellt. Memmling ist vor Ort. Er ist ein Idiot, aber er hat das schönste Lächeln der amerikanischen Armee. Sie müssen ihm nur sagen, was er erzählen soll. Ein Flugzeug wartet auf Sie.«

»Gut. Inhalt?«

»Sie sagen Ihnen etwas weniger als das, was sie bereits wissen ... Und das auf eine Art und Weise, dass sie den Eindruck haben, Sie werfen ihnen einen Knüller zu! Sind Sie dazu in der Lage, Bosman?«

»Ja.«

»Dann erledigen Sie es.«

Bosman salutierte und ging.

Pentagon, Washington

Der Saal war zum Bersten voll. Blitzlichter flackerten, Papier raschelte, Kameras mit Richtmikrophonen drehten sich, und leises Stimmengewirr verriet die Nervosität der akkreditierten Journalisten. Bosman saß im Regieraum und hielt die Augen auf einen Kontrollbildschirm gerichtet. Ein Mikrophon, das direkt mit dem Kopfhörer von Major Memmling verbunden war, ermöglichte es ihm, die Vorgänge in Realzeit zu kontrollieren. Memmling war am Ende seiner Ausführungen angelangt. Fürs Erste hatte er sich nicht schlecht angestellt.

»So sieht es aus, meine Herren«, schloss er. »Jegliche Gefahr ist nunmehr gebannt, und die Tragödie von Clydesburg mit ihren Tausenden von Toten zeigt zumindest, dass wir nicht machtlos sind, wenn neue Krankheiten auftauchen, so schrecklich sie auch sein mögen. Wir haben unsere Arbeit unter extremen Bedingungen erledigt, und unsere Dekontaminierungsmethoden vor Ort haben ihre Wirksamkeit bewiesen ...«

Der Major hielt kurz inne.

»Ich gehe davon aus, dass Sie Fragen haben. Auch wenn ich glaube, Ihnen alles gesagt zu haben ...«

Sogleich wurde im Saal eine ungeheure Kakophonie laut; jeder bemühte sich, seine Frage lauter herauszubrüllen als sein Nachbar. Memmling näherte seine Lippen dem Mikrofon und hob die Stimme: »Bitte! Es wird ein Mikrophon herumgereicht, ohne das Sie sich nicht verständlich machen können! Bitte etwas ruhiger!«

Lieutenant Cash begann mit einem kabellosen Mikrophon

durch die Reihen zu gehen. Sogleich streckten sich Hände danach aus, und es kam zu Gedränge. Es gab nur ein Mikrophon für die mehreren Hundert anwesenden Journalisten, und einige protestierten heftig und bezeichneten dies lauthals als Skandal. Sie wussten nicht, dass Cash sie alle beim Namen kannte und sehr genau wusste, wem er das Wort erteilen und vor allem, wem er es nicht erteilen würde. Einige Schreiberlinge hatten den Ruf, ewig zu stänkern, und dies war nicht der Moment, ihnen Gelegenheit dazu zu geben. Durch die Lautsprecher hörte man nun eine weibliche Stimme:

»Major, wie können Sie sicher sein, dass jegliche Gefahr gebannt ist? Dass Ihnen kein Virus durch die Maschen Ihres Netzes geschlüpft ist?«

Die Frau war hübsch. Memmling schenkte ihr ein technisch perfektes Lächeln, während sein Blick, dem Anlass gemäß, ernst und besorgt blieb.

»Weil es sich nicht um ein ›Netz‹ handelt«, anwortete er, »sondern um höchst ausgeklügelte Dekontaminierungsstrategien, die dem Verteidigungsgeheimnis unterliegen und die vor allem eine völlige biologische Isolierung der betroffenen Zone beinhalten. Wir können bestätigen, dass in Bezug auf das Virus von Clydesburg keine Gefahr mehr besteht.«

Lieutenant Cash reichte das Mikrophon einem jungen Mann mit langen Haaren, der Anzug und Krawatte trug.

»Major«, sagte er, »wäre es nicht möglich gewesen, mehr Menschenleben zu retten? Sie sagten, ein Teil der Bevölkerung von Clydesburg lebte noch, als die Armee eintraf? Nach dem, was im Web verbreitet wurde, soll man sich um diese Unglückseligen nicht nur nicht gekümmert, sondern sie sogar ... erledigt haben.«

Bosman kniff die Augen zusammen. Memmling hatte auf diese Frage sofort eine Antwort bereit.

»Mein Herr«, sagte er mit etwas härterer Stimme, »ich darf Sie daran erinnern, dass das Virus von Clydesburg extrem virulent ist. Es löst nach kürzester Zeit ein tödlich verlaufendes Syndrom aus, das derzeit absolut unheilbar ist. Des Weiteren ist es extrem ansteckend. Wir haben daher Methoden angewandt, die der gegebenen Gefahr angemessen waren, und ich bitte Sie, mir zu glauben, dass uns keine Sekunde Zeit zum Zögern blieb! Wir haben nur unsere Arbeit getan. Und ich würde Ihnen auch gerne eine Frage stellen: Glauben Sie, man darf von den Behörden verlangen, dass sie die Sicherheit der Bürger gewährleisten, und ihnen gleichzeitig vorwerfen, dass sie alle Mittel einsetzen, die zu diesem Zweck erforderlich sind?«

Gut, Memmling, gut, dachte Bosman. Die Kamera verweilte kurz auf dem jungen Journalisten, der den Kopf schüttelte und irgendetwas stotterte, das kein Mensch verstand, weil er das Mikrophon nicht mehr hatte. Cash hatte es einem Mann hinten im Saal überreicht.

»Major Memmling, was würde passieren, wenn eine derartige Epidemie in einem großen Ballungsgebiet auftreten würde? Müsste man dann auch dort die gesamte Bevölkerung eliminieren wie in Clydesburg?«

»Ich verstehe Ihre Frage, aber ich möchte Sie bitten, zu berücksichtigen, dass ein ›großes Ballungsgebiet‹ aus vielen Untereinheiten besteht und dass die biologische Isolierung lediglich die tatsächlich kontaminierten Zonen betrifft. Man muss nur ausreichend schnell vor Ort sein. Wir haben bereits wichtige strategische Mittel, und wir sind dabei, diese auszubauen. Ich möchte hinzufügen, dass der Virenstamm von Clydesburg in ebendiesem Moment von unseren besten Experten untersucht wird und dass wir mit großer Wahrscheinlichkeit rasch ein Gegenmittel entdecken werden, das sowohl präventiv als auch kurativ wirkt... Die Forschung auf dem Gebiet der Infektionskrankheiten macht Fortschritte. Außerdem ist die Wahrscheinlichkeit, dass ein weiteres tödliches Virus wie das von Clydesburg auftaucht, äußerst gering. Und das Risiko eines erneuten Auftretens besteht nur sehr beschränkt. Nichtsdestoweniger halten wir uns bereit.«

»Major«, sagte eine Frau, »warum wollten Sie das alles zuerst geheim halten? Weshalb haben Sie diesen Reporter gefangen genommen? Wer ist er, und was ist aus ihm geworden?«

Bosman raunte ein paar Worte für Memmling in sein kleines Mikrophon. Die letzte Frage… Es begann brenzlig zu werden… Der Major lächelte der Journalistin zu.

»Gnädige Frau, das sind ein bisschen viel Fragen auf einmal… doch ich werde versuchen, sie zu beantworten. Weshalb die Geheimhaltung? Nun, wir wollten vermeiden, dass es zu einer Panik kam, ehe wir alle unsere Vorkehrungen zur Verhinderung einer Ausbreitung der Epidemie getroffen hatten. Muss ich Ihnen die Folgen einer spontanen Massenflucht der Einwohner, darunter potenziell Infizierter, schildern? Was diesen ›Reporter‹ betrifft – sofern er einer ist –, so konnten wir ihn nicht identifizieren, und wir wissen nicht, was aus ihm geworden ist… Was uns stark bezweifeln lässt, dass er Ihrer geschätzten Zunft überhaupt angehört. Die Version der Fakten, die diese Person im Netz verbreitet hat, enthält viele Unrichtigkeiten; vor allem, was seine angebliche Inhaftierung und Flucht betrifft, ist sehr viel Phantasie mit im Spiel. Es stimmt, dass wir aus Sicherheitsgründen mehrere Personen für ein paar Stunden festgehalten haben, doch keine davon ist geflohen! Glauben Sie, die amerikanische Armee würde unter diesen Umständen einen Gefangenen entkommen lassen? Wenn auch kein Zweifel daran besteht, dass dieser Mann sich zu einem bestimmten Zeitpunkt im besagten Gebiet aufgehalten hat und dass er Zeuge unserer Intervention vor Ort wurde, so hat er seine Geschichte doch beträchtlich in einen Roman umfunktioniert. Das war es, meine Damen und Herren; ich danke Ihnen für Ihre Aufmerksamkeit.«

Das Heer der Journalisten begann in einem unbeschreiblichen Stimmengewirr zu protestieren, wobei jeder versuchte, seine eigene Frage hörbar zu formulieren. Doch Cash, der das Mikrophon wieder an sich genommen hatte, bahnte sich durch die dicht gedrängte Menschenmenge seinen Weg zum Podium. Plötzlich rempelte ihn jemand an und bemächtigte sich des Mikrophons. Bosman, der bereits halb aufgestanden war, bedeutete dem Sendeleiter sofort, den Ton abzuschalten. Doch zu spät: Die Frage war zu hören, und plötzlich herrschte Totenstille, in der die letzten Worte widerhallten und von allen Fernsehstationen im Land gesendet wurden:

»Was ist in Requena Bay, Mississippi, geschehen? In Mainley, Arkansas? In Buddfield, Arizona? Weshalb verheimlicht man uns die Existenz weiterer Seuchenherde?«

20

Tagebuch von David Barnes, Montag, 16. Juni
Zeitungsausschnitte

EPIDEMIE: ES GIBT NOCH WEITERE SEUCHENHERDE!

Requena Bay, Mississippi. Mainley, Arkansas. Buddfield, Arizona. Schreckliche Enthüllungen eines WCK-Reporters.

The Chicago Daily News,
Titel, Montag, 16. Juni

DAVID BARNES HAT DIE WAHRHEIT GESAGT!

Die drei genannten Gebiete stehen seitens der amerikanischen Armee unter Zutrittsverbot. Die Behörden schweigen weiterhin.
[...] Unsere Sonderkorrespondenten wurden an allen drei Orten kategorisch abgewiesen. In einem Umkreis von fünfzehn Kilometern wurden Sperrzonen um die kontaminierten Städte eingerichtet. [...] Es ist nicht bekannt, ob es Überlebende gibt. Bisher haben die Behörden keinerlei Erklärungen abgegeben. [...] Einer unserer Quellen zufolge sollen die Angehörigen mehrerer Seuchenopfer direkt von der Armee kontaktiert worden sein. [...]

The New York Post, Titel, Montag, 16. Juni

CLYDESBURG WAR NICHT DER EINZIGE SEUCHENHERD!

Mindestens drei weitere Städte betroffen: Zufall oder Verbrechen?

[...] Demnach brachen auf amerikanischem Staatsgebiet mehrere Seuchenherde gleichzeitig aus. Wie kann man solch einen fatalen Zufall erklären? [...] Da seitens der Behörden keinerlei Informationen ergehen, kommt man nicht umhin, das immer wieder neu aufflammende Schreckgespenst des Terrorismus an die Wand zu malen [...]. Wäre es einer Gruppe oder einem Land heute möglich, auf amerikanischem Staatsgebiet bakteriologische Waffen einzusetzen?

The Boston Journal, Titel, Montag, 16. Juni

KILLERVIRUS: PANIK!

Nach den Enthüllungen von David Barnes ist landesweit Panik ausgebrochen. Plünderungen, Massenfluchten und einige Fälle von Lynchjustiz...

[...] Überall steigt die Panik von Stunde zu Stunde. In Plaisance, Alabama, reichten ein paar Grippefälle, um die Flucht mehrerer Tausend Personen auszulösen, die die Panik im gesamten Gebiet weiterverbreiteten. In Farlane, Colorado, wurden zwei junge Frauen von einem Mann erschossen, da er glaubte, sie seien krank. Allerorts breiten sich Furcht und Misstrauen aus [...].

The Ledger Star, Titel, Montag, 16. Juni

KILLERVIRUS: DAS RECHT AUF INFORMATION

Die Regierung kann nicht länger schweigen.

[...] Nach dem Eklat von David Barnes kann man die Verantwortungslosigkeit der Behörden gar nicht genug anprangern. Die Unterbrechung der Übertragung nach seinen Aufsehen erregenden Enthüllungen und die Fortsetzung der Sendung ohne jedweden Kommentar wurden von der Bevölkerung sehr übel aufgenommen, da diese darin nichts anderes sehen konnte als den ungeschickten Versuch, Tatsachen zu verheimlichen. [...]

Jetzt erwartet die Öffentlichkeit lediglich eins: die Wahrheit, und zwar sofort!

The Phoenix Mercury News, Titel, Montag, 16. Juni

Kommentar:

Ha, ha, ha! Ich lach mich tot… Jetzt habe ich euch doch noch reingelegt! Und das ist erst der Anfang!

Dass ihr die Leute für dumm haltet und das Volk für einen Haufen Marionetten, das ist euer Job, ihr Politiker und Militärs… Ihr habt geglaubt, ihr könnt unbekümmert eure Spielchen treiben, klammheimlich die Welt manipulieren und die Bürger in süßer Unwissenheit dahindümpeln lassen… Tja, da liegt ihr falsch!

Und es ist noch nicht vorbei…

Denn ich weiß, dass erst ein kleiner Teil der Wahrheit ans Licht gekommen ist… dass ihr uns noch viel Krasseres verheimlicht… dass sich in ebendiesem Moment Dinge abspielen, die das Begriffsvermögen, euer Begriffsvermögen, weit übersteigen…

Weshalb bebt die Erde überall? Weshalb greifen Haustiere ihre Besitzer an? Weshalb sind die Küsten gefährlich geworden? Gibt es einen Zusammenhang zwischen all diesen Phänomenen?

Abgesehen von der Tatsache, dass ihr nichts von all dem begreift…

Wovor ihr Angst habt…

Gewiss sagt ihr Eierköpfe euch: Man muss sie schützen, die armen Leute, eine Panik verhindern… Sie sind wie Kinder, man muss sie in Unwissenheit halten…

Vor allem, weil ihr ihnen keinerlei Erklärung anzubieten habt…

Ihr, die ihr Jahrzehnte damit verbracht habt, sicherzustellen, dass ihr die Situation in der Hand habt, dass alles unter Kontrolle ist, dass die Wissenschaft Fortschritte macht, dass bald niemand mehr krank sein wird, dass es Sicherheit für alle geben wird in einer gezähmten, gebändigten, domestizierten Welt…

In der ihr die Könige wärt…

In Anzug und Krawatte… In Uniform… Im weißen Kittel…

Hand in Hand.

Die Könige der Welt. Vorausgesetzt, die Welt gehorcht euch…

Was ganz und gar nicht mehr der Fall zu sein scheint.

Ich bin Doktor für Gestank und Elend der Welt, Experte für das Widerliche… jemand, der in der Scheiße herumwühlt. Und die Scheiße kommt zu mir. Mit ihren Ausdünstungen: Denunziationen, anonymen Briefen…

So wie am 3. Juni diese nicht unterschriebene E-Mail vom Kontrollzentrum für Infektionskrankheiten in Atlanta. Mit Anlagen: einer vollständigen fachterminologischen Beschreibung von drei neuen Virenstämmen, einem detaillierten klinischen Bericht über die diversen Symptome, die diese Mikroben beim Menschen auslösen… Und einer präzisen Ortung der Seuchenherde. Wie auf dem Silbertablett. Man müsste die Info nur noch nachprüfen…

Ich arbeitete gerade an einer Sondersendung, als der Kollege alles umgeworfen hat. Clydesburg. Davon wusste ich nichts.

Ich bin entschlossen, mich der Sache zu stellen. Soll ich mich vielleicht drücken und in meinem netten Aufnahmestudio gemütlich meine kleine Show abziehen? Nein! Ich möchte sie auf ihrem Terrain schnappen. Live. Ein einziges Mal nicht den Ereignissen folgen, sondern sie auslösen. Sie schaffen.

Der alte General mit seinen Orden bis hin zu den Ohren hätte mir gern eine Kugel in den Kopf geschossen. Aber das konnte er nicht, und er wusste es – der kleine Schmierfink, der seine Strategien zu Fall gebracht hatte, war unantastbar… Er stand zu sehr im Blickpunkt, zu sehr im Licht…

Dieser General scheut ganz offensichtlich das Licht…

21

Haddon's Grove, Maryland

Da sind sie!«

Peters Stimme übertönte einen Moment den Lärm der Rotoren. Der Helikopter ging im Sturzflug in die Richtung nieder, in die Peter zeigte, und Greg sah die Hunde. Das Rudel bildete ein langes, gewundenes Band, das sich ziemlich schnell auf einem kleinen Feldweg fortbewegte. Waren es dreißig oder vierzig Tiere? Unmöglich, sie genau zu zählen, doch es waren weit mehr als bei einem normalen Rudel streunender Hunde, das selten mehr als zwanzig Tiere umfasste.

Peter saß neben dem Piloten, mit einem Funkkopfhörer über den Ohren und der Nase über einer Gebietskarte.

»Sie laufen Richtung Haddon's Grove«, schrie er.

Greg warf einen Blick auf Rosenqvist, der links von ihm saß. Er war blass und klammerte sich an der Metallstange über seinem Sitz fest, und seine Knöchel waren weiß vor Anstrengung. Er beugte sich zu Peter. »Haben sich die Einwohner verbarrikadiert?«

»Der Sheriff aus der Gegend hat vor zwanzig Minuten vorbeigeschaut; das müsste in Ordnung gehen.«

Zwei Stunden zuvor hatte Bosman sie in ihrem Labor in Fort Detrick bei der Untersuchung unterbrochen, die sie gerade durchführten, und ihnen den höchst interessanten Fall eines dreijährigen Killerhundes namens Kandy unterbreitet, der eine Woche zuvor ein Blutbad in einer Schule angerichtet hatte und der das goldigste Hündchen war, das Greg je gesehen hatte. Ein sehr gut abgerichteter Boxer mit dichtem Fell, der sich in die drei Forscher verliebt hatte und sie immer wie wild begrüßte, selbst wenn sie nur drei Minuten weg gewesen waren. Sie streichelten ihn mit einer Hand, während die andere damit beschäftigt war, den Lauf einer kleinen Betäubungspistole auf die sabbernde Schnauze des anhänglichen Tierchens anzulegen. Ansonsten checkten sie ihn genauestens durch, und bis zum gegenwärtigen Zeitpunkt erwies sich der Hund bis auf seine etwas ungewöhnlichen Zärtlichkeitsexzesse als geradezu hoffnungslos normal. Das war im Übrigen das Ungeheuerlichste an der Sache. Abgesehen von ihren kleinen Ausfällen, die auf einem Großteil des amerikanischen Staatsgebiets die Todesraten in die Höhe schnellen ließen, benahmen sich die Haustiere in der Tat sehr umgänglich. Nicht das kleinste Symptom von Abnormität und folglich nicht einmal die Spur eines Anhaltspunkts... Bosman war nicht mehr weit davon entfernt, sich laut zu fragen, ob er es statt mit den herausragenden Forschern, die er rekrutiert zu haben glaubte, nicht etwa mit einer Gruppe von Clowns zu tun hatte. Doch Greg wusste, dass niemand Besseres hätte ausrichten können, und zwar ganz einfach deshalb, weil sie bisher alles nur Erdenkliche mit den Tieren angestellt hatten, die ihnen die Armee zur Verfügung gestellt hatte: Es handelte sich vor allem um Hunde, aber auch Katzen (eine Katze kann schlimmen Schaden anrichten, wenn sie sich über ein Gesicht hermacht...) befanden sich darunter sowie ein weiblicher Delphin, der ursprünglich aus Miami stammte und Rosenqvists Händen anvertraut worden war... Goldfische und Kanarienvögel offenbarten bislang noch keine militanten Tendenzen...

Bosman hatte sie gemäß seines Naturells, gegen das er sich nur selten verging, *manu militari* zum Hubschrauberlandeplatz des Stützpunkts geleitet und ihnen dabei lakonische Erklärungen geliefert. Ein Rudel streunender Hunde verbreitete seit zwei Tagen westlich von Maryland am Fuß der Appalachen Angst und Schrecken. Fünf Tote, rund dreißig Verletzte und eine kollektive Psychose. Die örtliche Presse war besonders schnell an der Sache dran gewesen; die beiden Zeitungen aus der Gegend schrieben über nichts anderes mehr, und ein Fernsehteam befand sich anscheinend bereits vor Ort.

Die drei Forscher waren in den ersten Helikopter gestiegen, um ein Maximum an Beobachtungsdaten sammeln zu können. Ein zweiter Hubschrauber mit Spezialausrüstung sollte folgen. Seine Mission: die Hunde unschädlich zu machen, ohne sie zu töten – Bosman schien begriffen zu haben, dass es lohnender war, wenn man sie in lebendem Zustand untersuchte.

Der Helikopter war nahe an die Hunde herangekommen und flog jetzt wenige Meter über ihnen, ohne dass sie das im Geringsten gestört hätte. Sie liefen in gestrecktem Galopp und in merkwürdiger Eintracht, als hätten sie ein gemeinsames Ziel, das nur sie allein kannten. Greg fühlte sich unbehaglich. Ein Bild schoss ihm durch den Kopf: eine Gruppe japanischer Kamikazeflieger, die man gefilmt hatte, ehe sie an Bord ihres Selbstmord-Flugzeugs gingen. Sie marschierten im Gleichschritt, perfekt in Reih und Glied ausgerichtet, und alle hatten denselben ausdruckslosen Blick, gleichsam im Vorhinein des Lebens entleert, das sie aufgeben wollten ... Unmenschlich ... Diese Hunde wirken unmenschlich, dachte er, und ihm war klar, wie lächerlich das Adjektiv in diesem Zusammenhang wirkte, doch er konnte sich eines sonderbaren Eindrucks nicht erwehren: Diese Hunde liefen, als hätten sie eine Mission ...

Auf Peters Aufforderung hin flog der Hubschrauber noch einige Meter tiefer und passte seine Geschwindigkeit der der Tiere an. Er war nur mehr drei Meter über dem Boden und wirbelte Staubgarben auf. Die Hunde unterhalb der Maschine liefen weg und hinterließen dabei eine Lücke in dem Band, doch dieses bewegte sich unaufhaltsam weiter. Sie zerstreuen sich nicht, dachte Greg. Das Rudel wurde von einem deutschen Schäferhund angeführt, den Greg als Leitmännchen identifizierte.

»Sie verhalten sich wie ein Rudel Wölfe bei der Jagd«, schrie er Rosenqvist zu.

»Genau. Aber was ist ihre Beute?«

Die beiden Männer tauschten einen stummen Blick aus.

Greg schloss die Augen. Was hier passiert, ist ein Rätsel, dachte er. Ein vollkommenes Rätsel.

Zuerst hatte es sich lediglich um Angriffe einzelner Tiere gehandelt. Das Unbegreifliche daran war nur, dass sie sich fast gleichzeitig an Orten zutrugen, die so weit voneinander entfernt waren, dass man sich irgendeinen Zusammenhang zwischen ihnen nur schwer vorstellen konnte ... Dann hatten die Tiere damit begonnen, sich zu Rudeln zusammenzurotten, und das Phänomen hatte dramatische Ausmaße angenommen – die Presse machte verstärkt Meinungsumfragen und Schlagzeilen, und Bosman raufte sich die wenigen ihm noch verbliebenen Haare. Ganz zu schweigen davon, dass das Phänomen nicht nur Haustiere betraf ... Im Landesinnern hatten Löwen und Pumas, einzeln oder in Rudeln, zahlreiche Menschen getötet oder verletzt, ein Schwarm Haie hatte einen Strand in Florida heimgesucht (zwei Tote und mehrere Verstümmelte), und aus Alaska war soeben gemeldet worden, ein Rudel Eisbären habe die Bevölkerung eines Dorfs im Norden von Fairbanks dezimiert – mehr als zweihundert Kilometer von ihrem angestammten Territorium entfernt! Die Wissenschaftler wussten sich das Rätsel nicht zu erklären: In ihren Augen war das alles ganz einfach unmöglich.

Dennoch hatten sie alle Möglichkeiten ausgelotet, von den klassischen Tests bis hin zu den wahnwitzigsten Hypothesen. Zunächst hatten sie nach einer organischen Ursache für die abweichenden Verhaltensmuster gesucht: ein Virus, ein Bakterium, ein Prion ... Dazu hatten sie die Tiere einer Reihe von biologischen Tests unterzogen, mit denen sie drei Tage lang fast ununterbrochen beschäftigt gewesen waren. Negativ.

Danach hatten sie mehr als zehn Stunden geschlafen und sich dann getroffen, um eine Idee zu entwickeln. Sie hatten mehrere gehabt, und doch waren sie nicht wirklich weitergekommen. Als Erstes waren sie von der Hypothese ausgegangen, dass die aufgetretenen Verhaltensstörungen mit Neurosen vergleichbar sein könnten, die im Laborexperiment durch bestimmte Arten von Konditionierung hervorgerufen wurden. Demnach war also der Frage nachzugehen, ob man eine kürzlich stattgefundene Umgebungsveränderung ausmachen konnte, die Verhaltensstörungen bei den Tieren ausgelöst haben könnte … Peter hatte eine Parallele zu den ungewöhnlichen Erdbebenaktivitäten gesehen, die seit einem Monat auf amerikanischem Boden registriert wurden. Eine solche war möglich, doch nicht verifizierbar, und hatte daher keine wirkliche wissenschaftliche Aussagekraft; zudem erklärte sie nicht, weshalb sich die Aggressivität ausschließlich gegen Menschen richtete …

Eine andere Hypothese, die von Rosenqvist aufgestellt wurde, stützte sich auf eine neuere Analyse Dr. Garry Davidsons von der Universität von Kalifornien im Fall Rio del Mar. Im Jahr 1961 war ein Schwarm Papageitaucher über diesen kleinen Badeort hereingebrochen, hatte Glas- und Fensterscheiben zerschmettert und sich an Passanten festgebissen – es hatte Dutzende von Verletzten gegeben und keinerlei Erklärung … Davidson sprach von einer möglichen Kontaminierung, von Umweltverseuchung durch Säure, von Meeresalgen, die den Sardellen als Nahrung dienen, welche wiederum von den Papageitauchern gefressen werden. Durch eine natürliche chemische Kettenreaktion habe es zu Veränderungen im Gehirn der Vögel kommen und deren Aggressionswahn auslösen können … Möglicherweise konnte man dieses Modell auf die derzeit auftretenden Verhaltensstörungen übertragen, doch warf diese Hypothese mehr Probleme auf, als sie löste, denn dann hätte man besagte Veränderungen identifizieren (das Gehirn ist ein höchst komplexes Organ) und deren Ursache verstehen müssen – eine Ursache, die die Verhaltensanomalien aller Einzelfälle erklären sollte, die über das gesamte amerikanische Staatsgebiet einschließlich Alaska verstreut auftraten!

Kurzum, es blieb ihnen nichts anderes übrig, als zuzugeben, dass sie nicht die leiseste Ahnung hatten, was sich da abspielte.

Und Bosman hätte sie am liebsten selbst gebissen.

Haddon's Grove war ein kleiner Marktflecken von etwa fünfzig Häusern inmitten von Maisfeldern, der momentan ausschließlich von Hunden bevölkert zu sein schien. Das Rudel hatte sich gleich nach Erreichen des Dorfs aufgelöst, und jetzt zogen die Tiere kreuz und quer durch die Straßen, als würden diese ihnen gehören, und schnüffelten am Boden herum.

»Sie suchen etwas«, murmelte Greg.

Der Helikopter stand unverändert über der Hauptstraße in der Luft. Hinter den Fensterscheiben konnte man erschrockene Gesichter erkennen, die gleich wieder verschwanden. Plötzlich öffnete sich am Ende der Straße die Tür eines kleinen gelben Hauses, und eine Frau trat ein paar Schritte nach draußen. Mehrere Hunde hoben den Kopf; einige von ihnen begannen auf sie zuzutrotten. Peter gab dem Piloten Anweisung, in Richtung der Frau zu fliegen. Diese war jung, sah mitgenommen aus und schien am Rand eines Nervenzusammenbruchs zu stehen. Sie ging noch ein paar Schritte weiter und ließ ihren Blick über die angrenzenden Felder schweifen. Nun rannten die Hunde auf sie zu.

»Vorsicht!«, brüllte Peter, als könne die Frau ihn hören.

Da erschien ein Mann in der Tür, ein Gewehr in der Hand. Er packte die Frau am Arm und zerrte sie zurück. Diese machte Anstalten, ihn abzuwehren; dann sah sie die Hunde.

»Sie greifen an!«

Das Paar stürzte zum Haus. Der erste Hund sprang dem Mann an die Gurgel, wurde jedoch in einem Schwall von Blut weggeschleudert: Der Mann hatte aus allernächster Nähe geschossen. Ein anderer Hund schnappte nach einem Bein der Frau, bevor ihm ein zweiter Schuss des Mannes den Kopf zertrümmerte. Darauf stieß er mit der einen Hand die Frau ins Haus, während er mit der anderen sein Gewehr herumwirbelte, das auf das Maul eines dritten Hundes niedersauste. Dieser taumelte unter dem Schlag zurück, was dem Mann Zeit gab, ins Haus zu flüchten und die Tür zuzuknallen, gegen die sich die wütenden Tiere warfen.

»Warum um Himmels willen ist sie bloß herausgekommen?«, brüllte Rosenqvist. »Wir haben ihnen doch gesagt, dass sie im Haus bleiben sollen!«

Peter, der in Funkverbindung mit dem Stützpunkt stand, wandte sich zu ihnen. »Beim Namensaufruf haben drei Kinder gefehlt. Sie wollte sie suchen gehen.«

Greg verzog das Gesicht.

»Verdammter Mist... Weiß man, wo sie sind?«

»Irgendwo in den Feldern... Aber der zweite Hubschrauber kommt mit Verspätung. Suchen wir sie selbst.«

Peter beugte sich zum Piloten und sagte ein paar Worte zu ihm. Der Helikopter gewann an Höhe und begann, bei langsamer Geschwindigkeit konzentrische Kreise um das Dorf zu beschreiben. Verspätung!, dachte Greg und schlug die Augen zum Himmel. Wenn die Armee unfähig war, einen Hubschrauber starten zu lassen... Unten dehnten sich, so weit das Auge reichte, Felder aus. Und der Mais stand zu hoch, als dass man irgendeinen Hinweis auf die Kinder hätte erkennen können.

Plötzlich zeigte Rosenqvist mit dem Finger in Richtung Dorf: »Die Hunde!«

Alle Tiere hatten sich am nördlichsten Punkt des Dorfs zusammengeschart und schnüffelten den Boden in allen Richtungen ab. Dann begann eines von ihnen auf das nächstgelegene Feld zuzulaufen, und seine Artgenossen folgten ihm sogleich. Das dichte Rudel bildete eine lange dunkle Schlange, die zwischen den Maispflanzen verschwand.

»Sie haben die Kinder gewittert!«, schrie Peter. »Schnell!«

Der Pilot zog mit seiner Maschine eine enge Schleife, die Peter aus dem Gleichgewicht brachte. Die Hunde waren nicht mehr zu sehen. Der Helikopter flog zwei Meter über dem Feld, und die drei Forscher versuchten verzweifelt, das dunkle Grün unter ihnen mit Blicken zu durchdringen. Doch keinerlei Bewegung deutete auf die Anwesenheit der Hunde hin. Der Pilot ging etwas höher, und Peter schrie: »Da!«

Er zeigte auf den äußersten Rand des Feldes, wo die Hundeschlange auftauchte. »Wir müssen ihnen zuvorkommen!«, rief Greg. »Sie wissen, wo die Kinder sind!«

Der Helikopter gewann immer weiter an Höhe, steuerte auf

den Kopf der Schlange zu, die in ein anderes Feld eindrang, und überholte sie. Weit und breit schien alles menschenleer. Wenn die Kinder im Mais sind, werden wir sie nie finden, sagte sich Greg und riss die Augen auf.

»Ich habe eines von ihnen gesehen!«, brüllte Rosenqvist.

Er zeigte auf eine kleine Wiese auf der linken Seite des Hubschraubers inmitten der Felder.

»Es ist in die Hütte zurückgegangen! Sie sind in der Hütte!«, fügte er hinzu und deutete auf einen kleinen Schuppen, der als Aufbewahrungsort für Werkzeuge dienen mochte.

Der Hubschrauber wendete genau in dem Moment, als die Hunde aus dem Nachbarfeld geschossen kamen. Innerhalb von drei Sekunden war die Maschine über der Hütte. Die Tür stand offen. Die drei Kinder erschienen auf der Schwelle, die Augen weit aufgerissen, die Haare vom Wind der Rotoren zerzaust. Ein etwa zehn Jahre altes Mädchen und zwei kleinere Jungen.

»Wir müssen sie heraufholen!«, brüllte Peter.

»Zu spät!«

Weniger als hundert Meter entfernt erschienen die Hunde in gestrecktem Galopp. Greg sah, wie sie näher kamen und wütendes Gebell ausstießen, das jedoch vom Motor des Hubschraubers übertönt wurde und daher nicht zu hören war. Peter sprang von seinem Sitz hoch und riss die Tür der Maschine auf.

»Geht in die Hütte!«, schrie er. »Macht die Tür zu!«

Die drei Kinder rührten sich nicht von der Stelle, schienen wie erstarrt.

»Bringt euch in Sicherheit, schnell!«

Plötzlich erblickte das Mädchen die Hunde, die nur noch an die zwanzig Meter entfernt waren. Sie nahm das Kleinkind an der Hand und schob den anderen Jungen ins Innere der Hütte. Die Tür schloss sich in dem Moment, als die Hunde die Hütte erreicht hatten.

»Wo bleibt dieser verdammte Hubschrauber?«, brüllte Greg, außer sich vor Angst. »Sie brechen durch die Wände!«

Mit wütenden Pfotenhieben und Bissen hatten die Tiere begonnen, eine Bresche in die wurmstichigen Balken der Bretterbude zu schlagen.

»Er ist unterwegs«, antwortete Peter.

Plötzlich stürzten sich mehrere Hunde mit doppelter Verbissenheit auf dieselbe Stelle. »Einer der Balken hat nachgegeben!«, schrie Rosenqvist.

Tatsächlich hatte sich im Holz ein schmaler Spalt aufgetan, noch zu klein, um die Tiere durchzulassen. Da fingen mehrere von ihnen an, mit ihren Vorderpfoten den Boden aufzugraben. Es kann sich nur noch um Sekunden handeln, dachte Greg, bis sie drin sind.

Just in diesem Augenblick ließen einige Tiere abrupt von ihrem Tun ab und rannten um die Hütte. Der Pilot zog die Maschine sofort hoch, und die vier Männer sahen, wie eines der Kinder, der größere der beiden Jungen, über die Wiese lief. Er war durch ein Loch in der Rückseite der Hütte geschlüpft, und die Hunde waren schon hinter ihm her.

»Wir müssen sie aufhalten«, schrie Peter dem Piloten zu. »Wir müssen runter!«

Der Pilot hielt im Sturzflug auf die Hunde zu. In dem Augenblick, als diese das Kind einholten, setzte er den Hubschrauber auf dem Boden auf. Dabei wurden ein paar der Tiere zerquetscht, die anderen auseinandergetrieben.

Greg hatte das Kind aus den Augen verloren. Er ergriff das Notbeil, riss die Tür auf und stürmte mit eingezogenem Kopf aus der Maschine. Die vom Propeller aufgewirbelte Luft peitschte ihm ins Gesicht. Dann sah er zehn Meter vor sich das Kind. Es rannte, doch da sprangen es schon drei Hunde an und warfen es zu Boden. Greg raste auf den Jungen zu, und der Boden gab unter ihm nach, während ihm gleichzeitig der stechende Schmerz eines Bisses das Bein zerriss. Er konnte gerade noch das heulende Maul eines zweiten Hundes erkennen, der ihm an die Gurgel ging. Wie in einem Traum sah er sich auf dem Boden liegen und mit dem Beil wild um sich schlagen.

Dann stand er wieder aufrecht, ohne zu begreifen, wie; Blut

rann ihm in die Augen. Alles schien in Zeitlupe abzulaufen. Um ihn herum lagen mehrere Tierkadaver. Da sah er dunkles Hundegewimmel über dem Körper des Kindes. Zwei der Tiere wandten sich sofort gegen ihn und griffen ihn in Beinhöhe an. Er befreite sich von ihnen, indem er mit dem Beil auf sie einschlug, und stürzte auf den kleinen Jungen zu. Er sah sich gleichsam von sich selbst abgespalten, wie er sich durch die Hundemeute kämpfte, während er am ganzen Körper gebissen und von ihrer Masse überrollt wurde. Bevor er zusammenbrach, hörte er noch das ohrenbetäubende Dröhnen des zweiten Hubschraubers, während sich dichter Nebel über die Felder zu legen schien.

Sie sprühten Betäubungsgas aus.

Zu spät, dachte Greg.

Ein Hund biss ihn in die Gurgel, doch das spürte er bereits nicht mehr.

Dann war alles schwarz.

22

Fort Detrick, Maryland

Im Norden des Stützpunkts erhob sich ein Gebäude, das höher war als die anderen: das Militärkrankenhaus, das der strengen Geheimhaltung unterlag. Die dortige Station für Infektionskrankheiten war die beste im ganzen Land – und profitierte ganz gehörig von den modernsten Forschungen, die zwei Blocks weiter in Professor Barkwells Labor betrieben wurden …

Im sechsten Stock des Gebäudes befand sich außerdem eine ebenso renommierte wie effiziente Intensivstation. Hierher kamen Soldaten und Agenten, die in einer speziellen Mission unterwegs gewesen waren, um geheilt zu werden oder zu sterben … Bisweilen auch Politiker, deren Organismus den einen oder anderen Exzess nicht so gut überstanden hatte … Und seit wenigen Minuten lag hier ein Professor für Tierverhaltensforschung von der Universität Pennsylvania namens Greg Thomas …

In sichtlich äußerst kritischem Zustand.

Bosman beschleunigte seinen Schritt und betrat das Gebäude. Er nahm den Aufzug. Er war beunruhigt. Wenn er uns nur nicht unter den Fingern wegstirbt, dachte er. Das würde gerade noch fehlen …

Seit etwa zwölf Stunden war sich der Colonel nicht mehr sicher, ob er seine Aufgabe noch ordnungsgemäß durchführen konnte. Alles ging schief. Die Wissenschaftler hatten nicht den geringsten Durchblick, und die Presse war viel früher alarmiert worden als geplant. Im Land machte sich ein Klima der Verunsicherung breit, aus dem sich allmählich Probleme ergaben. Von allen Seiten wurde von den öffentlichen Organen Rechenschaft gefordert.

Einige Kongressmitglieder versuchten dies auszunutzen, um den Präsidenten am Zeug zu flicken. Und der war wütend.

Auf Merritt.

Der wiederum auf Bosman wütend war.

»Greg Thomas, bitte sehr!«

Die kleine Krankenschwester bedeutete ihm, ihr zu folgen. Sie sah gut aus, und Bosman überlegte, wie lange er schon nicht mehr gebumst hatte... Er war nicht verheiratet... Man konnte schließlich nicht gleichzeitig Karriere machen und ein Familienleben führen. Zudem hatte er nie eine Frau kennen gelernt, die einen solchen Wunsch in ihm hervorgerufen hätte. Abgesehen von Alicia natürlich, aber damals war er noch so jung gewesen... Außerdem hatte sie nicht gewollt...

Zwei Monate mindestens...

Die Krankenschwester drehte sich um und zeigte auf die Tür von Zimmer 14. Die Kleine war ein wenig rot geworden. Hatte sie gemerkt, dass er ihr auf den Hintern geguckt hatte? Bosman hatte keinen sehr klaren Kopf mehr; er war müde. Er betrat das Zimmer.

Ein Arzt war zugange, der ihm den Rücken zudrehte; ein großer, leicht gebeugter Mann, der schon älter zu sein schien. Wahrscheinlich der Leiter der Station. Er untersuchte ein auf dem Bett liegendes Gebilde. Daneben zog eine dünne gepunktete Kurve über den grünen Monitor des Elektrokardiogramms. Ein Piepsen war zu hören. Er lebt, dachte Bosman.

»Doktor Livingstone?«, erkundigte er sich. Er verspürte einen Lachreiz, ohne recht zu wissen, warum.

»Da vermuten Sie richtig, junger Mann«, sagte Livingstone, der sich nun umgedreht hatte.

Bosman fühlte, wie seine Wangen heiß wurden. Er kam sich ein wenig dumm vor. Nebel umwölkte sein Gehirn. Er war wirklich müde. Seit wann hatte er eigentlich nicht mehr geschlafen?

»Wird er durchkommen?«, gelang es ihm zu formulieren.

»Er ist so gut wie hinüber.«

Bosman fragte sich, ob er richtig gehört hatte, dann meinte er, das Gleichgewicht zu verlieren.

Als er wieder zu sich kam, saß er in einem Sessel. Die hübsche Krankenschwester ließ ihn an irgendetwas riechen. Er musste das Bewusstsein verloren haben. Livingstone stand zwei Schritte weiter hinten und sah ihn mit beunruhigter Miene an.

»Tut mir sehr Leid, mein Freund«, sagte er. »Ich wusste nicht, dass Sie sich nahe standen.«

Bosman kam wieder zu Sinnen. Nahe standen? Nicht im Geringsten, hätte er am liebsten gesagt. Doch er schwieg. So gut wie hinüber? Allmächtiger Gott.

»So gut wie hinüber? Sind Sie sicher?«

»Tiefes Koma. Vegetativer Zustand. Er hat zu viel Blut verloren. Herzstillstand. Er wurde wiederbelebt, doch zu spät. Und das Gas, das er eingeatmet hat, machte die Sache nicht gerade besser…«

»Das ist doch kein tödliches Gas«, entfuhr es Bosman. »Ein normales Anästhetikum.«

Da ertönte die Stimme eines dritten Mannes, voll Zorn: »Fünf Hunde sind tot, Colonel, weil sie Ihr ›normales Anästhetikum‹ eingeatmet haben!«

Bosman wandte den Kopf und stand auf. Im Türrahmen zeichnete sich die Silhouette von Peter Basler gegen das Licht ab.

»Professor«, sagte Bosman mit schwacher Stimme, »es tut mir furchtbar Leid, glauben Sie mir.«

»Es wird wohl auch Zeit, dass es Ihnen Leid tut!«, donnerte Basler, der zu ihm getreten war und ihn gepackt hatte.

Seine Augen waren blutunterlaufen. Er roch nach Whisky.

»Professor, Sie sollten sich etwas ausruhen…«

»Ausruhen! Sie Idiot! Es ist Ihre Schuld! Ihre Schuld!«

Bosman antwortete nicht. Ihm drehte sich der Kopf. Baslers Gesicht war nur Zentimeter von dem seinen entfernt. Er hätte sich gerne hingesetzt, tat jedoch nichts desgleichen.

Livingstone legte Basler die Hand auf die Schulter.

»Der Colonel hat Recht, mein Freund. Sie stehen unter Schock.«

Basler riss sich los. »Lassen Sie mich in Ruhe!«

Er ging zu dem Bett, auf dem Greg lag.

Lange sagte keiner ein Wort. Bosman sah Peter Baslers Rücken. Er fragte sich, ob er weinte. Dann sprach Letzterer erneut mit kalter Stimme: »Warum hat der zweite Helikopter so lange gebraucht, Colonel?«

»Ein technisches Problem. Die Maschine in Alarmbereitschaft war nicht die richtige ...«

»Nicht die richtige ...«

»Mr Basler, ich gestehe ein, dass ich in diesem Punkt die volle Verantwortung trage. Doch danach kam es zu einer Verkettung von Umständen ...«

Basler drehte sich um. In seinen Augen lag eine Mischung aus Mitleid und tiefer Verachtung. Bosman wich einen Schritt zurück.

»Ich verstehe, was Sie empfinden«, murmelte er. »Das Verhältnis zwischen Ihrem Freund und mir war etwas ... gespannt. Doch ich versichere Ihnen, dass ich große Achtung vor ihm hatte.«

Er ging langsam zur Zimmertür.

»Es tut mir Leid«, murmelte er.

ZWEITER TEIL

23

Bethel, Alabama, Freitag, 20. Juni, mittags

Irgendeiner musste doch schließlich die Sache in die Hand nehmen. Alle wussten es. Keiner tat etwas. Glaubten die Leute etwa, dass diese Schwachköpfe von Militärs, die aus Washington oder sonst wo her gekommen waren, auch nur die geringste Chance hatten, die Situation in den Griff zu bekommen? Und dass ihnen überhaupt irgendetwas daran lag, die Situation in Bethel, Alabama, zweitausend Einwohner, am Arsch der Welt, in den Griff zu bekommen? Wollten sie denn alle darauf warten, bis sie krepierten, wie Glen und die kleine Alison, oder zeitlebens verunstaltet sein würden wie Scott Callaghan und seine drei Brüder?

Die Vertreter von Staat und Behörden mochten erzählen, was sie wollten – ihre einzige Sorge war doch nur, zu verhindern, dass die Leute abhauten oder dass die Sache durchsickerte. Und mit dieser ganzen Geschichte von einer ›Bakterieninfektion‹ und einer ›Entzündung, bei der das Gewebe abstirbt‹, wie auf den Anschlägen zu lesen war, wollten sie doch nur Eindruck schinden. Und die Verantwortlichen schützen.

Aber damit konnten sie niemanden täuschen. In Bethel hatten alle begriffen.

Doch keiner tat etwas.

Jimmy Floyd nahm sein Gewehr von der Wand.

Einer musste die Angelegenheit in die Hand nehmen.

Immer heftiger knallten die Sonnenstrahlen gegen die geschlossenen Fenster. Drinnen herrschte eine Bruthitze, doch Ted wollte die Klimaanlage nicht einschalten. Es war ein altes Modell und daher sehr laut. Und Ted musste horchen.

Wenn die Typen kamen, wollte er sie rechtzeitig kommen hören. Das würde zwar wahrscheinlich nichts ändern, aber zumindest würden sie ihn nicht einfach so überrumpeln. Und er konnte dann Ma Lebewohl sagen.

Sie war noch in ihrem Zimmer. Sie betete. Sie war überzeugt, ihre Gebete würden die Bevölkerung von Bethel von all dem Hass reinigen, der sich seit Generationen aufgestaut hatte. Ted bewunderte Ma. Er liebte sie wie seine Mutter. Wie die Mutter, die er nie gehabt hatte. Doch er glaubte nicht daran.

Der Hass war stärker als alles andere.

Alle diese Leute glaubten felsenfest, dass Ma an der Krankheit Schuld war. Früher oder später würden sie kommen. Trotz der Soldaten.

Das stand unverrückbar fest.

Ma war in Bethel nie akzeptiert worden. Seit sie sich vor zehn Jahren in dem kleinen, etwas abseits gelegenen Haus niedergelassen hatte, wurde sie schief angesehen. Dabei wollte sie einfach nur zurückgezogen leben. »Das Leben ist eine Gnade«, pflegte sie zu sagen, und Ma war immer fröhlich. Sie bestellte ihren Garten, brauchte nicht viel zum Leben und betete unablässig … Nach und nach hatten die Einwohner des Orts sich eingeredet, sie sei eine Art Hexe. Regelmäßig gingen ihre Fensterscheiben durch Steinwürfe zu Bruch, und bisweilen erhielt sie Postpakete mit kleinen Särgen oder toten Tieren.

Eines Tages vor etwa zehn Jahren war Ted des Wegs gekommen. Der damals Dreizehnjährige war aus einer Besserungsanstalt ausgebrochen und hatte sechs Monate auf der Straße gelebt, Essen geklaut und sich allen Verfolgungen entzogen. Ma hatte ihn überrascht, als er ihr einen Salatkopf stehlen wollte, und ihm dann angeboten, bei ihr zu bleiben. Sie hatte ein wunderschönes Lächeln, und Ted hatte ja gesagt.

Das Leben dort sagte ihm zu. Da er bei Ma lebte, mochte man ihn nicht, doch das war ihm gleichgültig. Man ließ ihn in Frieden, und mehr wollte er gar nicht.

Bis die Krankheit ausbrach.

Eine besonders virulente Mikrobe. Innerhalb von zwölf Stunden konnte sie einem das Gesicht eines lebenden Toten bescheren, und innerhalb eines Tages den Tod. Die Sache war ernst, denn es dauerte nur ein paar Stunden, bis die Armee in Bethel aufkreuzte. Ted war zu der Zeit gerade in der Stadt. Bevor die Soldaten auftauchten, hatte er einen der Callaghan-Brüder gesehen, von dessen Gesicht die Haut in dunklen, blutigen Fetzen hing. Hätte er sich im Spiegel gesehen, so hätte er wohl inständig darum gebeten, ihn sterben zu lassen. Ted hatte sich gesagt, dass er nun endlich so aussah, wie er war.

Und dann hatten ihn die Leute angeschrien, und er musste sich schnell aus dem Staub machen, weil sie mit Steinen nach ihm warfen. »Ausgeburt der Hölle«, hatten sie ihm nachgegrölt. Sie waren samt und sonders überzeugt, dass Ma einen Pakt mit dem Teufel geschlossen hatte oder etwas in der Art. Und dass die Krankheit eine Strafe war. Mehrere von den Kerlen meinten, man müsse sie in ihrem Haus verbrennen. Pastor Harrison hatte gesagt, das sei Sünde, und das hatte sie zunächst davon abgehalten. Und auch die Anwesenheit der Soldaten ...

Doch an diesem Morgen war Johnsons Sohn erkrankt, und desgleichen zwei Frauen, so hieß es.

Ted war überzeugt, sie würden nicht mehr lange zögern.

Jimmy Floyd war glücklich. Es tat sich etwas. Endlich. Kirk war ihm als Erster gefolgt. Du hast Recht, hatte er gebrüllt und sein Gewehr gepackt, das geht schon zu lange so. Legen wir sie um.

Dann Smith. Ihn hatte er holen müssen; er befand sich gerade in seinem Geräteschuppen und bastelte herum und zögerte ziemlich lange. Doch dann war seine Frau gekommen und hatte ihm den Marsch geblasen, ihn sogar als Memme bezeichnet, und da war er ihnen gefolgt.

Danach war alles ein Kinderspiel.

Jimmy drehte sich um.

Hinter ihm schritten, eine Staubwolke aufwirbelnd ... zwanzig, dreißig Männer, wenn nicht sogar noch mehr. Barney, Macintosh, die Carsons ... und alle anderen. Und die alte O'Connor, die der Gruppe nachtrottete und dabei Verwünschungen ausstieß: Tod der Hexe, verflucht sei sie, verflucht ... Und noch weiter hinten folgten ihnen in einigem Abstand ein paar Frauen, wohl um das Spektakel von weitem zu genießen.

Die Hexe hätte sich nicht Bethel aussuchen dürfen. Bethel war eine Stadt rechtschaffener Christen, und diese Frau hatte einen Fluch über sie gebracht. Irgendwann im Leben kommt der Augenblick, in dem man Rechenschaft ablegen muss.

Für sie war er nun gekommen.

Sie waren da.

Durch die Ritzen in den alten Fensterläden konnte Ted im Gegenlicht erkennen, wie sie sich vor dem Tor zusammenscharten. Sie hatten sich nicht einmal die Mühe gemacht, sich dem Haus unauffällig zu nähern.

Der junge Mann schlug mit der Faust wütend gegen das Holz des Fensterladens. Ma wollte keine Waffen im Haus haben ... Keine Waffen! Mit einem Gewehr hätte er sie vielleicht so lange in Schach halten können, bis ihnen die Armeeleute zu Hilfe kommen und die Gruppe außer Gefecht setzen würden ...

Doch so ...

Ted kniff die Augen zusammen. Einige der Typen draußen machten sich gerade an irgendetwas zu schaffen. Plötzlich stieg eine dicke Rauchwolke mitten aus der Gruppe empor, und die Typen sprangen zur Seite.

Sie waren dabei, Feuer zu legen!

Wenige Sekunden später landete das erste Wurfgeschoss vor dem Haus, nur wenige Meter von dem Fenster entfernt, an dem Ted stand. Es bestand aus einem mit brennenden Lumpen umhüllten Stock, und der ganze Garten rundum begann zu brennen.

Etwas schlug auf dem Dach auf.

Dann krachte etwas gegen die Vorderseite des kleinen Holzhäuschens. Der junge Mann drehte sich um. Zwischen den Balken drang Rauch ins Innere.

Ted spürte, wie Panik in ihm aufstieg. Die Kerle wollten sie bei lebendigem Leib in ihrem Haus verbrennen.

Dann erfolgte ein weiterer Schlag, heftiger als die anderen, und plötzlich fiel Licht in den Raum. Ted hob den Kopf: Im Dach klaffte ein Loch. Rauch, der von nirgendwoher gekommen war, verdüsterte die Luft.

»Mein Kleiner...«

Ted drehte sich um.

Ma war aus ihrem Zimmer gekommen und lächelte ihn mit einem eigenartigen Lächeln an. Tränen liefen ihr aus den Augen.

»Mein Kleiner... ich habe dir doch gesagt, du sollst gehen.«

Sie trat zu ihm und nahm ihn in die Arme.

Ein Hagel von Geschossen prasselte auf das Haus. Es roch nach brennendem Holz, und überall war Rauch, der in die Augen stach und in den Lungen brannte. Schadenfrohes Gebrüll von draußen mischte sich mit dem Knistern der Flammen. Schüsse waren zu hören.

Alles versank langsam in eine Art träge, verschwommene Starre.

Ted lag in Mas Armen.

Etwa zwanzig Soldaten hatten die Gewehre auf sie angelegt, und Jimmy Floyd und die anderen lagen auf den Knien. Er sah die verkohlten, rauchenden Trümmer des Hauses, an denen sich weitere Soldaten zu schaffen machten. Sie suchten nach den Leichen. Doch sie fanden nichts als Asche, und aus Jimmy Floyds Herz erhob sich ein Gebet.

Herr, der Gerechtigkeit ist Genüge getan.

Sollten sie ihn doch ruhig ins Gefängnis werfen, zusammen mit den anderen. Jimmy war mit sich im Reinen. Die klare Luft vibrierte leicht in der Hitze; Vögel flatterten umher und sangen.

Die Natur war in einem Freudentaumel, wie von einer uralten Unreinheit geläutert.

Es würde keine grauenvollen Krankheiten mehr geben. Und auch keine Angst mehr, die die Herzen zerfraß. Und keinen Hass mehr.

Alles würde wieder wie früher sein.

24

Tagebuch von David Barnes, Freitag, 20. Juni

Verrückt, wie die Welt sich in wenigen Tagen verändern kann. Ich wohne seit vier Jahren in Winsburg. Das ist eine nette Kleinstadt, dreißig Kilometer südlich von Phoenix. Die Leute sprechen miteinander; es gibt keine Gemeindeprobleme. Es lebt sich gut hier.

Ich sollte wohl besser sagen: Es lebte sich gut hier …

Am frühen Nachmittag brach ich zu einem Spaziergang auf. Ich hatte mehr als dreißig Stunden vor meinem Computer verbracht und Nachforschungen angestellt, Informationen abgeglichen und mich mit Dutzenden von Kontaktleuten und Informanten im gesamten Staatsgebiet in Verbindung gesetzt. Dreißig Stunden lang, ohne zu schlafen und zu essen. Ich hatte das Bedürfnis, frische Luft zu tanken, Leute zu sehen und mit jemandem zu sprechen, bevor ich mich dann auf die Couch fallen lassen würde.

Ich habe frische Luft geschnappt, doch gesehen habe ich keinen Menschen.

Es ist schon vorgekommen, dass ich an manchen Tagen, wenn es sehr heiß war, in einem menschenleeren Winsburg herumlief, wenn jedermann sich bei geschlossenen Fensterläden ins schattige Innere der Häuser zurückgezogen hatte … Doch man spürte Leben drinnen, den Wunsch, zu leben und die Tür zu öffnen, und wenn es dunkel wurde, waren alle wieder draußen, sogen die frische Abendluft ein und tranken zusammen bei Barney's ein Bier.

Doch jetzt … eine verlassene Stadt. Völlig tot. Eine Stadt ohne Wünsche.

Eine Stadt der Angst.

Die Leute haben sich verkrochen. Überall sind die Fensterläden geschlossen, und wenn sich überhaupt jemand herauswagt, dann heimlich. Sie drücken sich an die Mauern. Und sie sind bewaffnet. Wahrscheinlich beruhigt sie das. Auf ein Virus oder auf ein Erdbeben kann man nicht schießen, und in der Gegend wurden keine Rudel streunender Tiere gemeldet. Aber sie müssen den Kolben ihrer Glock oder Smith & Wesson umklammern, um sich in Sicherheit zu wähnen – als hätten sie, wenn sie auf der Seite des Todes stehen, die Gewissheit, er könne ihnen nichts anhaben…

Da ist noch etwas anderes. Eine Stadt ohne Hunde ist merkwürdig. Eine Stadt ohne Tiere. Drei Tage lang hatten hier, wie übrigens überall im Lande, speziell zu dieser Aufgabe abkommandierte Truppeneinheiten systematisch alle Haustiere eingesammelt. Zunächst stand im Zentrum vor der protestantischen Kirche ein großer Lastwagen, in dem mehrere Containerbüros untergebracht waren. Einen halben Tag lang hatten sich die Bewohner Winsburgs dort eingefunden, um ihre Haustiere registrieren zu lassen. Dann fuhr der Lastwagen weg. Zwei Stunden später kamen rund fünfzig Soldaten. Sie teilten sich in Zweiergruppen auf, je ein Mann in der Uniform eines Hundeführers und einer mit einem Betäubungsgewehr, und klopften systematisch nacheinander an alle Häuser. Sie nahmen alle Haustiere mit. Hunde, Katzen… selbst das Pinseläffchen vom alten Binchedler. Offiziell heißt es, die Tiere würden an einem sicheren Ort untergebracht, bis man mehr weiß. Doch niemand lässt sich etwas vormachen. Diese Geschichte erzählt man nur den Kindern, damit sie abends einschlafen. Die kleine Jill Morgan, die Tochter von Nachbarn, kam gestern Morgen heimlich zu mir. Sie wollte wissen, was wohl mit ihrem Labrador geschehe. »Werden sie ihn einschläfern?« Ich sagte ihr, ich wisse es nicht. Sie wirkte sehr erstaunt.

Für sie und viele andere bin ich der Mann, der Bescheid weiß.

Ralph Hansen, der Bürgermeister von Winsburg, rief mich gestern an: »Dave, was ist los, um Himmels willen?«

Ich habe nichts gesagt.

Ja, ich weiß einiges ... Doch niemand will wirklich hören, was ich weiß. Die Leute möchten beruhigt werden.

Die Nachrichten, die ich erhalte, sind alles andere als beruhigend.

Alle meine Mailadressen sind ständig überlastet. Aus ganz Amerika erreichen mich Informationen von Unbekannten. Viele sind falsch. Doch die falschen sind nicht die ungeheuerlichsten. Ich sondere die wichtigsten aus. Dann überprüfe ich sie. Dann ... gar nichts.

Meine Sendung auf WCK wurde als Erste gestrichen. Über das gesamte amerikanische Staatsgebiet wurde der Notstand verhängt. Eine Folge davon ist, dass die Regierung, »entsprechend den Erfordernissen der nationalen Sicherheit«, die Pressefreiheit einschränken kann. Der Kongress hat nicht dagegen gestimmt. Klar. Schließlich geht es um »Sicherheit«.

Sicherheit ... Ich hasse dieses Wort.

Wenn man Angst hat, will man nichts sehen, nichts wissen. Man steckt den Kopf in den Sand, denn es geht nur noch darum, die eigene Angst nicht mehr zu spüren, und so fühlt man sich natürlich in Sicherheit.

Sicherheit ist nur eine Illusion. Sicherheit heißt, sich einzureden, dass man nicht draufgehen wird. Dass es nur die anderen trifft, und der Beweis dafür ist, dass es bisher immer nur die anderen getroffen hat; also, warum sollte sich das ändern, und außerdem war es jedes Mal ein Unfall, der durch ganz bestimmte Umstände verursacht wurde, und es besteht keinerlei Grund, weshalb sich das wiederholen sollte ... Oder jemand ist krank geworden, aber ein bisschen war er selbst daran schuld, er hat nicht genug aufgepasst, aber ich rauche nicht und trinke nicht und treibe etwas Sport, aber nicht zu viel, und dann achte ich sehr darauf, was ich esse, also bin ich nicht in Gefahr, oder? Ich bin in Sicherheit, und das, was mir wirk-

lich Angst macht, übersehe ich einfach. Denn es wäre schlecht für mein Herz. Man darf sich David Barnes nicht länger anhören, das ist schlecht für die nationale Sicherheit. Man darf keine Panik machen.

Arme Hampelmänner.

Es ist viel zu spät. Es herrscht Panik.

Gestern (nachgeprüfte Information) wurde in Illinois ein Schwarzer vor den Augen seines dreijährigen Sohns niedergeschossen, weil er hustete! Er hatte den Fehler begangen, sich eine Bronchitis zuzuziehen und einem Weißen über den Weg zu laufen, der infolge der jüngsten Vorfälle etwas nervös war und den Abzug seiner Automatikpistole beim Überqueren der Straße fest durchdrückte. Drei Kugeln. Derartiges passiert gegenwärtig überall. Man hat sich nur deswegen die Mühe gemacht, mich darüber zu informieren, weil bei den anschließenden Rassenunruhen an die dreißig Menschen getötet wurden.

Es herrscht Panik, meine Herren! Die noch genährt wird von Sekten und Erleuchteten aller Art. Auf unzähligen Webseiten verkünden Verrückte das Ende der Welt und lassen nebenbei durchblicken, sie wüssten Mittel, wie man dem schrecklichen Tod entgehen könne, der all die erwarte, die ihnen nicht folgten. Die Mittel bestehen bisweilen darin, sich kollektiv eine Kugel durch den Kopf zu jagen, was der kürzeste Weg zu einer Wiedergeburt auf dem Sirius oder in einem Astralleib sei. Manche Gurus zögern nicht, diese Reise selbst anzutreten, was schließlich ein schlagender Beweis für ihre aufrichtigen Absichten ist. Natürlich finden diese Bewegungen viele Anhänger, und sehr intelligente noch dazu! Wenn man von Harvard kommt und die bequeme Gewohnheit angenommen hat, nur zu glauben, was einem in den Kram passt, und wenn einem dann die Realität ernsthaft in die Quere kommt, ist es nur natürlich, dass einen das, was man glaubt, so weit wie möglich von der Realität entfernt, und dann sind sie da, mit oder ohne das Deckmäntelchen der Rationalität… Panik…

Fast überall geht die Angst vor Verknappung um, und so legt man sich Vorräte zu. Was wiederum zu Versorgungsengpässen führt. In Winsburg bilden sich noch keine Schlangen vor den Geschäften, aber in manchen Großstädten… In Los Angeles wurde die koreanische Gemeinde Opfer von Plünderungen und Tumulten. Elf Tote. Nachgeprüfte Info. In San Diego und in Phoenix kamen Banden aus dem Stadtzentrum, wo mehrere Geschäfte wegen Warenmangels schließen mussten. Plünderungen, Aufstände. Nachgeprüft. Tote, ich weiß noch nicht, wie viele. Überall formieren sich private Bürgerwehren. Mit der Angst beginnt die wahre Natur der Menschen durchzuscheinen… Jeder für sich.

Man fasst sich nicht mehr an und spricht nicht mehr miteinander. Der Körper des anderen stellt eine Bedrohung dar, weil er am Leben ist. Wer kann, flieht aus den Großstädten; die anderen verschanzen sich und meiden jeglichen Kontakt. Die großen Unternehmen erlauben ihren Angestellten, von zu Hause aus zu arbeiten. Die Büros sind verwaist.

An der Wall Street herrscht Panik, die meisten Kurse befinden sich im freien Fall. Und – diese Information wird von den Behörden sorgsam geheim gehalten – mehrere Banken mittlerer Größenordnung sind nicht mehr zahlungsfähig, da eine beträchtliche Zahl von Kunden binnen weniger Stunden massive Summen abgehoben hat. Die Leute wollen Bargeld. Sie möchten anfassen können, was ihnen von ihrer lächerlichen Macht geblieben ist…

Ja, ich habe meine Informationen. Informationen, die die Presse nicht mehr weitergeben kann, die sie in der Mehrzahl der Fälle auch nicht erfahren kann. Die Presseagenturen stehen unter militärischer Kontrolle. Der Zugang zu heiklen Orten ist entweder schlicht und einfach verboten oder derart reglementiert, dass eine journalistische Ermittlung inzwischen dem geführten Besuch einer sowjetischen Kolchose zu Zeiten des Kalten Kriegs ähnelt. Die Regierung möchte ihre offizielle Version wah-

ren; ein kläglicher Versuch, die Bürger glauben zu machen, sie würde noch über etwas regieren ... Und bei dieser Gelegenheit auch gleich die ganze Welt, deren Blick mit erschrockener Neugier auf Amerika gerichtet ist. Was geschieht mit ihnen, mit den Herren der Welt? Sollte ihre Macht ins Wanken geraten? Steckt jemand hinter der Sache? Und besteht die Gefahr, dass sich das bis zu uns ausbreitet?

Offenbar ist die einzige Stelle, wo man noch Informationen findet, das Web. Über das die Behörden keinerlei Kontrolle haben, außer wenn sie mit einem Schlag die Aktivitäten aller Provider unterbinden würden, was, meiner unmaßgeblichen Meinung nach, nicht gerade dazu beitragen dürfte, die Nerven der Bürger zu beruhigen ... Doch das kümmert sie nicht. Regierungen haben zu allen Zeiten über zwei Mittel verfügt, um zu verhindern, dass ihnen die Wahrheit schadet. Das erste: zu verbieten, dass man sie sagt. Doch es ist äußerst schwer, Münder und Ohren zu kontrollieren. Das zweite: die Wahrheit unter einer Flut von Worten und Verlautbarungen, von Halbwahrheiten, krassen Lügen und Gerüchten aller Art zu ersticken ... Das ist einfacher und verdammt effizient!

Die Wucherung der Informationen tötet die Information.

Genau das ist das Web.

Dort kann sich jeder zu Wort melden, und man weiß nie, wer spricht. Dort wird alles gesagt, und von allem das Gegenteil. Es gibt keinerlei Kriterium für Wahrheit mehr.

Außer ...

Es gibt einen ganz kleinen Trick, mit dem man sie drankriegen kann. Es gibt noch Kriterien für Glaubwürdigkeit.

Und David Barnes ist eines davon. Alles, was mit David Barnes unterzeichnet ist, wird gelesen, kommentiert und geglaubt. Und auf dem gesamten amerikanischen Staatsgebiet und darüber hinaus weiter verbreitet. Denn man weiß, dass noch nie eine Information von David Barnes ausgegeben wurde, ohne dass sie vorher nachgeprüft, abgeglichen und bestätigt worden wäre.

Unten vor meinem Haus drücken sich zwei schwarz gekleidete Kerle vom Typ Blues Brothers in einem alten dunkelgrauen Cadillac herum. Sie tragen Sonnenbrillen wie in einem schlechten Krimi und machen sich nicht einmal die Mühe, sich zu verstecken. Dreimal am Tag geht der dickere von ihnen zum Fast-Food-Laden an der Ecke und kauft Hamburger und Bier. Dann setzen sie sich auf die Motorhaube und essen und trinken und schauen zu meinem Fenster herauf. Seit drei Tagen reinigt der kleine Dünne jedesmal Schlag zwölf Uhr mittags gründlich seine Knarre. Und schaut dabei zu meinem Fenster herauf.

Das ist eine Botschaft, und sie ist deutlich: Sie wollen mir Angst machen. Aber gleichzeitig geben auch sie mir eine Information: Sie haben Angst vor David Barnes. Angst vor dem, was ich weiß. Angst vor dem, was ich an die Öffentlichkeit bringen kann.

Zum Beispiel, dass es derzeit, soweit ich weiß, mindestens achtzehn Infektionsherde auf amerikanischem Staatsgebiet gibt. Dass bei zweien von ihnen, Fairfax in Idaho und Dumbarton in Oklahoma, erst mehr als einen halben Tag nach Auftreten der ersten Ansteckungssymptome gesundheitspolizeiliche Maßnahmen ergriffen wurden. Nachgeprüfte Info. Und dass, wenn die Armee sich bei diesen Herden mit ihrer Reaktion Zeit gelassen hat, diese Viren, im Gegensatz zu dem, was die Regierung behauptet, längere Inkubationszeiten haben als die anderen. Was wiederum bedeutet, dass zu dieser Stunde überall Amerikaner herumlaufen, die ein tödliches Virus in sich tragen, ohne dass sie selbst oder die Dutzende von Leuten, an die sie ihren Überraschungsgast in aller Unschuld weitergeben, auch nur die geringste Ahnung davon hätten.

Unsere Behörden haben lieber davon abgesehen, einen öffentlichen Aufruf an die Personen zu richten, die die beiden Orte zwischen dem Ausbruch der Epidemie und der Abriegelung der Zonen verlassen haben könnten ... Wahrscheinlich, um keine Panik zu verursachen ... Und um ihre abgrundtiefe Unfähigkeit zu verbergen, die Sache in den Griff zu bekommen.

Oder zum Beispiel … dass in der Umgebung von L.A. an mindestens drei Orten – Idyllwild, San Bernardino und Lancaster – giftige Gase ausgetreten sind, die Stickstoff und Kohlenmonoxid enthalten und zum Tod von Dutzenden von Menschen geführt haben. Nachgeprüfte Info, Ausgang noch ungewiss. Dies ist ein Hinweis auf Magma nahe der Erdoberfläche in einem Umkreis von mehreren Dutzend Kilometern. Was wiederum auf ungewöhnliche, sehr beunruhigende Erdbewegungen schließen lässt. Seit achtundvierzig Stunden stehe ich mit einem Ingenieur der Zentralstelle für Notfälle und Naturkatastrophen der Stadt Los Angeles in Kontakt. Die Burschen sind im Großeinsatz, alle Anzeigen stehen auf Rot. Sie sind auf das Schlimmste gefasst, auf etwas noch nie Dagewesenes. Mein Informant ist am Rande eines Nervenzusammenbruchs. Er darf nicht sagen, was er weiß, und wenn er schweigt, werden Menschen sterben, weil sie nichts gewusst haben. Hunderte, vielleicht Tausende von Toten. Er möchte, dass ich statt seiner spreche.

Viele Leute möchten, dass ich statt ihrer spreche.

Ich bin ihr Diener.

Heute Abend haue ich ab. Ganz lässig direkt unter den Augen der beiden Clowns, die glauben, mich zu bewachen. Natürlich werden sie mir folgen. Und sie werden eine kleine Überraschung erleben, die sich zwei wunderbare Freunde für sie ausgedacht haben, die fast wie Brüder für mich sind. Brüder mütterlicherseits. Sie werden mich in ein Versteck bringen, wo ich mich mindestens zwei Tage still verhalten muss. Danach …

Danach werde ich der meistgesuchte Mann der Vereinigten Staaten sein.

Und ich werde so lange wie möglich Stunk machen.

25

Market Street 12, Philadelphia

Hätte die Jungfrau Christus in ihrem Schoß empfangen können, wenn sie nicht selbst Christus gewesen wäre? Sind Mutter und Kind nicht eins? Sind sie nicht verschmolzen zu einem Fleisch, sind sie nicht der heilige Tempel des Wortes Gottes?«

Der weiß gekleidete Mann sprach mit aufgeregter Stimme ins Mikrofon: »Von der Empfängnis bis zur Geburt war Christus ein Fleisch, das der Jungfrau und das des Kindes. Hören wir das Wort:

›Gott schuf den Menschen nach seinem Abbild,
nach dem Abbild Gottes schuf er ihn,
er schuf Mann und Frau.‹

Das Wort Gottes: Mann und Frau, so wurde einst Adam erschaffen, der vollkommene Mensch, der erste Androgyne. Mann und Frau, das war Adam vor dem Fall. Dann sah er zum Unheil der Welt die Auflösung der Großen Einheit und die Geburt der Verführerin Eva, der dreifach Verdammten!«

Der Redner holte tief Luft. Die Menschen im Umkreis von Linda waren reglos, wie versteinert.

»Meine lieben Gefährten! Musste also nicht der, der dazu berufen war, dem Menschen wieder in seinen ursprünglichen Zustand zu versetzen, musste also nicht der neue Adam Fleisch werden aus Mann und Frau zugleich? Musste nicht Christus Mann und Frau zugleich sein?«

Die Stimme des Redners war lauter geworden, und Linda spürte, wie die Anwesenden von einem Schauder erfasst wurden. Was hat das alles zu bedeuten?, fragte sie sich. Sie warf einen Blick auf Tom, der neben ihr stand. Er war wie in Trance.

»Und heute herrscht Freude auf Erden! Christus ist wiedergekommen! Christus ist unter uns!«

»Amen!«, rief die Versammlung mit einer Stimme.

»Die Mutter, der Sohn!«

»Amen!«

»Ein Fleisch!«

»Amen!«

Alle neigten den Kopf, und Linda tat desgleichen. Als sie wieder zum Altar blickte, war eine Frau neben dem Prediger aufgetaucht. Sie hatte die Arme erhoben, die Handflächen gen Himmel gerichtet. Mit ihrem schneeweißen Kleid und den langen schwarzen Haaren wirkte sie wie eine Vestalin oder eine Jungfrau. Doch sie trug stolz ihren gerundeten Bauch zur Schau, welcher verriet, dass sie mindestens im siebten oder achten Monat schwanger war.

»Ariella!«, rief der Redner.

»Amen!«

Auf Toms Gesicht wie auch auf den Gesichtern der anderen Versammelten lag ein Ausdruck von Anbetung. Linda suchte in ihrer Tasche nach ihrer Brille. Tom und sie hatten nur ganz hinten in dem kleinen Saal, in dem sich mindestens dreihundert Menschen drängten, einen Platz finden können. Tom hatte ihr viel von Ariella erzählt, doch sie war ihr noch nie begegnet. Ariella hatte einen jugendlichen Körper, und aus ihrer Haltung und Gestik sprach die Zurückhaltung einer Heranwachsenden. Linda setzte ihre Brille auf und zuckte zusammen. Sie hatte erwartet, eine junge Frau zu sehen, doch Ariellas Züge waren von tiefen Falten durchfurcht. Sie wirkte wie ein junges Mädchen, dessen Gesicht infolge irgendeiner Hexerei binnen Sekunden um fünfzig Jahre gealtert war. Linda fühlte sich unbehaglich. Sie beugte sich zu Tom.

»Du hast mir nicht gesagt, dass sie so alt ist«, flüsterte sie ihm ins Ohr.

Tom reagierte nicht.

»Wie alt ist sie?«

»Psst!«, machte Tom, ohne sie anzusehen.

Der Redner reichte Ariella ein Mikrophon.

Niemand bewegte sich mehr oder atmete laut. Das dauerte eine Zeit, die Linda unendlich lang erschien. Sie meinte, die Stille tief in sich selbst zu hören, gleich einem leeren Grund, der aus der stummen Erwartung aller hier Anwesenden bestand, aus der gesamten unausgesprochenen Hoffnung der leidenden Welt. Wer war diese Frau? Ariella stand reglos mit geschlossenen Augen, als lausche sie einer Stimme, die nur sie selbst wahrnahm...

Dann sprach sie endlich mit leiser, ein wenig belegter Stimme: »Es geschah eines Abends im Dezember. Bis dahin verlief mein Leben völlig... normal...«

Ariella lächelte. Um Linda herum hatten manche still zu weinen begonnen.

»Da war nur diese leise Stimme. ›Bleib ein Kind‹, sagte sie zu mir. ›Bleib ein Kind...‹ So hatte ich mich für den Herrn bewahrt. Und an jenem Dezemberabend... vor drei Jahren...«

Tom hatte die Hände gefaltet und betete mit leiser Stimme.

»... Plötzlich war da ein gewaltiges Licht... Und eine Stimme, die fragte: ›Erkennst du mich?‹ Und ich wusste, dass es der Erzengel Gabriel war, der sich zu seiner untertänigen Magd begeben hatte, um ihr die Botschaft des Herrn zu überbringen. Und dann sprach die Stimme: ›Erkennst du dich?‹«

Linda trat einen Schritt zur Seite. Der Körper einer ohnmächtig gewordenen Frau wurde in den hinteren Teil des Saals getragen.

»... So ward ich im Geiste die Jungfrau. Nach der Empfängnis lebte bis zur Geburt die Große Vereinigung neu in mir auf. Und ich wusste, dass Christus das Fleisch gewordene Wort des lebendigen Gottes war, ein Fleisch aus Mutter und Sohn, das des Unheils in der Welt wegen durch den Fluch der Geburt getrennt worden war. Weihnachten ist des Satans!«

»Weihnachten ist des Satans!«, wiederholte die Menge wie mit einer Stimme.

»Und der Engel sprach: ›Du bist die göttliche Mutter, das weibliche Gesicht Gottes. Gestern zu Fleisch geworden in Maria, heute in Ariella!‹ Und so empfing ich meine Missionstaufe. Meine Feuertaufe.«

»Amen!«

»Und der Engel sprach: ›Du wirst das männliche Kind tragen. Es wird die Wiederkunft Christi sein. Das Tier wird in Ketten gelegt werden. Und diese Welt wird zu Ende gehen.‹«

Linda war plötzlich die Einzige, die noch stand. Alle hatten sich zu Boden geworfen und knieten oder, besser gesagt, kauerten vornübergebeugt, da der Saal viel zu klein war. Verwirrt folgte sie dem Beispiel der anderen und versuchte, sich zwischen den dicht gedrängten Leibern Platz zu schaffen. Doch die Leute erhoben sich bereits wieder.

»Da fragte ich: ›O Herr, wie wird das sein? Ich bin nicht mehr in dem Alter, ein Kind auszutragen.‹ Und der Engel sprach: ›Diese Welt ist des Satans. Der Mensch hat nach dem Lebensbaum gegriffen. Doch Gott bedient sich der Waffen, die das Tier schmiedet. Er wird dich führen.‹ Da sagte ich: ›Ich bin die Magd des Herrn. Es möge geschehen, was du mir verheißen.‹«

Ariella hielt die Augen noch immer geschlossen und schwieg nun. Auf ihrem Gesicht lag ein sonderbares Lächeln, und ihr Kopf schwang leicht hin und her, als betrachte sie ein Engelsballett tief in ihrem Inneren. Alle hatten die Augen geschlossen und machten die gleichen Kopfbewegungen wie Ariella. Auch Linda tat es und fühlte sich alsbald im Gleichklang mit der Gruppe. Dann erfüllte ein merkwürdiges Summen den Saal, zunächst leise wie ein Flüstern. Allmählich wurde der Ton lauter, und Linda hatte das Gefühl, er würde ins Innere ihres Kopfes steigen und immer stärker werden. Dann wurde ihr bewusst, dass ihr Mund gerade dabei war, ein »Ooooh« zu formen, und dass ein Laut aus ihrer Brust drang. Die Versammlung war nur noch ein einziger Chor, und Linda fühlte sich als integraler Bestandteil einer Gesamtheit, die in einer einzigen Harmonie erschallte. Eine Welle der Liebe durchflutete die Menge, deren Stimmen im Gleichklang ertönten. Die junge Frau hatte die Augen immer noch geschlossen und spürte Toms Hand, die die ihre drückte. Eine andere Hand griff nach ihrer Rechten. Linda ertappte sich dabei, wie sie sich wünschte, dieser Moment möge nie vergehen.

Die Stimmen waren verstummt. Tiefe Stille hatte sich ausgebreitet. Tom hielt Lindas Hand weiter in der seinen, und die junge Frau fühlte sich gut. Sie sah ihn aus dem Augenwinkel an. Er hatte die Augen geschlossen; ein leichtes Lächeln spielte um seine Lippen. Er wirkte mit sich im Frieden. Danke, lieber Gott, murmelte Linda, er hat so sehr gelitten.

Als Tom sie vor einer Woche zum ersten Mal zu einer Versammlung der Adepten mitgenommen hatte, war Linda skeptisch gewesen. Hatte der vor kurzem erlittene Schock bei ihm zu einem totalen Verlust seiner Kritikfähigkeit geführt? Diese Leute, die sich als Anhänger des neuen Christus bezeichneten, der eine schwangere Frau sein sollte, und die das Ende der Welt verkündeten, schienen für Tom Erleuchtete zu sein, und Linda hatte sich zunächst gefragt, ob sie nicht etwa gefährlich sein mochten. Doch sie war trotzdem mitgegangen, Toms wegen. Sie hatte Gesichter gesehen, die eine Heiterkeit ausstrahlten, die sie beeindruckte. Und der Prediger, der an jenem Abend den Gottesdienst hielt, hatte sie persönlich angesprochen. Als könne er in ihrer Seele lesen, hatte er ihr von der Angst erzählt, die ihr das Herz verschloss, und sie hatte gespürt, wie Wärme ihre Brust durchflutete. Um diesen Mann war Liebe. So hatte sie zugesagt, an der Versammlung teilzunehmen, zu der Ariella erschien. Tom hatte so begeistert von ihr gesprochen, und es stimmte, dass diese Frau eine rätselhafte Energie ausströmte, die einen einzuhüllen schien wie ein sanftes Licht mit dem Duft nach Kindheit. Das junge Mädchen wurde von einer Welle der Sehnsucht überwältigt. Seit wann hatte sie nicht mehr das süße Gefühl der Unschuld gespürt? Seit wann war sie kein Kind mehr? Oh mein Gott, läutere mich, flüsterte sie…

Da wurde die Stimme des Ersten Jüngers laut: »Es sind Neuankömmlinge unter uns. Gesegnet seien sie.«

Ariella streckte ihre Hände mit den Handflächen nach unten der Menge entgegen, und Lindas Körper wurde von Wärme durchflutet. Tom legte den Arm um ihre Schulter und zog sie an sich. Wasser wurde aufs Podium gebracht.

»Einige von ihnen haben das Gelübde abgelegt, der mystischen Gemeinschaft der Zeugen Ariellas anzugehören. Gesegnet seien sie.«

Der Erste Jünger hatte das Lächeln eines Kindes. Mehrere Personen gingen auf das Podium zu.

»Sie werden die Taufe empfangen.«

Als Erster hatte ein etwa fünfzigjähriger Mann das Podium erklommen, und Ariella hieß ihn willkommen und nahm ihn bei der Hand. Linda wäre gerne an seiner Stelle gewesen. Eine junge Frau folgte, dann eine ältere.

»Geh hin!«, flüsterte Tom ihr ins Ohr.

Sie drehte sich zu ihm. Er lächelte liebevoll. »Geh hin!«, wiederholte er leise.

Linda war wie gelähmt. Allerlei Gedanken schwirrten ihr im Kopf herum, doch sie hatte das Gefühl, dass sich das weit außerhalb von ihr abspielte, irgendwo anders, und dass diese Unruhe nichts mit ihr zu tun hatte. »Ich kann nicht«, hörte sie sich antworten.

»Warum nicht?«

»Ich bin nicht vorgesehen ...«

Linda fragte sich, ob sie nicht vielleicht etwas dumm aus der Wäsche guckte, doch es gelang ihr nicht, ihre Gedanken zu sammeln. Tom begann zu lachen. »Das ist doch egal!«

Er hatte sie an der Schulter gepackt und führte sie unter den wohlwollend scheinenden Blicken der anderen langsam nach vorn ... In Gottes Namen, dachte sie, was habe ich schon zu verlieren? Und wenn es ihm Freude macht ... Hände streckten sich nach ihr aus, um ihr beim Hochsteigen zu helfen, und plötzlich war sie auf dem Podium. Ariella stand ihr gegenüber. Ein faltiges Gesicht, das ihr liebevoll zulächelte. Sie ist älter als sechzig, dachte Linda, das ist irre ... Sie ist hochschwanger! Ariella nahm sie bei den Händen und versenkte ihren Blick in Lindas Augen. Die Zeit schien sich zu dehnen, und jeder Laut hallte lange wider, als käme er aus den Tiefen ihres Schädels. Der Saal um sie herum begann auf und ab zu tanzen, und Linda hatte Angst, in Ohnmacht zu fallen, doch Ariella hatte sie losgelassen, ohne den Blick von ihr zu wenden, und Linda atmete tief durch.

»Taufe ist Läuterung, Taufe ist eine zweite Geburt«, verkündete der Erste Jünger.

Er stand hinter einer großen Schüssel mit Wasser, das Ariella soeben gesegnet hatte, und sah den Täuflingen ins Gesicht, die sich an der Hand hielten. Linda war die Letzte der sieben.

»Ihr werdet zu neuem Leben geboren werden. Dazu müsst ihr eurem alten Leben entsagen …«

Entsagen?, dachte Linda leicht beunruhigt … Was soll das bedeuten?

»Ihr werdet also eure Fehler vor der Versammlung der Zeugen vortragen, auf dass sie euch vergeben …«

Der Redner drehte sich zu Ariella und verneigte sich: » … durch ihre hochheilige Gnade.«

Ach so, sagte sich Linda, während der erste Täufling mit dem Gesicht zur Menge zu sprechen begann, ich werde beichten müssen … Verdammter Mist.

»Ich klage mich an, weltliche Freuden geliebt zu haben«, fing der Mann an. »Ich habe meine Frau sehr oft betrogen …«

Aus der Versammlung stieg dumpfes, missbilligendes Gemurmel auf.

»… mit Frauen mit schlechtem Lebenswandel. Doch«, fügte er rasch hinzu, »dann hat Betty durch Gottes Gnade Ariella kennen gelernt und mich zu ihr geführt. Und wir haben beschlossen, mit der Verderbtheit der Welt zu brechen und dem Fleische zu entsagen …«

Ariella nickte mit geschlossenen Augen zustimmend mit dem Kopf. Dem Fleische entsagen? dachte Linda. Sie sind doch verheiratet … Oh Gott … Was soll ich ihnen erzählen? Von meinen Wutanfällen gegenüber der Familie, von meinen Durchhängern und von den Joints? Von meinen Freunden? Obwohl ich doch eigentlich gar nicht so viele gehabt habe ... Nur vier vor Tom, und Tom, so hoffte sie aus ganzem Herzen, würde der letzte sein ... Natürlich hatte sie mit jedem von ihnen geschlafen, aber warum sollte das eine Sünde sein? Sie hatte sie aufrichtig geliebt und begehrt, obwohl es mit Tom ganz anders war, doch schließlich hatte sie ihnen nichts Böses getan, eher etwas Gutes; sie wusste, wie man mit einem Jungen umging, das konnte man ihr glauben, sie wusste, wie man Männer glücklich machte ... Im Grunde hatte sie es immer als natürlich empfunden, und die Schmähreden von Puritanern jeglicher Couleur schienen ihr wie von einem anderen Stern zu kommen ... Aber Tom machte den Eindruck, als nehme er es ihr sehr übel, dass sie sich ihm »an den Hals geworfen hatte«, wie er manchmal sagte ... Gleichzeitig hatte er ein ungeheures Bedürfnis nach Zärtlichkeit und ein ungeheures Verlangen nach ihr ...

Linda merkte plötzlich, dass zwischen ihr und dem jungen Mann, der in der Schlange vor ihr stand, eine große Lücke war, und ging ein paar Schritte weiter. Nur noch zwei! Eine Frau wurde soeben getauft; Wasser rann über ihr Gesicht. Danach war der junge Mann an der Reihe, und dann ... Linda fühlte, wie Angst in ihr hochstieg. Was tue ich eigentlich hier?, fragte sie sich. Sie warf Tom einen Blick zu. Er sah sie mit heiterer Miene an. Gehen wir, Tom, gehen wir, um Himmels willen ... Der Junge zwinkerte ihr zu, und Linda spürte noch einen anderen Blick auf sich ruhen. Es war Ariella, die sie merkwürdig intensiv ansah, kindlich und gebieterisch zugleich ... Der Mann vor ihr war nach vorne getreten und sprach zu der Versammlung, doch Linda verstand nicht, was er sagte; dann empfing er die Taufe. Und Linda spürte, wie sich alle Blicke nun auf sie richteten.

»Ich habe womöglich fleischliche Sünden begangen«, begann Linda. »Ich hatte Beziehungen zu Jungens, doch es war keine Liebe, das weiß ich jetzt, seit ich Tom kenne.«

Der Erste Jünger ergriff das Wort: »Geht es um Tom Altman, den wir letzte Woche getauft haben?«

Linda nickte.

Ariella drehte sich zu Tom und bedeutete ihm, näher zu kommen. Tom stieg aufs Podium. Linda war ein wenig verstört... So waren sie bei den anderen nicht vorgegangen...

»Hat Tom nicht vor kurzem einen Schock erlitten?«, begann der Erste Jünger wieder. »Einen furchtbaren Schock...«

»Ja«, äußerte Linda mit schwacher Stimme.

Der Mann trat mit beunruhigend funkelnden Augen zu ihr. »Was für eine Art Schock?«

»Der... der Tod eines geliebten Menschen...«

»Eines geliebten Menschen?«

Der Erste Jünger hatte sardonisch gelächelt. Linda brach in Schluchzen aus.

»Der Tod von Amy«, stöhnte sie. »Auch ich habe sie geliebt! Sie war meine Freundin!«

»Wie lange haben Sie gebraucht, bis Sie Tom, Amys Verlobten, in Ihrem Bett hatten?«

»Alles ging viel zu schnell, aber...«

»Wie lange?«, unterbrach er sie.

»Eine Woche«, flüsterte sie und senkte den Kopf.

»Eine Woche!«

Der Erste Jünger wandte sich an die Versammlung, aus der ein Stimmengewirr keuscher Entrüstung aufstieg. Er zeigte mit dem Finger auf Linda.

»Da haben wir Eva! Da haben wir die Verderbte!«

Die Menge begann zu grölen. Linda merkte, wie ihr die Knie weich wurden.

»Bist du bereit, deiner Sünde zu entsagen?«, rief der Erste Jünger.

Sie nickte mit dem Kopf.

»Bist du bereit, dem Fleisch zu entsagen?«

Linda suchte nach Toms Gesicht. Er stand neben Ariella, und sein Blick war hart... Sie wäre am liebsten gestorben.

»Aber ich liebe ihn«, entfuhr es ihr.

»Willst du ihn bei deinem Fall mitziehen?«

Der Mann hatte ganz dicht an Lindas Ohr in sein Mikrophon gezischt. Ihr war schwindlig. Das Stimmengewirr wurde immer gedämpfter.

»Ich ... ich möchte seine Frau sein, das ist alles ...«

»Dann gehörst du also der Welt«, verkündete der Erste Jünger. »Und die Welt ist des Satans. Doch die Welt wird untergehen. Sehr bald ...«

Der Mann sprach zur Versammlung. »Schon wenden sich die Tiere gegen den Menschen! Schon verbreitet sich die Pest über die Welt! Seht um euch! Die Zeiten sind nahe!«

Der Prediger schloss die Augen und begann mit noch feierlicherer Stimme zu rezitieren: »So steht es geschrieben: ›Und ihnen wurde die Macht gegeben über ein Viertel der Erde, Macht, zu töten durch Schwert, Hunger und Tod und durch die Tiere der Erde ...‹ Amen!«

»Amen«, antwortete die Menge.

»Schon liegt die Erde in den letzten Zuckungen! So steht es geschrieben: ›Der Himmel verschwand wie eine Buchrolle, die man zusammenrollt, und alle Berge und Inseln wurden von ihrer Stelle weggerückt ...‹ Amen!«

»Amen!«

Dann wandte sich der Erste Jünger erneut an Linda: »Geh! Wir können dir nicht die Taufe geben, wegen der du gekommen bist. Zum Wohle aller und um Gottes Ehre willen musst du dich von Tom fern halten und darfst nicht versuchen, ihn wiederzusehen. Er wird von jetzt an in der Gemeinschaft leben.«

»Aber das ist unmöglich!«

Zwei Männer traten aus der Menge hervor, packten Linda an je einem Arm und hoben sie hoch. Sie sah sich selbst, wie sie vom Podium herunterstieg und sich einen Weg durch die Menge in Richtung Ausgang bahnte. Mit letzter Kraft gelang es ihr, sich nochmals zu Tom umzudrehen. Er stand mit feuchten Augen neben Ariella.

Diese hatte ihm einen Arm um die Schulter gelegt.

26

Auf dem Rio Mucajai

Der Fluss führte immer weniger Wasser. Er schlängelte sich durch ein tiefes Bett, gesäumt von hohen Erdmauern, die durch die gewaltigen Bäume noch höher wirkten, deren Laubwerk bis in den Himmel hinein zu ragen schien. Wie durch eine dunkle Waldkathedrale glitten so die beiden Boote dahin. Seit mehreren Stunden war kein Wort mehr gefallen. Diego schien nachzudenken.

Mary hörte jeden Laut, der sich gegen die Stille abhob und ihr Gestalt gab; eine unergründliche Stille, die aus dem tiefsten Inneren ihrer selbst zu entspringen schien. In den sechs Tagen, seit sie den Mäandern des Flusses folgten, kam es der jungen Frau so vor, als ließe sie endlich den Wust von Sorgen hinter sich, der sie sonst immer belastet hatte, gleich einer lächerlichen Bürde, die langsam und unweigerlich im Strom versank... und eine etwas erschreckende Leere in ihr zurückließ. Doch gleichzeitig war diese Leere der Raum, in dem sie sich endlich frei bewegen und frei leben konnte.

Ich lerne durchzuatmen, hatte Mary sich gesagt, als sie bei den ersten Strahlen der Morgenröte wieder in die Boote gestiegen waren.

Sie hatten ihr letztes Biwak um sechs Uhr morgens verlassen. In dieser letzten Nacht hatte sie endlich richtig geschlafen. Es dauerte eine Zeit, ehe man lernte, sich dem Wald anheim zu geben, dem wimmelnden Leben darin, das dunkel und grell zugleich war. Am ersten Abend war nach einem schnellen Abendessen unter den letzten Strahlen der Sonne plötzlich die Dunkelheit hereingebrochen. Rings um sie her waren alle rasch eingeschlafen, und sie blieb als Einzige wach. Allein auf der Welt. Der Dschungel um sie herum vibrierte und schien sie zu beobachten. Stimmen flüchtender Tiere antworteten auf Vogelgeschrei. Der Boden unter ihrer Hängematte schien aus Insekten zu bestehen, die auf sie lauerten. So hatte sie, wie um sich selbst zu hypnotisieren, auf die Feuerstelle gestarrt, deren Holzscheite noch rot glühten, bis die Asche die letzten Funken erstickt hatte. Dann war der Morgen angebrochen.

Tagsüber wurde sie dann von Müdigkeit übermannt und döste im Einbaum vor sich hin. Die Landschaft zog wie im Traum an ihr vorbei; die Zeit schien stehen zu bleiben. Und langsam hatte sich Ruhe in ihr ausgebreitet, zuerst in ihrem Bauch, und war dann wie Wasser in ihre Brust, ihre Kehle und ihren Kopf gestiegen. Sie fühlte sich gut.

Doch nach Einbruch der Nacht hatte sie sich wieder in ihrer Welt des Schreckens befunden. Wie am Abend zuvor konnte sie nicht schlafen. Doch eines hatte sie begriffen: dass sich alles in ihr selbst abspielte. Die Natur war nur in dem Maße feindlich, in dem sie das Chaos in ihrem Inneren auf diese projizierte. Zweifellos war der Dschungel gefährlich. Doch das bedeutete lediglich, dass man ihn kennen musste. Und seine Gesetze respektieren musste. Ihm begegnen musste, wie man einem Menschen begegnete. Und da öffnete sie sich, ließ sich entdecken. Sie hatte sich Diego gegenüber geöffnet, der den Dschungel zu lieben verstand. Und wenn Diego nicht schlief, setzte ihre Beziehung Harmonie frei. Frieden …

Diego und die Natur sind miteinander im Frieden, sagte sich Mary.

Diego hatte die Augen halb geschlossen. Er blickte auf nichts Bestimmtes, doch nichts schien ihm zu entgehen. Seine Nasenflügel bebten unmerklich, als freue er sich, nichts tun zu müssen, als einfach nur zu atmen.

Plötzlich ertönte aus dem ersten Einbaum ein Ruf. Mary drehte sich um. Der Fluss machte eine Biegung, und einer der Indianer deutete mit dem Finger auf eine sanft ansteigende Sandfläche am Ufer. Ein guter Platz, um anzulegen.

»Dort werden wir auf unsere Freunde warten«, sagte Diego.

Mit etwas Phantasie hätte Mary meinen können, im Urlaub in Miami Beach zu sein. Der Sand war weich, und die Sonne über den Bäumen liebkoste sie mit ihren Strahlen. Sie lagen alle nebeneinander ausgestreckt und taten gar nichts. Die beiden Indianer schliefen. Es blieb ihnen nichts zu tun übrig, als zu warten, während sie dem Plätschern des Wassers lauschten. Eine Gruppe Yanomami sollte sie zu ihrem endgültigen Ziel bringen. Indianer, so hatte Diego gesagt, die er nicht kannte und die wahrscheinlich noch nie einen Weißen gesehen hatten…

»Sie werden einfach irgendwann da sein«, hatte er ihr mitgeteilt, »und wir haben weiter nichts zu tun. Einfach nur warten, bis sie kommen, als sei das ganz normal. Am Anfang gar nichts sagen… Keine Höflichkeitsfloskeln. Sie grüßen weder, noch sagen sie danke. Nichts tun, was als Angst oder Unterwürfigkeit ausgelegt werden könnte. Lassen Sie mich als Ersten sprechen…«

»Besteht die Gefahr, dass sie uns feindlich gesinnt sind?«, hatte Mary gefragt.

Diego hatte gelacht. »Feindlich nicht. Aber damit unser Aufenthalt hier gut abläuft, ist es besser, ihnen Respekt einzuflößen! Sie machen sich manchmal gerne ein wenig über einen lustig!«

Mary war gerade am Einnicken, als Diegos Stimme sie aus ihren Träumereien riss: »Sie sind da.«

Sie richtete sich auf und blickte nach allen Seiten. Die beiden Indianer, die sie begleiteten, hatten sich erhoben. Doch sie sah nichts Bestimmtes. Das tiefe Grün der großen Blätter, das Gewirr aus Baumstämmen und Lianen… die Vogelschreie, die sich mit dem Geräusch des Wassers vermischten… sonst war alles ruhig.

Dann bewegte sich etwas, und ein Indianer tauchte auf, wie aus dem Stamm eines Baumes entsprungen. Und alsbald war die kleine Forschergruppe von Dutzenden spöttisch blickender Yanomami umringt. Sie waren bis auf eine an der Vorhaut befestigte

Schnur völlig nackt und streckten den Bauch heraus. Sie hatten glatte, tiefschwarze Haare, in Topfform geschnitten. Einige trugen Pfeil und Bogen. Alle sprachen gleichzeitig und lachten schallend, während sie auf Mary zeigten.

Diego war ruhig sitzen geblieben. Mary setzte eine möglichst unbefangene Miene auf und rückte näher an ihn heran. »Was sagen sie?«

»Sie kommen offensichtlich enorm gut an, meine Liebe. Die haben noch nie eine Weiße gesehen.«

Die Indianer traten langsam näher. Der Mutigste von ihnen war sogleich bei Mary.

»Was wird er tun?«, fragte sie und widerstand dem Wunsch, sich an Diego zu schmiegen.

»Er wird Sie anfassen.«

»Aber das will ich nicht!«

»Das ist ihm egal.«

»Ach ja? Und wenn ich ihm eine klebe?«

Diego begann leise zu lachen. Der Indianer war mit seinen Fingern in Marys Haare gefahren und spielte mit ihnen, was ihm anscheinend großes Vergnügen bereitete.

»Wenn Sie ihm eine kleben«, sagte Diego, »dann wird es interessant ... ethnologisch gesehen ... Es ist mir nicht bekannt, dass in der Geschichte dieses Volkes je eine Frau einen Mann geschlagen hätte.«

»Tja, genau das fehlt ihnen, wenn Sie meine Meinung hören wollen!«

Inzwischen betasteten fünf Indianer Mary, die fühlte, wie die Finger ihrer Bewunderer an ihrem Körper heruntenglitten. Die anderen standen dahinter und lachten sich halb tot. Da erhob Diego gebieterisch die Stimme, und die Yanomami ließen plötzlich von ihr ab, wobei sie jedoch weiter sprachen und lachten.

»Was haben Sie zu ihnen gesagt?«, fragte Mary.

»Haben Sie es nicht verstanden? Ich dachte, Sie hätten die Yanomami-Sprache gelernt ...«

»Also, jetzt machen nicht auch noch Sie sich über mich lustig!

Ich habe diese Sprache gelernt, aber wie eine tote Sprache. Ich kenne sie; ich weiß, wie sie funktioniert. Aber ich spreche sie nicht.«

Diego schien zufrieden mit ihrer Antwort. »Ich habe ihnen erzählt, dass Sie zum Brujo ohne Namen gehören.«

»Zu wem?«

Die eine Hälfte der Yanomami musterte Mary unter Gelächter und Kommentaren weiterhin eingehend, allerdings aus respektvoller Entfernung. Die andere Hälfte hatte sich auf Sylvain gestürzt, dessen Behaartheit die Indianer, die alle bartlos waren, zu faszinieren schien. Sie strichen über seine Bartstoppeln und zogen an den Haaren auf seinem Arm. Sylvain ließ es mit leicht verkrampftem Lächeln geschehen. Er warf Diego einen Blick zu. Dann begann er die glatten, glänzenden schwarzen Haare eines der Indianer zu berühren und leicht daran zu ziehen. Der Indianer begann zu lachen, machte sich sanft los, berührte dann seinerseits Sylvains Haare an der Stelle, wo sie diesem auszugehen begannen, und rief etwas. Die Indianer brachen in Gelächter aus.

»Sie haben noch nie eine Glatze gesehen«, erklärte Diego. »Das gibt es bei ihnen nicht.«

»Da haben sie wirklich Glück«, brummte Sylvain.

Dann sagte einer der beiden Indianer, die die Forscher begleiteten, etwas, und die Yanomami ließen einer nach dem anderen von Sylvain und Mary ab und begannen sich mit deren Gepäck zu beladen.

»Diego«, begann Mary erneut, »was haben Sie ihnen über mich gesagt? Zu wem soll ich gehören?«

»Zum Brujo ohne Namen!«

»›Brujo‹ heißt Zauberer ... So bezeichnen sie einen Schamanen ...«

»Genau so ist es ...«

Diego hatte wieder seine leicht spöttische Miene aufgesetzt. War er auch so, bevor er unter den Yanomami lebte?, fragte sich Mary seufzend ...

»Und wer ist der Brujo ohne Namen?«, insistierte sie, entschlossen, sich nicht beirren zu lassen.

»Ein Mann. Er gehört zu keinem Stamm, aber alle Stämme fürchten und respektieren ihn... Ein alter Yanomami, der zurückgezogen im Wald lebt...«

»Aber dann«, sagte die junge Frau, überrascht und enttäuscht zugleich, »dann haben Sie sie ja angelogen! Sie, Diego! Und ich dachte, Sie seien außerstande, auch nur ein unaufrichtiges Wort auszusprechen...«

»Ich habe überhaupt nicht gelogen...«

»Was meinen Sie damit?«

»Sie werden es erfahren.«

Der Himmel war dunkler geworden. Regentropfen begannen zu fallen. Diego nahm seine kleine Tasche und machte sich daran, den Indianern zu folgen, die in den Wald vordrangen.

»Der Brujo ohne Namen ist der Mann, der uns erwartet.«

Nach drei Stunden Fußmarsch erreichten sie den Shapono. Die untergehende Sonne war bereits wieder stechend. Der Wind fegte die letzten Wolken vom Himmel. Ein Glitzern lag in der Luft.

Endlich ausruhen...

Mary war erschöpft. Sie hatten nur einmal kurz Rast gemacht, um nicht von der Nacht überrascht zu werden. Ihre Beine und Füße waren müde. Es hatte die ganze Zeit über geregnet, ein schwerer, lauwarmer Regen, der jeden Schritt unsicher machte. Ein paar Tage zuvor hatte ein Sturm riesige Bäume umgeworfen; manche davon lagen quer über dem Weg. Ihr Blättergeflecht bedeckte den Boden so dicht, dass man über die entwurzelten Stämme klettern musste, die feucht und rutschig und manchmal mehrere Meter hoch waren, und es galt, zwischen den Ästen und Zweigen durchzuschlüpfen... Außerdem gab es Wespen, große rote Ameisen und Ausschlag verursachende Raupen, die sich in Shorts und unter T-Shirts stahlen.

Beinahe hätte Mary nach einer kleinen grünen Schlange gegriffen, die wie eine Liane aussah und deren Gift innerhalb weniger Minuten tötete, wie Diego erklärt hatte.

Reizend!

Der Shapono war die Gemeinschaftsbehausung der Yanomami. Es handelte sich um ein großes, in der Mitte offenes Runddach, das aus langen, parallel geführten, nach unten geneigten Ästen bestand und dicht mit getrockneten Palmenzweigen bedeckt war. Ein ausgezeichneter Schutz gegen die Unbilden der Witterung... und gegen feindliche Pfeile.

Dieser Shapono hier war riesig.

Gewöhnlich dient ein Shapono als Unterschlupf für einen einzigen Stamm mit ein paar Dutzend bis zu hundert Mitgliedern. Dieser hier schien für drei Stämme gebaut worden zu sein. Man hätte ihn für ein Miniaturstadion halten können. Er stand auf einer ausgedehnten Lichtung brauner Erde und bildete ein Oval, in dem Hunderte von Indianern miteinander sprachen, spielten, aßen, rauchten oder dösten, wobei die Männer sich mehr im unbedachten Mittelteil aufhielten, die Frauen und Kinder generell eher in den geschützten Randsektionen unter den Palmen.

Der kleine Trupp legte sein Gepäck ab.

Ein Schwarm kreischender Kinder umringte sogleich die drei Fremden. Mary wurde wieder von allen Seiten berührt. Sie beschloss, es hinzunehmen. Sylvain, der dunkle Ringe unter den Augen hatte, schien sich in sein Schicksal ergeben zu haben. Diego hatte begonnen, mit den Kindern zu spielen. Er tat so, als würde er mit dreien von ihnen kämpfen, hob sie hoch und warf sie schonungslos auf den Boden, von dem sie sich gleich wieder erhoben, um erneut den Kampf aufzunehmen, und sehr bald verloren fast alle Kinder das Interesse an Mary und Sylvain und kämpften mit den anderen mit. Diego wurde schnell überwältigt. Er lachte gutmütig.

Die Indianer unterbrachen ihre Tätigkeiten oder ihre Rast in den Hängematten und kamen zu ihnen, schienen jedoch keinen Kontakt mit ihnen aufnehmen zu wollen. Mary tat so, als sei nichts, und begann sich umzublicken. Der Shapono war ein nach außen hin abgeschlossener, im Inneren jedoch völlig offener Ort. Es gab keinerlei Privatsphäre. Die Yanomami kennen diesen Begriff nicht, dachte sie. Es scheint ihnen gleichgültig zu sein, ob sie beobachtet werden oder nicht... Sind sie immer sie selbst, auch unter den Blicken der anderen? Oder ist es für sie normal, dass ihr Verhalten immer durch die Präsenz der Gemeinschaft bestimmt wird?

Doch es gab eine Ausnahme.

Mary hatte gerade am entgegengesetzten Ende des Shapono, auf der Seite, wo die Sonne unterging, drei Wände aus getrockneten Palmenzweigen bemerkt, die eine Art abgeschlossene Hütte bildeten. Sie blinzelte erstaunt. Ob dort drinnen jemand wohnt?, fragte sie sich. Abseits von den anderen? Das entsprach in nichts dem, was sie über diese Indianer erfahren hatte... Sie machte ein paar Schritte in die besagte Richtung; die Sonne schien ihr voll ins Gesicht. Die Konstruktion sah tatsächlich wie eine Art Hütte aus und hatte einen dunklen Eingang...

Plötzlich zeichnete sich im Gegenlicht eine Gestalt in ihrem Gesichtsfeld ab. War sie aus der Hütte herausgetreten?

Unvermittelt ging die Sonne hinter dem Runddach unter.

Ein Mann kam auf sie zu.

Er war größer als ein durchschnittlicher Yanomami. Sein Schritt war geschmeidig und leicht wie der eines Tiers. Mary sah, wie die Männer bei seinem Näherkommen respektvoll zurückwichen. Unterhaltungen brachen ab, Tätigkeiten wurden eingestellt.

Mary fühlte eine Hand auf ihrer Schulter. Diego stand hinter ihr.

»Das ist unser Mann«, sagte er leise.

Der Brujo ohne Namen...

Er war ein sehr alter Indianer, mager und nackt, sein Geschlecht kaum verdeckt von einem roten Stofffetzen. Sein ernstes Gesicht war von Falten durchfurcht. Die vorstehenden Backenknochen verliehen seinen Zügen etwas Asiatisches, doch seine mandelförmigen Augen ließen ihn auch ein wenig wie einen alten Ägypter aussehen...

Der Mann war drei Schritte vor Mary stehen geblieben. Sie hielt den Atem an. Er sah sie intensiv, doch sanft an. In seinem

Blick lag große Menschlichkeit, doch tanzte darin auch funkelnder Humor, was sie an Diego erinnerte. Darin waren die beiden Männer sich ähnlich... Mary war sich sicher, dass sie sich schon sehr lange kannten.

Mary und der Mann wechselten einen kurzen Blick.

Die junge Frau hatte das Gefühl, sie hätten sich in einer stummen, zeit- und raumlosen Sprache ausgetauscht. In einer Sprache des Herzens.

Der Indianer machte ein Zeichen, und Diego sprach: »Ich glaube, der Brujo lädt uns ein, mit ihm zu kommen...«

Es war keinerlei Vorstellung erfolgt. Die Yanomami sprechen nie ihren Namen aus. Als gäbe es nichts Natürlicheres, als sich zu begegnen und kennen zu lernen.

Die Hütte des Brujos war dunkel und leer und wurde lediglich von einem Feuer erhellt, das brannte, um die Moskitos abzuhalten. In der Mitte der Hütte war ein Holzpfeiler in die glatt gestampfte Erde gerammt und ragte durch das Palmendach. Ganz hinten spannte sich eine einfache Hängematte zwischen zwei Pfählen. Mary saß auf einem Stück Baumrinde, das der Brujo ihr gereicht hatte. Das schien eine besondere Ehre zu sein, denn die beiden Männer hockten auf der blanken Erde.

Lange wurde nichts gesprochen.

Marys Lider wurden schwer. Sie war müde. Was mochte der Brujo von ihr erwarten? Hatte er ihr etwas zu sagen? Hatte sie all diese Kilometer hinter sich gebracht, nur um diesen Mann zu treffen? Würde sie hier die Gründe für ihre Reise erfahren? Diego hatte kein einziges Mal wirklich auf ihre Fragen geantwortet... Und doch war sie ihm von Anfang an gefolgt, bis hierher! Weshalb hatte sie trotz seiner kunstvollen Geheimnistuerei immer noch Vertrauen zu ihm?

Sie warf einen verstohlenen Blick in seine Richtung. Er saß ganz gerade. Von ihm ging eine Kraft aus, als habe er bereits alles, was man auf dieser Welt fürchten kann, hinter sich gebracht...

Diego schien das Geheimnis der Welt zu kennen.

Er ist wie ein Vater, dachte Mary. Ich liebe ihn wie einen Vater.

Dann sprach der Brujo ohne Namen. Diego übersetzte: »Unser Volk wird sterben.«

Mary saß reglos. Sie fühlte sich tief bewegt, ohne zu wissen, weshalb. Es war ein feierlicher Moment... als würde sich etwas Wesentliches abspielen.

»Der weiße Mann möchte der Erde das Gold nehmen, die Nahrung der Erde, und ihr nichts im Austausch dafür geben«, fuhr der Brujo fort. »Seit der Ankunft der Weißen sind viele Yanomami gestorben. Viele arbeiten als Sklaven in den Goldminen der Weißen. Die Flüsse werden von den Weißen verseucht.«

Der Gesichtsausdruck des Brujo war völlig neutral.

»Die Weißen vergewaltigen die Erde. Die Erde ist ihre Mutter.«

Dann schwieg er. Seine Worte, oder Diegos Worte, schienen in einem unermesslichen Raum in Marys Innerem widerzuhallen. Es war merkwürdig. Sie hatte bereits ähnliche Worte vernommen. Vor ein paar Jahren hatte sie sich bei den Lakota-Indianern umgehört, um deren mündliche Überlieferungen zusammenzutragen. Ein alter Indianer hatte zu ihr gesprochen, über die Erde und über die Weißen. Und dabei dieselben Begriffe verwendet. Aber sie hatte nicht verstanden.

Damals hatte sie die erschreckende Kraft dieser Worte nicht verstanden. Sie hatte die Wahrheit dieser Worte nicht verstanden: Wir sind Kinder der Erde.

Jede ihrer Körperzellen schien zu vibrieren, und sie fühlte, dass sie tief in ihrem Inneren aus lebender, liebender Erde bestand. Aus intelligenter Erde. Sie kam aus der Erde und würde der Erde zurückgegeben. Und das war gut.

Der Indianer begann erneut zu sprechen. Diegos Stimme schien eins mit der seinen.

»Die Yanomami sind das Gedächtnis der Erde.«

Es entstand eine lange Pause. Der Brujo schien auf etwas zu lauschen. Was wollte er damit sagen? Die Yanomami sind kein

Volk der Erinnerungen... Sie vergessen die Namen ihrer Toten, verbrennen deren Güter...

»Die Yanomami sind Kinder. Die Weißen sind Kinder, die ihre Kindheit verloren haben.«

Über das Gesicht des Brujo huschte ein flüchtiges Lächeln, ironisch und von tiefer Trauer.

»Der Baum ist erwachsen. Der Jaguar ist erwachsen.«

Der Brujo schwieg einige Sekunden und schloss die Augen, wie um besser hören zu können.

»Die Erde braucht erwachsene Menschen. Die Erde ruft... den Menschen.«

Diego hatte das letzte Wort ausgesprochen, als handle es sich um etwas unendlich Heiliges... Und Mary begriff, dass dieses Wort nicht den Menschen meinen konnte, wie er heute war... Es war zu groß für den Menschen.

»Die Tage des Zorns sind angebrochen...«

Mary spürte, wie ihr eiskalte Angst ins Blut stieg. Sie wusste nicht, was diese Worte bedeuteten, doch Bilder des Todes schlichen sich in ihre Gedanken.

»Die Yanomami werden sterben. Doch die Erinnerung an die Erde darf nicht sterben.«

Dann sah der Brujo Mary an. Sehr lange. Und Mary hatte das Gefühl, dass er bis in ihr tiefstes Inneres blickte.

»Du bist die Tochter der Erde.«

Ein Schauder überlief sie. Sie verstand die Worte nicht. Doch sie wusste, sie spürte, dass sie die Wahrheit in sich trugen. Was ist die Wahrheit?, dachte sie... Das Johannes-Evangelium kam ihr in den Sinn: »Ich bin der Weg, die Wahrheit und das Leben...«

Wer bin ich, fragte sie sich.

Der Brujo sah sie an.

Da tat sich in Mary eine gewaltige, unendliche Leere auf.

Sie spürte ihren Körper, doch ihr Körper war nicht sie. Und ihr Körper fiel in diese Leere.

Sie spürte die Energie des Lebens, doch diese Energie war nicht sie. Und das Leben floss in diesen Abgrund.

Sie spürte den Aufruhr ihrer Gefühle. Doch sie war etwas anderes, etwas ganz anderes als deren unablässiger Strom ...

Wer bin ich?, dachte sie.

Und plötzlich löste der Gedanke sich auf.

Ich bin nichts.

Mary hatte Angst. Sie wollte sich wehren, sich festhalten. Doch es gab nichts, an dem sie sich festhalten konnte.

Da ließ sie es geschehen ...

Ich bin nichts.

Ich bin.

Ich bin.

Sie spürte grenzenlosen Frieden und wusste, dass nichts ihr diesen Frieden je wieder würde nehmen können.

Denn sie war jenseits aller Tränen.

Wie viel Zeit war verstrichen? Diego hatte sich nicht bewegt. Der Brujo auch nicht. Er ergriff wieder das Wort:

»Willst du das Gedächtnis der Erde hören?«

»Ja«, sagte Mary.

27

Der Shapono

Sanft erwachte Mary aus einer traumlosen Nacht. Ein Geruch nach feuchter Erde stieg auf, und der Dschungel rings um sie hallte wider von tierischem Leben. Sie fühlte sich gut. Sie spürte Wärme in ihrem Bauch, Vertrauen. Es war eigenartig.

In ihrer Brust, dort, wo sonst die Angst saß, war etwas wie ein großes... Nichts... Eine Leere. Und in ihrem Kopf war tiefe Stille und ließ den vorbeiziehenden Eindrücken Platz...

Sie hatte nicht die geringste Ahnung, was in den nächsten Stunden geschehen würde. Doch sie fühlte sich gut. Ehe sie dem Brujo begegnet war, trug sie eine Vielzahl von Vermutungen hinsichtlich ihrer Berufung im Leben im Kopf. Jetzt füllte sie mit ihrer Phantasie die leeren Stellen aus, die Diegos Schweigen hinterlassen hatte. Gegenwärtig waren ihre Gedanken nicht mehr als ein weißer Schirm. Sie war ein unbeschriebenes Blatt und frei verfügbar.

Als habe die Realität – das, was sie allmählich von Diego zu ahnen begann, ihre Begegnung mit dem Brujo, ihre neuen Gefühle –, als habe all das sie so sehr überrascht, ihre kühnsten Erwartungen derart übertroffen, dass jegliche Phantasie in ihr erloschen war!

Sie hatte keine Fragen mehr.

Sie war ganz einfach da.

Der Shapono erwachte. Worte waren zu hören, schrill, hart, in raschem Fluss, und das Weinen von Babys... Frauen brachten Wasser.

Diego kam zu ihr.

»Jetzt beginnt die wahre Mary durchzuscheinen, nicht wahr?«

»Ich weiß nicht«, antwortete die junge Frau. »Ich wollte immer... etwas finden... Mich selbst... Und seit zwei Tagen habe ich das Gefühl, alles zu verlieren... Und das ist so angenehm!«

Diego nahm ihre Hand.

»Wissen Sie, dass wir in Venezuela sind?«

»Wir haben die Grenze überschritten?«

»Die Yanomami leben auf einem Gebiet, das sich zu beiden Seiten der Grenze erstreckt. In Brasilien würde eine derartige Versammlung von Indianern der Aufmerksamkeit der Armee nicht entgehen. Sie errichten ein flächendeckendes Netz von Kontrollstellen auf den Yanomami-Territorien. Sie haben Angst vor konzertierten Aktionen gegen die Minenbesitzer. Die Venezolaner sind toleranter. Im Augenblick...«

»Weshalb diese Versammlung? Das ist sehr ungewöhnlich, oder?«

»Außergewöhnlich. Keine Überlieferung erwähnt etwas Vergleichbares. Das bedeutet, dass die Umstände außergewöhnlich sind...«

Diego hielt kurz inne.

»Und der Brujo ist ein außergewöhnlicher Mann.«

»Zu welchem Stamm gehört er?«

»Zu keinem.«

»Wie ist das möglich? Sagen die Yanomami nicht: ›Einsamer Mann, toter Mann‹?«

»Vor fünfzehn Jahren«, erzählte Diego, »habe ich bei einer Reise von einem Stamm zum anderen allein im Wald kampiert. Es war nachts, ich hatte Feuer gemacht. Ich suchte in meiner Tasche nach einem Messer. Als ich den Kopf hob, saß er mir gegenüber! Der Brujo ohne Namen... Ich dachte, mir bleibt das Herz stehen... Er lachte sich kaputt! Ein richtiger Yanomami! Ich bin mit ihm gegangen. Bei unserer Ankunft verneigte sich der örtliche Schamane vor ihm, und ich kann Ihnen sagen, für einen Yanomami heißt es schon etwas, sich vor jemandem zu verneigen! Dieser Mann gehört zu keinem Stamm, doch er wird von allen gefürchtet und verehrt...«

Diego schwieg. Mary zündete ein Feuer an und setzte Wasser auf. Der Morgenkaffee war das letzte Ritual, das sie mit ihrem früheren Leben verband.

»In allen Kulturen«, fuhr Diego fort, »kann ein Mensch auftauchen, der Grenzen überschreitet. Ein außergewöhnlicher Mensch, der auf ein außergewöhnliches Erfordernis reagiert... Welches? Das lässt sich momentan schwer sagen...«

Diegos Blick wurde plötzlich tiefgründiger. »Die Welt ist im Wandel begriffen«, murmelte er. »Und ich habe das Gefühl, wir alle sind Teil eines Drehbuchs, das weit über uns hinausgeht...«

»Und warum gerade ich?«, fragte Mary.

»Eines Abends, da kannten wir uns bereits mehrere Jahre, sagte der Brujo zu mir: ›Bald werden Sie eine junge Frau treffen; Sie werden sie erkennen; Sie müssen sie zu mir bringen...‹ Zwei Monate später kehrte ich nach Frankreich zurück, und wir sind uns begegnet. Ich wusste, dass Sie es waren.«

Diego schwieg einige Sekunden. Er wirkte nachdenklich.

»Große Umwälzungen sind im Gange«, sprach er weiter. »Wir müssen bereit sein, jeder an seinem Platz. Der Brujo möchte Ihnen sagen, was er weiß... Er wird Sie die Hekuras sehen lassen, die Erdgeister...«

Mary sah ihren Gefährten an. Er schien eine Tür in sich geöffnet zu haben und nichts mehr vor ihr verbergen zu wollen, ganz egal, was es auch sei.

»Warum«, fragte sie ihn, »haben Sie mir nicht schon früher davon erzählt?«

»Sie mussten zuerst lernen, ja zu sagen.«

Der Zeitpunkt war gekommen. Diego brachte Mary zur Hütte des Brujo. »Ich werde da sein und einige Vorbereitungen treffen«, erklärte er ihr. »Dann lasse ich Sie alleine.«

Mary lächelte ihm zu. Sie hatte Angst, doch nur an der Oberfläche. Tiefer in ihr war Vertrauen. Was auch immer geschehen mag, dachte sie, ich bin bereit.

Der Brujo saß mit dem Rücken an den Pfeiler gelehnt, der seine Behausung von oben nach unten durchzog. Er war vollkommen nackt; sein Geschlecht war mit einer dünnen Schnur hochgebunden, die er an seiner Vorhaut befestigt und um die Taille geknotet hatte. Neben ihm lag ein langes Bambusblasrohr, und auch eine Schale mit einem Pulver, dem Yopo, stand da.

Mary kannte das Ritual. Zumindest theoretisch. Es war ein halluzinogenes Pulver, das dem Schamanen dazu diente, Kontakt mit den toten Seelen und den Naturgeistern aufzunehmen. Er konnte so in gewissem Ausmaß Einfluss auf den Verlauf der Ereignisse nehmen: Krankheiten heilen, Regen kommen lassen, eine Seele an einen günstigen Aufenthaltsort leiten … Der Schamane war Priester, Arzt, Wissenschaftler und Psychologe in einer Person. Ein solcher Glaube mochte dem abendländischen Denken merkwürdig anmuten. Doch ein Ethnologe ging nach dem methodologischen Prinzip vor, die Weltanschauung einer bestimmten menschlichen Gemeinschaft nicht nach den Maßstäben anderer Gemeinschaften zu beurteilen. Der westliche Rationalismus stellte eine Sicht der Welt dar und galt den Menschen des Westens als wahr. Wie der Schamanismus für die Yanomami wahr war. Die Wahrheit des Schamanismus von einem wissenschaftlichen Standpunkt aus zu leugnen war ebenso lächerlich wie das Leugnen der Wahrheit wissenschaftlicher Entdeckungen von einem schamanischen Standpunkt aus.

Wahrheit bedeutet Fruchtbarkeit, dachte Mary.

Seit einigen Tagen, die ihr wie Jahre vorkamen, ließ sie sich von dieser unbekannten Welt befruchten. Vom Regenwald … Und nun spürte sie in sich den Wunsch, sich vom uralten Wissen der Yanomami befruchten zu lassen.

Sie hatte sich gegenüber dem Brujo hingesetzt. Dieser sah sie an. Diego zerstieß das Pulver in der Schale, damit es feiner wurde. Der Brujo sagte etwas, und Diego übersetzte: »Sie müssen nackt sein.«

Mary zog ihr T-Shirt aus, danach ihre Shorts, hatte nur noch ihre Unterwäsche an. Musste sie selbst die noch ausziehen? Sie zögerte ein paar Augenblicke. Sie war verlegen. Der alte Indianer sah sie immer noch an. In seinem Blick lag eine Unschuld, die noch tiefer war als die eines Kindes, und der jungen Frau kam ihre Scham plötzlich unangebracht vor. Die Unreinheit lag nur in ihr selbst! Nacktheit bedeutete, ja zu sagen, bedeutete, nichts zu verbergen. Sie war gekommen, um etwas zu lernen. Wie kann man lernen, wenn man nicht nackt ist?, dachte sie... Sie zog sich aus.

Diego war mit dem Zerstoßen des Yopo fertig. Er hatte das Blasrohr genommen und gab etwas Pulver in eine der Öffnungen. Der Brujo griff nach dem anderen Ende und führte es in eines seiner Nasenlöcher ein. Diego blies in das lange Bambusrohr, und das Pulver schoss in die Nase des Brujo. Dieser verzog das Gesicht. Diego blies erneut, dann wieder. Sechsmal.

Darauf füllte er neues Pulver in das Blasrohr. Diesmal hielt er es Mary hin. Wie sie es gesehen hatte, führte die junge Frau das eine Ende in ihr linkes Nasenloch ein. Ihr war ein wenig mulmig zumute. Der Brujo, der doch daran gewöhnt sein musste, hatte nicht gerade den Eindruck vermittelt, als gehe die Prozedur schmerzlos ab...

Diego blies.

Ein Brennen machte sich in Marys Nasennebenhöhlen breit und stieg weiter hoch zu ihren Augen, die sich mit Tränen füllten. Sie merkte, wie sie ihrerseits das Gesicht verzog. Es war ein Schock, wie brennende Erde, die ihre Nase erfüllte, sich mit den Absonderungen ihrer Schleimhäute mischte und einen immer zäheren Kleister bildete, der das Innere ihres Kopfs verstopfte, von der Kehle bis zu den Augen... Allmählich ließ das Brennen nach und machte einem Gefühl des Erstickens Platz, dann Übelkeit...

Diego füllte das Blasrohr und blies ein zweites Mal.

Mary glaubte, das Bewusstsein zu verlieren. Sie spürte ein Brennen von der Kehle bis zur Scheitelspitze; ihr Gehirn schien von brodelndem Magma durchflutet. Sie hatte Angst zu sterben.

Würde Diego ein drittes Mal damit anfangen?

Doch Diego war nicht mehr da. Er war verschwunden, ohne dass sie es gemerkt hatte. Mary war allein mit dem Brujo. Das

Brennen ließ nach. Doch das Atmen fiel ihr immer schwerer. Sie betrachtete ihr Gegenüber.

Der Brujo hockte mit angewinkelten Knien auf seinen Gesäßbacken, die Ellenbogen auf den Knien, die ausgestreckten Arme mit den Handflächen nach oben. Er hatte das Kinn vorgeschoben und die Brust herausgestreckt und wirkte, als sei er bereit, ein Geschenk von hoch oben zu empfangen.

Mary nahm die gleiche Stellung ein wie er. Zäher brauner Schleim begann ihr aus den Nasenlöchern zu tropfen und in den Rachen zu laufen. Sie fragte sich, ob sie ausspucken oder sich schneuzen konnte. Ihr war heiß.

Der Brujo spuckte aus. Erleichtert folgte sie seinem Beispiel.

Die Augen des Brujo hatten sich nicht bewegt, doch sein Blick war anders geworden. Es war, als habe er keinen Blick mehr. Seine Augen schienen leer. Als warte er auf etwas, das aus allen Richtungen gleichzeitig kommen würde, oder aus seinem eigenen Inneren.

Mary verspürte keine Übelkeit mehr. Ihr Körper wurde langsam leicht, und es war, als weite sich allmählich der Raum ... Mit ihm wurde auch der Brujo größer. Dabei bin ich es doch, die kleiner wird, dachte sie.

Bald hatte sie das Gefühl, nur noch ein winziger Punkt zu sein. Sie hatte Angst.

Würde sie verschwinden?

Der Brujo war ein Riese und starrte sie mit einem sardonischen Funkeln in den Augen an. Er überragte sie und schien zu sagen: »Du gehörst mir.« Sein Körper leuchtete rot, als glühe er von den Flammen der Hölle. Mary öffnete den Mund, um zu schreien. Doch sie hatte keinen Mund mehr.

Die junge Frau spürte, dass jemand neben ihr stand. Sie drehte den Kopf: Es war ihre Mutter.

Mama, was tust du hier? Du bist gestorben ... vor zehn Jahren. Du bist tot, Mama ...

Du hast dich verkauft, sagte ihre Mutter. Du hast dich ihm hingegeben. Tochter des Teufels.

Der Brujo kam zu ihr und hüllte Mary in seinen Schatten. Sein Geschlecht war riesig und erigiert, es reichte ihm bis zur Brust und sah aus wie eine Keule. Als Mary zu ihm aufblickte, sah sie, dass sein Gesicht von einer Grimasse der Wollust verzerrt war.

Es war das Gesicht ihres Vaters.

Du weißt, wie schön du bist, sagte ihr Vater.

Mary wollte um sich schlagen. Doch ihre Muskeln steckten fest, wie in zähem Leim.

Papa, lass mich, wollte sie schreien.

Kein Ton drang über ihre Lippen.

Dann war kein Laut mehr zu hören. Sie war wieder allein. Es herrschte Stille wie am Grund des Ozeans.

Ein Auto drehte sich am Himmel. Das Auto ihrer Eltern. Ihr Unfall vor zehn Jahren. Das Auto drehte sich langsam. Ihr Vater und ihre Mutter waren darin und lebten noch. Die Zeit verging unendlich langsam. Beide waren bei klarem Verstand. Bei glasklarem Verstand. Sie wussten, dass sie gleich sterben würden. Und sie hassten sich. Ihre Eltern waren im Hass aufeinander gestorben.

Mary merkte, dass sie weinte. Sie warf einen Blick auf den Brujo. Er saß ihr gegenüber in derselben Stellung, die er zu Beginn eingenommen hatte. Und Mary begriff, dass er sich keine Sekunde von der Stelle bewegt hatte.

Es waren ihre eigenen Gespenster, die sie heimsuchten.

Sie wusste nicht mehr, ob sie träumte oder wach war.

Der Blick des Brujo war unermesslich weit, als umfasse er die ganze Erde. Um ihn herum zeichnete sich ein Schimmer ab, wie durch Schleier gefiltert. Dann zogen sich die Schleier einer nach dem anderen zurück.

Und Mary sah das Licht.

Es war wie grenzenlose Zärtlichkeit und beißende Ironie zugleich. Eine vollkommene Liebe, die Mary ins Herz traf... und kein Erbarmen mit ihren Masken kannte.

»Man muss alles zulassen«, sagte der Brujo.

Mary fuhr zusammen. Sie hatte verstanden!

»Folge mir«, fuhr er fort. »Wir gehen auf eine Reise.«

Der Brujo sprach Yanomami, doch Mary verstand ihn, als sei es ihre Muttersprache. Oder besser, als sei es keine Sprache, sondern die Seele dieses Mannes, die zu der ihren sprach.

Der Brujo ohne Namen strahlte immer noch jenen Lichtschimmer aus. Doch das Licht schien sich unmerklich zu bewegen, während sein Körper reglos blieb. Bald befand sich das Licht leicht links vom Körper des Mannes, der immer noch in derselben Stellung dasaß. Und das Licht begann nach oben zu steigen.

Da wurde Mary bewusst, dass sie den Raum in seiner Ganzheit wahrnahm, wie in einer Panoramavision. Von vorne, seitlich, von hinten...

Und unter sich sah Mary ... ihren eigenen Körper, wie er dasaß, die Augen geschlossen, mit nach oben gekehrten Handflächen!

Sie hatte ihren Körper verlassen!

Ungeheure Panik überwältigte ihr gesamtes Wesen. Ich will nicht sterben, ich will nicht sterben, zu Hilfe!

»Lass deine Ängste hinter dir!«

Der Satz fuhr wie ein Säbel auf sie nieder, und Mary fühlte sich durchbohrt. Die Stimme des Brujo, die aus Schweigen bestand, vibrierte tief in ihr.

Es gab keine Ängste mehr.

Mary fühlte sich geliebt, so tief bis in ihr Inneres, dass die Angst sie nicht erreichte.

»Komm«, sagte der Brujo.

Das Licht stieg den Mittelpfeiler hoch und drang durch ein Loch in den trockenen Palmenzweigen. Mary verspürte den Wunsch, ihm zu folgen. Sogleich stieg auch sie in die Höhe und fand sich in der Morgenluft wieder.

Sie flog!

Unter ihr lebten die Indianer ihr Leben und bemerkten sie überhaupt nicht. Ein paar Männer schwankten zwanzig Meter über dem Boden an langen, dünnen Ästen, die senkrecht in der Erde steckten, und verstärkten das Dach. Frauen, einige mit Kleinkindern auf dem Arm, machten sich daran, die Erde zu bestellen.

Doch die meisten Indianer hockten auf dem Boden oder lagen in ihren Hängematten und taten schlicht gar nichts oder unterhielten sich: Gespräche, Plänkeleien, Wortgefechte ... Mary schien es, als unterliege ihre Aufmerksamkeit keinerlei Beschränkungen mehr, und ihr entging kein Wörtchen von dem, was überall im Shapono gesprochen wurde, und auch nichts von dem überbordenden, fröhlichen Versammlungstreiben der Yanomami.

Dann sah sie Diego. Er saß abseits und trank langsam seinen Kaffee, während er den Geräuschen des beginnenden Tages lauschte. Er war ruhig; kein Gedanke kräuselte die Oberfläche seines Bewusstseins. Er lauschte einfach, und Mary spürte tiefen Frieden.

Da merkte sie, dass sie in Diegos Seele las. Diego hob den Kopf und lächelte mit unbestimmtem Blick in ihre Richtung.

»Wir dürfen uns nicht verspäten«, sagte der Brujo streng. »Wir müssen auf eine Reise gehen.«

Das Licht, das gegenwärtig die Form eines menschlichen Körpers hatte, stieg höher, Richtung Norden.

Mary folgte ihm.

Mary kam langsam wieder zu Bewusstsein. Fürchterliche Übelkeit holte sie in die Realität zurück. Unbestimmte, seltsame Formen, die sich in der dunklen Hütte des Brujo abzeichneten ... der Boden, auf dem sie lag ... und diese Kopfschmerzen ...

Sie stützte sich auf und übergab sich auf die feuchte Erde; sie spuckte eine Mischung aus Speichel, Galle und einer erdigen Substanz, die von dem Yopo herrühren musste, das sie eingesogen hatte ...

Der Brujo saß an den Mittelpfeiler der Hütte gelehnt und beobachtete sie ruhig. Dann kam Diego herein.

Er trat zu ihr, ohne etwas zu sagen, und legte ihr die Hand auf die Stirn. »Wie fühlen Sie sich?«

Mary wollte antworten, doch es gelang ihr nicht. Die Dunkelheit zerstreute sich langsam, doch die junge Frau wusste nicht, ob das wirklich oder nur in ihrem Kopf so war. Ein Sonnenstrahl drang durch einen Spalt in der Wand. Es war wie bei Tagesanbruch. Mary war verwirrt.

»Wie spät ist es?«, flüsterte sie schwach.

»Halb acht Uhr morgens«, antwortete Diego.

Halb acht Uhr morgens?

Hatte das Yopo-Ritual nicht um sieben begonnen? Waren erst dreißig Minuten vergangen? Was sie erlebt hatte, schien ihr eine Ewigkeit gedauert zu haben.

»Sie sind seit vierundzwanzig Stunden in dieser Hütte«, sagte Diego sanft.

Mary gelang es endlich, sich aufzusetzen. Ihr war schwindlig. Sie hatte das Gefühl, nach einem nicht enden wollenden Traum mit einem schrecklichen Kater aufgewacht zu sein ... Ein Traum, an den sie sich mit verblüffender Deutlichkeit in allen Einzelheiten erinnerte. Ein Traum, der realer war als die Wirklichkeit. Ein furchterregender Traum.

»Diego«, sagte Mary, »wir müssen weg von hier. Wir müssen zurück.«

Diego hockte sich zu ihr und nahm ihre Hand.

»Ich habe die Tage des Zorns gesehen«, sagte Mary. »Schreckliche Geschehnisse sind im Gange. Ich muss berichten, was ich gesehen habe.«

»Zuerst schlafen Sie jetzt ein bisschen«, sagte Diego. »Dann brechen wir auf.«

28

Malibu, Los Angeles

Was ist denn da los?«, schrie die dicke Deutsche. »Seit einer halben Stunde sollten wir wieder im Hafen sein, aber wir kommen nicht vorwärts!«

Ed stand leicht verstört am Ruder. Er schüttelte den Kopf. Jetzt ging er seit zwölf Jahren diesem Beruf nach, doch so etwas hatte er noch nie erlebt. Tatsächlich, das Schiff kam nicht vorwärts. Dabei war es nicht schwerer beladen als sonst, nur das übliche Dutzend Touristen, das Ed Williams viermal am Tag an der Bucht entlangschipperte, von Malibu nach Santa Monica, und zurück über das offene Meer… Der Motor lief auf vollen Touren mit Kurs auf die Küste, die in fünf oder sechs Meilen Entfernung zu sehen war… Aber es schien nicht so, als würde die Küste näher kommen. Schlimmer noch: Man hatte den Eindruck, sie entfernte sich! Zudem bot sie aus der Ferne einen ungewohnten Anblick; man hätte meinen können, der Streifen Sandstrand sei breiter geworden…

»Das verstehe ich nicht«, sagte er. »Da muss eine Strömung sein…« Er kannte die Örtlichkeit wie seine Westentasche und hatte noch nie von einer Strömung gehört, die es geschafft hätte, ein Schiff gegen die Antriebskraft des Motors hinaus aufs offene Meer zu ziehen! Und dennoch… man musste sich den Tatsachen beugen: Der Ozean trieb den *Stern von Malibu* in die offene See hinaus…

Plötzlich brachte eine starke Erschütterung den Schiffsboden zum Erbeben, und das Schiff wurde nach vorne geschleudert. Schreie ertönten.

»Beruhigen Sie sich! Es ist alles in Ordnung«, hörte er sich rufen.

»Sind wir auf etwas aufgelaufen?«, fragte der Anwalt aus Seattle.

»Nein, es muss ein kleines unterseeisches Beben gegeben haben, das ist alles... Wir haben die Schockwelle gespürt.«

»Mein Gott«, jammerte die Deutsche.

»Das ist nicht schlimm... Das haben wir hier häufig.«

Die Deutsche schien nur halb überzeugt, doch sie rückte mit ihrer ausladenden Figur ganz nach hinten auf den Sitz und sagte nichts mehr. Gut gemacht! Er hatte die erstbeste Erklärung abgegeben, die ihm eingefallen war. Das hätte gerade noch gefehlt, dass sie einen Nervenzusammenbruch bekam... Ed fühlte sich etwas besser. Das Schiff hielt wieder auf die Küste zu.

Allerdings ein ganz klein wenig schneller als sonst...

Alana ging über den Strand auf das lauwarme Wasser zu und rollte ihren Bikinislip an den Seiten hoch, bis nur noch ein Minimum an Stoff zu sehen war. Sie wollte keine weißen Streifen, und auch der Gedanke, Warren möglichst viel Haut zu zeigen, gefiel ihr, vor allem angesichts der Tatsache, dass sie schon ziemlich braun und nicht mehr sehr weit von ihrem Idealgewicht entfernt war, hundertfünfzig Gramm ungefähr... Als Warren die Schlüssel von seinem Mercedes SL dem Parkwächter des Strandclubs zuwarf, wäre sie am liebsten zu dem Eiswagen gegangen. Dort gab es Häagen-Dazs-Eiscreme. Die mit Bitterschokoladengeschmack und Schokostückchen drin... Doch sie war standhaft geblieben. Ich komme gleich nach, hatte sie zu Warren gesagt und war dann in den Toilettenraum verschwunden, wo sie sich etwas Koks reinzog. Koks war wirklich super, denn jetzt fühlte sie sich topfit und hatte das Eis vollkommen vergessen, und noch dazu half es ihr beim Abnehmen! Natürlich hatte sie nicht zu viel genommen, denn davon konnte man Nasenbluten bekommen, was ziemlich ekelhaft war. Aber Warren hatte ja für alle Fälle noch LSD.

Warren war zwanzig, muskulös, ultrablond gebleicht und ultrabraun gebrannt, und er hatte ultraweiße, regelmäßige Zähne... Er sah viel zu gut aus, Warren, viel zu gut, sagte sich Alana.

Er schlief mit Kim, doch zwischen den beiden schien es aus zu sein. Oder fast aus ... Jedenfalls bin ich ihm offensichtlich aufgefallen ... Und auch seinem Kumpel Andy, dem es anscheinend mein Hintern angetan hat ... Auch nicht schlecht, sein Kumpel, zwar eher der Latino-Typ, o. k., aber sein Vater hat mit Containern oder so was Ähnlichem ein Vermögen gemacht, und er fährt einen BMW Z3 2,8, einen schnuckeligen nachtblauen kleinen Roadster ...

Alana beobachtete die beiden Jungen aus dem Augenwinkel, während sie zu schwimmen begann. Nicht zu weit hinaus, damit sie in ihrem Blickfeld blieb ... Aber auch nicht zu nahe am Strand, damit sie nicht glaubten, sie hätten sie schon in der Tasche ... so etwas dämpft. Im Übrigen kraulten sie bereits auf sie zu. Sie musste sie nicht mehr beobachten ... Die Nachmittagssonne knallte noch hart aufs Wasser, das beinahe zu warm war und wie Öl am Körper entlangglitt. Eigentlich war das gar nicht unangenehm, doch Alana hatte Lust auf Sex, und zwar auf der Stelle, denn durch das Koks spürte sie jede Parzelle ihres Körpers. Plötzlich merkte sie, wie ihr eine Hand über den Bauch strich und wie Andy mit einem Mal neben ihr auftauchte und sie an sich presste. Alana tat ein wenig so, als würde sie sich wehren, ohne jedoch zu übertreiben. Sie hatte das Gefühl, ihr Bauch würde vibrieren, wie es bei einem kleinen Erdbeben immer der Fall war. Wo ist Warren?, fragte sie sich. Zwei Hände streichelten ihren Hintern, sie spürte Andys Erektion an ihrem Bauch, und dann griff eine dritte Hand von hinten nach einer ihrer Brüste, und da wusste sie, wo Warren war. Ganz schön dreist, dachte sie. Sie hatte ihnen schließlich gesagt, dass sie noch minderjährig war ... Eine vierte Hand erschien vor ihrem Gesicht; die Handfläche war offen. Darauf lag LSD. Einfach cool, dieser Warren! Er hatte immer einen Vorrat davon in dem kleinen Amulett, das an seinem Hals hing ... Sie schnüffelte es ein.

Alana stand bis zu den Schultern im Wasser, in jeder Hand ein erigiertes Glied, und ließ sich streicheln. Das LSD entfaltete langsam seine Wirkung. Es war guter Stoff.

Sehr guter Stoff. Die Abfolge der Eindrücke und Worte in ihrem Kopf, der zu wachsen und sich zu öffnen und den ganzen Weltraum aufzunehmen schien, war nicht mehr sehr klar, doch Alana wusste, dass sie auf einem grandiosen Trip war. Andy war für ein paar Sekunden in sie eingedrungen, doch da einigen Typen am Rand des Wassers beinahe die Augen aus dem Kopf gefallen wären, war der Strandwächter aufmerksam geworden, und Andy hatte unvermittelt aufgehört, und die beiden Jungen hatten sich zurückgezogen. Im Moment streichelten sich alle drei gegenseitig unter Wasser, und Alana hielt es fast nicht mehr aus. Warrens Augen waren in ihre versenkt, wunderschöne Augen, wie das verwaschene Blau eines Schwimmbeckens um elf Uhr morgens, groß und leer, und sie wurden immer größer, als wollten sie sie verschlingen und sie auflösen. Ihr schien, als habe ihr Körper keine Grenzen mehr, als schwebe er auf der Wasseroberfläche, von Tausenden durchsichtiger Hände getragen, die sie wie ein warmer Lufthauch überall streichelten.

Wow!

Vom Strand drangen Tausende von Stimmen zu Alana, die ihren Namen zu raunen schienen. Alles wurde heller. Möwen sprachen zu ihr, doch sie verstand nicht genau, was sie sagten; es war von einer Reise die Rede, von Sternen und einer Louis-Vuitton-Tasche ... Ein Indianer auf einem Pferd, der nur mit einem Lendenschurz bekleidet war, ritt an ihr vorbei und streifte sie, gefolgt von einem zweiten. Ein Vogel hing neben einer Wolke am Himmel, als sei die Zeit dort oben stehen geblieben.

Das Meer war rot.

Alana bekam ein wenig Angst, und eine alte Frau, die aussah wie ihre Mutter, jedoch Falten hatte, als habe sie sich nie liften lassen, begann ihr vom Tod zu erzählen ...

Es war kalt. Alana fühlte sich furchtbar allein.

Die beiden Jungen hatten aufgehört, sie zu streicheln, und blickten mit sonderbarem Gesichtsausdruck aufs offene Meer hinaus. Da bemerkte sie, dass ihr das Wasser nur noch bis zu den Knöcheln reichte, und sie fragte sich, wann sie eigentlich wieder

Richtung Ufer zurückgekehrt waren... Doch das Dach der Umkleidekabine am Strand war noch genauso weit weg wie vorher, und das Gefühl des Wassers um ihre Knöchel erinnerte an das Gefühl einer leer werdenden Badewanne.

»Um Himmels willen«, sagte Warren.

»Was ist los?«, fragte sie.

Zu ihren Füßen sah sie plötzlich einen kleinen, silbrig glänzenden Fisch im Sand zappeln. Sie wollte ihn aufheben, doch er glitt ihr aus den Händen. Es waren noch viele andere Fische da, und das Meer verschwand.

Das Meer zog sich zurück.

»Was ist das denn?«, fragte Andy.

Menschen liefen auf den Strand zu, und man hörte Schreie.

»Komm zurück, du darfst da nicht bleiben... Alana, komm zurück!« Es ist mir egal, dachte sie und ging weiter. Sie hob einen weiteren kleinen, silbrig glänzenden Fisch auf, dann noch einen. Da war auch ein Helikopter, aus dem eine laute Stimme ertönte, deren Anweisungen sie nicht verstand, und Sirenengeheul, das ihren Kopf durchbohrte. Es ist mir egal. Sie bückte sich, um einen größeren, dunkleren Fisch aufzuheben, der sich kaum mehr bewegte. Drei der kleinen Fische in ihren Armen bewegten sich bereits gar nicht mehr, und Alana begann zu laufen. Sie musste das Meer erreichen, ehe sie alle starben. Sie hob wieder einen auf. Sie musste ihnen das Leben retten. Es war so ungerecht, keines der Fischlein hatte je irgendjemandem etwas Böses getan... Doch das Meer zog sich viel zu schnell zurück. Warum verschwindet das Meer? Alana lief über den nassen Sand, die untergehende Sonne schien ihr ins Gesicht und blendete sie, und ihr linker Fuß tat ihr plötzlich sehr weh. Sie stolperte und hielt inne, und alle Fische fielen herunter. Mist. Blut lief an ihrer Ferse herunter, sie musste auf eine Muschel getreten sein. Alana hörte Getöse, ein dumpfes Dröhnen, das immer stärker anschwoll...

Dann verschwand die Sonne. Vor ihr war eine blaue Wand, die rasch höher wurde. Es war das Meer, das zurückkam.

Alana sagte sich, dass zumindest ein paar ihrer Fische gerettet würden.

Vor ihr türmte sich, unbeweglich wie ein Berg, eine riesige Welle auf und bedeckte sie mit ihrem Schatten, der so hoch war wie ein zehnstöckiges Gebäude. Offenes Meer, so weit das Auge reichte. Wie schön, dachte sie und lächelte.

Robby hatte soeben sein drittes Ei an der Schüssel zerbrochen. Er konnte sich nicht erinnern, je einen solchen Kater gehabt zu haben. Dabei war Robby ein echter Veteran, was Räusche anging... Nicht, dass er Alkoholiker gewesen wäre, das nicht, er verabscheute Alkoholiker, hatte nichts mit diesen Wracks gemeinsam, die angeblich tranken, um zu vergessen, und hinterher nicht einmal mehr wussten, was sie eigentlich vergessen wollten, wie der alte Josh, der noch nicht mal fünfzig war, fünfundvierzig, um genau zu sein, und der stets so aussah wie jemand, der gerade beim Casting für *Die Nacht der lebenden Leichen* abgelehnt worden war, weil, wie man ihm sagte, seine Verwesung schon zu weit fortgeschritten sei...

Nein, Robby trank zusammen mit anderen. So wie diese Nacht mit einem Haufen Kumpel... Kontakte. Das war seine Spezialität, Kontakte. Früher hatte er Kundenkontaktpflege betrieben für einen großen Computerladen in Silicon Valley, der *Intellectual Robocop* hieß – oder nein, wie hieß er doch gleich wieder, der Laden? ... Nicht zu fassen, dachte er, es ist kaum zwei Monate her, dass sie mich gefeuert haben, und schon kann ich mich nicht mehr erinnern... Und da er gerade dabei war – warum hatten sie ihn eigentlich gefeuert? Es war ein guter Job, sechzigtausend Dollar im Jahr, dazu die Prämien, die er sich aus dem Lager aussuchen durfte... Ach ja, sie haben gesagt, ich würde zu viel trinken... Diese Idioten! Als könne man nur Wasser trinken, wenn man einen Job hat, wo man sich ständig mit Leuten treffen und Kontakte herstellen muss...

Robby ging in die Hocke, um aufzuwischen, was von seinem fünften Versuch, ein Ei an der Schüssel aufzuschlagen, übrig war, und hätte sich am liebsten übergeben. Doch da war nichts mehr, was er hätte von sich geben können. Gut, es stimmt, murmelte er, während er mühsam wieder aufstand, gegen Ende hin habe ich vielleicht ein bisschen übertrieben, aber das habe ich doch nur gemacht, um mehr Leistung zu bringen. Der Bourbon hat mir verdammt gut dabei geholfen, nicht mehr an Martha zu denken, denn wenn ich an Martha dachte, konnte ich nicht arbeiten, das hätten sie doch verstehen müssen, dass ich mich nur für ihren verdammten Laden besoffen habe, Mist!

Und wenn Martha ihn nicht verlassen hätte, wäre das alles nicht passiert… Robby verzichtete auf einen weiteren Versuch mit dem letzten Ei in seinem Vorratsschrank, schenkte sich einen kleinen Cognac ein und ging hinaus auf den Balkon.

Es klingt widersinnig, dachte er, aber jeder weiß, dass ein Gläschen Alkohol gut gegen Kater ist, das geht ein bisschen nach dem Prinzip der Homöopathie… Jedenfalls würde er Martha vergessen und wieder ins Gleis kommen… Im Übrigen half ihm der Cognac, Martha zu vergessen. Und auch das Leben in L.A.… Seit er dieses Zimmer hier in der Nähe von Malibu genommen hatte, lief es besser, viel besser, es gab Sonne, die Mädchen waren leicht zu haben; es genügte, mit einem grünen Schein zu winken… und Robby hatte ein paar Ersparnisse. Er würde wieder gesund werden, und dann würde er es ihnen allen zeigen. Er würde seinen eigenen Laden eröffnen und den Trotteln, die ihn gefeuert hatten, Konkurrenz machen; sie neigten in letzter Zeit dazu, sich zu sehr auf ihren Lorbeeren auszuruhen… Er würde sie an den Bettelstab bringen, jawohl, und dann würden sie vor ihm kriechen, vor ihm, dem großen Reiziger, der nach Schweiß, Zigarren und Geschwüren stank…

Robby atmete tief durch, trank sein Glas leer und blickte in Richtung Meer. Er konnte es nicht sehen, da es zu weit entfernt und von ein paar großen Häuserblocks verdeckt war. Das Ufer des Meers war für seine Augen unerreichbar… Doch er konnte es riechen, und das tat ihm gut. Und wenn er die Augen schloss, sah er es, das Meer, dann war es so, als sei es hier… Robby hatte bereits weniger Kopfschmerzen und fühlte, dass er wieder in die Gänge kam. Unverwüstlich, der alte Robby ...

Plötzlich war ein merkwürdiges Dröhnen zu hören, dumpf und gewaltig, und Schreie in der Ferne, als trüge eine eisige Windböe sie her. Robby öffnete die Augen.

Er sah das Meer. Es reichte bis zum Himmel. Deckte die Gebäude zu. Unter einer riesigen Welle ...

Die über ihm zusammenbrach.

Verdammt, ich höre auf mit dem Trinken, dachte er und schloss wieder die Augen.

Das Mädchen lief wie hypnotisiert über den gischtlosen Sand. Von der Sirene und den Lautsprecherdurchsagen alarmiert, ergriffen alle Leute am Strand die Flucht, doch Norman Prescot wusste, dass ihnen das nichts nützen würde. Denn vom Helikopter aus sah man, wie die Welle in der Ferne anschwoll. Gigantisch. Es war nur noch eine Sache von Sekunden, und alles würde kilometerweit ins Landesinnere mitgerissen werden.

Dann würde das Wasser zurückströmen, und das Meer würde die Beute verschlingen, die es dem Land entrissen hatte. Erster Akt, erste Welle. Es würde weitere geben ...

Norman schnürte es die Kehle zu. Das kleine Mädchen stand wie versteinert und sah die Riesenmasse Wasser auf sich zukommen. Dann wurde es darunter begraben, und Norman spürte, wie der Helikopter nach oben zog. Der Pilot war instinktiv höher gegangen, als die Flutwelle vorbeizog, und ihre höllisch schäumende Gischt schien fast bis ins Innere der Maschine zu spritzen ... Norman sah auf den Höhenmesser. Sechzig Meter ... Du liebe Güte! ... Eine Welle von mindestens vierzig Metern Höhe! Der Helikopter wendete scharf und hielt im Sturzflug auf die Küste zu. Norman unterdrückte einen Aufschrei. Es gab keine Küste mehr. So weit das Auge reichte, hatte das Meer alles überflutet und trieb mit einem ungeheuren Gurgeln Autos, Bäume, Lastwagen und Hausdächer vor sich her. Schemenhaft sah man in der Ferne im Dunst, der über der Stadt der Engel lag, ein paar

Wolkenkratzer aufragen, die bereits der Vergangenheit anzugehören schienen...

»Ladon?«, rief er ins Funkgerät. »Das ist ein Tsunami... lösen Sie öffentlichen Alarm aus... Das ist erst der Auftakt, ja... Es wird fürchterlich werden. In den nächsten Stunden...«

»Wir fliegen zurück«, schrie er dem Piloten zu. Er hatte genug gesehen.

Vor weniger als fünf Stunden war Norman Prescot in Fort Detrick dabei gewesen, um sich einen Überblick über die ungeheure Fülle an Daten zu verschaffen, für die man ihn für zuständig erklärt hatte... Überall in den Vereinigten Staaten bebte die Erde, immer öfter und immer stärker... Man musste herausfinden, warum.

Dann war Bosman mit seiner aufgesetzt ruhigen Miene erschienen, und kurz darauf saß Norman in Pilotenanzug, Helm und einer Maske auf der Nase in einem kleinen Jagdflugzeug, das ihn in Kalifornien absetzte, als wäre nichts geschehen. Dort war zwar das Wetter weitaus angenehmer als in Maryland, doch es bahnte sich aller Wahrscheinlichkeit nach die entsetzlichste Erdbebenkatastrophe an, deren je ein Mensch Zeuge geworden war... oder Opfer...

Das Schlimmste war, dass Norman sogar so etwas wie Trost empfand. Zumindest bewegte er sich hier auf vertrautem Terrain: Er begriff in etwa, was sich abspielte. Eine Erfahrung, die er schon lange nicht mehr gemacht hatte...

Denn es war normal, dass die Erde in Kalifornien bebte. Normal und nicht ungewöhnlich. Kalifornien wurde von dem berühmten Sankt-Andreas-Graben durchzogen, der die Pazifikplatte von der nordamerikanischen Platte trennte. Aufgrund der Reibung zwischen den beiden tektonischen Platten kam es häufig zu Erschütterungen, und man wusste, dass die Energie, die sich durch die Reibungskräfte aufstaute, wenn die Platten gegen bestimmte Stellen des Grabens stießen, eines Tages unweigerlich in Form einer fürchterlichen Erdkonvulsion freigesetzt würde... Das ganz große Beben...

Und nun war es wohl so weit.

Tatsächlich sollte es noch schlimmer kommen, als man es sich vorgestellt hatte. Die pazifische Platte war dabei, sich in einem spektakulären Ausmaß zu verschieben, das man nicht vorhergesehen hatte und dessen Ursachen man im Grunde nicht begriff. Immerhin handelte es sich um eine Gegend mit starker Erdbebenaktivität, und man wusste, dass man sich auf das Schlimmste gefasst machen musste …

Seit einem Monat hingegen sah sich Norman mit Phänomenen konfrontiert, die, wie es schien, nicht in den Rahmen des als gesichert geltenden Wissens passen wollten. Das gesamte Gebiet der Vereinigten Staaten wurde von unerklärlichen Erdstößen erschüttert. Die Erde bebte in Bereichen der Kontinentalkruste, die weit von den Rändern der Platten entfernt lagen. In normalerweise stabilen Bereichen … Natürlich waren die Bundesgremien höchst interessiert zu erfahren, was da vorging und weshalb … Und ob es noch schlimmer werden würde … Und wie man die Erschütterungen vorhersagen konnte, um in der Lage zu sein, die Gebiete, wenn möglich, zu evakuieren … und, falls das nicht möglich war, die Bevölkerung zu beruhigen, indem man Forscher aufbot, die ihr imposantes Wissen auf allen Fernsehkanälen verbreiteten …

Bosman schien dem Wortlaut der Ansprachen an die Bevölkerung mehr Bedeutung beizumessen als der wissenschaftlichen Wahrheit … Man hätte fast meinen können, er sähe es lieber, dass Leute aus bekannten Ursachen stürben, anstatt unerklärliche Ereignisse zu überleben.

Als solche würden die Erdstöße, die Kalifornien erschütterten, eine ungeheuere Zahl von Opfern fordern, wie sie beruhigender gar nicht sein konnte, und Bosman würde noch eine Weile ruhig schlafen können. »Sehen Sie sich an, was dort vor sich geht«, hatte er zu ihm gesagt, »und ob ein Zusammenhang mit den Problemen besteht, die uns hier beschäftigen. Und bringen Sie mir eine offizielle Ansprache mit, die dem Präsidenten gefällt.«

Nichts leichter als das:

»Sie haben es alle erwartet, meine Damen und Herren, und hier ist es, exklusiv für Sie ... vom göttlichen Blitzstrahl mit dem Auftrag betraut, das neue Babylon zu verschlingen! Hier ist es, das große Beben!«

Auf dem Luftwaffenstützpunkt, wo der Jet vor einigen Stunden gelandet war, wartete ein Helikopter auf Prescot, der diesen dann auf dem Dach des Zentrums für Notstandsmaßnahmen der Stadt Los Angeles abgesetzt hatte, einer Art Atomschutzbunker, der noch aus den guten alten Zeiten des Kalten Kriegs stammte, als man dachte, die Apokalypse breche vom Himmel aus über die Menschheit herein ...

Nun schien sie sich im Schoß der Erde anzukündigen.

Ein Wachposten mit sorgenvoller Miene hatte ihn zum Büro von Ken Ladon gebracht, der die Zentralstelle für Notfälle und Naturkatastrophen leitete und ihm die neuesten Vorfälle schilderte. Es gab ziemlich beunruhigende Parallelen.

Zwei Tage zuvor hatte ein erstes Erdbeben Los Angeles erschüttert – das heißt, ein erstes größeres Beben, denn in dem Gebiet verging kein Tag ohne Erdstöße ... Epizentrum: Inglewood, Stärke: 6,6.

Seit mehreren Tagen wurde überall in der Gegend das Austreten tödlicher Gase gemeldet, unter anderem im Inneren einer U-Bahn-Station der *Green Line* von Los Angeles, wo es zwanzig Tote gegeben hatte. Diese Vorkommnisse wiesen auf einen merklichen Temperaturanstieg unter der Erdkruste hin und ließen das Vorhandensein von Magmaströmen vermuten ...

Von einem Schiff der Navy, das vor der kalifornischen Küste auf offener See kreuzte, war eine erstaunliche Beobachtung gemeldet worden: Besatzungsmitglieder wollten einige Meilen von dem Punkt entfernt, an dem sich das Schiff befand, Flammen und Rauch gesehen haben – an der Wasseroberfläche! Als sie zu jener Stelle kamen, war das Phänomen verschwunden, und zwar so vollständig, dass es nicht einmal mehr die Spur eines Beweises gab, doch womöglich hatte es sich um Anzeichen höchst atypischer vulkanischer Tätigkeiten auf dem Meeresgrund gehandelt...

Zudem gab es verschiedene Anhaltspunkte dafür, dass wahrscheinlich ein Grabenbruch unmittelbar bevorstand: erhöhte mikroseismische Aktivitäten, Veränderungen der Wasserpegel in den Brunnen, elektromagnetische Störungen... Ladon war kaum mit seinen Ausführungen fertig, als ein Mann hektisch in sein Büro gestürzt kam. »Chef, es kommen Meldungen von einer ganz seltsamen Sache entlang der Küsten...« Ladon hatte sich an Norman gewandt: »Preston, Sie sind doch der Experte, oder? Dann schauen Sie sich die Sache gleich mal an!«

Der Helikopter setzte auf dem Dach des Bunkers auf. Ladon war schon da. »Und?«, fragte er Norman, während er ihm beim Aussteigen aus der Maschine half.

»Diesmal hatten Sie Recht. Höchste Alarmstufe.«

Ladon ging mit ihm zu einem Aufzug und drückte auf den Knopf für das vierte Untergeschoss. »Sind Sie sich dessen sicher?«

Norman merkte, wie seine Stimme einen Ton höher wurde: »Bei kurzfristigen Voraussagen ist nie etwas sicher! Ich weiß nicht, ob es in einer Stunde oder in zwei Monaten passieren wird, aber dieser Tsunami ist nicht von ungefähr gekommen, und ihm liegt kein Beben auf offener See zugrunde!«

»Was können Sie darüber sagen?«

»Zuerst hat sich das Wasser zurückgezogen, Ladon, und die Ursache dafür scheint eine beachtliche Verschiebung des Meeresbodens zu sein.«

»Was heißt das?«

»Ladon, unter Ihren Füßen schiebt sich die pazifische Platte unter die nordamerikanische Platte...«

»Ja, das weiß ich...«

Die beiden Männer verließen den Aufzug. Das Büro des Direktors lag am Ende des Flurs.

»Tja, die beiden Platten reiben aneinander, und dabei staut

sich Energie auf. Die Bewegung der pazifischen Platte scheint sich plötzlich beschleunigt zu haben.«

Ladon trat zur Seite, damit Norman in sein Büro treten konnte. »Setzen Sie sich, Prescot. Also?«

»Wenn wir nicht einen Notstandsplan für Ausnahmesituationen auf die Beine stellen, wird es Zehntausende von Toten geben.«

Ladon zündete sich eine Zigarette an.

»Prescot, ich habe hier Seismologen, die für die Stadt arbeiten. Sie haben nichts kommen sehen, aber ihre Beurteilung der Situation untermauert die Ihre. Ich weiß nicht, weshalb das Pentagon Sie hergeschickt hat, aber ich möchte Ihnen noch eine Frage stellen: Wenn man vom Schlimmsten ausgeht, wie viel Zeit habe ich dann noch?«

»Ein paar Stunden.«

Norman war übel. Der Pilot hatte ihm zwar versichert, er würde seine Brems- und Beschleunigungsmanöver auf ein Minimum beschränken, doch die rasante Temposteigerung beim Start hatte Normans Organismus ziemlich mitgenommen. Das war nichts mehr für einen Mann seines Alters ... Er saß angegurtet und mit einer Sauerstoffmaske auf dem Gesicht in seinem Schleudersitz hinter dem Piloten und sah nicht einmal mehr auf die Landschaft ... Er musste noch eine Stunde durchhalten ...

Los Angeles schien ihm bereits unwirklich und ganz weit weg.

Ladon war dabei, Anweisungen zu erteilen. Die Rettungsdienste bereiteten sich vor. Kernkraftwerke und chemische Fabriken hatten vermutlich bereits jegliche Aktivität eingestellt. Sämtliche Straßen wurden an allen riskanten Stellen gesperrt. Züge verkehrten nicht mehr. Auf allen Rundfunkkanälen mussten dieselben Anweisungen verlesen werden: dass man zu Hause bleiben oder möglichst dorthin zurückkehren oder an seinem Arbeitsplatz bleiben, sich jedoch jederzeit bereithalten solle, beim ersten Erdstoß das Gebäude zu verlassen. Überall mussten provisorische Übernachtungsunterkünfte errichtet werden ... Doch alle diese

Bilder schienen Norman aus einem schlechten Traum zu stammen, oder aus einer gigantischen Hollywoodproduktion, einem dieser Katastrophenfilme, die er sich nie ansah.

Die Wirklichkeit, das war dieser Brechreiz ...

Und die Aussicht, schnellstens seinen Bericht für Bosman schreiben zu müssen.

29

University City, Philadelphia

Der Himmel draußen war schwer und die Luft drückend. Es war dunkel, als würde die Nacht hereinbrechen. Doch es war erst fünf Uhr nachmittags, und Linda saß allein in ihrem Zimmer und hatte die Bibel bei der Johannes-Apokalypse aufgeschlagen. Nur der bläuliche Lichtschein des Fernsehers fiel auf das Buch, doch Linda blickte nicht einmal auf die Seite. Sie kannte den Text auswendig:

»›Und ihnen wurde die Macht gegeben über ein Viertel der Erde‹«, rezitierte sie leise, »›Macht, zu töten durch Schwert, Hunger, Tod und durch die Tiere der Erde ...‹«

Einen Augenblick lang sah sie Amys Bild vor sich. Amy, mit schreckverzerrten Augen und einer offenen roten Wunde an der Kehle ... Sie hatte die Tote nicht gesehen ... Und das tat ihr Leid ... Sie hätte ihr einfach Lebewohl sagen mögen ...

»›Der Himmel verschwand wie eine Buchrolle, die man zusammenrollt, und alle Berge und Inseln wurden von ihrer Stelle weggerückt ...‹«

Linda lachte müde auf. Über den Fernsehschirm liefen seit dem Vortag immer dieselben apokalyptischen Bilder. Die dritte und stärkste Flutwelle über L.A., die alle Kanäle im Land live gesendet hatten; Tausende von Menschen waren live gestorben, und Linda versuchte den Himmel über dem schäumenden Wasser mit ihrem Blick zu durchdringen in der Hoffnung, die Seelen der Ertrunkenen zum Licht aufsteigen zu sehen ... Doch Seelen haben anscheinend nicht mehr die Kraft, einen Film zu belichten ...

»›Alle Berge und Inseln wurden von ihrer Stelle weggerückt ...‹«

Dann Szenen vom großen Erdbeben, von Kameraleuten in

Helikoptern aus jedem Blickwinkel gefilmt. Seit dem Vortag strahlte CNN alle halbe Stunde neue Bilder aus. Sie hatten alles gefilmt: Gebäude, die vibrierten, schwankten und dann zu Staub zerfielen; Feuersbrünste, die überall ausbrachen; Autos, Lastwagen und Menschen, die an den sich bildenden Verwerfungen entlangrutschten und von den tiefen Spalten verschlungen wurden, die sich im Boden auftaten ...

Züge waren entgleist, und als die Erde zum ersten Mal bebte, waren Dutzende von Fahrgästen unter die Räder der U-Bahnen gestürzt. Chemische Fabriken standen in Flammen und erzeugten Wolken tödlichen Rauchs, die der Wind in alle Richtungen trug.

Los Angeles gab es nicht mehr.

Bei den Hilfsdiensten drängten sich verstört blickende Überlebende, doch man wagte nicht, Unterkünfte aufzustellen, da jeden Moment ein weiterer Erdstoß erfolgen konnte ... Feuerwehrautos, durch herumliegende Trümmer gehindert, gelangten nicht an die Brandherde ... Die Krankenhäuser waren zerstört ...

Wie viele Tote waren zu beklagen? Die Behörden gaben keine Zahlen bekannt, aber wahrscheinlich waren es Zehntausende, Hunderttausende ...

Linda schauderte es.

Das Ende der Welt ... Sie haben Recht, dachte sie. Das Ende der Welt ...

Auf dem Bildschirm sprach ein blasser Reporter mit stockender Stimme und Ringen unter den Augen vor dem Hintergrund brennender Gebäude. Es gab Tumulte. Nicht genau zu bestimmende Gruppen metzelten sich gegenseitig mit schweren Waffen nieder! Die Armee würde einschreiten. Und überall kam es zu Plünderungen, wenn es noch etwas zum Plündern gab.

Das Ende der Welt ...

Linda hatte keine Angst zu sterben.

Was bedeutet schon sterben, dachte sie, wenn die ganze Welt gleichzeitig stirbt ... Furchtbar ist es nur, wenn man aus der Welt gerissen wird und alles so weitergeht, als sei man bedeutungslos, als sei es der Welt egal, ob man lebt oder stirbt ... Doch so ... Bald würde die ganze Welt tot sein, und all das hatte keinerlei Bedeutung mehr…

»Warum?«, schrie Linda.

Ich bin müde, dachte sie.

Sie fühlte sich plötzlich allein. Angst schnürte ihr die Brust zu. Sie hob die Bibel näher an die Augen und hielt die Seite in den Lichtschein des Fernsehers, um etwas besser sehen zu können.

»›Dann sah ich vom Osten her einen anderen Engel emporsteigen‹«, las sie, »›er hatte das Siegel des lebendigen Gottes und rief den vier Engeln, denen die Macht gegeben war, dem Land und dem Meer Schaden zuzufügen, mit lauter Stimme zu: Fügt dem Land, dem Meer und den Bäumen keinen Schaden zu, bis wir den Knechten unseres Gottes das Siegel auf die Stirn gedrückt haben.‹«

Linda legte das Buch wieder auf ihre Oberschenkel.

Warum hatte sie nicht bereuen wollen? Warum hatte sie die Taufe abgelehnt, die man ihr angeboten hatte?

»›…bis wir den Knechten unseres Gottes das Siegel auf die Stirn gedrückt haben…‹«

Die Welt würde untergehen, es war nur noch eine Sache von Tagen, und Linda war nicht in der Lage, der Lust und dem Fleisch zu entsagen! Konnte sie ihre Liebe zu Tom nicht auf eine höhere Art und Weise leben?

Tom wohnte seither unten bei der Gemeinde. Sie wäre so gern bei ihm gewesen. Ob sie ihm fehlte? Ob er traurig war? Ob sie ihn wiedersehen würde?

Linda weinte leise.

Sie stand auf, zog eine einfache Jacke über ihr T-Shirt und verließ das Zimmer, ohne den Fernseher auszuschalten.

Sie müssen mir verzeihen, murmelte sie leise. Sie müssen mir verzeihen.

30

Montpellier, Colorado

Caroline blickte erst nach rechts, dann nach links. Auf dem kleinen Feldweg war niemand zu sehen. Es war heiß. Ein Vogel sang, und ein anderer antwortete ihm in derselben Tonlage. Da fasste das kleine Mädchen einen Entschluss. Es legte sich flach auf den Bauch und kroch unter dem Zaun durch. Die Kleine war in der Obstplantage! Ein weiterer Blick nach rechts, dann nach links... Kein Mensch... Sie erhob sich behände und lief auf den ersten Apfelbaum zu. Selbst der niedrigste Ast war noch zu hoch für sie, doch das brauchte sie nicht zu kümmern. Caroline war nicht groß für ihre acht Jahre; auch in der Schule machten sie sich deswegen über sie lustig, doch sie war geschickt und beim Turnen immer die Beste! Sie schlang die Arme um den Baum und zog sich, die Oberschenkel gegen den Stamm gepresst, an ihm hoch. Nach drei Zügen konnte sie sich an den Ast klammern, und nach einem weiteren saß sie darauf.

Sie brauchte nur noch die Hand auszustrecken! Ein Dutzend Äpfel stand zur Auswahl, und Caroline pflückte den reifsten. Köstlich! Wenn bloß Bill Turner nicht auftauchte! Letztes Jahr hatte er sie in seiner Obstplantage erwischt, ihr die Hose heruntergezogen, ihr mindestens eine halbe Stunde lang den Hintern versohlt und sie dabei eine kleine Schlampe genannt – wo sie da doch noch gar keinen Apfel genommen hatte. Sie erinnerte sich daran, weil sie den Ausdruck ihrer Mutter gegenüber wiederholt und von ihr eine Ohrfeige bekommen hatte und auf ihr Zimmer geschickt worden war... Der Po hatte ihr eine ganze Woche lang weh getan... Jedenfalls war sie jetzt größer und konnte bestimmt viel schneller laufen als Bill, weil er so dick war.

Doch es sah nicht so aus, als würde Bill aufkreuzen, und Caroline nahm sich noch einen Apfel. Genauso köstlich wie der erste. Wenn auch ein wenig bitter.

Caroline war gerade mit ihrem zweiten Apfel fertig und nagte sorgfältig mit kleinen Bissen das Kerngehäuse ab, als ihr schlecht wurde. Doch erst nach einer Weile merkte sie, wie stark die Übelkeit wirklich war. Und dass sie immer stärker wurde...

Dann schien sich die Obstplantage plötzlich um sie zu drehen, und Caroline verlor das Gleichgewicht. Sie sah eine kleine Wolke am blauen Himmel.

Ich falle, dachte sie. Doch da fühlte sie bereits nichts mehr.

Fort Detrick, Maryland

Bosman saß an seinem Schreibtisch. Er tat gar nichts. Nicht, dass er keine Lust gehabt hätte zu arbeiten, das war nicht seine Art... Im Gegenteil, er spürte, wie ihm der Tatendrang in den Gliedern kribbelte. Doch er wusste nicht, was er tun sollte.

Die Forscher forschten. Und fanden nichts. Forschen war ihr Beruf, und so forschten sie.

Und während dieser Zeit verfiel das Land langsam in eine Psychose. Alle Fernsehsender hatten die Katastrophe von Los Angeles gezeigt. Die gesamte Presse stellte einen Zusammenhang mit den atypischen Erdbeben her, die überall ausbrachen und immer stärker und immer häufiger auftraten...

Und auch mit den Epidemien.

Und dabei handelte es sich noch um die mehr oder weniger zensierte Presse, die das sagte, was man sie sagen und wissen ließ – ein Minimum an Freiheit musste man ihr schon geben, damit sie zumindest ein bisschen glaubwürdig blieb, sonst wäre sie zu nichts mehr nütze...

Doch zu alledem gab es noch diesen Schmierfink namens Barnes, der über das Internet streng vertrauliche Infos verbreitete. Unbekümmert um die Tatsache, dass seine Informationen die Bestrebungen der Behörden zunichte machten, im Staatsgebiet zumindest den Anschein von Ordnung zu wahren. Unbekümmert um die Tatsache, dass jeder seiner kleinen öffentlichen Ergüsse indirekt für den Tod einer unabsehbaren Zahl von Amerikanern verantwortlich war. Tote bei Tumulten. Bei Panikausbrüchen. Oder aufgrund einer Atmosphäre des Aufruhrs gegen den Staat, die von Tag zu Tag spürbarer wurde und alle Bemühungen um die Sicherheit der Bürger zunichte machte. Zweimal schon hatte die Armee in die Menge schießen müssen. Und das war erst der Anfang. Die im Interesse aller Bürger getroffenen Maßnahmen wurden immer weniger eingehalten.

Alles, was dieser Typ erzählte, stimmte. Er war ein guter Journalist. Doch jede seiner Enthüllungen bestärkte die Bevölkerung in ihrer Vermutung, es handle sich um ein Komplott seitens des Staates – das war seit ein paar Tagen das am meisten diskutierte Thema im Internet. Neben bakteriologischer Kriegführung, der Apokalypse und dem Ende der Welt. Ein guter Journalist…

Tatsächlich jedoch war David Barnes vor dem gegenwärtigen Hintergrund der gefährlichste Terrorist, den die Vereinigten Staaten je zu fürchten gehabt hatten.

Überall griff unweigerlich das Chaos um sich.

Und Bosman hatte keine Anweisungen. Merritt sprach nicht mehr mit ihm, was an der ganzen Situation vielleicht das einzig fast Positive war. Doch eben nur fast, denn in Bosman wuchs ein Gefühl der Überflüssigkeit, das er noch nie zuvor empfunden hatte. Und das ihm Übelkeit verursachte, wenn er sich im Spiegel betrachtete.

Ein Klopfen an der Tür riss den Colonel aus seinen Grübeleien.

»Herein«, rief er in einem Ton, der selbstsicher klingen sollte.

In Bosman keimte ein Hoffnungsschimmer auf. Käme er endlich zum Handeln?

Doch als er den Kopf von Captain Clarke sah, wurde dem Colonel klar, dass neuer Ärger bevorstand, und er fühlte sich plötzlich müde. Der feine Sandstrand in Miami Beach, den er am Morgen auf einem Plakat gesehen hatte, fiel ihm wieder ein. Er versuchte, das Bild zu verscheuchen. Nun, wenn Merritt ihm die Leitung dieser Angelegenheit entzog, dann könnte er die freien Tage nehmen, die sich angesammelt hatten, schließlich war er seit mindestens acht Monaten nicht mehr im Urlaub gewesen …

»Mr Bosman?«, fragte Clarke mit schwacher Stimme.

»Entschuldigen Sie bitte, Captain. Ich höre.«

»Es gibt ein neues Problem. An mehreren Orten in Colorado hingen vergiftete Früchte an Bäumen … Die zivilen Experten konnten nicht sagen, ob es sich um ein Verbrechen handelte, und auch nicht, welche Art von Gift es war … Doch alle Früchte an ein und demselben Baum scheinen verseucht … Es gibt etwa zehn Tote … Zudem Kranke – die genaue Zahl habe ich nicht –, denen es gar nicht gut geht. Unsere amtlichen Stellen glauben, dass es da einen Zusammenhang geben könnte …

»Im Ernst?«, fragte der Colonel mit dumpfer Stimme.

Clarke schien sich unbehaglich zu fühlen.

»Sie können gehen.«

Clarke salutierte, drehte sich um und ging.

Tja, wir werden ein neues Team zusammenstellen müssen, sagte sich Bosman.

31

Tagebuch von David Barnes, Montag, 23. Juni

Ich gehe dem sicheren Tod entgegen.

Wie wir alle, nur dass meine Frist etwas kürzer ist als die des Durchschnittsmenschen. Die jedoch seit einiger Zeit auch rapide abnimmt.

In meinem Fall heißt das: Ich stehe auf der Abschussliste und kann nichts mehr ernsthaft planen, was über die nächsten zwei Stunden hinausgeht.

Und das ist gut so.

Ich sitze an einem kleinen grauen Holztisch vor einem Fenster, das auf die Berge hinausgeht. Wenn ich den Blick von meinem Computer hebe, öffnen die ockerfarben glänzenden Felsen unbegrenzte Weiten in meinem Inneren. Ein Adler fliegt über das Gestein und verschwindet. Eine schneeweiße Wolke zieht durch die vibrierende Luft. Mein Blick giert nach Formen. Mir war noch nie bewusst, wie sehr Sehen Nahrung bedeutet. Ich muss dazu sagen, dass ich in Oraibi bin, wo die Zeit nicht verstreicht wie anderswo. Wo zwei Stunden ausreichen, um das Geheimnis, am Leben zu sein, zu ergründen. Das Wunder, den Tanz der Formen zu betrachten. Der Stille zu lauschen, in der sich die Klänge entfalten. Das Große Geheimnis. So nennen es meine Brüder.

Die Stille.

In aller Stille schlichen sie sich an meine beiden Bewacher heran und betäubten sie. Leslie und Andrew lächelten mir zu und nahmen mich wortlos mit. Wie im Traum sah ich das Land meiner Vorfahren vorbeiziehen. Die Berge und die Mesas. Oraibi.

Ich war zu Hause.

Es ist kein Zweifel mehr möglich. Wenn ich akzeptiere, dass es einen Ort auf der Welt gibt, an dem ich zu Hause bin, dann kann das nur hier sein. Wo die Stille, die mich einhüllt, den Zorn und die Ablehnung in mir zurückweichen lässt. Hier, wo ich auch den Tod annehme.

Weil ich hier leben kann.

Ich habe getan, was ich tun musste. Ich habe auf meiner Website die Informationen veröffentlicht, über die ich verfügte, all jene Informationen, die ich nachgeprüft habe und an denen nicht der geringste Zweifel besteht. Gegenwärtig wird das alles mit Lichtgeschwindigkeit weiterverbreitet und zieht das blanke Entsetzen nach sich. Doch ich bin mit mir im Reinen.

Vielleicht sterben Menschen an dem, was ich sie wissen ließ. Und an dem Chaos, das aus der Wahrheit entsteht. Doch ich bin mit mir im Reinen. Bin ich ein Ungeheuer?

Ja.

Ich bin ein Mensch, und der Mensch ist ein Ungeheuer.

Zwar erscheint, wenn ich in mein Inneres blicke, ohne meine Augen lügen zu lassen – jene Sinnesorgane, die sich so gut abzuwenden verstehen –, nichts, was nach Liebe aussieht. Doch was Menschen, die zu lieben meinen, als Liebe bezeichnen, ähnelt nach meinem Verständnis der Liebe auch nicht viel mehr. Die Leidenschaften, die ich zu verspüren glaubte und die meine Seele verzehrten und mich wie tot zurückließen, waren nur ein vorübergehender Aufruhr in einem Meer der Gleichgültigkeit. Es stimmt, dass mir all jene, die nun sterben, vollkommen egal sind. Ja, es ist mir gleichgültig. Doch ich glaube auch nicht viel mehr an die Gefühle der anderen. Die Leute sind ehrlich, ja, doch das bedeutet lediglich, dass sie an ihre eigenen Lügen glauben. Mit der einen Hand streicheln sie die Wange eines Kindes, mit der anderen schlagen sie es, doch sie wollen nur die liebkosende Hand sehen. Und sie sagen ›ich liebe dich‹ zu ihrem Kind. Und das Kind wird verrückt oder es fängt selbst an zu lügen.

Die Welt stirbt an der Lüge.

Ich säe Wahrheit, und wenn es Menschen gibt, die daran sterben, dann deswegen, weil sie lieber sterben, als der Wahrheit ins Auge zu sehen. Sie geraten in Panik, weil Panik eine Angst ist, die blind macht, das letzte Mittel, um nicht zu sehen, was diese Angst verursacht. Meine Enthüllungen lösen Chaos aus, doch das sind nur die letzten Zuckungen der Lüge.

Und ich will, dass die Menschen in dem Tier, das sie verschlingt, in der Krankheit, die sie zerfrisst, in der Erde, die sie verschüttet, den Hass wiedererkennen, der in ihrem Inneren wohnt, und die Gewalt, die sie in jedem Augenblick durchdringt, in dem sie zu lieben glauben.

Ehe alles verschwindet, sollen die Menschen sich im Spiegel dessen betrachten, das sie tötet.

In zwei Stunden verlasse ich Oraibi.

Ich habe meine Daten von einem Notebook von Flagstaff aus, zwei Schritte vom Hopi-Territorium entfernt, ins Internet verschickt. Die Computer im Pentagon können jeden orten, der im Netz ist. Ich weiß, dass sie momentan in Richtung Mesas unterwegs sind. Sie werden zuerst in Hotevilla nach mir suchen, falls sie mich für so naiv halten, bei den Meinen Zuflucht zu suchen. Es wird eine Zeit lang dauern, bis sie dahinter kommen, dass ich nicht dort bin. Die Leute dort werden das ihre tun, damit das nicht zu schnell geht ... In dieser Zeit verschwinde ich nach Neu-Mexiko. Informationen können an meine E-Mail-Adressen geschickt werden ... Und ich werde wieder alles weiterverbreiten, was sich nachprüfen lässt ...

Solange ich noch am Leben bin.

Ich bin am Leben.

32

Fort Detrick, Maryland, Militärkrankenhaus

Janice Kübler ging in Zimmer 15. Ihr Dienst war beendet. Sie würde noch einen Blick auf die Geräte werfen und dann endlich frühstücken. Kirsten, die sie ablösen sollte, war noch immer nicht da, doch was tat das schon? Sie jedenfalls würde nicht länger warten ... Janice hatte Hunger. Sie war müde. Seit ein paar Tagen herrschte eine derartige Schwüle, alle hier in der Station waren fürchterlich nervös ... Die Ärzte luden ihre Nervosität bei ihr ab ... Selbst Livingstone, der Chefarzt, der doch sonst so liebenswürdig war, mit seinem trockenen Humor und den Manieren eines alten englischen Aristokraten ...

Die Krankenschwester überprüfte rasch, ob die Geräte störungsfrei liefen. Herz-Lungen-Block, Elektrokardiogramm, Elektroenzephalogramm ... Beatmungsgerät, Tropf, Analysegeräte ... Sie wollte den Mann, der ausgestreckt auf dem Bett lag, nicht ansehen. Er war tot. Das eindringliche Piepsen der Maschine konnte noch so oft bezeugen, dass sein Herz klopfte, doch er war tot, und Janice hätte sich gewünscht, dass man alle Geräte abschaltete und den Mann in Frieden ließ ... Doch das ging nicht. Er war verheiratet, seine Frau befand sich auf einer Reise ... Der Colonel hatte Anweisung gegeben, ihre Rückkehr abzuwarten ...

Schon komisch, dachte die Krankenschwester. Normalerweise gehen sie sonst nicht so vor ... Wenn jemand nur noch vor sich hin vegetiert, betrachtet man ihn als tot und schaltet alles ab ... Janice Kübler drehte sich um und ging aus dem Zimmer.

Sie hatte kaum die Schwelle überschritten, als ein langer Schauder ihr die Wirbelsäule herunterlief.

In ihrem Rücken war eine Stimme ertönt.

Gebieterisch.

Aus Zimmer 15.

»Etwas zum Schreiben!«, wiederholte die Stimme. »Herrgott noch mal, ich will was zum Schreiben!«

Was treiben die bloß?, murrte Greg. Was treiben die bloß! Man braucht doch nicht hexen zu können, um ein Stück Papier und einen Bleistift zu holen...

Jetzt war sie schon seit zehn Minuten weg, die kleine Krankenschwester, hübsch übrigens, mit ihrer verstörten Miene... Als er rief, hatte sie den Kopf in die Türöffnung gesteckt, und dann war sie weggelaufen. Es war nicht einmal sicher, ob sie begriffen hatte, was er wollte; sie war so erschrocken, als hätte sie ein Gespenst gesehen...Greg saß auf der Bettkante, den linken Arm noch am Tropf, aus dem eine unbekannte Substanz in seine Adern rann, und begann leise zu lachen... In Wirklichkeit war er das ja auch beinahe... Ein Gespenst... Denn er war tatsächlich auf der anderen Seite gewesen, eine Zeit lang zumindest!

Und was er dort gesehen hatte, musste er unbedingt aufschreiben. Denn er vergaß es schon wieder.

Die Erinnerungen verließen ihn stückweise, als würden sie an ihren Ursprungsort gezogen, jenes Anderswo, aus dem er kam, das er gesehen hatte und durch das er geschritten war... Die wirbelnden Bilder rannen in dem Maße aus seinem Geist, in dem ihm die Welt um ihn herum wieder zu Bewusstsein kam: das Bett, auf dem er saß, die Geräte, von denen, ohne dass man genau sagen konnte, weshalb, der Geruch nach Äther und Krankenhaus ausging, der überall in der Luft hing... Nein! Das durfte nicht geschehen!

Er durfte nicht vergessen!

Greg stand mühsam auf. Sein Körper war schwer und steif... Er hatte überall Schmerzen. Dann riss er den Schlauch zum Tropf heraus; er blutete.

Schreiben.

Langsam und bei jedem Schritt taumelnd wankte er aus dem Zimmer.

Zuerst war da dieses Gefühl von Leichtigkeit gewesen... das Gefühl zu schweben...

Doch zuvor... Zuvor dieses Gefühl von Kampf und Spannung... von Verweigerung... Nicht sterben, nicht sterben... sich festklammern! Halb bewusstlos, mit blutverschleiertem Blick, kämpfte er immer noch in dem verzweifelten Bemühen, die Tiere wegzustoßen, die ihn bissen und von allen Seiten an ihm zerrten... Nicht sterben!

Und plötzlich hatte etwas nachgegeben. Gut! Es ist vorbei, man kann nichts mehr machen... Gut... Der Wunsch zu leben, um jeden Preis zu überleben, war mit einem Schlag zerronnen. Das Gefühl eines Abgrunds, das Gefühl zu fallen...

Dann unermesslicher Frieden... Leichtigkeit... – Doch da verloren die Worte bereits ihre Bedeutung. Frieden? Nichts von dem auf der Welt, was man Frieden nennt, war mit diesem Gefühl vergleichbar – Gefühl? Auch dieses Wort traf nicht zu! Ein Gefühl von Freiheit... von vollkommener... Ruhe? Von Frieden, absolutem Frieden...

Greg schrieb ein Wort, dann noch eines, strich das erste durch, begann erneut. Im verlassenen Schwesternzimmer (es waren wohl alle beim Essen) hatte er den erstbesten Notizblock, den er fand, an sich genommen und schrieb nun fieberhaft, während sich ein Gefühl der Angst breit machte, das immer schmerzlicher wurde. Er merkte, wie unzulänglich Sprache war, um das auszudrücken, was er gefühlt hatte. Und er spürte, wie das, was er gefühlt und erlebt hatte, sich immer weiter entfernte und immer mehr verblasste... Die Wirklichkeit machte ihre Rechte geltend.

Die »Wirklichkeit«?

War das, was er erlebt hatte, nicht unendlich wirklicher als die Wirklichkeit? Aufschreiben, sagte er sich. Alles. Alles, was mir einfällt. Nichts mehr korrigieren...

Er hatte sich schweben gefühlt. Da war der Himmel um ihn herum, und Wesen, die ihn streiften... durchsichtige Wesen, die so aussahen... als würden sie sich über die Situation amüsieren... Er flog!

Unten, etwa zwanzig Meter weiter unten, sah er überall eingeschläferte Hunde liegen, und wie man den leblosen Körper eines Kindes in einen Helikopter lud. Es lebte.

Greg hatte ihm das Leben gerettet.

Zwei Männer machten sich an einem anderen Körper zu schaffen, dem eines Erwachsenen. Da war er näher herangerückt, um besser sehen zu können. Was heißt herangerückt… Es hatte genügt, es sich für den Bruchteil einer Sekunde zu wünschen, und schon war er direkt über dem Körper, den zwei Militärärzte zu reanimieren versuchten.

Und er hatte sich gesehen.

Er schwebte über seinem eigenen Körper!

Einem ziemlich übel zugerichteten Körper… Überall Blut, die Gurgel aufgerissen.

»Lidocain, schnell! Fünfundsiebzig Milligramm!«, schrie einer der Ärzte.

Sie versuchten eine Herzmassage; offensichtlich war sein Herz stehen geblieben. Sie gaben ihm eine Spritze.

»Achtung, er macht schlapp!«, schrie der andere.

Es war ihm egal.

Dann schwebte er über Peter. Dieser stand ein wenig abseits und beobachtete reglos die Szene. Er weinte.

Er betete! Seine Lippen bewegten sich nicht, doch Greg hörte ihn beten! Als befinde er sich in den Gedanken seines Freundes, als sei dieser durchsichtig geworden!

Und Peter, der an gar nichts glaubte, der sich über Pfaffen und Religion lustig machte, Peter betete. Er betete für Greg!

Und Greg hörte auch die Gedanken der anderen. Rosenqvist, der sich seltsam schuldig fühlte, weil er nicht aus dem Helikopter gestiegen war, weil er nichts getan hatte, um Greg oder die Kinder zu retten… Und die Ärzte, die sich um seinen Körper kümmerten – einer von ihnen hatte sich gerade gesagt »Es ist zu spät« und gleich darauf an seinen Urlaub gedacht, den er noch am selben Abend antreten würde. Er würde mit einer Frau wegfahren, und Greg hatte sie in seinen Gedanken gesehen, splitternackt und mit riesigen Brüsten!

Die Situation begann ihm beinahe Spaß zu machen! Er konnte sich hinbewegen, wohin er wollte, er sah alles, er hörte alles…

Doch plötzlich war alles umgekippt. Er war allein.

Mutterseelenallein.

In vollkommener Stille… in einer Totenstille. Davor hatte ihn ein gewaltiges Summen erfüllt, das aus allen Richtungen im Weltraum zu kommen schien… Und dann die Stille.

Die Einsamkeit.

Als sei alles gar nicht geschehen und nur ein Traum gewesen. Als seien die Welt, die anderen, die geliebten Menschen… Mary… nur ein seiner Phantasie entsprungener Traum, als sei er der Einzige, der im ganzen Universum existierte! Seit Anbeginn der Zeiten, bis zum Ende aller Zeiten…

Allein.

Entsetzen.

Am liebsten wäre er auf der Stelle gestorben, hätte am liebsten nie existiert, doch er wusste, dass er bereits tot war. Und die Zeit war stehen geblieben. Er war Gefangener eines ewig währenden Augenblicks, Gefangener seiner selbst.

Und er war nichts.

Er war nichts, und außer ihm gab es nichts.

Verzweiflung. Doch auch hier war Sprache unzulänglich. Ein Wort mit seinen begrenzten Konturen konnte nichts von der Unendlichkeit, Absolutheit dessen wiedergeben, das er in jenem Augenblick erlebte, einem Augenblick, der wie kein Augenblick war oder wie alle Momente zusammen.

Die Ewigkeit.

Die Hölle.

Greg schauderte und hörte auf zu schreiben. Eine Empfindung, die er nicht unterdrücken konnte, drängte sich ihm auf, und sein Körper wurde von Zittern geschüttelt. Nichts existiert, alles ist erlaubt, dachte er. Da haben wir den Sinn des Lebens! Gesetze sind nichtig, Moral ist nichtig, Gefühle sind nichtig… Das war die Erfahrung, die er im ewigen Nichts gemacht hatte. Weshalb sich von Ausschweifungen, Verbrechen und Grausamkeit fern halten? Nichts existiert wirklich! Alles ist nur Illusion! Greg brach in Gelächter aus. Von dieser Reise, von dieser Durchquerung der Leere hätte er in einen Verbrecher verwandelt zurückkehren können, verwandelt in den schlimmsten aller Hurensöhne mit steinernem Herzen, den die Erde je hervorgebracht hatte... Wenn danach nichts mehr gekommen wäre!

Denn danach war noch etwas gekommen.

»Hab keine Angst.«

Dieser Satz hatte sein tiefstes Inneres gleich einer süßen Woge durchflutet.

Und dann war Mary da.

Natürlich nicht ihr Körper, nicht an jenem Ort, wo der Begriff ›Körper‹ keine Bedeutung hatte, wo selbst der Begriff ›Ort‹ keine Bedeutung hatte... Doch ihre Präsenz war da. Ihre Präsenz, die sonst ihrem Körper Form verlieh und noch die kleinste ihrer Bewegungen, Gesten und Worte mit Leben füllte, jene körperlose Präsenz war da, war bei ihm, oder besser... um ihn, in ihm, eins mit ihm. Es war sie, es war Mary.

Hab keine Angst.

Es war Mary, die zu ihm sprach, oder besser... wie sollte er sagen: die in ihm widerhallte, Marys wohltuende, liebende, frohgemute Präsenz, die die Angst aus seinem Körper blies.

Bist du tot?, hatte er sie gefragt.

Nein. Ich bin nicht tot. Mein Körper ist einfach eingeschlafen.

Und ich? Bin ich tot?

Du wirst dich entscheiden müssen. Komm.

Er war Mary in namenlose Dunkelheit gefolgt. In unergründliche Finsternis, in der Mary ein schwacher Schimmer war, eine letzte Erinnerung an das Licht an diesem Ort, der die Negation des Lichts war.

Und wie man plötzlich das Licht am Ende des Tunnels sieht, begann es allmählich heller zu werden, zunächst von weitem. Dann wurde die Helligkeit immer stärker. Immer größer, je näher sie ihr kamen.

Das Licht!

Und je näher sie ihm kamen, desto mehr spürte Greg in seinem tiefsten Inneren, dass er dieses Licht kannte und von ihm erkannt wurde. Gleich einer uralten Erinnerung, älter als der Anbeginn der Welt...

Und plötzlich... war er im Licht.

Dann...

Greg hob seinen Stift und schlug wütend mit der Faust auf den Tisch. Sein Geist, der sich nach der Erinnerung an diesen Augenblick der Ewigkeit reckte, stieß an eine Mauer aus Nebel. An eine unüberwindliche Mauer des Vergessens.

Und dennoch... Er wusste, dass sein Bewusstsein sich im Licht gleichsam bis in die Unendlichkeit ausgedehnt hatte, Unendlichkeit geworden war und Zugang zum... Geheimnis gehabt hatte. Dem der gesamten Menschheit und dem seines eigenen Lebens. Er hatte sein eigenes Leben gesehen und jeden Augenblick seiner Existenz erneut durchlebt. In einer unerbittlichen Klarheit, die jedem Augenblick Bedeutung verlieh.

Doch er hatte alles vergessen.

Außer der Frage.

In dieser Frage lag eine wahnwitzige Liebe, die noch in den Tiefen seines Inneren widerhallte. Die Frage, die sich dem Vergessen entzogen hatte.

Ist es nicht möglich, es besser zu machen?

Dann kam die Entscheidung.

Er hatte vor zwei Wegen gestanden. Der eine führte zum Himmel, der andere zur Erde. Auf dem ersten würde Gregs Maske abgenommen und sein Gesicht mit Licht bedeckt werden. Dann würde er in höhere Sphären schreiten. Er würde weiter lernen, um erneut zu dienen. Wie? Das sah er nicht. Der Weg verlor sich in flimmerndem Dunst... Verlockendem Dunst...

Der zweite Weg bestand darin, auf der anderen Seite der Mauer der Finsternis wieder herabzusteigen und in Greg Thomas' Leben zurückzukehren. Dort wartete eine Aufgabe auf ihn.

Hier hörten Gregs Erinnerungen auf. Er legte den Kugelschreiber zur Seite. Müdigkeit überwältigte allmählich seinen Körper.

Was für eine Aufgabe?

Da er hier war, hatte er anscheinend seine Entscheidung getroffen ... Aber er erinnerte sich an nichts mehr. Doch, an eines: dass der irdische Weg der beschwerlichere war.

Dennoch würde er ihn gemeinsam mit Mary zu Ende gehen.

»Doktor, Sie können mir glauben! Er war vollkommen da!«

Janice Kübler ignorierte die Rangordnung und ging Livingstone über den Flur voran, der zur Intensivstation führte. Es hatte gut eine Viertelstunde gedauert, bis sie ihn gefunden hatte; er flirtete mit einer der Damen am Empfang im Erdgeschoss ...

»Herr Doktor, Nummer 15 ... Er lebt!«, hatte sie verkündet.

»Sie sind verrückt ...«

Doch er war ihr trotzdem auf dem Fuß gefolgt.

Janice blieb abrupt stehen und ließ ihren Vorgesetzten an sich vorbei in Zimmer 15.

»Wo ist er denn hin, Herrgott noch mal?«, brüllte Livingstone.

Er drängte sie beiseite und stürzte hinaus.

»Stehen Sie nicht da wie angegossen! Finden Sie den Kerl! Sonst stirbt er uns noch wirklich unter den Fingern weg ...«

Leicht verstört begann die Krankenschwester alle Zimmer abzusuchen. Der Patient aus Nummer 15 war nirgends zu finden.

Die Tür zum Schwesternzimmer stand einen Spalt offen. Um wirklich sicherzugehen, schob Janice sie ganz auf und warf einen Blick hinein. Dann schrie sie.

Da war er.

Er saß auf einem Stuhl und war über dem Schreibtisch zusammengebrochen. Janice trat zu ihm.

Greg Thomas lag mit der Wange auf einem mit einer fahrigen Schrift bedeckten Notizblock; ein Speichelfaden zog sich aus seinem Mundwinkel, und er schnarchte leise.

33

Fort Detrick, Maryland

Bosman wartete seit gut zehn Minuten und fühlte sich allmählich unbehaglich. Wie gewöhnlich saß er Merritt gegenüber, dessen massive Gestalt sich gegen das Licht abzeichnete, und fragte sich, ob er nicht ein einziges Mal das Wort ergreifen sollte, ohne dass sein Vorgesetzter ihn mit einer jener kaum merklichen und dabei doch entschiedenen Gesten dazu aufgefordert hätte... Seit er ins Büro des Generals gekommen war, hielt dieser die Augen halb geschlossen, saß völlig reglos und stumm da und rührte keinen Finger. Bosman war sich nicht einmal sicher, ob er auf etwas wartete... Ob er schläft?, fragte er sich. Undenkbar! Ob er krank ist? Man hatte noch nie gehört, dass General Merritt auch nur einen Tag krank gewesen wäre...

Der Colonel räusperte sich.

»General«, sagte er mit unsicherer Stimme. »Sie haben mich hierher bestellt...«

»Halten Sie den Mund.«

Merritt hatte nicht einmal die Lippen bewegt.

Bosman war beunruhigt und hielt den Mund.

Der Colonel hatte die Nacht in seinem Büro verbracht. Als es ihm um sechs Uhr morgens gerade gelungen war, einzuschlafen, hatte eine Ordonnanz an die Tür geklopft und ihn zu Merritt bestellt. Unverzüglich. Er hatte nicht einmal mehr Zeit gehabt, sich zu rasieren. Bosman war darauf gefasst, erneut einen Rüffel zu bekommen, da alles immer schlechter lief und die Dinge mit jeder Minute mehr und mehr aus dem Ruder zu laufen schienen... Und jetzt ließ der General ihn in seinem eigenen Saft schmoren... War das eine raffinierte Form der Psychofolter? Merritt hatte in

Vietnam gedient, und es kursierte das Gerücht, er habe dort viel gelernt, was diverse Techniken betraf, deren Ziel die psychische Vernichtung oder Manipulation des Nächsten war ... Es hieß auch, er habe zwei vietnamesische Ehefrauen mitgebracht, wie es den örtlichen Gepflogenheiten entsprach ... Doch im Grunde wusste niemand viel über General Merritts Privatleben, nicht einmal, ob er überhaupt eines hatte ...

Bosman gähnte. Merritt öffnete ein Auge und zog die Brauen hoch.

»Entschuldigen Sie bitte«, murmelte Bosman.

Merritt hatte wieder seine hieratische Haltung eingenommen und die Augen halb geschlossen.

Will er mich verarschen?, fragte sich der Colonel.

Dann zuckte er zusammen. Das Telefon hatte zu läuten begonnen. Merritt nahm den Hörer ab.

»Meine Verehrung, Mr President.«

Er stellte den Lautsprecher an. Am anderen Ende der Leitung, in der es leicht rauschte, war die Stimme von Clint Fitzgerald Harton zu hören, Präsident der Vereinigten Staaten.

»Ist Ihr Colonel da?«

»Ja.«

»Hören Sie mir beide zu. Leitungswechsel. Alles wird vom Oval Office aus geleitet, verstanden? Bestellen Sie alle Ihre Wissenschaftler für elf Uhr hierher.«

»Alle zusammen?«

»Natürlich, Merritt, alle zusammen ... Sie betreiben Heimlichtuerei vor den Burschen, die das Problem lösen sollen, und Sie sind nicht in der Lage, ein paar Schreiberlingen gegenüber alles wasserdicht zu halten! Alle zusammen deswegen, damit sie die Möglichkeit haben, uns sagen zu können, was da vor sich geht.«

»Gut.«

Man hörte ein Klicken, dann das Freizeichen.

»Haben Sie verstanden, Bosman?«

»Ja.«

»Dann los. Der Präsident ist ein Idiot und ein mieser Politiker, ein Drückeberger, der es geschafft hat, sich als untauglich einstufen zu lassen, damit er um Vietnam herumkam, doch die allgemeine Scheiße, in der wir alle seit Jahren ungeniert versinken, bringt es mit sich, dass so jemand das Sagen hat. Gehorchen wir also den Idioten, Bosman.«

»Gut.«

»Noch ein Letztes, Bosman. Wir erzählen noch nichts von unserem kleinen Problem mit der Botanik, ist das klar? Selbst dem Präsidenten nicht. Ich möchte zuerst etwas mehr über diese Vergiftungsgeschichten wissen … Sie können gehen.«

Der Colonel erhob sich, salutierte und drehte sich um.

Er wird noch etwas sagen, dachte er, während er auf die Tür zusteuerte. Als er über die Schwelle trat, drang Merritts Stimme an sein Ohr: »Wir werden immer wieder welche haben, Bosman …«

»Was werden wir immer wieder haben?«, fragte der Colonel, ohne sich umzudrehen.

»Idioten, Bosman. Idioten …«

Seit langen Minuten versuchte er, aus dichtem Nebel emporzutauchen. Er wollte die Augen öffnen, doch seine Lider waren bleischwer. Da war ein stechender Schmerz, doch gleichsam entfernt, wie auf Distanz gehalten, und Greg klammerte sich daran wie an einen Lichtstrahl, der den Weg aus der Finsternis weist.

Wo bin ich?, dachte er vage.

Der Schmerz drang näher und wurde bohrender, und der Nebel lichtete sich ein wenig.

Tatsächlich wusste er, wo er war. In diesem verdammten Militärkrankenhaus, wo niemand in der Lage gewesen war, ihm Papier und Bleistift zu bringen …

Greg machte Anstalten, sich zu bewegen, und unterdrückte einen Aufschrei. Sein Bein tat ihm sehr weh. Und die Kehle. Papier und Bleistift …

Er erinnerte sich.

Er war durch die menschenleeren Gänge getaumelt, weil er etwas aufschreiben wollte, was äußerst wichtig war – doch was?

Hoffentlich habe ich es aufgeschrieben, dachte Greg, sonst werde ich nie wissen, was es ist… Doch, er hatte etwas aufgeschrieben, jetzt erinnerte er sich, aber wo hatte er das Papier hingelegt? Er hatte auch keine Erinnerung mehr daran, wie er in sein Zimmer zurückgekommen war… Weshalb war er eigentlich im Krankenhaus?

Plötzlich wurde es laut im Zimmer. »Erstehet auf, ihr Toten!«

Es gelang ihm mühsam, sich halb aufzusetzen, wobei ihm schwindlig wurde.

»Altes Haus«, sagte die Stimme, »du siehst ja ganz schön verkatert aus!«

Peter!

Es war Peter.

Jetzt strömten die Erinnerungen in seinen Geist zurück: der Helikopter, die Hunde… Die Kinder…

Sein Freund stellte ihm vorsichtig ein Tablett auf die Knie, auf dem eine Tasse Kaffee dampfte.

»Freut mich ungeheuer, dich zu sehen, altes Haus«, sagte er mühsam und mit einem pelzigen Gefühl im Mund.

Peters Gesicht erschien unvermittelt in seinem Gesichtsfeld, nur Zentimeter von dem seinen entfernt und mit etwas beunruhigtem Ausdruck. »Was sagst du?«

Greg griff mit zitternden Händen nach der Tasse und schüttelte den Kopf. Nichts, nichts… Er gab drei Stück Zucker in den Kaffee, rührte um und trank. Der Dampf und der Geschmack der heißen Flüssigkeit drangen bis in sein Gehirn vor und brachten Luft in das Durcheinander seiner kleinen grauen Zellen.

Peter saß am Bett und sah ihn mit liebevollem Blick an.

»Alles in Ordnung?«

»Ich habe ein bisschen Mattscheibe…«

»Das ist ganz normal. Du stehst unter Morphium.«

Greg verzog das Gesicht. »Das verhindert auch nicht, dass mir alles wehtut!«

»Weißt du, dass man dich für tot gehalten hat? Du lagst fast eine Woche im Koma… Wie fühlst du dich?«

»Lebendig... Und nicht gerade unzufrieden. Auf der anderen Seite ist es ganz nett, aber das Leben hat schon seine Vorteile...«

Er führte die Tasse erneut an seine Lippen, hielt jedoch in der Bewegung inne. ›Auf der anderen Seite.‹

»Stimmt etwas nicht?«, erkundigte sich Peter.

Er hatte den Blick einer besorgten Mutter, und Greg spürte, wie sich ein Gefühl in seiner Brust ausbreitete, das ihm fast die Tränen in die Augen trieb. Er erinnerte sich. Peter, schmerzzerrissen, weil er ihn tot glaubte... Peter, der frohgemute Atheist, der aufs Geratewohl verzweifelt Gebete zu einem verlassenen Himmel sandte...

Greg ergriff die Hand seines Freundes und drückte sie.

Peter war leicht rot.

»Fühlst du dich fit genug, hier wegzugehen?«

»Aber ja! Ich kann Krankenhäuser nicht ausstehen.«

»Gut... Also, um acht ist Visite, denn Livingstone will dir keinen Entlassungsschein geben, ohne dich ein letztes Mal untersucht zu haben. Ich glaube, du stellst auch ein theoretisches Problem für ihn dar... Seinem Wissen nach bist du tot. Und er träumt davon, dich zu obduzieren!«

»Sag ihm, dagegen habe ich etwas einzuwenden.«

»Und um zehn Uhr...«

Peters Blick wurde genießerisch.

»Washington, Weißes Haus, Büro des Präsidenten. Es scheint, als habe der Big Boss seinem Wunsch Ausdruck gegeben, uns live zu hören...«

Greg stieß einen Pfiff aus.

»Er wird nicht enttäuscht sein... Wie sagt man am besten ›Ich habe keine Ahnung‹, ohne wie ein Idiot zu wirken?«

»Man sagt ›Ich habe Anhaltspunkte‹. Im Übrigen haben wir tatsächlich Anhaltspunkte.«

»Ach ja? Das ist mir neu...«

Plötzlich war Livingstones durchdringende Stimme zu vernehmen: »Wie geht es denn unserem wissenschaftlichen Rätsel?«

In der Türöffnung zeichnete sich die hohe Gestalt des Arztes ab. Hinter ihm streckten ein paar junge Mediziner die Köpfe herein und versuchten mit gieriger Miene, einen Blick auf den Kranken zu erhaschen. Fachärzte in der Ausbildung vermutlich ... Greg sah Peter fragend an.

»Wir sprechen im Helikopter darüber«, murmelte Letzterer.

Dann wandte er sich dem Arzt zu.

»Das Rätsel hat einen starken Kaffee getrunken«, erklärte er ihm, »und Sie haben zwei Stunden Zeit, ihn auf Herz und Nieren zu prüfen. Um zehn Uhr holt Bosman uns ab.«

Livingstone ging, gefolgt von seinen Truppen, zu Gregs Bett. Sein Blick war streng.

»Also, Mr Thomas, warum sind Sie nicht gestorben?«

Washington, Weißes Haus, Oval Office

Norman Prescot drehte sich der Kopf und seine rechte Hand zitterte. Nicht, dass er etwa Angst gehabt hätte, das nicht, die hatte er schon lange nicht mehr ... Er fühlte sich heute jeder Situation gewachsen, und die krankhafte Schüchternheit seiner Jugend war nurmehr eine ferne Erinnerung. Drei Jahre lang hatte er bei Doktor Bateson eine Therapie gemacht, der sehr gut war (sehr gut, aber sehr teuer), und selbst die Anwesenheit des Präsidenten der Vereinigten Staaten, der drei Meter weiter saß, konnte ihn nicht mehr in einen derartigen Zustand versetzen ... Nein, er befand sich in einem kritischen Zustand der Unterzuckerung. Sein Blutzuckerspiegel sank immer gegen elf Uhr morgens ab, doch normalerweise hatte er dann seine Kekse ... Aber die momentane Situation war so außergewöhnlich, dass er seine Kekse vergessen hatte ... Ob er es sich erlauben durfte, den Präsidenten zu bitten, dass man ihm Kekse brachte? »Und warum sollten Sie es sich nicht erlauben dürfen?«, fragte Doktor Batesons Stimme in seinem Kopf, und Norman kam zu dem Schluss, dass er womöglich noch ein paar Sitzungen brauchte ...

Wenn diese Idioten sich nur endlich dazu herablassen würden zu erscheinen, dachte er, würden wir eher fertig werden. Sie warteten auf zwei weitere Forscher, von denen der eine, wenn er richtig verstanden hatte, krank war. Norman sah auf seine Uhr. Elf Uhr zehn… Es gehörte schon einiges dazu, den Präsidenten der Vereinigten Staaten warten zu lassen!

Die anderen wirkten nicht so, als würden sie ungeduldig.

Harton hatte die Hände auf den Bauch gelegt und schien vor sich hin zu dösen.

Es waren zwei Militärangehörige in Uniform da, Bosman und ein anderer, schon älterer, der ein General sein musste und der so aussah, als habe er seinen schlechten Tag – falls er nicht immer so aussah…

Am anderen Ende des ovalen Tisches saßen drei Männer in Zivil, und das Gesicht des einen von ihnen war ihm bekannt. Barkwell… Professor Barkwell… Auch ein Militärangehöriger, ein bekannter Virenexperte oder so etwas in der Richtung. Norman erinnerte sich, ihn im Fernsehen gesehen zu haben, als er über Aids sprach…

Was hat das zu bedeuten?, fragte er sich.

Am heutigen Morgen war ohne Vorankündigung sein gesamtes Team einberufen worden, um dem Präsidenten Bericht zu erstatten. Doch von einem weiteren Team war nicht die Rede gewesen… Oder vielleicht…

Dem Forscher begann ein Licht aufzugehen. Sollte da vielleicht ein Zusammenhang mit dem momentanen Seuchenchaos bestehen? Norman hatte die letzten drei Wochen damit verbracht, wie ein Verrückter zu schuften, aber diese Seuchengeschichte hatte einen solchen Medienwirbel ausgelöst, dass es unmöglich war, sie nicht mitzubekommen… Es sollen in mehreren Herden Viren aufgetaucht sein, und man warf der Regierung vor, die Wahrheit vertuscht zu haben…

Doch was könnte es da für einen Zusammenhang mit seinen eigenen Forschungen geben?

Die Tür zum Oval Office ging auf, und drei Männer traten ein.

Einer von ihnen saß in einem Rollstuhl; um seinen Hals lag ein riesiger Verband. Er war sehr blass und wirklich in einem schlechten Zustand.

Der General ergriff das Wort. Seine Stimme war heiser: »Da kommt das dritte Team, Mr President.«

Greg zwinkerte, als er ins Büro des Präsidenten geschoben wurde. Durch die weißen Vorhänge der beiden großen Fenster verströmte die Morgensonne überall kräftiges Licht und rüttelte seine Migräne wieder wach. Sein linkes Bein verursachte ihm stechende Schmerzen, und noch dazu war ihm übel. Wie arg man doch in einem Hubschrauber durchgeschüttelt wurde! Seit seiner Rückkehr aus dem Land der Toten fühlte er sich schwach und verletzlich… Peter schob ihn in seinem Rollstuhl bis zu dem Platz, der anscheinend für ihn reserviert war.

Offensichtlich waren sie die Letzten, die eintrafen. Um den großen Konferenztisch saßen etwa fünfzehn Männer, deren Gesichter er nicht sehen konnte. Das Licht war zu grell, so als säßen sie alle im Gegenlicht.

Und wo war nun der Präsident?

An einem Ende des Tisches saß eine Gestalt, deren Nachbarn einen gewissen Abstand zu ihr hielten, woraus Greg schloss, dass es sich um Clint Harton handelte.

Kannst du dir das vorstellen!, dachte er… Du bist mit dem Präsidenten der Vereinigten Staaten zusammen! Doch eigentlich kümmert mich das einen Dreck…

Seine Augen waren nicht mehr so geblendet wie beim Betreten des Büros, und er erkannte den Präsidenten. Auf dessen Wangen zeigten sich Spuren von Rosacea, die auf Fotos nicht erkennbar waren.

Ein alter General sprach schon seit geraumer Zeit, und Greg wurde bewusst, dass er überhaupt nicht zugehört hatte. Er beschloss, sich wieder zu fassen. Es war eigenartig. Er verspürte eine Art fundamentale Gleichgültigkeit gegenüber allem, als seien alle Empfindungen, die in seinem Inneren abliefen, irgendwie heruntergeschaltet… Aber er wollte trotzdem nicht wie ein Idiot dastehen, wenn sie sich für seinen Fall zu interessieren begannen.

Der General sprach davon, dass die Lage ernst sei. Es musste um die Tiere gehen… Doch nein, er sprach über Erdbeben… Und auch über Seuchen… Greg begriff überhaupt nichts.

»Da die Möglichkeit besteht, dass es sich um ein umfassendes Phänomen handelt«, fuhr der General fort, »dachten wir, es sei besser, wenn uns die drei von uns zusammengestellten Teams ihre Ergebnisse gemeinsam unterbreiten.«

Ein umfassendes Phänomen? Die Seuchen, die Erdbeben und die Verhaltensauffälligkeiten der Tiere: ein umfassendes Phänomen…

Peter ergriff das Wort: »Wenn ich richtig verstehe, haben Sie uns die Existenz der anderen Teams verheimlicht… Ist Ihnen bewusst, dass wir deswegen möglicherweise drei Wochen verloren haben?«

»Man sollte nicht übertreiben«, sagte Bosman. »Sie sind Experten, und wir haben Ihnen nichts verheimlicht, was mit Ihrem Spezialgebiet zu tun hat. Jetzt halten wir den Zeitpunkt für gekommen, die ersten Ergebnisse miteinander zu vergleichen.«

»Welche Ergebnisse?«

Alle drehten sich zu dem Mann, der das gesagt hatte. Er wirkte schlecht gelaunt.

»Welche Ergebnisse?«, wiederholte er. »Was uns betrifft, so haben wir keinerlei Ergebnisse!«

Einer der Männer um den Präsidenten beugte sich zu diesem: »Norman Prescot, der Leiter des Geophysiker-Teams.«

Der Präsident ergriff das Wort: »Ich schlage vor, dass jedes Team uns über seinen Wissensstand in Kenntnis setzt. Und da Sie angefangen haben, Mr Prescot…«

»Ich möchte einfach sagen, dass ich es bedauerlich finde, dass man uns bei einem derart komplexen Problem Gegebenheiten verschweigt…«

Neben Greg nickte Peter mit dem Kopf, und mehrere weitere Teilnehmer taten desgleichen. Greg schloss daraus, dass sie Forscher waren. Die anderen, die steif und reglos geblieben waren, mussten Berater des Präsidenten sein oder Mitglieder des Verteidigungsministeriums...

Der alte General richtete sich leicht auf und sah den Geophysiker an. Seine Augen waren kalt wie die eines Killerfisches.

»Mr Prescot, glauben Sie, dass es Ihnen bei Ihren Forschungen über die Erdbewegungen viel weitergeholfen hätte, wenn Sie vom Auftreten neuer Viren gewusst hätten oder davon, dass es Tierchen gibt, die Menschen angreifen?«

Prescot sah seinen Gesprächspartner an, ohne sich aus der Fassung bringen zu lassen. »Ich möchte Ihnen etwas sagen: Wir sind mit einem Problem konfrontiert, das wir bei unserem momentanen Kenntnisstand nicht erklären können. Die Erde verhält sich so, wie sie sich eigentlich gar nicht verhalten dürfte. Wir müssen also zu anderen Erkenntnissen kommen.«

Der Forscher machte eine Pause.

»Mit anderen Worten«, fuhr er fort, »wir brauchen etwas Neues. Etwas bisher Unbekanntes, etwas Unvermutetes. Wir müssen Phantasie an den Tag legen. Kreativ sein. Damit meine ich, falls es uns gelingt, das zu erklären, was vor sich geht, wird die Erklärung dafür in nichts dem ähneln, was wir uns im Moment vorstellen können. Denn was geschieht, ähnelt in keiner Weise dem, worauf wir gefasst sein konnten.«

Der Mann machte eine weitere Pause. Schweiß stand ihm auf der Stirn.

»Fahren Sie bitte fort«, sagte der Präsident.

»In unterschiedlichen Bereichen, die verschiedenen wissenschaftlichen Spezialgebieten entsprechen, geschehen Dinge, die man noch nie erlebt hat... Vielleicht ist das ein Zeichen, dass die Abgrenzung in Spezialgebiete der neuen Situation nicht mehr gerecht wird. In dieser Hinsicht haben wir tatsächlich wertvolle Zeit verloren, weil jeder nur auf seinem eigenen Gebiet gearbeitet hat.«

Langes Schweigen folgte. Greg war nachdenklich. Konnte es wirklich noch Neues unter der Sonne geben? Ein Phänomen, das ein radikales Umdenken aller geltenden Erklärungssysteme erforderlich machte? In der Wissenschaft kommt es nie unter dem Druck der Ereignisse zu Revolutionen, sondern vielmehr den Bedürfnissen menschlichen Denkens entsprechend ... Folgte die Welt nicht unabänderlichen Gesetzmäßigkeiten?

Der General hatte wieder das Wort ergriffen, und Greg merkte, dass er den Anfang verpasst hatte.

»... und wenn die Lage nicht so ernst wäre, würde ich diese Neigung einiger Wissenschaftler, gleich eine Revolution anzetteln zu wollen, sobald sie etwas nicht verstehen, amüsant finden. Ich glaube, Mr President, dass sich im vorliegenden Fall eine weitaus einfachere Erklärung abzeichnet. Und auch wenn wir diese Herren alle zusammen in einen Raum stecken, werden sie sie nicht finden können, schlicht und einfach deshalb, weil das ihre Kompetenzen übersteigt.«

»Was für eine Erklärung, General Merritt?«, fragte der Präsident leise.

Der General lehnte sich bequem in seinem Stuhl zurück. Er ließ die Spannung noch einen Moment andauern und schien seinen Auftritt zu genießen. Schließlich sprach er: »Mr President ... es handelt sich um eine Waffe.«

Die Zeit schien stillzustehen. Das Schweigen war zum Greifen dick. Merritt hatte die Augen halb geschlossen wie eine große Katze, die scheinbar döst, doch immer zum Sprung bereit ist. Bosman, der neben ihm saß, starrte ins Leere. Dem Präsidenten stand der Mund offen, doch dann schloss er ihn und fing sich wieder.

»General«, sagte er langsam, »ich nehme an, dass Ihnen das Ausmaß Ihrer Worte bewusst ist ... Und dass Ihnen bewusst ist, dass Sie sie untermauern werden müssen ...«

»Gewiss, Mr President ... Doch ich schlage vor, dass uns zunächst jedes Team von seinen Ergebnissen in Kenntnis setzt, oder, sofern keine vorliegen ...«

Der General hatte sich an Prescot gewandt.

»... von seinen Feststellungen. So wäre ich eher in der Lage, Ihnen meine Argumente zu unterbreiten.«

Ohne die Zustimmung des Präsidenten abzuwarten, richtete der alte Soldat das Wort an einen der Männer. »Professor Barkwell, ich schlage vor, dass Sie anfangen.«

Letzterer drehte sich zu Harton, der unmerklich nickte.

»Nun gut«, sagte er, »auch wir haben mehr Feststellungen als Ergebnisse zu bieten ... Ursache der Seuchen ist ein Virus, oder besser ... Viren. Ich werde versuchen, mich so klar wie möglich auszudrücken. Als Viren bezeichnet man Systeme, von denen man nicht genau sagen kann, ob sie leben, weil sie einerseits keinen eigenen Stoffwechsel haben, sich andererseits jedoch fortpflanzen ...«

»Warten Sie«, unterbrach ihn der Präsident. »Sie pflanzen sich fort, sind aber keine Lebewesen?«

Barkwell wirkte verlegen.

»Alles hängt davon ab, was man als ›Lebewesen‹ bezeichnet. Dieser Terminus ist in der Biologie nicht exakt definiert ... Oder, besser gesagt, die Definition dient eher dazu, einen Bereich abzustecken, als das Wesen von etwas zu definieren ... Sagen wir also, Viren pflanzen sich nicht fort. Ganz genau gesagt, sie replizieren sich völlig identisch.«

»Professor«, unterbrach ihn General Merritt, »ich glaube nicht, dass diese terminologischen Probleme den Präsidenten interessieren; er muss politische Entscheidungen treffen.«

»General«, sagte der Präsident mit eisiger Stimme, »wie Sie freundlicherweise bemerkt haben, bin ich der Präsident, und ich bin es, der bestimmt, was mich interessiert und was nicht. So erstaunlich Ihnen das auch vorkommen mag: Ich würde gern verstehen, ehe ich entscheide. Fahren Sie fort, Barkwell.«

Der General sank leicht in sich zusammen.

»Gut«, begann Barkwell erneut, »ein Virus repliziert sich, indem es sich an die Membran einer Zelle heftet ... und seinen DNS-Strang in diese hineinpumpt ... Die Zelle wiederum macht Hunderte völlig identischer Kopien davon. Gleichzeitig produziert sie die Proteine, aus denen das Virus besteht. Das Zusammenspiel dieser Gegebenheiten führt zur Produktion Hunderter von Viren, die völlig identisch mit dem ersten sind. Das ist der normale Ablauf. Doch in unserem Fall läuft es eben nicht so ab…«

Der Professor brach ab, um Atem zu holen. Harton bedeutete ihm, fortzufahren.

»Beim normalen Ablauf repliziert sich das Virus auf völlig identische Weise. Ab und zu kommt es zu Fehlern, wodurch eine Virenmutante entsteht, doch das ist die Ausnahme. Und die Mutante ist im Allgemeinen nicht lebensfähig, das heißt, sie wird zerstört und kann sich nicht replizieren. Aus diesem Grund sind neue Viren glücklicherweise selten… ich meine damit Viren, denen es nach einer zufälligen Mutation gelingt, sich weiterzuverbreiten. Die Aids-Epidemie beispielsweise hat eine geringe Anzahl von Mutationen hervorgebracht, was übrigens ausreicht, die Forschung erheblich zu erschweren… Doch in unserem Fall…«

Barkwell unterbrach sich erneut.

»Ja?«, hakte der Präsident ein.

»Die Viren, die wir isoliert haben, weisen eine Besonderheit auf… Sie replizieren sich *nie* völlig identisch. Die Gastzelle kopiert sie, doch sie vertut sich dabei! Alles läuft so ab, als würde das Virus sie zwar programmieren, es zu kopieren, doch als ob sie dabei jedes Mal einen Fehler machen würde! Und was noch beunruhigender ist…«

Der Forscher wischte sich die Stirn ab.

»… ist die Tatsache, dass der Anteil der lebensfähigen Mutanten abnormal hoch ist. Im Klartext heißt das, dass jede Infektion Hunderte neuer Viren produziert… Was die Entdeckung einer Therapie oder eines Impfstoffs nahezu unmöglich macht… beim momentanen Stand unserer Kenntnisse.«

Es entstand eine lange Pause. Einer der Ratgeber des Präsidenten kritzelte nervös mit einem Bleistift herum, der unvermittelt mit lautem Knacken entzweibrach. »Entschuldigen Sie«, stammelte er.

»Es gibt also kein Gegengift?«, fragte der Präsident.

Merritt ergriff das Wort: »Das einzige Gegengift, Mr President, ist militärischer Art. Es ist das, das wir bisher angewandt haben.«

»Kauterisieren«, murmelte Clint Harton gleichsam zu sich selbst. »Ist Ihnen bewusst, Mr General, dass es sich dabei um ein ziemlich kostspieliges ›Gegengift‹ handelt?«

Der Präsident zögerte.

»Das auch seine Grenzen hat«, fügte er einen Ton leiser hinzu. »Das wissen wir alle beide.«

»Aber es ist das einzige, Mr President. Oder zumindest …«

Merritt verstand es, Spannung zu erzeugen. Selbst der Präsident hing an seinen Lippen.

»Zumindest ist es das einzige defensive Abwehrmittel.«

»Erklären Sie uns das genauer.«

»Mr President, sehen wir den Tatsachen ins Auge! Wie durch Zufall sind wir mit einem Virus konfrontiert, das sehr schnell tötet. Das sich also in nur sehr geringem Ausmaß verbreitet. Und wie durch Zufall gibt es zahlreiche Seuchenherde. Nun, das ist genau die optimale strategische Konstellation für eine bakteriologische Waffe: so viel Schaden wie nur möglich zu verursachen, ohne den, der sie entwickelt hat, zu gefährden! Für mich steht fest: Dieses Virus ist eine höchst raffinierte bakteriologische Waffe. Und wir selbst wären nicht in der Lage, sie zu produzieren. In dieser Hinsicht hat der Feind einen Vorsprung vor uns. Aber wir sind trotzdem nicht ganz hilflos in Bezug auf strategische Waffen … Und das weiß der Feind! Deswegen geht er getarnt vor. Er hat jedes nur denkbare Interesse daran, uns nicht wissen zu lassen, dass es sich um einen Angriff handelt … Um einen Angriff, dessen Ziel die Vernichtung der Vereinigten Staaten von Amerika ist!«

Der Mann, der rechts vom Präsidenten saß und bislang nichts gesagt hatte, ergriff das Wort: »General, Ihre Auslegung verdient berücksichtigt zu werden, doch Sie sind ein wenig voreilig. Nehmen wir an, dieses Virus wurde von Menschen eingesetzt und ist auf feindliche Absichten zurückzuführen … Aber die anderen Phänomene? Die Angriffe von Tieren? … Die Erdbeben?«

Greg beugte sich über Peters Schulter. »Wer ist das?«, murmelte er.

»Allan Barnsley, Chef des Verteidigungsministeriums.«

Merritt antwortete ruhig und mit gelassener Miene: »Ich schlage vor, den anderen beiden Teams das Wort zu erteilen.«

Der Präsident wandte sich an Peter und Greg: »Meine Herren ...«

»Sprich du«, sagte Greg leise. »Ich bin noch nicht ganz klar im Kopf.«

»Meine Herren«, begann Peter, »ich hätte Ihnen gerne gesagt, dass wir Ergebnisse haben ...« Er zögerte einen Moment. » ... oder zumindest Anhaltspunkte ... Doch leider ist das nicht der Fall. Wir konnten lediglich ein paar Feststellungen zusammentragen, die größtenteils negativ sind. Wir haben Hypothesen aufgestellt, die wir dann experimentell getestet haben, und die Ergebnisse dieser Experimente widersprachen den Hypothesen. Wissenschaftlich gesehen, bedeutet das, dass wir weitergekommen sind. Aber unter praktischen Gesichtspunkten betrachtet, um die es hier ja geht, schauen wir ins Ofenrohr!«

Peter hüstelte. »Entschuldigen Sie bitte den Ausdruck. Ich wollte sagen, dass wir beim momentanen Stand unserer Forschungen keine Hypothesen mehr haben. Denn wir sind mit einem Phänomen konfrontiert, das unseres Wissens nach gar nicht möglich ist.«

Er unterbrach sich für einen Moment und sprach dann weiter: »Wir haben trotzdem ein positives Ergebnis erzielt, das vielleicht ein erster Anhaltspunkt dafür ist, in welche Richtung wir weiter forschen sollten ... Wir haben bei einer Gruppe von Killerhunden äußerst ungewöhnliche Pheromon-Ausschüttungen entdeckt.«

»Pheromone«, unterbrach Harton mit interessiertem Gesichtsausdruck, »sind das nicht diese ... äh ... Sexualhormone, die über den Geruchssinn wirken?«

»Ja, sie wirken über den Geruchssinn, aber sie betreffen nicht nur die Sexualität. Pheromone sind eine der am meisten verbreiteten chemischen Substanzen in der Natur; alle Tiere außer Vögeln sondern Pheromone ab, und sogar bestimmte Champignon- und Algenarten tun dies ... Ihre Funktion besteht darin, die Aktivitäten innerhalb einer Gruppe zu koordinieren, deren Individuen aufeinander abzustimmen, damit bestimmte Aufgaben erledigt werden können, beispielsweise das Sammeln von Nahrung oder das Verteilen der Gruppe im Fall von Gefahr… Und tatsächlich dienen Pheromone auch dazu, einen Sexualpartner anzulocken, und das trifft auch beim Menschen zu…«

»Und im Fall unserer Hunde?«, fragte der Präsident.

»Im Fall unserer Hunde… die Art und Weise, wie diese Tiere sich zu Gruppen zusammenschließen, sich miteinander abstimmen und gemeinsam ihre aggressive Aufgabe angehen, ist sehr atypisch. Wir glauben, dass ein Zusammenhang mit der ungewöhnlichen Pheromon-Ausschüttung besteht, die wir feststellen konnten. Diese Hunde gehorchen einer Aufforderung, die über ihren Geruchssinn läuft, und geben diese gleichzeitig an ihre Artgenossen weiter… Doch was löst nun diesen Mechanismus aus? Das eben wissen wir nicht. Im Moment…«

Merritt unterbrach ihn und wandte sich an den Präsidenten: »Mr President, verzeihen Sie bitte: Was löst diesen Mechanismus aus? Genau das ist doch die Frage. Für mich besteht kein Zweifel, dass es sich um ein künstlich ausgelöstes Phänomen handelt, dessen Urheber der Mensch ist. Ich glaube nämlich nicht, meine Herren Wissenschaftler, dass die Natur es sich zur Gewohnheit gemacht hat, ihre Regeln zu ändern und sich nach neuen Gesetzmäßigkeiten zu verhalten… Wenn es etwas Neues gibt, etwas radikal Neues, wie Sie zu denken scheinen, dann muss dem eine Ursache zu Grunde liegen!«

»Warten Sie, General, warten Sie!«, begann Peter wieder zu von neuem. »Die Erklärung, dass ein Eingriff seitens des Menschen vorliegt, ist nicht weniger rätselhaft als die Hypothese, dass es sich um ein natürliches Phänomen handelt. Denn wir haben nicht die geringste Vorstellung, wie diese angeblichen Feinde auf einem so riesigen Gebiet wie dem der Vereinigten Staaten abweichendes Verhalten bei Tieren verursachen könnten!«

»Mein Lieber, das heißt eben, dass es bei unseren Feinden Wissenschaftler gibt, die etwas mehr wissen als Sie! Und es ist natürlich klar, dass es Ihnen immer schwer fallen wird, so etwas zuzugeben...«

Peter antwortete nicht. Durch das gepanzerte Doppelfenster des Oval Office war von ferne der dumpfe Lärm der Stadt zu hören. Greg war ratlos. Könnte es sein, dass der General Recht hatte? Dass beispielsweise die Ausstrahlung von Wellen mit einer bestimmten Frequenz bei gewissen Tieren Störungen der Gehirnaktivitäten auslöste? Doch weshalb waren nicht auch Menschen von diesen Störungen betroffen? Und wäre es nicht effizienter, gleich Wellen auszustrahlen, die das menschliche Verhalten direkt beeinflussten? Wenn der ›Feind‹ uns in diesem Punkt wissensmäßig überlegen ist, wäre ihm das doch sicher möglich? Doch wenn es ihm möglich war, weshalb tat er es dann nicht? Um seinen Angriff bis zum Schluss zu tarnen und so einen strategischen Gegenschlag zu verhindern?

Der Präsident brach das aufgekommene Schweigen: »Wir haben noch Mr Prescot anzuhören...«

Der Geophysiker richtete sich in seinem Stuhl auf. »Zunächst möchte ich betonen, dass mich die abenteuerlichen Hypothesen von General Merritt keinesfalls überzeugen.«

Er wandte sich an den alten Militär. »Vielleicht überrascht es Sie, aber ich finde, dass Sie ein Vertrauen in die Wissenschaft setzen, das diese womöglich gar nicht verdient. Als Erstes setzen Sie bei unserem ›Feind‹ technische Mittel voraus, die ich mir nur schwer vorstellen kann. Eine besonders gefährliche bakteriologische Waffe, nun gut. Ich muss jedoch zugeben, dass mir nichts Derartiges bekannt ist. Ein Verfahren – welches, kann ich mir auch nur schwer vorstellen –, mit dem man von ferne das Verhalten bestimmter Tiere verändern kann, gut... Das ist Science-Fiction, doch warum nicht? ... Aber, nehmen Sie es mir nicht übel, ich sperre mich wirklich bei der Vorstellung, dass es möglich sein sollte, Erdbeben dieser Stärke künstlich auszulösen!«

Merritt saß mit beinahe geschlossenen Augen reglos in seinem Stuhl.

»Außerdem«, fuhr der Geophysiker fort, »gehen Sie auf einer

mehr theoretischen Ebene davon aus... dass die Natur unveränderlichen Gesetzen gehorcht und dass wir diese Gesetze kennen... Was verstehen Sie schon davon! Wenn bestimmte Verhaltensweisen der Natur sich unserem Verständnis entziehen, sind sie also zwangsläufig nicht natürlich! Welch eine Überheblichkeit! Mein Herr, ich bin Wissenschaftler, und ich bin nicht so anmaßend wie manche meiner Kollegen, dass ich mich für fähig hielte, hinter die Geheimnisse der Natur zu kommen. Und was meine eigene Disziplin betrifft, so habe ich seit langem das Gefühl, dass unsere Erklärungsmuster höchst unzureichend für das Verständnis der Funktions- und Entwicklungsrätsel unseres Planeten sind... Es gibt ungeheure Dunkelzonen! Und was mich angeht, so bekräftigen die momentanen Ereignisse nur meine Zweifel... Wir müssen ein wenig Bescheidenheit üben! Meine Herren, wir halten uns für Götter, aber allzu viel wissen wir nicht...«

Prescot holte Luft. Merritt sah ihn mit dem Lächeln eines Kannibalen an.

»Werter Freund, Ihre existenziellen Probleme sind sehr anrührend, aber Sie sind hier nicht in einer therapeutischen Praxis, sondern, wenn ich Sie daran erinnern darf, im Büro des Präsidenten der Vereinigten Staaten...«

Der Forscher fuhr mit einem Ruck auf. »General, Ihre rhetorischen Spielereien sind bei dem Ernst der Lage lächerlich unangemessen! Ich glaube nicht, dass ich mich vom Thema entfernt habe. Wir stehen einer entsetzlichen Bedrohung gegenüber, von der es womöglich abhängt, was weiterhin aus der gesamten Menschheit wird... Die Erde verhält sich in einer Weise, wie sie sich noch nie verhalten hat! Und wir haben nicht die geringste Ahnung, wie sie sich in naher Zukunft verhalten wird! Wir müssen alles, was wir zu wissen glauben, in Frage stellen...«

Merritt wandte sich an den Präsidenten: »Mr President, bis dieses umwälzende wissenschaftliche Programm Ergebnisse zeitigt, möchte ich Ihre Aufmerksamkeit auf einen einzigen Punkt lenken. Es handelt sich nicht um eine Bedrohung ›für die gesamte Menschheit‹. Die Fakten sind eindeutig: Nur das amerikanische

Staatsgebiet ist betroffen. Das alles ist gezielt, Mr President. Extrem gezielt.«

Bosman hob einen Finger und ergriff das Wort: »Verzeihen Sie bitte, General. Ich möchte kurz etwas berichtigen. Seit heute Morgen werden aus Lateinamerika beträchtliche Erdbebenwellen gemeldet, verbunden mit starken, ungewöhnlichen klimatischen Störungen: Orkane und Zyklone, die Venezuela, Kolumbien, Ecuador und den Norden Brasiliens heimsuchen ... Es ist noch ein wenig zu früh, um sagen zu können, ob ein Zusammenhang mit dem besteht, was uns hier beschäftigt, aber ... das sind beunruhigende Fakten.«

Greg fühlte einen Schauer durch seinen Körper laufen. Mary, dachte er. Sie ist in dem Gebiet ... im Norden Brasiliens. Womöglich war sie mitten im Urwald Amazoniens, wo keine Hilfe sie erreichen konnte und niemand wusste, wo genau sie sich befand ... Er hörte das Gespräch nicht mehr. Nur Merritts heisere Stimme erkannte er, deren Redefluss etwas rascher war als sonst. Nach einigen Sekunden drang der Sinn dessen, was er sagte, endlich durch den Nebel von Gregs Angst.

»... man müsste schon sehr naiv sein, um zu glauben, dass eine derart schlagkräftige Waffe gleichzeitig von einer solchen Präzision sein könnte, dass sich ihre Wirkung ausschließlich auf das Gebiet der Vereinigten Staaten beschränken ließe und an deren Grenzen wie durch ein Wunder zu funktionieren aufhörte! Zumal es dem Feind vollkommen gleichgültig sein dürfte, wenn er Schäden in Ländern verursacht, die nach wie vor privilegierte Einflusszonen Amerikas darstellen ...«

Der General zündete sich ruhig eine Zigarre an.

»Außerdem«, fuhr er fort, »wird eine neue Begebenheit, von der Sie, Mr President, bereits wissen, unsere Wissenschaftsfreunde vielleicht nachdenklich stimmen ... Pflanzen, die zum Zwecke der menschlichen Ernährung angebaut werden, sind Mutationen unterworfen. Jedoch nicht irgendwelchen Mutationen ...«

Der General nahm mit zufriedener Miene einen tiefen Zug aus seiner Zigarre.

»... sondern Mutationen, die sich dahingehend auswirken, dass der Verzehr besagter Pflanzen tödlich für den Menschen ist. Es gibt bereits Hunderte von Toten. Noch ein weiteres ›natürliches‹ Phänomen, meine Herren ...«

Im Saal herrschte bleiernes Schweigen. Der General fuhr mit düsterer Stimme fort: »Mr President, ich weiß, dass es schwer fällt, sich das einzugestehen, doch wir befinden uns im Krieg. In einer ganz neuen Art von Krieg. Einem ökologischen Krieg.«

»Und der Feind, Merritt, wer soll das sein?«, fragte der Präsident.

»Mr President, ich denke, man sollte ihn unter den Mächtigsten derer suchen, die ein Interesse daran haben, uns zu schwächen. Russland ist nicht mehr sehr mächtig, zudem braucht es uns ... Unsere europäischen Bündnispartner sind nach wie vor mächtig, doch ich kann mir schwer vorstellen, dass sie uns schaden wollen ... Bleibt also noch ein Land ...«

Der General brach ab. Alle Blicke waren auf ihn gerichtet. Er hielt ihnen stand.

»Ein Land«, fuhr er fort, »dessen Wirtschaft blüht, weil es mit einer effizienten Synthese aus Kapitalismus und Dirigismus operiert ... Ein Land, das die Weltherrschaft beanspruchen könnte, wenn Amerika seine Überlegenheit verlöre ... Ein Land, dessen Kultur und dessen Werte den unseren diametral entgegengesetzt sind ...«

»Jetzt sagen Sie ihn schon, Merritt! Den Namen des Landes!«

»China, Mr President.«

34

Market Street 12, Philadelphia

Linda merkte, dass ihr Kiefer schrecklich verspannt war. Sie gähnte probeweise, um sich zu lockern, was einen kurzen, stechenden Schmerz auf der rechten Seite oben im Hals verursachte. Ein Nerv musste sich verklemmt haben. Tom drehte sich zu ihr. Hatte sich ihr ein Schrei entrungen? Doch der Blick des Jungen war nicht streng. Im Gegenteil, tiefe Sanftheit lag darin, und Linda fühlte sich besser. Tom sah so anders aus. Seine Augen waren größer und klarer und strahlten. Seine Wangen waren rot. Man hätte meinen können, er sei wiedergeboren worden...

»Ihr werdet zu einem neuen Leben wiedergeboren«, hatte Ariella gesagt.

Jetzt war es also so weit...

Die Mitglieder der Gemeinschaft um sie herum schienen eins zu sein. Männer, Frauen und Kinder, Menschen von ganz unterschiedlicher Rasse und Herkunft saßen nebeneinander und blickten konzentriert auf den Altar. Sie blickten auf Ariella.

Diese lag mit gespreizten Beinen nackt auf dem Altar. Ihr bis auf den runden Bauch ausgemergelter Körper wurde von heftigen Krämpfen geschüttelt.

Die Wehen.

Ihr blasses Gesicht schien noch um weitere Jahre gealtert. Ihr Mund stand offen, als stieße sie einen lang gezogenen Schrei aus, doch sie schrie nicht. Alles war still. Eine bleischwere Stille.

»Das Tier tritt zu seiner letzten Schlacht an«, so hatte der Erste Jünger gesagt. Tatsächlich schien Ariella zu kämpfen. Ob sie von Satan angegriffen wird?, fragte sich Linda... Sie schien entsetzlich zu leiden...

Ob sie für uns leidet? Für die Menschheit?

Neben Ariella stand Professor Garrett und hielt ihr die Hand.

Er trug einen weißen Kittel. Wenige Minuten zuvor hatte er Ariellas Blutdruck gemessen.

»Der größte der Reumütigen ...«

Er hatte den großen Bund in Gang gebracht ... Er, der Sünder, der Unverbesserliche, der Schänder des Lebensbaums, dessen Karriere auf Experimenten mit In-vitro-Befruchtung und dem Klonen von Menschen gründete ... »Doch der Herrr bedient sich der Waffen, die das Tier schmiedet.«

Eines Tages war Ariella zu ihm gekommen. Sie hatte ihm offenbart, dass er sündigte. Und er war gläubig geworden. Und die Waffe, die das Tier geschmiedet hatte, die hatte er gegen das Tier gewandt. Der Herr war Seinem Versprechen ein weiteres Mal treu geblieben.

Wie Sarah war Ariella trotz ihres Alters fruchtbar gewesen, dank Professor Garrett.

Ariellas Zuckungen wurden immer rasender. Der Erste Jünger trat vor und ergriff das Wort: »Der Dämon, der Trenner ... er will den Bund zerbrechen! Doch das wird nicht geschehen. Weihnachten ist des Satans!«

»Weihnachten ist des Satans!«, wiederholte die Versammlung einstimmig.

»Brüder und Schwestern ... Es ist an der Zeit ...«

Linda spürte, wie ihr Rücken steif wurde. Ich will nicht sterben, dachte sie. Ich will nicht sterben! Ihr Herz begann hart in ihrer Brust zu klopfen und ließ beinahe ihre Rippen zerspringen. Ungestüme Verweigerung durchdrang ihren Körper. Nicht sterben!

Ein Mann ging durch die Reihen und verteilte kleine Schächtelchen. Jeder nahm eines. Die meisten Gesichter strahlten. Tom blickte sie nicht an, doch Linda sah ihn von der Seite. Er war heiter, fast ungeduldig ... War er glücklich, Amy wiederzufinden?

»Du bist kleingläubig, Linda«, sagte eine Stimme in ihrem Kopf, die wie in einem immensen Raum widerzuhallen schien. »Linda, du weißt es ... In wenigen Minuten wird die Welt untergehen... Alle Auserwählten werden zu einer Einheit verschmolzen sein... Linda, sie haben dich unter die Auserwählten aufgenommen... Trotz deiner Sünden haben sie dich aufgenommen, und sie haben dir verziehen! Würdest du woanders sein wollen als hier, wenn alles zu Ende geht?«

Die Stimme hatte ihre Gedanken zum Schweigen gebracht und nur Tränen zurückgelassen... und Bilder, die ihr durch den Kopf zogen. Tiere, die wieder wild geworden waren und menschliche Körper zerfleischten... Leblose Städte voll ausgeweideter Leichen... Spalten, die sich in der Erde auftaten, und riesige Wogen, die Millionen von Menschen verschlangen... Das Ende der Welt.

Drei Tage zuvor hatte sie an die Tür des großen Hauses geklopft, das die Gemeinschaft beherbergte; man hatte ihr geöffnet und sie lächelnd empfangen. Man hatte sie zu Ariellas Refugium gebracht, und Ariella hatte sie lange in die Arme geschlossen. Sie hatte von der Freude im Himmel gesprochen, wenn ein verlorenes Schaf zurückkehrt. Linda hatte sich geliebt gefühlt. Zutiefst geliebt.

Und später hatte sie Tom gesehen, und er hatte sie ebenfalls angelächelt. Er hatte sie in seine Arme geschlossen. Wie ein Bruder.

Linda fühlte, wie ihr Tränen die Wangen herunterliefen. Sie weinte über ihre Fehler. Eine Bitte stieg in ihr auf. Vergebung... Vergebung!

Der Mann, der die Schachteln verteilte, blieb vor ihr stehen. Linda fühlte keinen Aufruhr mehr. In ihrem Herzen war eine große Ruhe. Sie nahm, was er ihr reichte. Alles wird gut, sagte sie sich.

Die kleine durchsichtige Plastikschachtel enthielt drei weiße Pillen.

»Meine Brüder und Schwestern«, ergriff der Große Apostel wieder das Wort, »meine treuen Gefährten... Die Stunde ist gekommen!«

Der Professor zog eine dicke Spritze mit einer durchsichtigen Flüssigkeit auf.

»Satan will den Großen Bund zerstören! Satan stößt das Gotteskind aus der Heiligen Gebärmutter! Es ist die Zeit des Opfers!«

»Amen«, antwortete die Versammlung.

»Der Große Bund wird bestehen, in alle Ewigkeit!«

»Amen!«

Der Arzt stieß die Spritze tief in Ariellas Bauch und drückte die Flüssigkeit langsam hinein.

»Es ist an der Zeit!«, sagte der Erste Apostel.

Alle um Linda herum machten sich daran, das Schächtelchen zu öffnen. Einige schluckten bereits ihre Pillen. Wie im Traum sah sie von Liebe erfüllte Blicke und Körper, die langsam schlaff wurden. Nicht weit von ihr schrie ein kleines Mädchen. Es schien sich zu weigern, die Pillen zu schlucken. Die Mutter packte es an den Haaren, und die Kleine hörte auf, um sich zu schlagen. Der Vater schob ihr mit fester Hand die drei Pillen zwischen die zusammengepressten Lippen.

Linda drehte sich zu Tom. Er sah sie mit glückstrahlenden Augen an und lächelte.

»Leb wohl, Linda«, murmelte er und nahm ihre Hand. »Weißt du, ich habe dich geliebt ...«

Dann schluckte er die drei Pillen auf einmal.

In Lindas Herz war ein tiefer Frieden, den sie bisher nicht gekannt hatte. Alles um sie herum schien heller. Einige Körper lagen bereits ausgestreckt auf dem Boden, Gesichter schienen friedlich zu schlafen ...

Linda schluckte die drei Pillen ...

Toms Körper glitt sanft zu Boden, wo er sich ganz langsam ausstreckte, wie von Engelshand gehalten. Linda streckte sich neben ihm aus und schloss die Augen.

Es ging ihr gut.

35

Irgendwo über dem Regenwald Amazoniens

Unter ihnen wurden die weißen Mauern der Mission immer winziger, je mehr das kleine Flugzeug an Höhe gewann. Auf allen Seiten sah man, so weit das Auge reichte, das tiefe Grün des Regenwaldes... Mary merkte, wie ihre Lider niederfielen und Nebel ihre Gedanken einhüllte. Sie war erschöpft.

Es war, als würde ihr Organismus, nachdem er die Müdigkeit tagelang unterdrückt hatte, nun unvermittelt jeden Widerstand aufgeben und sich ihr völlig hingeben. Es war eine absolute, nervliche, ausweglose Müdigkeit, denn sie verlangte nicht nach Ruhe. Während der kurzen Nacht in der kleinen Salesianer-Mission hatte Mary nur in kurzen Intervallen schlafen können, und ihr Schlaf war unruhig gewesen und hatte sie nicht regeneriert. Seit zwei Wochen hatte sie nur durchhalten können, indem sie ihre Gefühle unterdrückte. Und jetzt stürmten die Gefühle mit Macht zurück, als fordere ihr Körper, dass sie die angesammelte Müdigkeit und den Stress bewusst auslebte.

Die beiden letzten Tage waren besonders anstrengend gewesen.

Mary war mit einem Gefühl äußerster Dringlichkeit aus ihrer Yopo-Erfahrung aufgetaucht. Sie mussten aufbrechen. Sie musste sagen, was sie gesehen hatte: die Tage des Zorns.

Diego hatte zugestimmt, ohne Fragen zu stellen. Als wisse er, was in ihr vorging.

Sie waren zehn Tage Fußmarsch von einer Salesianer-Mission auf venezolanischem Gebiet entfernt gewesen. Mary hatte ein paar Stunden geschlafen, danach waren sie aufgebrochen. Sylvain, Diego und Mary.

Schon am ersten Abend waren Gewitter ausgebrochen. Die

Natur schien in Aufruhr. Blitze schossen durch den Wald um sie herum, als wollte der Himmel sie zu Asche werden lassen ... Ohne zu schlafen, hatten sie sich völlig durchnässt irgendwo zusammengerollt und gewartet, bis es Tag wurde, um weiterzugehen. Der Himmel hatte sich nicht beruhigt. Sie waren bis zu den Knien durch Schlamm gewatet. In der zweiten Nacht hatten sie auch nicht viel mehr geschlafen ...

Wie sie die Missionsstation erreichten, wusste Mary hinterher nicht mehr. Sie hatte sich völlig überfordert. Mit dem zweiten Tag verband sie keinerlei Erinnerung, so als hätte sie sich während des Fußmarsches in einem tiefen Koma befunden ...

Die Missionsstation war mit einem Telefon ausgerüstet. Diego hatte Rogulski angerufen.

Bei Tagesanbruch war er da; sein kleines Flugzeug hatte er am Ende der Rollbahn abgestellt.

Ein leichter Ruck ging durch die Maschine, und Mary merkte, dass ihr übel war. Sie war überall verspannt. Bedrückt. Wenn nur Diego da wäre, dachte sie ... Allein seine Gegenwart genügte, sie zu entspannen und zu beruhigen. Ihr Kraft zu geben.

Doch Diegos Sitz rechts vor ihr neben Rogulski war leer.

Ich bleibe, hatte er gesagt.

Mary war es nicht gelungen, ihre Überraschung und ihre Angst zu verbergen. Sie spürte, dass es gefährlich war, zu bleiben. Die Tage des Zorns ...

Mein Platz ist hier, hatte Diego gesagt. »Wenn ein Wesen, das man liebt, sterben wird, dann ist es gut, es zu begleiten.«

Mary wusste, dass er vom Volk der Yanomami sprach. Etwas später hatte sie ihm eine Frage gestellt: »Habe ich alles erfahren, was ich erfahren sollte?«

Er hatte leise gelacht.

»Die Initiation beginnt erst noch.«

Dann hatte er sie in seine Arme geschlossen.

Leb wohl, Mary.

Mary wischte eine Träne ab, die ihr die Wange herunterlief. Ob ich ihn je wiedersehen werde?, fragte sie sich.

Links von ihr stand ein weiterer Sitz leer. Der, auf dem Sylvain beim Hinflug gesessen hatte.

Ich bleibe auch.

Sie haben die Möglichkeit zurückzukehren, Sylvain, hatte Diego ganz leise gesagt.

Dabei war sein Blick von einer fast väterlichen Wärme erfüllt gewesen. Sylvain hatte ihn bewundernd angesehen, wie ein Hund sein Herrchen anblickt.

Ich bleibe.

Mary ließ die Tränen fließen. Sie hatte verstanden. In jenem Moment hatten alle beide gewusst, dass sie hier sterben würden. Sylvain wusste es. Doch er hatte nicht zurückkehren wollen. Er wollte lieber bei Diego sterben, als fern von ihm zu leben...

Die junge Frau hatte das Gefühl, in ihr würde ein Schleier zerreißen. Einer mehr, sagte sie sich... Sie spürte die Müdigkeit nicht mehr. Sie weinte leise, doch tief in ihrem Herzen war Heiterkeit, und sie wusste, dass diese Heiterkeit immer da sein würde, dass sie der Kern ihres Wesens war. Nur dass sie meist von anderem überdeckt war, von einer Angst, von einer Wahrheit, die sie nicht sehen wollte und die sie mit Schatten bedeckte...

In jenen letzten Stunden hatte sie nicht begreifen wollen, dass sie Diego nie mehr wiedersehen würde. Sie hatte sich eingeredet, ihr Abschied sei kein endgültiger gewesen. Diego hatte nichts getan, sie eines Besseren zu belehren. Er lächelte einfach, und dieses Lächeln sah Mary nun wieder vor sich. Es war das Lächeln eines Erwachsenen angesichts des Spiels eines Kindes, eines Erwachsenen, der so tut, als würde er daran glauben, und der gleichzeitig zu verstehen gibt, dass er nicht wirklich daran glaubt... Der den anderen frei sein lässt. Das war Diegos Methode. Er ließ einem vollkommene Freiheit. Er ließ einen seine Erfahrungen machen und wollte nichts weiter, als dass man daran wuchs...

Er ist ein Meister, sagte sich Mary.

Im Allgemeinen sind die Menschen nichts anderes als Kinder, die den Ernst von Erwachsenen nachäffen. Sie ziehen die Stirn in Falten, um an ihre eigene Wichtigkeit glauben zu können, und setzen eine geschäftige Miene auf. Und tief in ihrem Inneren sind sie doch ganz kleine Kinder und von deren Ängsten getrieben...

Nur wenige Menschen sind wirklich erwachsen. Sie haben keine Falten auf der Stirn, und doch sind sie Meister... Denn sie sind in der Lage, Kleinkinder zu erziehen. Wenn diese es wollen und verlangen... Sylvain hatte das alles begriffen. Und es gab etwas, das er mehr wollte als alles andere, nämlich bei Diego bleiben. Er war bereit zu sterben, sofern dies an der Seite dessen geschähe, den er als seinen Meister betrachtete...

Was mochte er von Diego bekommen haben, das in seinen Augen mehr wog als sein Leben?

Vielleicht seine eigene Wahrheit...

Mary selbst hatte den Abschiedsschmerz nicht durchleben wollen. Und so hatte sie ihr Herz verdunkelt. Sie hatte so getan, als ob. Diego hatte ihr Spiel respektiert und auf jeden Fall gewusst, dass sie den Preis dafür würde bezahlen müssen.

Und der Preis bestand darin, dass sie den Abschied nicht ausgelebt hatte. Dass sie Diego nicht gesagt hatte, was zu sagen war, dass sie ihm weder von ihrem ungeheuren Schmerz erzählt hatte noch von der Dankbarkeit für das, was aus ihr durch ihn geworden war... Dass sie ihn nicht ein letztes Mal an sich gedrückt hatte, ihn, den sie liebte wie den Vater, den sie so gern gehabt hätte...

Mary spürte, dass viel Zeit, sehr viel Zeit vergehen musste, bis sich diese Wunde schließen würde. Die Wunde, einen wesentlichen Augenblick verpasst zu haben... Doch eigenartigerweise war hinter den Tränen die Heiterkeit, dieses Licht...

Denn ich habe aufgehört, mich selbst zu belügen, dachte sie...

Ich will mich nicht mehr belügen.

Das kleine Flugzeug flog jetzt dicht über einer Decke beunruhigend dunkler Wolken. Rogulski hatte ihr eine kalte Mahlzeit serviert und ein wenig mit ihr geplaudert... Dann hatte sie geschlafen. Mary sah auf ihre Uhr. Zehn Uhr morgens... Es war finster wie mitten in der Nacht. Sie beugte sich zu Rogulski.

»Droht etwa ein Gewitter?«, hatte sie ihm zugeschrien.

»Könnte sein… Aber nichts besonders Schlimmes, seien Sie unbesorgt.«

Die junge Frau richtete sich auf. Der Nacken des Piloten war schweißbedeckt.

Rogulski hatte tragische, beunruhigende Nachrichten mitgebracht. Manaus war zerstört. Ein Erdbeben hatte die Stadt zum Einsturz gebracht, und die gesamte Region war von fürchterlichen Orkanen verwüstet worden. Es gab Tausende von Toten. Er selbst war gerade noch davongekommen. Das Unwetter breitete sich über das ganze Land aus und kam auf sie zu. Die Gewitter, durch die Mary bei ihrem Marsch mit Diego und Sylvain gegangen war, waren nur Vorboten gewesen…

Es war unmöglich, über Manaus zurückzukehren. Sie hatten eine andere Route wählen müssen, unter Berücksichtigung des abgeänderten Wetterberichts. Rogulski hatte auf einer Karte einen Korridor skizziert, der dem Punkt zu entsprechen schien, wo die Sturmfronten am spätesten aufeinander treffen würden. Sie mussten über den Süden Venezuelas fliegen, danach eine oder zwei Stunden über Kolumbien, dann würden sie in San Cristobal landen. Von diesem Ort gab es trotz der atmosphärischen Störungen noch regelmäßige Verbindungen nach Caracas und von dort wiederum in den Süden der Vereinigten Staaten…

Die Tage des Zorns… Sie hatten begonnen. Es war eine Bedrohung, schrecklicher als alle Bedrohungen, die die Menschheit je erleben musste.

»Du hast die Krankheit gesehen«, hatte der Brujo beim Abschied zu ihr gesagt. »Es ist deine Aufgabe, den Kranken zu heilen…«

Ja, Mary hatte die Krankheit gesehen. Doch was sollte sie für den Kranken tun, wenn die ganze Welt krank war?

Mary fühlte sich plötzlich erdrückt von der Last ihrer Aufgabe.

Sie wusste, was es für einen Yanomami-Schamanen hieß, einen Kranken zu heilen. Für einen traditionellen Menschen, sei es ein Indianer, ein Afrikaner oder ein Australier, ist die Krankheit eines

Individuums immer nur das Zeichen für ein Ungleichgewicht zwischen der jeweiligen menschlichen Gemeinschaft und dem fraglichen Individuum und, noch allgemeiner gesprochen, zwischen der Gemeinschaft und der gesamten Menschheit. Die Krankheit ist lediglich ein Symptom, das Symptom eines Bruchs in der Harmonie zwischen den verschiedenen Gesamtheiten, denen der Mensch angehört: seiner Familie, seinem Stamm, seinem Territorium, der Achse zwischen Himmel und Erde ... Und Aufgabe des Schamanen ist es, die Harmonie zwischen all diesen Ebenen wiederherzustellen, durch Rituale, durch Anrufungen und durch das Zusammenwirken der gesamten Gruppe, die ihre Verfehlungen wieder gutmachen und ihre Lebensweise ändern muss ... Denn wenn ein Individuum krank wird, ist dies für den nach traditionellen Bräuchen lebenden Menschen ein Zeichen, dass die gesamte Gruppe ihre Beziehung zur Welt ändern muss ...

Als das Yopo neue Sphären in ihr geöffnet hatte, war Mary den Erdgeistern begegnet. Den Hekuras. Sie hatte die Krankheit gesehen. Es war die Menschheit, die krank war. Die Beziehung der gesamten Menschheit zur Welt musste sich ändern.

Das klang verrückt. Wer würde ihr glauben? Wer würde auf sie hören? Auf eine Hochschullehrerin, die bis auf ein paar Kollegen niemand kannte ... Was stand auf dem Spiel? Die Zukunft des Menschengeschlechts.

Mary schloss die Augen.

Langsam durchdrang sie ein Gefühl der Unwirklichkeit. Als sei all das nur ein Traum, ein Film mit einer etwas plumpen Handlung, der irgendwann enden würde, egal wie, und danach würde das Leben wieder seinen Lauf nehmen, ohne Überraschungen. Der Alltag ...

Da zuckte plötzlich ein Blitz durch die Finsternis, und das Flugzeug machte einen Satz zur Seite. Mary fühlte, wie ihre Hand sich um die Armlehne krampfte. Ein weiterer Blitz enthüllte einen Moment lang die undurchdringliche Wolkenmasse um das kleine Flugzeug herum, das nun zu schlingern begann.

»Was ist los?«, schrie die junge Frau.

Doch der Gewitterlärm mischte sich mit dem Dröhnen der Motoren, und Rogulski antwortete nicht. Er hielt den Steuerknüppel fest umklammert, um Abweichungen von der Route zu korrigieren, stocksteif wie ein Roboter.

Ein Blitz folgte auf den anderen, als führte in den bedrohlich aufgebauschten Kumulunimbuswolken das Licht gegen die Finsternis Krieg…

Dann kippte das Flugzeug, von einem Feuerpfeil getroffen, vornüber.

Rogulski, gespannt wie ein Bogen, riss am Steuerknüppel. Mary fühlte schmerzhafte Stiche im Magen. Ihr wurde bewusst, dass sie nur durch die Kraft des Sicherheitsgurts in ihrem Sitz gehalten wurde. Ihre Glieder waren verkrampft.

Es gelang ihr, einen Blick ins Cockpit zu werfen. Der Pilot saß tiefer als sie.

Das Flugzeug ging im Sturzflug nieder.

Wir stürzen ab.

Ob ich sterben werde?, dachte Mary.

Greg…

Es war merkwürdig. Sie war Greg auf ihrer inneren Reise begegnet. Greg ohne seinen Körper. Gregs Wesen, an einem raumlosen Ort… Er hatte Angst. Er war allein, wie ein ganz kleines Kind. Sie hatte seine Hand genommen… Später ging es ihm besser… Hatte sie das geträumt?

Mary fühlte ihren Körper vibrieren. Das Cockpit war so stark durchgerüttelt worden, dass es sich verschoben hatte. Rogulski saß vornübergebeugt und schrie etwas in sein Funkgerät.

Greg. Er braucht mich.

Ich will nicht sterben. Ich darf nicht sterben.

Ich muss berichten, was ich gesehen habe. Ich kann nicht sterben. Wozu wäre all das sonst nütze gewesen?

Durch das Seitenfenster kam die Sonne näher. Land und Wasser mischten sich zu einem gigantischen Sumpf, in dem Schilfrohr und vereinzelte Baumgruppen wuchsen. Dicker, schmutziger

Regen fiel, und überall blitzte es. Die Zeit schien langsamer zu vergehen.

Rogulskis Rücken war zusammengesackt. Der Pilot schien nicht mehr zu kämpfen. Es war der Rücken eines besiegten Mannes.

Mary schrie mit aller Kraft ihren Aufruhr heraus, doch sie hörte keinen Ton aus sich dringen. Ihr ganzer Körper lehnte sich gegen den Tod auf; es war zu früh.

Ich habe doch noch gar nicht gelebt, sagte sich Mary.

Der Boden war nun ganz nahe. Das Flugzeug stürzte geradewegs auf einen Haufen dicht belaubter Äste und Büsche zu. Rogulski drehte sich zu ihr. Sein Gesicht war einfach nur traurig, als würde er sich entschuldigen.

Mary schloss die Augen.

Alles ist rot. Ein Schleier vor den Augen. Schmerz. Das Flugzeug in zwei Teile geborsten. Rogulski?

Feuer. Metall, das glüht und sich verbiegt. Hitze. Es wird immer heißer. Sich losmachen.

Den Gurt lösen!

Mary steht auf.

Der Gurt hat endlich nachgegeben. Kaltblütigkeit im Kopf, ein merkwürdig klares Bewusstsein.

Die Jacke muss ausgezogen werden; sie steht in Flammen. Erledigt.

Ich muss weg vom Flugzeug.

Das rechte Bein will nicht. Das rechte Bein nachziehen. Unmöglich, es aufzusetzen. Dann auf einem Fuß.

Schnell.

Da ist Wasser. Bis zur Taille. Dickflüssiges, dunkles Wasser, in dem der Widerschein des Feuers tanzt. Sich hineingleiten lassen.

Eine Explosion.

Mary ist weitergekommen, sie hat den Fuß auf festeren Boden gesetzt, auf schlammige Erde, die sie nicht einsaugt. Da ist ein Baum. Und Wasserpflanzen, die sich aufrollen wie Schlangen aus dem Sumpf.

Der Himmel ist ruhig. Der Mond lugt hervor. Das Gewitter ist vorbei.

Da ist etwas wie ein schlagendes Herz; es kommt aus den Tiefen der Erde.

Mary weiß, dass sie dort sterben wird.

36

Fort Detrick, Maryland, Donnerstag, 26. Juni

Das Phänomen wurde immer klarer. Und die Forscher verstanden immer weniger. Und Greg war es egal.

Manaus war von einem Erdbeben ausradiert worden. Doch normalerweise konnte Mary nicht mehr in Manaus sein. Sie war mitten im Regenwald Amazoniens, einem Wald, der von Orkanen, Erdbeben und Überschwemmungen verwüstet wurde...

Greg dachte an Mary.

Rosenqvist arbeitete immer besessener. Wie ein Hypnotisierter; die Ringe unter seinen Augen wurden immer stärker, sein Blick immer leerer. Peter hingegen nahm Anteil an der Angst seines Freundes. Doch er war genauso wie Rosenqvist von ihren Forschungsarbeiten gefesselt.

Greg waren sie egal.

Doch sie mussten faszinierend sein.

Die vielen Hunde, die man ihnen in Lastwagen brachte, verhielten sich immer typischer. Insgesamt waren sie ruhig und sanft. Wenn man sie in Gruppen zusammensperrte, dauerte es nicht lange, bis sie in Rudelverhalten verfielen, was auch Auseinandersetzungen untereinander beinhaltete, doch kein einziges Mal hatte eine solche zum Tod eines Artgenossen geführt. Es kam zu Verletzungen, bisweilen ernsthaften, doch das war alles. Die Rudelorganisation lief auf die Erhaltung eines dauerhaften Friedens hinaus.

Ein Modell politischen Lebens, hatte Rosenqvist gesagt.

Hingegen gab es Augenblicke, in denen sich alles änderte: wenn die Hunde die Anwesenheit von Menschen witterten. Dann bekamen sie Tobsuchtsanfälle. Sie wollten Blut.

Und da die Forscher ihnen nicht die Freundlichkeit erwiesen, sie mit Menschenfleisch zu beliefern, sondern sie bei solchen Gemütskrisen lieber aus sicherer Entfernung beobachteten, zerfleischten die Hunde sich schließlich gegenseitig.

Der Anblick eines Menschen genügte bereits, um diesen Prozess auszulösen. Der Geruch eines Menschen ebenfalls. Und manchmal, so schien es sogar, schlicht die Erinnerung an Menschen, die von Zeit zu Zeit wie eine Blase an der Oberfläche ihrer Benommenheit aufplatzte ...

Vor etwa zehn Tagen war es noch möglich gewesen, sich den Tieren zu nähern, sie anzufassen ... wenn auch unter bestimmten Sicherheitsvorkehrungen, gewiss. Gegenwärtig war an so etwas nicht einmal zu denken.

Im Verhalten der Tiere war eine Entwicklung zu beobachten, eine unglaublich rasche Entwicklung. Und vollkommen unbegreiflich.

Greg saß in einer Ecke des Labors, doch ihm war nicht nach Arbeiten zumute. Jedenfalls hatte er keinerlei Ideen. Rosenqvist, im Raum nebenan, sezierte wohl gerade eins seiner Forschungsobjekte, untersuchte wie üblich Gewebe- und Sekretproben ...

Peter hingegen war hier. Greg war froh darüber. Die Anwesenheit seines Freundes tröstete ihn ein wenig in seinem Schmerz. Wenn es erforderlich war, assistierte er ihm, ansonsten sah er ihm einfach beim Arbeiten zu. Von Zeit zu Zeit überlegte er, suchte nach Anhaltspunkten, nach einer Idee ...

Dann dachte er an Mary.

Es war nichts Ungewöhnliches daran, dass er keine Nachricht von ihr hatte. Sie musste im Dschungel sein, fern jeglicher Kommunikationsmöglichkeit. Sie hatte es ihm gesagt. Es war durchaus möglich, dass es ihr gut ging.

Doch es konnte auch sein, dass ihr etwas zugestoßen war. Und in diesem Fall würde er es nicht einmal erfahren. Vielleicht würde er es nie erfahren. Greg fühlte tiefen Schmerz in seiner Brust und zwang sich durchzuatmen. Das Schrecklichste an der ganzen

Sache war, dass Mary ganz einfach verschwinden konnte, ohne dass er je erführe, wo und wie...

Mein Gott...

Greg versuchte zu beten, doch es gelang ihm nicht. Dann wollte er zumindest die Erinnerung an seine Erfahrungen im Reich der Toten, wie er gern sagte, wiederaufleben lassen... Doch etwas in ihm war wie zugeschnürt und hinderte ihn daran, sich zu erinnern, und so wurde er von Angst niedergedrückt. Aus dieser seiner Erfahrung wusste er, dass der Tod nichts bedeutete, dass man nie wirklich getrennt sein konnte von denen, die man liebte, dass Raum und Zeit nur Schein sind... Er wusste es.

Doch er fühlte es nicht.

Es war nur noch eine Vorstellung, und wie alle Vorstellungen dem Gift des Zweifels ausgesetzt...

Hatte er tatsächlich erlebt, was er auf den drei Notizzetteln im Krankenhaus niedergeschrieben hatte? Oder hatte er es nur geträumt? War es nicht eine dieser Wahnvorstellungen, wie das menschliche Gehirn sie erzeugen kann, wenn es zu einer übermäßigen Ausschüttung von Neurotransmittern wie Adrenalin, Serotonin oder Noradrenalin kommt? So jedenfalls lautete Livingstones Interpretation, die er seinem Publikum aus angehenden Fachärzten nach der an ihm durchgeführten Untersuchung im Militärkrankenhaus triumphierend präsentiert hatte.

»Sie haben das erlebt, was man als ›Grenzerfahrung‹ bezeichnet, Mr Thomas.«

Das menschliche Leben endet in einer gewaltigen Überdosis, einer sinnlichen Explosion von Synapsen-Ausschüttungen, einem Feuerwerk von Kompensationsvisionen, in dem die schönsten und verrücktesten menschlichen Träume in einer der Wirklichkeit täuschend ähnlichen Atmosphäre abliefen... Und wenn man das zufällig überlebte, so Livingstones Schlußfolgerung, hatte man genügend Bilder im Kopf, um eine neue Religion zu gründen!

Peter arbeitete gerade mit einem Bullterrier, den er am Schädel operiert hatte, und testete dessen Gehirn- und Nervenreaktionen. Er stimulierte unterschiedliche Gehirnzonen des Tiers. Offensichtlich war das Einzige, was in dem Hund vorging, große Lust, Peter zu fressen, egal, welche Zone stimuliert wurde. Doch Peter notierte unermüdlich alles, in der Hoffnung, einen Faktor ausfindig machen zu können, ein Detail, das ihn auf die richtige Spur brachte...

»Alles in Ordnung?«, fragte er.

Greg machte Anstalten zu lächeln, merkte jedoch, dass er eher eine Grimasse zog.

»Ich habe an Mary gedacht...«

Sein Freund kam zu ihm.

»Peter, es ist schrecklich... Ich glaube, ich wäre nicht imstande, ohne sie zu leben...«

Peter nahm ihn an den Schultern und schüttelte ihn leicht.

»Es geht ihr gut, da bin ich mir sicher. Ein Erdbeben ist gefährlich in der Stadt, in Wohnungen. Aber nicht im Dschungel. Und was die Gewitter betrifft, so muss man nur Schutz suchen und warten, bis sie vorbei sind.«

»Peter, es handelt sich um Orkane...«

»Greg, hör mir zu... Man kann immer das Schlimmste annehmen... Du weißt nichts, und das ist es, was dir zu schaffen macht. Ich verstehe dich; es gibt nichts Misslicheres... doch versuche, das zu akzeptieren. Du hast keine schlechten Nachrichten bekommen. Es besteht kein Grund zur Annahme, dass es ihr nicht gut geht...«

Greg fühlte sich ein wenig besser. Er lächelte Peter zu, dankbar dafür, dass er die richtigen Worte gefunden hatte.

Es klopfte dreimal an der Tür, und Bosman trat ein.

»Professor Basler, kann ich eine Minute mit Ihnen sprechen?«, sagte Bosman und bedeutete ihm mitzukommen.

Peter folgte dem Colonel.

Minuten verstrichen. Dann öffnete sich die Tür. Greg wusste es sofort. Er hatte Peters Gesicht noch nie so gepeinigt gesehen.

Mary...

Peter fasste ihn um die Schulter und drückte ihn an sich.

Greg machte sich los.

»Mary?«

»Ihr Flugzeug ist abgestürzt. Irgendwo in Venezuela.«

Gregs Geist war vollkommen klar, ganz auf ein einziges Ziel gerichtet: Informationen zusammenzutragen.

»Hat man das Flugzeug gefunden?«

»Nein.«

»Dann könnte sie noch am Leben sein.«

Peter antwortete nicht.

»Kann man es ausfindig machen?«

»Ich weiß nicht«, stammelte Peter. »Das hat Bosman mir nicht gesagt, ich …«

»Man kann es ausfindig machen, Professor.«

Das war Bosmans Stimme. Greg drehte sich zur Tür.

»Der Pilot konnte vor dem Crash eine letzte Nachricht über Funk senden«, sagte der Colonel, dessen hohe Gestalt sich in der Türöffnung abzeichnete. »Er hat seine Identität durchgegeben und auch die seines Passagiers. Und seine ungefähre Position. Professor, es tut mir sehr Leid.«

Greg spürte, dass der Colonel es ehrlich meinte. Seine Stimme war präzise wie immer und seine Haltung stramm. Doch er war wirklich traurig.

»Hat man Hilfe hingeschickt?«

»Die Venezolaner sagen, die Wetterbedingungen ließen das nicht zu.«

Greg sah Bosman direkt in die Augen. »Ich muss hinfliegen, Colonel.«

Bosman deutete etwas wie eine Geste der Machtlosigkeit an.

»Geben Sie mir die Mittel.«

Bosman schien zu zögern.

»Ich bitte Sie darum«, fügte Greg hinzu, »von Mann zu Mann.«

Der Colonel nickte. »In Ordnung.«

37

Fort Detrick, Maryland, Freitag, 27. Juni

Norman Prescot hatte leichte Zahnschmerzen. Das war lästig, denn er musste sprechen. Und er musste überzeugend wirken.

Im Oval Office, als er dem Präsidenten gegenüber saß, hatte er sich von dem alten General nicht verunsichern lassen. Einmal war er ihm sogar ganz schön über den Mund gefahren. Und das war wichtig. Er hatte sich einem in der Hierarchie über ihm Stehenden widersetzt. Zum ersten Mal in seinem Leben …

So hatte er seine Botschaft rüberbringen können. Zumindest einen kleinen Teil seiner Botschaft …

In einer Stunde würde die erste interdisziplinäre Zusammenkunft aller Teams stattfinden, die offiziell auf die Vorfälle angesetzt worden waren. Eine Zusammenkunft unter Wissenschaftlern. Und er hatte noch weitere Dinge zu sagen. Sehr wichtige Dinge.

Er musste sich unbedingt Gehör verschaffen. Endlich.

Doch war es nicht schon zu spät?

Norman Prescot hatte sein ganzes Leben lang geschwiegen. Wenn er sprach, dann stets, um das zu sagen, was alle hören wollten. Und manchmal war es ihm sogar gelungen, sich selbst einzureden, dass es die Wahrheit sei.

Ein heftig stechender Schmerz fuhr ihm in die rechte Wange, stieg hoch bis zur Schläfe und fast bis ins Ohr, so dass Norman das Gesicht verzog. Er ging zu der kleinen Kochnische des Zimmers, das ihm die Militärs zur Verfügung gestellt hatten, und nahm ein zweites Aspirin. Dann streckte er sich auf dem Bett aus.

Schon seit Jahren hatte er das Gefühl, dass irgendetwas nicht in Ordnung war. Die Vorstellung, die man sich von der Erde machte, die allgemein herrschende Vorstellung, stimmte nicht mehr. Dabei hatte er selbst zu ihrer Entwicklung beigetragen... Als junger Forscher hatte er eine bemerkenswerte Dissertation über die Konvektion thermischer Strömungen im Erdinneren vorgelegt, die die Plattenverschiebungen an der Erdoberfläche verursachen sollen. Das war zu einer Zeit, als sich die Theorie von der Plattentektonik in der wissenschaftlichen Welt durchzusetzen begann, bis hin zu dem Punkt, dass kein Forscher mehr damit rechnen konnte, als glaubwürdig zu gelten, und nicht die geringste Anerkennung erhielt, wenn er nicht auf dieser Grundlage arbeitete.

Der feste Boden unter unseren Füßen besteht aus Platten, die sich mit einer maximalen Geschwindigkeit von rund achtzehn Zentimetern pro Jahr verschieben. Das ist der Grund, weshalb die Kontinente abdriften. Das ist der Grund, weshalb sich Gebirge bilden. Das ist der Grund, weshalb die Erde bebt und sich unter unseren Füßen verändert. Doch dann blieb noch zu erklären, weshalb die Platten sich bewegten. Was der Antriebsmotor für die Plattentektonik war.

Norman hatte in seinen beruflichen Anfängen seinen Teil zu einem als wichtig erachteten Modell beigetragen, das originell war und den Geist befriedigte: eine Beschreibung der thermischen Bewegungen, die sich auf den Erdmantel auswirken, über den die Platten gleiten... Ein sofortiger Erfolg. Gleich eine Stelle in Harvard mit einem ausgezeichneten Gehalt, ein Haus auf den Hügeln von Beacon Hill...

Es gab nur ein kleines Problem: Der ehrenwerte Geophysiker glaubte nicht an seine eigene Theorie. Er lehrte sie, weil man ihn dafür bezahlte, doch er glaubte nicht mehr daran. Hatte er je daran geglaubt? Als er seine Dissertation verfasste, war er vor allem darauf bedacht gewesen, seine Professoren und Berufskollegen zu beeindrucken, und man musste zugeben, dass er ein gewisses Gespür dafür hatte, aus welcher Richtung der Wind wehte, und den mehr oder weniger bewussten Erwartungen der wissenschaftlichen Gemeinschaft vorzugreifen verstand. Damals kam seine Theorie allen gelegen, weil sie es einer Vielzahl von Forschern erlaubte, die Grundlagen ihrer eigenen Forschungsarbeiten nicht mehr in Frage zu stellen …

Zudem hatte die vorherrschende Theorie den Vorteil, beruhigend zu sein.

Der Streit, der im zwanzigsten Jahrhundert die Geowissenschaftler in Katastrophisten und Aktualisten gespalten hatte, war von Letzteren mühelos gewonnen worden. Den Aktualisten gelten die Mechanismen, die gegenwärtig am Werk sind, als ausreichende Erklärung für die Evolution der Erde und der Formen von Leben seit den Ursprüngen. Um das Aussterben von Tierrassen zu erklären, brauchte man nicht die Hypothese von einer »Sintflut« zu bemühen, die den Katastrophisten so am Herzen lag und zu stark von Bibellektüre beeinflusst war … Man brauchte sich nicht auf eine Katastrophe im Weltraum zu berufen, um die Orogenese und die Veränderungen der Erdkruste zu begründen … Es genügte die Annahme einer Evolution, die ganz langsam vor sich ging, über Abermillionen von Jahren, und die Erhebungen, Erosionen und das Abdriften der Kontinente erklärte … »Die Erde verhält sich vor unseren Augen genau so, wie sie sich schon immer verhalten hat«, so lautete die offizielle These. Und man brauchte nicht die menschlichen Ängste zu schüren, indem man den Zorn der Erde oder des Himmels ins Spiel brachte …

Und dennoch …

Voraussetzung für Normans schöne Theorie, die auf neuartige Weise die thermischen Konvektionsbewegungen im Inneren des Erdmantels beschrieb, waren ganz langsame, kontinuierliche Erdbewegungen. Somit bot diese Theorie alles, was die aktualistische Position untermauerte … Wobei jedoch Norman nie an den Aktualismus geglaubt hatte.

Er hatte sich die Evolution der Erde nie als einen langen, ruhigen Prozess vorstellen können. Im Bilder- und Vorstellungsschatz tief im Inneren seiner Seele war die Erde ein sich wandelndes Gebilde, unbeständig, notwendigerweise jähzornig, unberechenbar und gefährlich. Die Entwicklung menschlicher Kulturen hatte auf der Skala der geologischen Zeitrechnung nur eine lächerlich kurze Zeitspanne umfasst, ein paar Jahrtausende … Zehntausend Jahre … Fünfzehntausend Jahre … Ein Seufzer zwischen zwei Zuckungen … Ein Zeitraum, der vielleicht seinem Ende zuging …

Norman hatte nie mit jemandem über seine Vorahnungen gesprochen. Er fürchtete, seinen Job und sein gesellschaftliches Ansehen zu verlieren. Und vor lauter Angst hatte er fortwährend Verrat an seinen Intuitionen begangen. Und vielleicht auch an der gesamten Menschheit. Denn wenn er sich früher zu Wort gemeldet hätte …

Dann waren die Ereignisse eingetreten.

Und man hatte ihn gerufen …

Als Colonel Bosman sich am Telefon vorstellte, ahnte Norman sofort, dass das Schicksal beschlossen hatte, sich seiner zu bedienen. Seit mehreren Tagen befasste er sich schon mit den Aufzeichnungen von höchst ungewöhnlichen Erdbebenaktivitäten überall auf dem Globus. Er hatte versucht, ein oder zwei seiner Kollegen dafür zu interessieren … vergebliche Mühe. Das Ungewöhnliche konnte für Forscher, die den Großteil ihrer Zeit damit verbrachten, Konstanten und Gesetze zu verfolgen, nur in einer vorübergehenden Unzulänglichkeit ihrer Messinstrumente bestehen, die sich mit der Zeit schließlich korrigieren ließe …

Und Bosman, der nicht wusste, dass Norman bereits auf eigene Faust an der Sache dran war, hatte sich mit ihm in Verbindung gesetzt, weil er – welch eine Ironie des Schicksals – einer der anerkanntesten Experten der herrschenden Theorie war! An die er nicht mehr glaubte. Und die soeben von den gegenwärtigen Ereignissen widerlegt wurde!

Norman brach in angespanntes Gelächter aus und erhob sich vom Bett. Er hatte keine Zahnschmerzen mehr. Endlich würde er das Wort ergreifen! Sagen, was er wusste. Und das gegenüber Leuten, die allen Grund hatten, ihm zuzuhören, denn dieses Mal … Vor dem Hintergrund dessen, was sich gerade abspielte, konnte sich kein Wissenschaftler mehr hinter seinen kleinen Theorien verstecken. Man musste alles neu überdenken. Wieder bei null anfangen.

Falls es nicht schon zu spät war…

Colonel Bosman zündete sich eine Zigarette an und betrachtete sich im Spiegel. Er war nicht der Typ Mensch, der so leicht aufgab. »Ich bin nicht der Typ Mensch, der so leicht aufgibt«, murmelte er.

Dann verbarg er sein Gesicht in den Händen und brach in Schluchzen aus.

Wenige Augenblicke später hob er leicht den Kopf und warf einen Blick auf sein Spiegelbild. Er sah völlig derangiert aus. Dunkle Ringe lagen um seine blutunterlaufenen Augen, in denen noch ein paar Tränen glitzerten. Ein nervöses Zucken ließ sein rechtes Augenlid in unregelmäßigen Abständen flattern. Er war in einem Monat um zehn Jahre gealtert.

Doch im Grunde fühlte er sich besser. Das Weinen hatte ihm gut getan. Ich habe geweint, sagte er sich. Das war fast wie ein Sieg. Wie lange schon hatte er nicht mehr geweint? Er hörte die Stimme seines Vaters wie eine ferne Litanei: »Männer weinen nicht.«

Und ob Männer weinten! Und es tat sogar verdammt gut. Was sollte man tun, wenn alles schief lief, außer zu weinen? Und zu warten. Zu warten, dass sich im Gewirr der Dinge eine Tür öffnete, dass der Lichtstrahl auftauchte, der das Ende des Tunnels verhieß. Sofern man sich in einem Tunnel befand. Und nicht in der Hölle.

Zigarettenasche fiel auf seine Hose; er wischte sie mit müder Geste weg. Dann drückte er die Zigarette aus. Er hatte keine Lust zu rauchen. Er hatte zu gar nichts Lust. Er war erschöpft. Es fehlte ihm der Schlaf. Vergangene Nacht hatte er Zeit gehabt zu schlafen, eine kleine Ruhepause im Berg von Arbeit, von der er seit drei Wochen erdrückt wurde… und er hatte kaum ein Auge zugetan!

Eigenartig… Er hatte viel an Greg Thomas gedacht. Weshalb

hatte er seiner Bitte stattgegeben? Merritt hätte das niemals getan… Der Forscher wurde in Fort Detrick gebraucht. Und es bestand nicht die Spur einer Chance, dass man seine Frau lebend fand. Warum warteten sie nicht, bis sich das Wetter wieder besserte, und bargen den Leichnam dann in Ruhe? Das hätten die venezolanischen Behörden erledigen können. Sie werden sentimental, Bosman…

Der Colonel zuckte zusammen. Ihm war soeben bewusst geworden, dass die vorwurfsvolle Stimme in seinem Kopf die von General Merritt war. Der alte Idiot von General, selbstgerecht und verknöchert, und jetzt sprach er auch noch in seinem Kopf!

Das ist nichts Neues, sagte sich Bosman. Im Grunde war immer die Stimme eines alten Idioten in meinem Kopf. Eines Alten, der mir sagte, tu dies, tu das, das gehört sich nicht… Vielleicht bin ich im Grunde wirklich sentimental… Na und?

In Wirklichkeit hatte Greg Thomas' Verzweiflung den Colonel gerührt. Da war ein Typ, der sein Leben riskiert hatte, um Kinder zu retten, und zehn Tage später erfuhr er, dass seine Frau tot ist… Ein prima Kerl, die Art von Mensch, die Bosman gern zum Freund gehabt hätte.

»Und solche Erwägungen sind ausschlaggebend, wenn Sie in Ausübung Ihres Amtes eine Entscheidung treffen?«

Das war Merritt…

Der Colonel begann leise zu lachen.

Die Müdigkeit hatte einen Vorteil. Sie schien die mentalen Abwehrmechanismen zu schwächen. Und auch die lautlosen Stimmen, die einem dauernd hinterhältige Befehle zuraunten, die aus dem Geheimen Hauptquartier unseres Gedächtnisses kamen und unerbittlich unser Verhalten steuerten – diese Machenschaften wurden plötzlich deutlich durchschaubar. Und verloren dadurch viel von ihrer Macht…

»Halt's Maul, General Merritt!«, sagte er fast jubelnd.

Er war fest entschlossen, sich von der Kolonie von Richtern und Wichtigtuern, die sich in seinem Gehirn eingenistet hatte, nicht mehr herumkommandieren zu lassen.

Ja, alles ging schief. Würde sich jedoch irgendetwas daran

ändern, wenn er seine Zeit damit verbrachte, sich Vorwürfe zu machen? Die Lage schien mit jeder Sekunde mehr und mehr außer Kontrolle zu geraten. Konnte er irgendeinen Einfluss darauf nehmen?

Seit zwei Tagen brachen überall Seuchenherde aus. Die Angriffe seitens wilder Tiere nahmen im ganzen Land zu. Und die Erde bebte so gut wie überall. Noch dazu verschlechterte sich die Wetterlage, und von Süden her kündigte sich eine Orkanfront an. Die verängstigte Bevölkerung war nicht mehr kontrollierbar, und die allgemeine Psychose wurde von einer Bande berufsmäßiger Erleuchteter noch sorgfältig geschürt, die behaupteten, alles begriffen zu haben, und das Ende der Welt ankündigten, das baldige Eintreffen von Außerirdischen oder die Wiederkehr von Jesus Christus. Oder alle drei Dinge auf einmal.

Merritt hingegen glaubte an einen Angriff seitens der Chinesen, und vielleicht war er es, der alles begriffen hatte... Jedenfalls schien er nahe daran, den Präsidenten zu überzeugen. Der General hatte Bosman nichts über den Inhalt ihrer Unterredung gesagt, doch seine Augen leuchteten, als er ihm mit gleichgültiger Miene mitteilte: »Ich komme gerade vom Präsidenten...«

Bosman hatte das Gefühl, auf die Ereignisse keinerlei Einfluss mehr zu haben. Doch er begann, das zu akzeptieren. Und er fühlte sich besser.

Für den Augenblick konnte er nur den Wissenschaftlern zuhören. Und den Mund halten. Das Treffen fand um elf Uhr statt. In genau achtzehn Minuten.

Der Colonel hielt seinen Kopf unter den Kaltwasserhahn.

Im Sitzungssaal herrschte eine beklemmende Atmosphäre und drückendes Schweigen. Barkwell hatte das Wort ergriffen.

»Ich glaube, ich bin der Älteste«, hatte er gesagt. »Damit fällt mir die Aufgabe zu, diese Versammlung zu leiten...«

Er sprach in ironischem, müdem Tonfall.

»Ich erteile also demjenigen das Wort, der es ergreifen will. Ich selbst habe Ihnen nichts wirklich Neues mitzuteilen...«

Dann war er verstummt. Und alle schienen zu warten.

Im Saal befanden sich die drei ersten Teams sowie zwei neue Forscher, die der Colonel vor zwei Tagen vorgestellt hatte und die zusammen mit ihren Assistenten, die im Labor geblieben waren, das Expertenteam für Pflanzenbiologie bildeten.

Doch die anderen sagten auch nichts. Und das Schweigen zog sich in die Länge.

Prescot hüstelte.

Dieses schlichte Geräusch schien das Klima in dem großen Saal subtil zu verändern. Ins Leere gerichtete Blicke und gelangweilte Mienen machten ruhiger Konzentration Platz. Und die galt dem Geophysiker.

Bosman hätte am liebsten losgelacht. Hatte der Mann wirklich etwas zu sagen oder nur ganz einfach hüsteln wollen? Prescot wirkte etwas verlegen. Als ob er merkte, dass ihm nun nichts anderes mehr übrig blieb ...

Und er fing wirklich zu sprechen an.

»Ich glaube, ich habe Ihnen ein paar Kleinigkeiten ... mitzuteilen«, begann er mit stockender Stimme. »Wenn Sie erlauben ...«

Er hatte sich an Barkwell gewandt, der mit leicht theatralischer Geste zustimmte.

»Gut. Eigentlich ... überraschen mich die ... sagen wir, jüngsten Ereignisse nicht ... oder zumindest haben sie mich nicht völlig überrascht ... In meinen Augen ... nun, einige davon, nämlich die, die mein Spezialgebiet betreffen ... nun ... sie schienen mir weder gänzlich unmöglich noch völlig undenkbar ...«

Der Forscher brach ab, weil ihm der Atem ausging.

»Wollen Sie damit sagen«, fragte Barkwell, »dass Sie begreifen, was sich da abspielt?«

Prescot schnäuzte sich geräuschvoll.

»Nein, was sich da abspielt, ist bei unserem momentanen Wissensstand weitgehend unverständlich ...«

Alle hingen an seinen Lippen.

»Aber sagen wir, dass mich die Unzulänglichkeit unserer Kenntnisse nicht überrascht. Ich war darauf gefasst, dass, wenn vielleicht auch nicht zu meinen Lebzeiten, Ereignisse eintreten könnten … die sich überhaupt nicht in unsere Vorstellung einfügen, ich meine in die gängige Vorstellung …«

»Welche Vorstellung?«, fragte Peter Basler sofort.

Er war bleich und hatte rote Augen. Er schien von Anfang an unbeteiligt an der Diskussion, als hörte er gar nicht zu. Rechts von ihm saß Rosenqvist mit abwesender Miene; der Stuhl zu seiner Linken war leer. Niemand hatte sich dort hingesetzt, als müsse der Platz von Greg Thomas frei bleiben …

»Die allgemeine Theorie von der Plattentektonik … Im Großen und Ganzen ist gesichert, dass die Erdkruste auf lithosphärischen Platten ruht, die sich bewegen. Diese Platten entstehen inmitten der Ozeane auf den ozeanischen Mittelrücken, und sie verschwinden in so genannte Subduktionszonen, in denen eine Platte sich unter eine andere schiebt und sich dann im Magma auflöst, aus dem der Erdmantel besteht …«

Das musste ich lernen, als ich siebzehn war, dachte Bosman.

»Doch problematisch wird es«, fuhr Prescot fort, »wenn man erklären soll, was die Platten in Bewegung setzt. Dieser Frage habe ich meine berufliche Laufbahn gewidmet. Ich habe zur Entwicklung eines Modells beigetragen …«

Der Forscher machte eine Pause.

»Was für ein Modell?«, fragte Barkwell.

»Ich halte es nicht für sinnvoll, es Ihnen zu erklären. Denn je weiter ich mit meiner Arbeit vorankomme, desto weniger glaube ich daran. Sagen Sie das bitte nicht weiter, meine Herren, weil Sie sonst meine Karriere ruinieren würden. Was ich meine Studenten das ganze Jahr über lehre, ist eine Aneinanderreihung von Unsinn!«

Prescot brach in Gelächter aus. Bosman war nervös. Der Geophysiker wirkte ein wenig durchgedreht. Doch der Colonel spürte, dass er in allem, was er sagte, aufrichtig war. Und dass das Sprechen ihm eine Last von der Seele nahm. Wie einem Mörder, der sein Verbrechen nach zwanzig Jahren voller Gewissensbisse gesteht …

»Könnten Sie sich nicht vielleicht etwas klarer ausdrücken?«, fragte Rosenqvist sanft.

»Ich werde es versuchen. Grob gesagt, ganz grob gesagt … Es gibt zwei Probleme. Zunächst, man möchte gern absolut alles, was auf der Oberfläche dieses Planeten vorgeht, mit der sehr langsamen Bewegung der Platten erklären … wie man sie heute beobachten kann. So soll beispielsweise die Entstehung der Gebirge darauf zurückzuführen sein, dass zwei Platten aufeinander stießen, die sich mit einer Geschwindigkeit von wenigen Zentimetern pro Jahr übereinander schoben. Nach einigen Millionen Jahren soll dann durch diese Verformung der Himalaya entstanden sein …«

»Und das glauben Sie nicht?«, fragte Bosman. Dabei hatte er sich doch geschworen, Schweigen zu bewahren.

»Es handelt sich um ein Modell … Es erlaubt der Phantasie, sich die Dinge auf eine ausgesprochen bildliche Weise vorzustellen, was sehr befriedigend ist. Doch wenn man etwas an der Oberfläche kratzt, merkt man, dass unsere Kenntnisse nur sehr unvollständig sind. Zum Beispiel gibt es kein mathematisches Modell für die Kräfte, die einen solchen Prozess ermöglichen würden. Bisher hat noch kein einziger Versuch zufriedenstellende Resultate erbracht.«

»Ach ja?«, wunderte sich Barkwell.

»Werter Kollege, Sie wissen doch auch, dass wir, wenn wir unsere Ergebnisse der Öffentlichkeit präsentieren, zwar unsere Hypothesen vorbringen, doch unsere Zweifel für uns behalten. Unsere Hypothesen werden somit als Gewissheiten aufgefasst … Und die fordert die Öffentlichkeit, oder?«

Barkwell begnügte sich mit einem Lächeln.

»Das zweite Problem«, fuhr Prescot fort, »ist die verbreitete Annahme, dass sich die Platten ständig und stetig bewegen. Mit anderen Worten, es war schon immer so, wie es heute ist, und es wird immer so bleiben. Und es besteht keine Gefahr, dass zum Beispiel ein plötzlicher Ruck erfolgt, eine Beschleunigung … Nun, wir wissen nichts über die Folgen, die eine plötzliche Beschleunigung der Plattenbewegungen haben könnte …«

»Stehen die momentanen Ereignisse womöglich in Zusammenhang mit einer solchen Beschleunigung?«

Prescot schien zu zögern.

»Allem Anschein nach besteht tatsächlich ein Zusammenhang zwischen den völlig atypischen Erdaktivitäten, die wir beobachten, und einer Beschleunigung der Plattenbewegungen. Doch die herrschende Theorie betont, dass die Erde ihr allgemeines Verhalten nicht ändern kann. Und das wirft Probleme auf…«

»Und genau das«, brummte Basler, »tut sie gerade…«

»Ja. Aber auch Probleme theoretischer Natur… Probleme, die mich schon lange vor diesen Ereignissen beschäftigt haben… Sie wissen, dass es fossile Tiefseerücken gibt, die größtenteils nicht unter Wasser liegen; man kann darauf spazieren gehen… Dort haben sich vor Hunderten von Jahrmillionen die Platten gebildet. Nun findet man auf diesen Partien so genanntes ophiolithisches Gestein, dessen chemische Zusammensetzung zeigt, dass es sich damals bei der Plattenbildung wahrscheinlich um einen diskontinuierlichen Prozess handelte… Um einen unregelmäßigen Prozess, wenn Sie so wollen… Mit Beschleunigungen. Wie die, die wir heute beobachten! Doch das fügt sich nicht in unser gängiges Modell.«

»Wenn ich Sie recht verstehe«, unterbrach Bosman ihn erneut, »sind Sie soeben dabei, uns zu erklären, dass man in Ihrer Wissenschaft noch einmal völlig von vorn anfangen müsste?«

»Nicht ganz. Aber man müsste ihre Prinzipien überdenken. Wir haben Jahrzehnte damit verbracht, Fakten zusammenzutragen, und wir wissen vieles… Was ich sagen will, ist, dass man diese Fakten neu interpretieren muss… dass man eine neue Gesamtsicht erarbeiten muss.«

»Ich fürchte, dazu fehlt uns ein wenig die Zeit«, knirschte der Colonel. »Was mich betrifft, so bin ich weit davon entfernt, alle Ideen von General Merritt zu teilen, doch ich finde es a priori… plausibler, sofern ein so großes Wort überhaupt noch seine ursprüngliche Bedeutung hat, sich vorzustellen, dass all das irgendwie ausgelöst worden sein könnte…«

Der Geophysiker verkrampfte sich.

»Ausgelöst von wem? Von Außerirdischen? Denn ich sehe wirklich nicht, wie Menschen, selbst Chinesen, dazu in der Lage sein sollten, seismische Phänomene dieser Tragweite auszulösen! Ihr General ...«

Der Geophysiker wurde durch Peter Baslers Lachen unterbrochen.

»Außerirdische! Natürlich! Das ist die einzige Erklärung ... Als ich klein war, habe ich ständig solche Geschichten gelesen ... Erst schaffen sie sich die Menschheit auf der Erde vom Hals, und dann nehmen sie, zack, deren Platz ein ...«

»Warum nicht?«, entfuhr es Rosenqvist. »Wenn man unmögliche Phänomene erklären soll, ist dann nicht die unwahrscheinlichste Hypothese die plausibelste?«

Es entstand eine Pause. Bosman hatte Kopfschmerzen. Sie trieben mitten im Wahnsinn. Und der Colonel war nicht darauf vorbereitet, eine Situation zu erleben, in der die gescheitesten Männer der Vereinigten Staaten ernsthaft in Betracht zu ziehen begannen, dass die Erde von Außerirdischen angegriffen wurde, und keiner, er ebenso wenig wie irgendein anderer, auch nur den geringsten Einwand fand, den man dieser überspannten Idee hätte entgegensetzen können.«

Prescot ergriff wieder das Wort: »Meine Herren, ich bitte Sie ... das war natürlich nur ein Scherz. Wir haben keinen einzigen konkreten Hinweis, der für eine derartige Vermutung spräche ... Im Moment gibt es keinerlei Anhaltspunkte dafür, dass all das auf irgendeinen Aggressor zurückzuführen sein könnte, sei er menschlicher oder sonstiger Natur. Konzentrieren wir uns lieber auf die Tatsachen.«

»Ich stimme Ihnen voll und ganz zu, lieber Herr Kollege«, sagte Barkwell in leicht ungeduldigem Tonfall. »Also, wenn Sie nun einfach zur Sache kommen würden ... Sie sagen, die Plattenbewegungen beschleunigen sich? Aus welchen Gründen? Und welcher Zusammenhang besteht mit den anderen Phänomenen?«

Der Geophysiker hob die Arme.

»Darüber weiß ich nichts! Was ich Ihnen zu sagen versuche, ist, dass nach der bis heute gültigen Theorie das, was wir beobachten, unmöglich ist. Man kann die Situation also nicht verstehen, wenn man von dieser Theorie ausgeht! Und im Moment haben wir keine andere. Doch wenn Sie gestatten, würde ich Ihnen gern eine kleine Geschichte erzählen. Und Sie sagen mir hinterher, was Sie davon halten.«

Prescot holte tief Luft und begann.

»Als ich studierte, herrschte noch der Kalte Krieg ... und bisweilen wurden gemeinsame Wissenschaftseinsätze organisiert, bei denen amerikanische und sowjetische Forscher zusammenarbeiteten ... natürlich auf Gebieten von geringem strategischem Interesse. Ich habe an einem davon teilgenommen. Es handelte sich um eine Untersuchung der Gebiete in Sibirien, in denen eine beeindruckende Menge an Überresten von Mammuts zu finden ist, die vor etwa zwölftausend Jahren im Eis eingeschlossen wurden ... Das mehr oder weniger geheime Projekt der Russen sollte der Sache ihrer materialistischen Ideologie dienen und die natürlichen Ursprünge dieses unerklärlichen Phänomens aufdecken ... In einer bestimmten Epoche hatten gewisse westliche Gelehrte in diesen bemerkenswert gut erhaltenen Ansammlungen zerbrochener Knochen und tiefgefrorenen Fleisches nämlich den Beweis für eine biblische Sintflut zu sehen geglaubt ... Doch unsere russischen Freunde waren nicht ganz auf der Höhe der Zeit, sondern ein paar Jahrzehnte im Rückstand, denn diese Erklärungen stammen aus dem achtzehnten oder neunzehnten Jahrhundert!«

»Sie vergessen«, schaltete sich Rosenqvist ein, »dass es noch immer Schulen und sogar Universitäten gibt, an denen man diese Hirngespinste lehrt! Dass die Welt in sechs Tagen erschaffen wurde; die Sintflut ...«

»Das stimmt, wir haben unsere Schöpfungstheoretiker, die an höchster Stelle einen ziemlich wirksamen Lobbyismus betreiben ... Doch die Russen neigten zu der Auffassung, dass diese Art von Glauben typisch amerikanisch und bei uns allgemein üblich sei ... Kurz gesagt, ich war in Sibirien. Nun, es ist wirklich beeindruckend. Wussten Sie beispielsweise, dass mehr als zweitausend Jahre lang chinesische Elfenbeinschnitzer von Karawanen aus Sibirien mit Mammutstoßzähnen versorgt wurden? Das wird von Plinius bezeugt, einem lateinischen Schriftsteller!«

»Worauf wollen Sie hinaus?«, fragte Bosman.

»Haben Sie ein wenig Geduld! Ich will sagen, dass mit einem Schlag Tausende von Mammuts gestorben sind. Und ihr Fleisch ist bestens konserviert. Ich habe einen Russen davon essen sehen! Es wurde ihm keineswegs schlecht davon, nicht im Geringsten!«

»Er hat Mammutfleisch gegessen?«, fragte Basler mit angeekelter Miene.

»Ja! Im Übrigen geben die Jakuten es ihren Hunden zu fressen, wenn sie etwas davon im Permafrost finden.«

»Wo?«, fragte Bosman.

»Im Permafrost: dem immer während gefrorenen Boden.«

»Wie kommt es, dass dieses Fleisch so gut konserviert ist?«, fragte Barkwell. »Das kann man sich gar nicht vorstellen!«

»Genau darauf«, antwortete Prescot, »möchte ich hinaus. Für die Russen hatten sich die Spesen nicht gelohnt! Es war ein interdisziplinärer Einsatz mit Experten aus den Bereichen Paläontologie, Klimatologie und Geologie… Nun, wir mussten uns den Tatsachen beugen: Man weiß nicht, was passiert ist und wie all diese Tiere auf einmal sterben konnten, und zwar eines sehr brutalen Todes – bei den meisten sind Knochen gebrochen und Glieder herausgerissen –, und wie ihr Fleisch im Eis frisch bleiben konnte… Es ist ein Rätsel!«

»Man hat keinerlei Erklärung?«, fragte Bosman.

»Zuerst hieß es, eine Klimaerwärmung könnte ein zu rasches Auftauen des Permafrosts zur Folge gehabt haben. Dann soll der Boden unter dem Gewicht der Tiere eingebrochen sein und deren Ende herbeigeführt haben… Doch das erklärt nicht, warum sie eingefroren sind! … Deshalb stellte man dann die umgekehrte Hypothese auf: eine plötzliche Klimaabkühlung. Das Problem ist, dass Obduktionen ergeben haben, dass die Tiere sowohl ertrunken als auch erstickt sind… So sagte man dann, ein Vulkanausbruch habe plötzlich giftige Gase freigesetzt... Doch wie hätten die Tiere dann so gut erhalten bleiben können? Ein derartiges Phänomen hätte eine Erwärmung der Atmosphäre zur Folge gehabt – und eine solche ist nicht mit dem Gefrieren der Tiere vereinbar, das zwangsläufig unmittelbar nach ihrem Tod erfolgt sein musste...«

»Sie sollen ertrunken sein?«, fragte Bosman.

»Das ist die einzige Erklärung. Nur dass das fragliche Gebiet, ein sehr großes Gebiet übrigens, mehrere Hundert Kilometer von der Küste entfernt ist. Zudem wachsen die Pflanzen, die man im Magen der Tiere fand – sie starben beim Äsen –, heutzutage zweitausend Kilometer weiter südlich. In den Permafrost-Gebieten sind sie nicht zu finden.«

»Das ist ja unglaublich!«, regte sich Bosman plötzlich auf. »Alle Welt kennt diese Mammutfriedhöfe! Und Sie sagen uns jetzt, dass man keine Erklärung dafür hat?«

Prescot lächelte eigenartig.

»Man hat Erklärungen dafür, Colonel... durch die Theorien, die ich Ihnen erläutert habe.«

»Sie haben uns doch gesagt, dass sie falsch sind!«

»Sie sind falsch. Das ist eindeutig.«

Bosman merkte, dass er allmählich wütend wurde. Worauf wollte dieser Idiot hinaus? Er zwang sich zu einem freundlichen Tonfall: »Nun?«

»Nun, Colonel, dieses Problem interessiert heutzutage überhaupt niemanden. Es sind keinerlei politische oder finanzielle Interessen im Spiel... Und daher kümmert sich die Wissenschaft nicht darum. Wissenschaftler haben ein großes Talent zu vergessen, verstehen Sie? Wenn ein kleines Stück von der Wirklichkeit nicht in ihr Schema passt, dann ist das so, als würde es gar nicht existieren...«

»Und warum erzählen Sie uns das alles?«, fragte Barkwell.

»Weil es eine Erklärung gibt... eine, sagen wir, etwas verstörende Erklärung... die nicht ganz ohne Zusammenhang mit unseren Problemen ist.«

»Was für eine Erklärung?«, murrte Bosman.

»Ich habe ein kleines Modell konstruiert ... Stellen Sie sich eine riesige Flutwelle vor, die, vom Ozean kommend, mit rasender Geschwindigkeit über die Tiere hereinbricht und sie erfasst, während sie längs der Küste äsen. Einige der Tiere werden von der Wucht des Wassers in Stücke zerrissen. Die Woge trägt sie in sehr große Entfernungen mit und setzt sie dort ab. Dann zieht sich die Flut zurück. Dabei hinterlässt sie salzhaltigen Schlamm, der das Fleisch konserviert. So weit der erste Akt. Danach muss man von einem heftigen Temperatursturz ausgehen ... bedingt beispielsweise durch eine Trübung der Atmosphäre ... Der Schlamm gefriert ... Für immer. Und bildet den Permafrost.«

Prescots triumphierende Miene widerte Bosman leicht an.

»Sie stellen also die Hypothese von einer vom Ozean kommenden Woge auf«, fasste er zusammen, »die das Land mehrere Hundert Kilometer weit überflutet – bei einem gleichzeitigen plötzlichen Klimawechsel?«

»Genau.«

Barkwell lachte kurz auf.

»Letztendlich tischen Sie uns da wieder die biblische Sintflut auf! In einer etwas fachterminologischeren Version ...«

»Es gibt keine andere Erklärung.«

»Die Verschiebung gigantischer Wassermassen«, murmelte Rosenqvist wie zu sich selbst. »Eine plötzliche, anhaltende Klimaveränderung ... Das würde eine Naturkatastrophe von weltweitem Ausmaß bedeuten ... Und wie lange soll das her sein ... zehntausend Jahre?«

»Zwischen zwölf- und dreizehntausend Jahre.«

Es entstand erneut eine Pause.

Bosman war nachdenklich, doch er hätte nicht sagen können, woran er dachte. Etwas Weißes zitterte am linken Rand seines Gesichtsfelds ... Er blickte rasch hin und merkte, dass es seine Hand war. Er ballte sie zur Faust und richtete sich wieder auf. Das war nicht der richtige Moment für einen Nervenzusammenbruch. Er wandte sich an den Geophysiker.

»Professor«, sagte er in so sicherem Ton wie nur möglich, »wie wäre es, wenn Sie uns nun den genauen Zusammenhang zwischen dieser Geschichte und den Ereignissen erklären würden, mit denen wir uns hier befassen ...«

Die Wissenschaftler drehten sich alle gleichzeitig zu ihm, und der Colonel glaubte in ihren Blicken so etwas wie Mitleid zu lesen. War er denn der Einzige, der diesen hirnrissigen Blödsinn nicht verstand?

»Colonel«, sagte Prescot sanft, »es ist möglich, dass vor – aus geologischer Sicht – ganz kurzer Zeit auf der Erde tief greifende Veränderungen von großer Tragweite stattgefunden haben ... Das ist keineswegs ausgeschlossen! Dies könnte bedeuten, dass die gegenwärtigen Ereignisse, die wir nicht verstehen, vielleicht die Vorboten von Umwälzungen gleichen Ausmaßes sind!«

»Aber dann müsste es doch Spuren einer solchen Naturkatastrophe geben!«

»Die gibt es. Ich habe Ihnen gerade eine davon genannt. Aber die, sagen wir, offizielle Wissenschaft beachtet sie nicht. Weil sie nicht glaubt, dass derartige Naturkatastrophen möglich sind.«

»Weil sie nicht glaubt!«, erregte sich Bosman. »Weil sie nicht glaubt! Die Wissenschaft soll nicht glauben! Die Wissenschaft soll experimentieren, demonstrieren und beweisen!«

Der Colonel brach ab, um Luft zu holen. Es war warm. Die Wissenschaftler sahen ihn mit leichtem Lächeln an, dem Lächeln derer, die ein Geheimnis miteinander teilen.

»Der Glaubensfaktor hat in der Wissenschaft größere Bedeutung, als man gemeinhin annimmt, Colonel ...«

Es war Barkwell, der das gesagt hatte.

»Zugegeben. Aber was Ihre Geschichte mit der Sintflut betrifft, so sind die Mammutkadaver ein wenig schwach, wenn ich so sagen darf, um ein solches Ereignis zu belegen ...«

»Es gibt auch andere Hinweise«, sagte Prescot. »Haben Sie je von erratischen Blöcken gehört?«

Alle Forscher schüttelten den Kopf.

»Dabei handelt es sich um riesige Felsblöcke, die eine andere chemische Zusammensetzung aufweisen als die Gesteinsschicht, auf der sie liegen. Man muss somit erklären, wie sie dort hingekommen sind. Also sagt man: Gletschertransport. Die Blöcke wurden im Laufe von Kälteperioden durch die Bewegung des Eises dorthin befördert. Bei manchen dieser Blöcke trifft dies zu. Das Problem ist nur, dass man erratische Blöcke auch in Gegenden findet, wo es niemals Gletscher gegeben hat! So in Nordafrika, im Sudan ... in Südamerika ...«

»Ja und?«, fragte Bosman.

»... Die einzige Erklärung ist eine riesige, von den Küsten kommende Flutwelle, die Hunderte von Kilometern Land bedeckte, ehe sie sich wieder zurückzog.«

Bosman schloss die Augen. Die Sintflut ... Dies hier war eine interdisziplinäre Zusammenkunft, bei der die besten naturwissenschaftlichen Experten versammelt waren ... Nun, zuerst war von Außerirdischen die Rede gewesen. Und im Augenblick schnitt man gerade das Thema Sintflut an ...

Der Colonel seufzte. »Nun. Das ist ja alles schön und gut. Aber trotzdem ein bisschen theoretisch, finden Sie nicht? Wir haben es jedoch hier mit einem sehr konkreten Problem zu tun, und ...«

Prescot fiel ihm ins Wort: »Colonel! Ihr General Merritt ist gerade dabei, einen Weltkrieg vom Zaun zu brechen, und da meine ich, dass es von höchst praktischem Interesse ist zu erfahren, ob die Phänomene, die uns beschäftigen, als natürlich erachtet werden können oder nicht! Was mich betrifft, so sage ich Ihnen, dass sie es sind.«

Der Colonel nahm sich die Zeit, dies zu bedenken.

»Einverstanden«, gab er zu. »Aber Ihr Argument gilt nur für Ihr Fachgebiet. Doch unsere Probleme übersteigen Ihre Kompetenzen bei weitem! Wenn die Erde eine Sintflut für uns bereithält, wie Sie zu glauben scheinen ... was ist dann mit unseren Viren und mit unseren Tierchen?«

Prescots Mund war ein wenig spitz geworden. Er antwortete nicht. Daran hatte er offensichtlich nicht gedacht! Bosman empfand Genugtuung.

Rosenqvist ergriff das Wort: »Colonel, damit sprechen Sie einen sehr wichtigen Punkt an. Wir alle halten bei der Arbeit die Augen starr auf unser Fachgebiet gerichtet. Und Sie haben uns nicht gerade sehr geholfen, indem Sie uns die Existenz der anderen Teams verheimlicht haben ...«

Alle stimmten zu, Prescot noch etwas heftiger als die anderen.

»Wenn wir uns hier zusammengefunden haben«, fuhr Rosenqvist fort, »so deshalb, weil wir der Meinung sind, daß wir gemeinsam arbeiten sollten. Und die Hypothesen unseres Kollegen sind der erste wertvolle Beitrag zu unserer Arbeit als Team. Nur ...«

Der Forscher hüstelte ein wenig verlegen.

»... Nur glaube ich nicht, dass wir es so schaffen.«

»Warum?«, fragte Bosman.

»Weil ... Mich beispielsweise hat Professor Prescots Beitrag fasziniert, so viel ist sicher ... doch gleichzeitig muss ich zugeben, dass ich auf dem Gebiet völlig inkompetent bin, zumindest, was die von ihm vorgebrachten geologischen Hypothesen betrifft ... Daher sehe ich auch nicht den geringsten Zusammenhang mit meinem Fachgebiet ... Doch wir sind hier, um Zusammenhänge herauszufinden, oder?«

Es entstand eine Pause. Er hat Recht, sagte sich Bosman, wir drehen uns im Kreis und kommen nicht weiter! Und in der Zwischenzeit verschlimmert sich die Lage ...

»Ihrer Meinung nach gibt es also keine Lösung?«, seufzte er.

»Eine Lösung, ich weiß nicht ... doch, man kann etwas tun.«

»Und das wäre?« Der Colonel hatte die Frage ziemlich unwirsch gestellt und fühlte sich nun unbehaglich.

»Ich glaube, dass uns jemand fehlt«, sagte Rosenqvist ohne sich aufzuregen. »Jemand, der in der Lage ist, eine Synthese zwischen unseren unterschiedlichen Fachgebieten herzustellen ... Jemand, der auf kein Gebiet spezialisiert, aber auf allen kompetent ist ...«

»Gibt es so etwas?« Bosman gelang es nicht, seine schlechte Laune zu verbergen.

»So etwas gibt es«, lächelte der Biologe. »Es nennt sich Ökologe!«

»Wie bitte?«, fragte Bosman, der fürchtete, ihn falsch verstanden zu haben.

Ein Ökologe? In seinem Kopf geisterte das Bild eines langhaarigen Tolpatschs herum, der Joints rauchte und Parolen gegen die Armee und für die Delphine brüllte.

Rosenqvist beobachtete den Colonel und lachte los.

»Unter Ökologie versteht man nicht nur eine politische Bewegung, müssen Sie wissen. Es ist auch die Bezeichnung für eine wissenschaftliche Disziplin!«

»Natürlich«, sagte Bosman etwas herablassend, »die Wissenschaft von den Ökosystemen. Doch ich sehe nicht recht, welches Interesse bestehen könnte ...«

»Colonel«, unterbrach ihn Rosenqvist, »man kann Ökologie auf zweierlei Weise betreiben. Zum einen, indem man untersucht, in welcher Beziehung ein Organismus zu seiner Umgebung steht. In diesem Sinne bin ich als Experte für das Verhalten von Tieren auch eine Art Ökologe, und die Ökologie ist lediglich ein Zweig der Biologie. So wird Ökologie größtenteils an unseren Universitäten praktiziert ... Doch als sie noch in den Anfängen steckte, war Ökologie viel mehr als das! Und einige Forscher, die leider eine Minderheit bilden und kein großes Ansehen genießen, betreiben diese Wissenschaft immer noch im Sinne ihrer ursprünglichen Intentionen. Ich glaube, einen dieser Forscher benötigen wir nun.«

»Von welchen ursprünglichen Intentionen sprechen Sie?«, fragte Bosman in skeptischem Ton.

»Es geht darum, die Biosphäre in ihrer Gesamtheit zu untersuchen. Die Erde, sofern Ihnen das lieber ist, aber als organisierte Ganzheit. Das setzt voraus, dass das Ganze mehr ist als die Summe seiner Teile ... In der Praxis verfügen echte Ökologen über eine Eigenschaft, die sehr hilfreich für uns sein könnte: Sie können in Zusammenhängen denken. Sie haben Kenntnisse in allen Disziplinen und sind in der Lage, Wechselwirkungen und Beziehungen zwischen den einzelnen Phänomenen zu erkennen ...«

Bosman blickte in die Zuhörerschaft und sah beifälliges Kopfnicken. Alle schienen Rosenqvist zuzustimmen, außer Basler, der offenbar das Interesse an der Diskussion verloren hatte.

»Kennen Sie einen guten Ökologen?«

»Der beste kommt aus Quebec. Er heißt Aimé Doubletour.«

»An welcher Universität lehrt er?«

»Er gehört keiner Institution an ... Er schreibt Bücher und hält von Zeit zu Zeit Vorträge ... Ansonsten lebt er anscheinend weit abgeschieden mitten auf dem Land zusammen mit seiner Mutter. Manche sagen sogar, er sei Holzfäller geworden ...«

»Holzfäller? Und er ist kompetent?«

Barkwell ergriff das Wort: »Colonel, ich habe von ihm gehört. Nach dem, was man so hört, ist er der Beste. Aber seine Vorgehensweise ist in Forscherkreisen nicht sehr ... sagen wir, gefragt ... Obwohl sie meiner Meinung nach interessant ist ... Anfechtbar, aber interessant ... Jedenfalls glaube ich, dass die Situation verlangt, nach allen nur möglichen Auswegen zu suchen.«

Bosman stand auf. »Meine Herren, ich werde mich mit diesem Mister ... wie heißt er doch gleich? ... Doubletour in Verbindung setzen. Die Sitzung ist beendet, zumindest für mich. Ich verabschiede mich von Ihnen.«

Er drehte sich um und ging.

Nachdem er sein Zimmer betreten hatte, schaltete Bosman den Fernseher ein, und auf dem Bildschirm erschien das ernste Gesicht von Dan Wartlett, dem jungen CNN-Moderator.

»... das Weiße Haus gibt im Moment keine Erklärungen ab, doch wir haben erfahren, dass für neunzehn Uhr eine Pressekonferenz anberaumt ist. Es ist klar, dass der Grund für die Entscheidung, so weit reichende Flottenmanöver im ostchinesischen Meer einzuleiten, nur in einer Spannung in den Beziehungen zwischen den beiden Supermächten liegen kann. Desgleichen erfuhren wir, dass Chinas Botschafter in Washington zu Beratungsgesprächen nach Peking zurückbeordert wurde. Aus Peking gibt es im Moment noch keine offizielle Stellungnahme.«

Bosman schaltete das Gerät aus.

Offensichtlich gewann Merritt immer mehr Macht über den Präsidenten.

Der Colonel legte sich hin. Er musste nachdenken.

38

Tagebuch von David Barnes, Freitag, 27. Juni

Es ist neun Uhr abends. Im Zimmer von Leslie und Aaron habe ich einen Hamburger gegessen. Leslie hat mir einen neuen Verband angelegt. Ich habe nicht allzu große Schmerzen. Ein wenig, doch sie sind erträglich. Ich fühle mich leicht. Es gibt keine Belastung und keinen Druck mehr. Ich tue das, was richtig ist. David Barnes besteht aus Blick und Zorn. Der Blick sieht, der Zorn spricht. Ich akzeptiere das. Ich habe mir nicht ausgesucht, das zu sein, was ich bin. Ich habe mir mein Leben nicht ausgesucht. Heute Abend sitze ich einfach hier in diesem Zimmer, in dem das Licht ausgeschaltet ist und das nur der Bildschirm meines Computers erhellt, in diesem Zimmer, umgeben von Wüste und Schatten und einem Schweigen, durch das bisweilen der Schrei eines Kojoten gellt, der auch da ist und in den benachbarten Hügeln sein Kojotenleben führt. Ich habe mir nicht ausgesucht, als Sohn einer Indianerin zur Welt zu kommen, die einen Mörder liebte. Hier bin ich also, belastet mit einer Vergangenheit, die mir ganz unwirklich vorkommt, als sei sie nie gewesen; es ist nur eine Geschichte, die gerade in diesem Augenblick von sich erzählt oder erzählen könnte, wie ein gerade verfügbares Buch, wenn man es öffnet; ein Buch, das da ist... Ein Buch, das ich nicht öffnen will. Hier und jetzt zählen nur die leisen, abgehackten Geräusche der Tasten auf meiner Tastatur und diese Hand, die ungeschickt einen Buchstaben nach dem anderen tippt. Langsam. Diese Hand, die meine eigene ist und die ich hin und her huschen sehe, als sei sie die Hand eines anderen. Diese schreibende Hand.

Es geht sehr langsam, wenn man nur mit einer Hand tippt. Doch es ist ein Rhythmus, der mir gefällt. Ein Rhythmus, an dem sich der Rhythmus der Gedanken orientiert. Der diesen verlangsamt und in ein Land des Schweigens versetzt.

Glücklicherweise ist es die richtige Hand. Ich bin Linkshänder.

Und die Kugel hat meinen rechten Unterarm durchschlagen.

Er schmerzt ein wenig, doch nicht allzu sehr. Ich wundere mich. Ich hätte mir vorgestellt, dass es schmerzhafter sei, wenn einem die Haut durchlöchert wird. Der Schmerz ist da, doch durchaus zu ertragen. Mein Arm tut weh. Das ist eine Tatsache. Aber der Schmerz dringt nicht bis zu meinem Kopf vor. Ich leide nicht.

Auf der Straße war eine Militärsperre, und Leslie wendete abrupt; das Auto raste den Schotter hinunter, Schüsse… Es ist so, als zögen nicht meine Erinnerungen an mir vorbei, sondern die Bilder eines Films, eines Films, in dem ein anderer der Held ist. Jetzt ist da nur dieser Arm mit dem Verband drum herum, weiß, mit Blut an den Rändern…

Leslie Katchongva und Andrew Koyawena. Meine Brüder. Sie haben darauf bestanden, mich zu begleiten, auf eine Art, die keinen Widerspruch duldete. Das geschah nicht aus Liebenswürdigkeit oder Altruismus; ich glaube, diese Wörter haben keine Bedeutung für sie. Im Ton ihrer Stimmen lag einfach etwas wie Selbstverständlichkeit. Als spürten sie auf eine Weise, die zu persönlich war, als dass man darüber gesprochen hätte, dass das ihr Platz war. Oder ihr Wunsch. Als sprächen sie von dem Ort selbst, an dem Wunsch und Platz eins sind.

Wir stiegen in Leslies Wagen, und er setzte sich ans Steuer. Wir wandten den Mesas den Rücken zu und verließen die unwirtlichen Hochplateaus, die das Land meiner Vorfahren sind. Die Sonne brannte heiß, die Straße war verlassen. Nichts deutete dort auf die Tragödie hin, die sich fast überall abspielt, sondern es herrschte Frieden, der Frieden einer Welt, die der Mensch nicht bewohnt.

Meine Freunde sprachen kein Wort, ihre Augen leuchteten.

Weshalb tun sie das? Weshalb helfen sie mir? Ich weiß es nicht. Es scheint, als bräuchten sie keinen Grund, um zu handeln. Und darum beneide ich sie. Bei ihnen gibt es eine Form von Schlichtheit, die der Welt der Weißen völlig fremd ist, wie die Selbstverständlichkeit, zum Weltganzen zu gehören. Und dies frohen Herzens zu akzeptieren. Sie sind vom gleichen Blut wie meine Mutter. Sie begleiten mich. Das ist alles.

Wir fuhren lange auf dieser verlassenen, völlig geraden Straße dahin. Dann kamen Hügel. Am Ende einer Kurve war die Straßensperre. Etwas Stacheldraht, ein halbes Dutzend Soldaten. Ich glaube nicht, dass das mir galt. Dass sie mich suchen, ist sicher; ich habe einen Informanten im Pentagon, der mir bestätigte, dass meine Berichte an höchster Stelle mehr als Aufregung verursacht haben... Doch diese Straßensperre mitten in der Wüste mit einer Hand voll schlecht rasierter Männer, die offensichtlich sehr erstaunt waren, als sie uns auftauchen sahen, galt nicht mir. Vielleicht hätten sie uns ungehindert passieren lassen, wenn Leslie nicht vor ihrer Nase plötzlich von der Straße abgefahren wäre. Es wirkte so, als wüssten die Burschen gar nicht, worauf sie achten sollten, was viel über den Zustand der Desorganisation unter den Truppen aussagt, die im Land den Anschein von Ordnung aufrechterhalten sollen... Die Vereinigten Staaten sind nurmehr ein Kopf, der sich in alle Richtungen bewegt, doch dessen Anweisungen seine Gliedmaßen nicht mehr erreichen.

Sie haben geschossen, weil dies das Einzige ist, was sie können, und wenn alles den Bach runtergeht, muss man sich eben an Vertrautes klammern. Übrigens haben sie recht gut geschossen, haben die Reifen knapp verfehlt und nur um ein Haar den Benzintank, jedoch zwei Fenster zerschmettert und meinen Unterarm durchlöchert.

Dann hörte die Schießerei auf. Der Wagen raste mit sechzig Meilen über ein Feld mit Kieselsteinen von der Größe einer Orang-Utan-Faust, und Andrew sah lachend zu mir. Ich hielt den Kopf zwischen den Händen und muss komisch ausgesehen haben, doch als ich mir das Gesicht mit der rechten Hand abwischte, sackte Andrews Kiefer plötzlich mehrere Zentimeter nach unten: Ich hatte mir gerade eine hübsche scharlachrote Kriegsbemalung quer über das ganze Gesicht verpasst, und aus meinem Ärmel tropfte genügend Blut, um einen kleinen Topf damit zu füllen.

Schließlich fuhren wir wieder auf die Straße. Zwanzig Meilen weiter kam dann dieses Motel, dessen Parkplatz leer war. Der Besitzer empfing uns, indem er uns mit Karacho zwei Schüsse aus seinem Gewehr über die Köpfe pfeifen ließ. Er sagte uns, wir sollten nicht näher kommen, und fragte, was wir wollten. Zwei Zimmer. Er wirkte erstaunt. Er forderte uns auf, vierzig Dollar auf den Boden zu legen und zwanzig Schritte zurückzugehen. Mit auf uns gerichtetem Gewehr ging er auf die grünen Scheine zu und hob sie auf. Dann deutete er auf die Zimmer und erklärte uns, wenn wir ihm näher als zehn Meter kämen, würde er uns sofort erschießen. Leslie und Andrew stützten mich bis zur Schwelle eines der Zimmer, und wir traten ein. Als Leslie die Tür schloss, war die Stimme des Besitzers ein letztes Mal zu vernehmen, sanfter jetzt.

»Sie müssen verstehen«, sagte er, »bei allem, was passiert…«

Der Alte, der allein in seinem menschenleeren Motel lebte, hatte große, helle, vor Entsetzen geweitete Augen, in denen jedoch noch ein Funken Menschlichkeit leuchtete, der mich berührte. Ein guter Kerl. Aber »bei allem, was passiert«, zeigt sich die wahre Natur guter und anderer Kerle in ihrer nackten Wahrheit.

Die Angst.

»Der weiße Mann stirbt an der Angst…« Das sind die Worte Lololmas, meines Großvaters. In Oraibi habe ich drei Stunden unter vier Augen mit ihm verbracht. Wir haben ein paar Worte gewechselt und viel miteinander geschwiegen. Der Vater meiner Mutter. Er ist ein Mann, der in meinem Leben eine wichtige Rolle gespielt hat.

Dennoch habe ich ihn wenig gesehen.

Das erste Mal war ich neunzehn und hatte noch nie einen Fuß auf die Mesas gesetzt. Ich kannte das Volk meiner Mutter nicht. Mein Großvater nahm mich mit, um Wüstenkaninchen zu jagen. Er lachte mich aus, weil ich zu viel Lärm machte, dann sagte er zu mir: »Bleib hier und schau.« Er näherte sich einem Kaninchen und packte es mit einer ruhigen, fast langsamen Bewegung am Hals. Dann sprach er zu ihm. »Verzeih mir bitte. Die Erde hat dich hervorgebracht, damit du uns als Nahrung dienst. Das ist dein Platz, und ich danke dir.« Dann versetzte er ihm mit seinem Stock einen leichten Schlag auf den Hinterkopf, und das Kaninchen regte sich nicht mehr. Es war tot. Mein Großvater sah mich mit einem belustigten Funkeln in den Augen an. »Du findest das ein bisschen lächerlich, nicht wahr?« Ich sagte nichts. »Weißt du«, fügte er hinzu, »dass wir so auch zu den Bäumen und zu den Kieselsteinen sprechen? Und weißt du, dass sie uns antworten? Also – sind wir verrückt? Was meinst du, kleiner Weißer? Oder sollten es die Weißen sein, die nicht zuhören können? ... Nicht sehen können.«

Die Weißen sterben an der Angst ...

Mein Vater war an der Angst gestorben, und meine Mutter ist der Angst der Weißen zum Opfer gefallen. Denn die Angst macht die Weißen wahnsinnig.

Unsere gesamte Kultur gründet auf Angst. Alle unsere Energien sind auf die Ablehnung des Todes gerichtet. Und wir merken nicht, dass wir nein zum Leben sagen, wenn wir den Tod nicht zulassen wollen. Denn der Tod und das Leben sind nur ein- und dieselbe Wirklichkeit. Und die Indianer wissen das.

Und das hat Lololma mich gelehrt.

»Du hast die Erziehung eines Weißen erhalten«, sagte er zu mir, »du bist immer ängstlich, dein Herz kennt keine Ruhe.« Er klopfte mir auf die Stirn und fügte hinzu, »Deine Seele hat sich hierher geflüchtet! Deine Seele ist in deinem Kopf, David, wie willst du dann das Leben lieben?«

Jetzt, wenn ich dem Schweigen der Wüste um mich herum

lausche und dem stillen, langsamen Rhythmus des Blutes in meinen Adern, jetzt spüre ich, wie Recht er hatte.

Wir, die Weißen, die wir die Welt beherrschen, haben zu viel Angst davor zu spüren, wie das Leben unser Fleisch durchdringt, zu viel Angst, unsere Zugehörigkeit zur Erde auszukosten, denn das hieße, die Erinnerung daran zu bewahren, dass man eines Tages zur Erde zurückkehren muss.

Ein Indianer weiß, als sei es in seinen Zellen verankert, dass er sich nicht von der Erde unterscheidet, von der er kommt und aus der er gemacht ist. Bei meinen Brüdern habe ich gelernt, barfuß über die heiße Erde zu laufen, und wie sie habe ich mich auf der Erde ausgestreckt und vom tiefen, rhythmischen Schlagen ihres Lebenspulses wiegen lassen.

»Das Leben zu lieben«, so sagte Lololma zu mir, »heißt, sich daran zu erinnern, dass man nichts ist. Der weiße Mann hingegen glaubt lieber, er sei alles. Er ist erfüllt von Hass auf die Erde, aus der er gemacht ist. Er will sie besitzen. Er verlangt der Erde immer mehr ab. Er will grenzenlose Macht. Er zerstört, was er nicht versteht, und wird blind und taub gegenüber allem, was er nicht zerstören kann.

Er weiß nichts mehr vom Großen Geheimnis.«

Gestern in Oraibi habe ich meinem Großvater Fragen zu den Geschehnissen gestellt. Er lächelte leicht, doch in seinen Augen lag ein tiefer, trauriger Ernst.

»Das haben wir schon seit langer Zeit erwartet«, sagte er.

Er erzählte mir von der Prophezeiung.

Schließlich fragte ich ihn: »Warum beginnt es hier, in Amerika?«

»Der Geist des weißen Mannes hat dieses Land erwählt, um darauf seinen Bau zu errichten«, antwortete er. »Und von hier dehnt er sich überallhin aus. Er überdeckt alles, er verschlingt alles und er zerstört alles. Er will alles nach seinem Bilde schaffen.«

Mein Großvater schwieg einen Moment.

»Doch die Erde will ihm nicht ähnlich sein«, fügte er hinzu.

39

New York, Park Avenue

Steven Lordal öffnete die Fenstertür und trat hinaus auf die Terrasse. Er hatte seine Zigaretten mitgenommen und hielt ein Glas in der Hand. Einundzwanzig Uhr. Das war ihm schon immer die liebste Stunde gewesen. Der Arbeitstag war beendet; er konnte sich ein wenig entspannen. Die Lichter der Stadt in der Abenddämmerung betrachten. Ihrem dumpfen, von Hupen und Sirenen unterbrochenen Lärm lauschen, der von der immer währenden Betriebsamkeit der Menschen dort unten zeugte. Weit weg.

Steven fühlte sich gut. In Sicherheit.

Es war sein letzter Tag in New York. Er hatte alle Vorkehrungen getroffen. Alles war bereit.

Gott sei Dank, oder vielmehr: ihm selbst sei Dank, war er in der beneidenswerten Lage, schneller als alle anderen an die richtigen Informationen zu kommen und diese auf optimale Weise zu nutzen. Seit ein paar Tagen deckten sich diese Infos. Man durfte nicht den Kopf in den Sand stecken, sondern musste handeln.

Steven Lordal war auf dem Finanzsektor tätig. Er war der Präsident eines Investmentfonds. Lordinvest. Der ertragreichste Investmentfonds am Standort New York. Zumindest vor diesen Ereignissen. Als er noch die Hälfte seiner Tage in der Wall Street verbrachte. Mit Lauschen und Wittern. Steven hatte ein ausgesprochenes Sensorium für Geldgeschäfte. Er konnte auch entscheiden. So hatte er sein Vermögen aufgebaut. Und so organisierte er jetzt sein Überleben.

Er zündete sich eine Zigarette an und machte gedankenverloren ein paar Züge.

Denn alles würde zum Teufel gehen.

Es waren nicht die Vorfälle selbst, die ihn beunruhigten. Natürlich war das alles sehr merkwürdig. Vor allem die Gleichzeitigkeit all dieser Phänomene hatte etwas Erstaunliches. Die Tiere, die Erdbeben. Die Viren ... Eigenartig. Doch Lordal war ein rationaler Mensch. Er verfiel nicht in Panik. Die Mehrzahl der größeren Gebäude New Yorks (außer natürlich in den Armenvierteln) und speziell das Hochhaus, in dem er lebte, waren nach ziemlich drakonischen Richtlinien zur Gewährleistung der Sicherheit bei Erdbeben errichtet, so dass er nicht viel zu befürchten brauchte. Nur vorsichtshalber hatte Steven alles von der Wand abgenommen, was sich im Fall einer Erschütterung davon hätte lösen können, und sämtliche zerbrechliche Nippsachen und andere Dinge, die in Gefahr gewesen wären, aus den Regalen geräumt. In dieser Hinsicht war er gewappnet.

Lordal nahm genüsslich einen Schluck von der warmen Flüssigkeit in seinem Glas. Malzwhisky, zwanzig Jahre alt. Ein Gedicht. Von seiner Terrasse blickte er auf die riesige Stadt, in der es Abend wurde. Obwohl ihn mehrere Häuserblocks vom Central Park trennten, hatte er einen unverbaubaren Ausblick auf dieses grüne Herz der Stadt – einer der Vorzüge einer hohen Wohnlage ... Und nach Süden hin bot sich ihm eine Aussicht über ganz Manhattan und einen Teil des East River. Eine wahre Pracht.

Das wird mir fehlen, dachte er.

Gewiss, die Seuchen waren unangenehmer. Die Presse sprach von mehreren Orten, an denen sie nicht richtig eingedämmt werden konnten, und dann war da dieser Barnes, der ziemlich alarmierende Berichte ins Internet stellte; man musste zugeben, dass das in einer bunt zusammengewürfelten, dicht bevölkerten Stadt wie New York schon etwas beängstigend war. Die städtischen Behörden hatten zwar um jeden Bezirk Seuchensperren errichtet, deren Verlassen und Betreten auf ein striktes Minimum eingeschränkt war, doch hundertprozentig sicher war das alles nicht und konnte es auch nicht sein.

Aber gut.

Hundertprozentig sicher und undurchlässig hingegen war die Ein- und Ausgangskontrolle, die Lordal gemeinsam mit allen Miteigentümern organisiert hatte. Ein ganz einfaches Konzept. Niemand kam herein. Niemand ging hinaus.

Eine Woche zuvor hatte er alle Bewohner des riesigen siebenundzwanzigstöckigen Gebäudes (in dessen oberster Etage Steven ein Loft mit Terrasse bewohnte) zu sich bestellt und ihnen seine Sicht der Dinge erläutert. Offenbar hatte er überzeugend gewirkt, da alle sich seiner Idee angeschlossen hatten.

Einer ganz einfachen Idee: Das einzige Mittel, sich vor den Seuchen zu schützen, bestand darin, sich vor jeglichem Kontakt mit der Außenwelt abzuschotten, bis die Angelegenheit bereinigt war. Das stellte überhaupt kein Problem dar. Alle Bewohner des Gebäudes bekleideten wichtige Posten in Firmen, die seit mehreren Tagen ein System für ihre Führungskräfte ausgearbeitet hatten, das es diesen erlaubte, von ihrem Wohnsitz aus zu arbeiten. Niemand brauchte mehr seine Wohnung zu verlassen. Und niemand musste mehr in das Gebäude hinein. Die Eigentümergemeinschaft hatte Einheiten einer Privatmiliz angemietet, die das Gebäude bewachten. Jeden Morgen parkte ein Lastwagen mit Lebensmitteln und Gegenständen des täglichen Bedarfs, die auf Bestellung geliefert wurden, im Hof, wo ihn die Milizionäre entluden. Gegen Mittag holte der Auslieferer sein Fahrzeug wieder ab. Ohne mit dem Gebäude in Berührung zu kommen. Ein unübertreffliches Arrangement.

Lordal ließ seinen Blick über die Wolkenkratzer von Manhattan schweifen. Es war eine Symphonie aus Licht und Schatten, die in wilder Erhabenheit die Allmacht des Menschen pries.

Er fühlte sich traurig. Er war hier zu Hause, inmitten der riesigen Betonkathedralen, deren schwarze Eisenspitzen herausfordernd in den Himmel ragten. Hier war sein Platz. Zwischen den höchsten Wolkenkratzern.

All das zu verlassen …

Hätte er nur die Naturphänomene zu fürchten gehabt, die Erdbeben und die Epidemien, so hätte er nie den Entschluss gefasst, New York zu verlassen. Er liebte die Stadt zu sehr. Was Steven beunruhigte, waren nicht die Vorfälle selbst. Sondern die Art, wie die Menschen auf die Vorfälle reagierten.

Die Behörden versuchten so viel wie möglich zu vertuschen, doch es begann eine Finanzkrise auszubrechen, deren Auswirkungen mehr zu fürchten waren als all diese Naturkatastrophen, die irgendwann wieder aufhören würden. Denn die gesamte Wirtschaft konnte zusammenbrechen. Endgültig.

Das weltweite System basierte auf einfachen Grundlagen. Steven hatte da seine eigene Theorie. Es gab zwei Kategorien von Menschen: die WW und die WN. Die WW waren die wirtschaftlich Wichtigen. Diejenigen, die über ein gewisses Minimum an Geld verfügten, so viel, um auf der wirtschaftlichen Ebene eine Rolle zu spielen. Die WN waren die wirtschaftlichen Nichtse. Diejenigen, die für das System im Grunde nicht ins Gewicht fielen. Damit die Wirtschaft funktionierte, war nur eines erforderlich: dass die WW sich in ihrer Haut wohl fühlten. Denn wenn sie sich in ihrer Haut wohl fühlten, konsumierten und investierten sie. Konsum und Investition. Die beiden Säulen des Tempels ... Nun war es nicht allzu kompliziert, dass sich die WW in ihrer Haut wohl fühlten. Sie brauchten nur ein Mindestmaß an Sicherheit und etwas, über dem sie ihre kleinen Sorgen und ihre großen existenziellen Ängste vergessen konnten. Das war die Aufgabe der Politiker – darüber zu wachen, dass die WW sich in ihrer Haut wohl fühlten. Dazu musste man es so einrichten, dass die WN nicht in die Lage kamen, den WW Ärger bereiten zu können. Dass die WN nicht in Versuchung kamen zu stehlen, zu töten oder Bomben zu legen. Bisher hatte das System einigermaßen funktioniert. Man konnte zwar nicht sagen, dass die Regierung alles in ihrer Macht Stehende tat, um die Sicherheit der WW zu gewährleisten, doch letzten Endes lernten diese auch, sich selbst zu helfen. Sie lebten abseits von den WN und vertrauten ihre Sicherheit Privatfirmen an. Und ihr Geld Steven Lordal ...

Doch seit den Geschehnissen funktionierte das nicht mehr.

Die WW hatten Angst. Sie fühlten sich überhaupt nicht mehr wohl in ihrer Haut.

Sie konsumierten nicht mehr, bis auf das Allernotwendigste und Überlebenswichtigste. Und sie legten ihre grünen Scheine beiseite. Die Investitionen waren in alarmierendem Ausmaß zurückgegangen. Die Leute zogen ihre Gelder ab. Das war noch ein Staatsgeheimnis, das die Regierung und alle, die in der Finanzwelt zählten, sorgsam hüteten ... Doch mehrere Banken waren praktisch zahlungsunfähig und wurden unbemerkt aus geheimen Staatsfonds gespeist. Das durfte niemand wissen. Denn sonst würde alles außer Kontrolle geraten. Falls es zu einer Panik käme, falls eine erhebliche Anzahl von Personen auf einmal ihre Ersparnisse abheben wollte, dann bedeutete das den Zusammenbruch des Systems. Des weltweiten Systems. Das Geld wäre nichts mehr wert. Die Industrien würden stillstehen. Kein Benzin mehr, keine Elektrizität mehr ... Die Menschheit würde in wenigen Tagen um mehrere Jahrhunderte zurückfallen.

Das Ende der Welt, wie wir sie kennen.

Steven lächelte und zündete sich eine weitere Zigarette an. Die Luft war mild; eine leichte, laue Brise strich über sein Gesicht. Im Moment war die Nacht fast schwarz.

Für ihn stand fest: Die ökonomische Katastrophe war nicht mehr zu verhindern.

Man konnte den Prozess zwar verlangsamen, jedoch nicht aufhalten. Zu spät. Aus einem einfachen Grund: Der größte Teil der Leute, der wirtschaftlich Wichtigen, war überzeugt, dass es zur Katastrophe kommen werde. Sie verhielten sich so, als sei sie schon da. Und aus diesem Grund würde sie auch tatsächlich stattfinden. So war das Wirtschaftssystem beschaffen: Es genügte, dass eine genügend große Zahl WW an das Schlimmste glaubte, damit das Schlimmste eintrat.

Steven Lordal war das egal. Er hatte seine Vorkehrungen getroffen.

Ohne dass, bis auf wenige Eingeweihte, jemand etwas davon wusste, hatte er seine Anteile an Lordinvest verkauft. Sie waren sowieso nicht mehr besonders viel wert, doch er hatte immerhin einen guten Preis erzielen können. Nichts im Vergleich zu dem, was sie noch vor einem Jahr wert gewesen waren, doch in Anbetracht der Umstände war es ein guter Preis. Mit diesem Geld hatte er in etwas Solides investiert.

Steven hatte hundertsechzig Kilometer von New York entfernt, am Fuß der Catskill Mountains, einen besonders interessanten Standort ausfindig gemacht – ohne sich selbst dorthin zu bemühen, sondern einfach beim Herumspielen mit seinem Computer. Am Ufer eines Flusses befand sich ein kleiner Industriekomplex, der zwanzig Jahre zuvor von ein paar ökologisch angehauchten Typen gegründet worden war und in dem mit Sonnenenergie betriebene Stromgeneratoren, Geräte zur Wasserreinigung und Maschinen zur Wiederverwertung von Abfall produziert wurden. In der Nähe lagen fünf größere landwirtschaftliche Betriebe mit Viehzucht, Getreidefeldern und Wäldern ... Er hatte alles gekauft. Zuerst wollten die Typen nicht verkaufen. Steven hatte ihnen ein Angebot gemacht. Und sie hatten verkauft.

Er war gewappnet.

Es war nur eine Frage von Tagen, bis die große Krise ausbrach. Er durfte es nicht länger hinauszögern. Schon morgen früh würde um acht Uhr ein Hubschrauber auf dem Dach seines Hauses landen. Er würde mit wenig Gepäck einsteigen. Eine Stunde später würde Steven Lordal zum Gentleman-Farmer werden.

Und in einigen Monaten würde er wieder reich sein. Sehr reich. Denn er wäre der Inhaber des einzigen nach der Naturkatastrophe absolut notwendigen Industriezweigs. Notwendig und völlig autonom. Denn die Fabrik selbst wurde mit Sonnenenergie betrieben. Er würde vollkommen autark leben und die gesamte Region mit Energie beliefern können.

»Es lebe die Ökologie!«, rief Lordal und hob sein Whiskyglas in Richtung der stolzen Gebäude Manhattans.

Er leerte es bis zum letzten Schluck.

Als er sein Glas abstellte, fragte Lordal sich, ob er dem Malzwhisky nicht vielleicht ein wenig zu stark zugesprochen hatte. Sein Kopf drehte sich leicht, und etwas lag in der Luft. Kaum spürbar. Eine merkwürdige Stille, als habe sich eine bleierne Haube über den Lärm der Stadt gesenkt. Eine Bewegung in seinem Blickfeld lenkte seine Aufmerksamkeit auf den Central Park. Steven drehte den Kopf. Eine Wolke kleiner dunkler Punkte stieg aus der Baummasse zum Himmel auf. Es dauerte nur Sekunden. Danach nichts mehr.

Vögel. Ein ganzer Schwarm Vögel. Alle Vögel aus dem Park hatten plötzlich die Flucht ergriffen und die Bäume verlassen.

Dann begann sich der Himmel nach Süden hin in Richtung Meer rot zu verfärben.

Ein dumpfes Geräusch kam aus dem Inneren der Erde, wie der Wirbel von tausend Trommeln.

Plötzlich stiegen zwischen den Wolkenkratzern von Manhattan mehrere gewaltige Feuersäulen am Horizont auf. Anscheinend Explosionen, jedoch überdeckt von dem unheimlichen Geräusch, das mit jeder Sekunde stärker und langsam unerträglich laut wurde. Weitere Flammensäulen erschienen.

Etwas kam näher.

Der Lärm wurde beängstigend.

Eine riesige dunkle Staubwolke, die Manhattan in seiner ganzen Breite verdeckte, kam langsam und unausweichlich näher.

In Richtung Norden.

In Richtung Lordal.

Ein Erdbeben. Von unvorstellbarer Stärke.

Steven hatte das Gefühl, sein Kopf würde gleich platzen. Unter seinen Füßen vibrierte es unerträglich. Als würden tausend Gewitter zwischen seinen Schläfen widerhallen. Er stand reglos, wie hypnotisiert. Die Zeit verging langsamer, dehnte sich gleichsam aus. Die Hölle kam näher und verschlang alles auf ihrem Weg.

Hineingehen. Er musste hineingehen. Schutz suchen.

Doch er war wie gelähmt. Er fühlte nichts mehr. Fasziniert sah er wie im Traum, wie das Empire State Building in der Mitte entzweibrach und dann unter den gewaltigen Massen aus Dunkelheit und Feuer begraben wurde.

Da bekam er schreckliche Angst.

Den Mund zu einem stummen Schrei geöffnet, stürzte er in seine Wohnung.

Er war kaum über die Schwelle, als ihn ein gewaltiger Stoß gegen eine Wand schleuderte. Steven bekam einen Schlag auf den Kopf, der ihn schwindlig machte. Der Boden hatte mit unerträglichem Lärm zu zittern begonnen, wie ein Teppich, den man trocken klopft. Steven wurde ans andere Ende des Zimmers geschleudert. Ein schweres Bücherregal stürzte um, und er konnte sich gerade noch zusammenrollen, um ihm auszuweichen.

Dann herrschte Stille.

Lordal kam langsam wieder zu sich.

Alles war dunkel; es gab keinen Strom mehr.

Das Gebäude hatte standgehalten.

Hinuntergehen. Die Treppe hinunterrennen und auf die Straße gehen. Es konnte ein weiteres Beben geben.

Lordal zwang sich mühsam zum Aufstehen. Sein Körper bestand nur noch aus ungeheurem Schmerz. Er hatte Mühe, ihn zu bewegen und fürchtete, gelähmt zu sein.

Plötzlich gab der Boden erneut unter ihm nach, und er stieß heftig an die Ecke eines Möbelstücks.

Eine weitere Erschütterung. Noch stärker.

Er wusste nicht mehr, wo er war. Das gesamte Gebäude begann unter entsetzlichem Getöse, Gedröhne und Geknacke von neuem zu schlingern. Immer stärker. Immer schneller. Er wurde zwischen den vier Ecken des großen Zimmers hin und her geworfen und wie eine Stoffpuppe gegen Wände und Möbelstücke geschleudert.

Die letzte Vorstellung, die sich Steven Lordals Gehirn einprägte, war die eines riesigen Hundes, der schnaubend seine Flöhe abschüttelte.

Der Hund war die Erde.

Die Flöhe waren die Menschen.

Dann öffnete sich plötzlich die Erde, und er hatte das Gefühl, eingesaugt zu werden.

Er wusste mit überraschender Klarheit, dass das Gebäude einstürzte.

Und dass er nie auf dem Land leben würde.

In seinem Kopf war ein Funkenmeer. Dann Schwärze.

40

Fort Detrick, Maryland

Ich höre.«

Keiner der Forscher wagte es, das Wort zu ergreifen. Eine halbe Stunde zuvor hatte Colonel Bosman einen Anruf erhalten: alle Wissenschaftler seien zusammengekommen und verlangten als Delegation empfangen zu werden. Jetzt standen die Verantwortlichen der drei Teams vor ihm: Prescot, Barkwell und Basler.

Barkwell begann in zögerndem Ton zu sprechen:

»Mr Colonel, wir... wir wollten Ihnen sagen, dass... Wir haben nachgedacht, und... wir sind uns alle in einem Punkt einig. Es ist schwer für uns alle, unsere Forschungen ordnungsgemäß durchzuführen.«

Bosman hob eine Braue. Er musste sich zwingen, nicht einem Gefühl der Niedergeschlagenheit nachzugeben.

»Ach ja?«, fragte er schroffer als beabsichtigt. »Und weshalb?«

»Mein Assistent Douglas Seger erfuhr heute Morgen vom Tod seiner Frau und seiner beiden Kinder. Sie lebten in New York. Sie gehören zu den Zehntausenden von Opfern...«

»Das tut mir sehr Leid«, sagte Bosman. »Darüber hat man mich nicht informiert...«

Er fing sich wieder: »Meine Herren, das ist sehr tragisch, und ich verstehe, dass Sie betroffen sind, aber... Was hat das mit Ihren Forschungen zu tun?«

»Wir fühlen uns außerstande zu arbeiten, Colonel. Wir haben Angst. Angst um unsere Familien und um unsere Freunde. Greg Thomas hat vor kurzem seine Frau verloren, das wissen Sie, und auch sonst gibt es überall furchtbare Nachrichten.«

»Das alles weiß ich, meine Herren. Leider. Doch was soll ich Ihrer Meinung nach tun?«

»Colonel, wir möchten, dass Sie unsere Familien an einen sicheren Ort bringen lassen.«

»An einen sicheren Ort?«

»Warum können wir sie nicht hierher auf den Stützpunkt kommen lassen? Oder, falls das nicht geht …«

»An einen sicheren Ort! Können Sie mir sagen, welcher Ort heute noch sicher ist? Glauben Sie etwa, dass wir hier an einem sicheren Ort sind?«

Es folgte eine Pause.

»Colonel«, begann Barkwell erneut, »haben Sie Familie?«

Bosman war einen Moment verunsichert. Auf diese Frage war er nicht gefasst gewesen.

»Natürlich … Nun, nicht im engeren Sinn. Meine Eltern sind tot, und ich bin ein Einzelkind, aber … Ich habe Cousins … Ich sehe da keinen Zusammenhang …«

Unvermittelt begann Basler zu sprechen: »Der Zusammenhang, Colonel, besteht darin, dass Sie, wenn Sie eine Familie hätten, verstehen würden, worum wir Sie bitten! In Sicherheit ist man vielleicht nirgendwo, aber wir sind lieber zusammen mit unseren Familien in Gefahr, als sie irgendwo dort draußen zu wissen und nichts von ihnen zu hören. Ich habe noch meine Mutter, Colonel, und ich habe eine Schwester; die Fernmeldeeinrichtungen funktionieren größtenteils nicht mehr, und ich konnte seit zwei Wochen nicht mit ihnen sprechen und habe keine Möglichkeit herauszufinden, ob sie zur gegenwärtigen Stunde nicht vielleicht schon tot sind!«

»Hier«, trumpfte Prescot auf, »sind wir trotz allem noch sicherer als irgendwo anders. Gut, die Erde kann jeden Moment beben, und es kann jederzeit eine Seuche ausbrechen … doch zumindest sind wir vor Raubtieren geschützt. Und heutzutage ist das gefährlichste Raubtier der Mensch! Draußen herrscht unvorstellbares Chaos! Die Menschen bringen sich gegenseitig um, es gibt Plünderungen, es gilt das Gesetz des Stärkeren … Ich habe noch meine

Eltern, und ich bitte Sie darum, sie zumindest vor dem Wahnsinn der Menschen in Sicherheit zu bringen!«

Der Colonel fasste sich mit beiden Händen an den Kopf und schwieg einige Sekunden.

»Gut«, sagte er schließlich. »Geben Sie mir eine Liste der entsprechenden Personen. Ich werde sehen, was sich machen lässt.«

»Eine Liste mit wie vielen Personen?«, brummte Basler.

Bosman zögerte.

»Frauen und Kinder. Eltern. Brüder und Schwestern.«

»Und Sie lassen Sie herbringen?«, fragte Prescot.

»Sofern es möglich ist. Als Erstes müssen wir sie finden. Wir müssen sie suchen. Dazu bedarf es einer Logistik, meine Herren! Doch wir werden unser Möglichstes tun.«

Es folgte eine Pause. Die drei Forscher erhoben sich nacheinander.

»Danke, Colonel«, sagte Barkwell.

41

Irgendwo über dem Regenwald Amazoniens, Venezuela

Die Sonne versank langsam am Horizont im tiefen Grün der Bäume und sandte ihre verlöschenden Strahlen in das dunkle Blau des Himmels. Die Nacht brach herein. Greg sah den wild wuchernden Regenwald unter dem Helikopter vorbeiziehen, doch er sah ihn nicht wirklich. Seit dem Absturz von Marys Flugzeug waren zwei Tage vergangen. Konnte sie noch am Leben sein? Niemand glaubte daran. Weder Bosman noch die Venezolaner. Trotzdem hatte Bosman Greg ein Armeeflugzeug zur Verfügung gestellt, das ihn am Stützpunkt Vargas im Süden des Landes abgesetzt hatte. Und die Venezolaner hatten einen Hubschrauber, einen Piloten und zwei Sanitäter für ihn bereitgestellt. Doch in deren Augen lag traurige Skepsis. Keiner hielt es für möglich, dass Mary noch lebte.

Mary lebt.

Sie lebt.

Greg betrachtete die Landschaft. In wenigen Minuten würden sie vor Ort sein. Er würde Mary sehen. Man würde sie ärztlich behandeln.

Mary.

Greg konnte sich Mary nicht tot vorstellen. Dabei stieß sein Geist an etwas, an eine Mauer aus Dunkelheit in seinem Inneren. Es war, als würde er sich vorstellen, selbst tot zu sein. Unmöglich. Sie lebte. Allein schon bei dem Gedanken, ohne Mary zu leben, schien sich in Gregs Herz eine unerträgliche Lücke aufzutun, ein grauenerregendes Vakuum. Und es verkrampfte sich, von einer stählernen Faust zusammengepresst, wie um dieser Leere, diesem namenlosen Schrecken zu entfliehen: einem Leben ohne Mary...

Greg saß zusammengekauert in seinem Sitz und presste sich die geballten Fäuste gegen die Augen. Doch er weinte nicht. Er wollte nicht um Mary weinen.

»Mein Gott«, murmelte er. »Wenn sie stirbt, sterbe ich auch. Sie ist ein Teil von mir. Trenne uns nicht.«

Greg hatte sich nie bewusst gemacht, wie abhängig er von Mary war. Sie war gleichsam die Zeugin seiner Existenz, die einzige wirkliche Zeugin dessen, was er war. Bei ihr musste er nicht spielen, sich nicht verstecken. Ohne sie existierte er nur noch an der Oberfläche. Als Maske, ohne etwas dahinter... Und doch hatte er viele Jahre ohne Mary gelebt. Er hatte sie mit zweiundzwanzig kennen gelernt. Hatte er bis dahin nicht existiert?

Er hatte tatsächlich wenige Erinnerungen an sein Leben vor Mary. Es war glanzlos und monoton gewesen. Seine Eltern. Das Studium. Seine Freunde. Die Mädchen... Erst danach, mit Mary, hatte er gelernt, sich am Leben zu freuen. Die Begegnung mit ihr war wie eine zweite Geburt gewesen.

»Mr Thomas...«

Greg zuckte zusammen. Einer der Sanitäter, ein Arzt, beugte sich über ihn und bemühte sich, ihn aus seinen Gedanken zu reißen. Er wischte sich eine Träne von der Wange und sah dem Arzt in die Augen.

»Mr Thomas, wir sind über der Stelle. Wir haben Trümmer der Maschine gesichtet. Wir landen gleich.«

Greg spürte, wie ihn plötzlich von neuem die Angst packte. Er sah nach unten. Die Nacht war schwarz, und die kräftigen Scheinwerfer des Helikopters erhellten den Boden. Es war eine Art Sumpf. Büsche und Erdhaufen bildeten kleine braungrüne Inselchen, die aus einer verschwommenen Mischung aus Erde und Wasser ragten.

Da sah Greg einen Teil des Flugzeugs. Der Aufprall musste fürchterlich gewesen sein.

Der Helikopter setzte auf. Greg war sofort draußen. Die Luft war mild und feucht, wie eine Einladung, sich auszustrecken und dem Schlaf anheim zu geben. Dem Tod anheim zu geben. Greg ballte die Fäuste.

Er musste daran glauben.

Bis zum Schluss daran glauben. Danach war immer noch Zeit, alles aufzugeben.

Zwei Lichter drangen durch die Dunkelheit. Die beiden Sanitäter, die bis zur Oberschenkelmitte im Wasser standen, leuchteten mit Taschenlampen in den Sumpf und legten verkohlte Metalltrümmer frei.

Greg folgte ihnen.

Sie durchsuchten das Cockpit. Dann kamen sie wieder heraus, und einer von ihnen machte ein Zeichen in Richtung Greg. »Da ist niemand«, schien es zu sagen.

Da ertönte ein Schrei.

Greg bewegte sich wie ein Automat zu der Stelle, wo die beiden Männer stehen geblieben waren. Der Körper eines Mannes ragte mit dem Rücken aus dem lauwarmen Wasser; er war noch an seinen Sitz angeschnallt, mit dem er beim Aufprall hinausgeschleudert worden war. Vermutlich der Pilot. Einer der Sanitäter drehte ihn um, ließ abrupt wieder los, trat einen Schritt zurück und richtete den Strahl seines Scheinwerfers auf ihn. Die Hälfte seines Gesichts war weggerissen. Dicke Fliegen wimmelten in den Löchern seines aufgerissenen Schädels.

Greg musste sich übergeben. Der zweite Sanitäter packte ihn an den Schultern und führte ihn weg, wobei er etwas zu ihm sagte, das Greg nicht verstand. Er machte sich los, wobei der Mann zu Boden stürzte. Während er wieder aufstand, nahm Greg ihm die Taschenlampe ab. Dann ging er mit nach vorn gerichtetem Strahl weiter.

Er stieß gegen kalte Metallplatten, Bruchstücke von Motoren und Propellerteile. Eine aufgeschlitzte Reisetasche. Er hob sie auf. Dann erkannte er sie. Sie gehörte Mary. Greg durchwühlte sie und zog einen Pullover heraus, der oben und unten Feuer gefangen hatte. Ihr blauer Pullover. Er drückte ihn an seine Brust und ging erneut weiter.

Nach ein paar Sekunden sah er zu seiner Rechten das Heck des Flugzeugs, das im Schlamm trieb, umgeben von kleineren Trümmern. Er trat näher. Die Maschine war zwischen Cockpit und Passagiersitzen auseinander gebrochen. Die Kabine lag im Dunkeln. Greg fühlte, wie ihm das Herz schlug, als würde es seine Brust zersprengen, und leuchtete mit seiner Taschenlampe ins Innere. War Mary hier? War sie hier gestorben?

Die Kabine war leer.

Greg hievte sich ins Innere des Wracks, das einen Moment unter seinem Gewicht schwankte und dann wieder fest stand. Mit einem Knie auf den Boden gestützt, ließ er den Lichtstrahl über die verbeulten Wände, die vier Sitze und den Boden gleiten.

Mary hätte hier sein müssen, an einen der Sitze geschnallt... Es sei denn, sie wäre nicht angeschnallt gewesen, als der Unfall geschah, und ihr Körper wäre hinausgeschleudert worden... Doch war es überhaupt denkbar, dass sie sich nicht automatisch angeschnallt hatte, als sie merkte, dass das Flugzeug abstürzte? Irgendetwas an dieser Sache war nicht verständlich und weckte inmitten des unausweichlich Scheinenden so etwas wie Hoffnung in Greg. Wenn Mary nicht hier war, konnte sie noch am Leben sein.

Während er so überlegte, leuchtete er mechanisch über die Sitze. Da sah er eine lange bräunliche Spur, die von einer der Armlehnen ihren Ausgang nahm und bis zum Boden reichte.

Blut.

Greg leuchtete über den Boden, der Spur folgend. Sie führte aus der Kabine hinaus.

Mary war bei dem Crash nicht ums Leben gekommen! Natürlich war sie verletzt. Vielleicht sogar schwer. Doch sie hatte sich aus der Maschine schleppen können...

Greg suchte sorgfältig die Umgebung ab und ließ das Scheinwerferlicht über Bäume und Büsche schweifen. Die beiden Sanitäter waren zu ihm gekommen und sahen sich nun ihrerseits in der Kabine um.

Etwa zehn Meter weiter weg fiel eine kleine Erdinsel schräg zum Wasser hin ab. Greg, der bis zu den Hüften im Schlamm stand, bewegte sich auf sie zu. Er sah zwei weiße Flecken, die sich gegen den schmutzig braunen Morast abhoben. Er leuchtete darauf und ging schneller.

Zuerst erkannte er sie nicht.

Es war der Körper einer Frau. Er schien aus der Erde zu kommen, in der Erde zu stecken. Er ragte daraus hervor, stellenweise mit Schlamm bedeckt, ansonsten schneeweiß. Ein Arm war ausgestreckt, die Hand versank im Morast. Ein Bein war mit getrocknetem Blut beschmiert. An einigen Stellen war Moos über sie gewachsen; Lianenstücke und Blätter bedeckten sie, als würde die Erde ihre Rechte an diesem aus Erde erschaffenen Körper geltend machen.

Greg stockte der Atem. Die Zeit stand still. Dann sah er ihr Gesicht.

Mary. Ihre Augen waren zu, als hätte sie einfach beschlossen, einzuschlafen und ihren Körper dem Gesetz des Lebens zu überlassen. Ihr Gesicht war über die Maßen heiter, als sage sie ja, ein absolutes, bedingungsloses Ja. Als habe sie aufgehört zu kämpfen.

Mit einem Aufschrei befreite sich Greg aus dem Schlamm und legte seine Hand auf Marys Kehle.

Sie war eiskalt.

Greg fuhr mit den Fingern über Marys Haut und suchte nach einem Pulsschlag, nach einem winzigen Lebenszeichen. Doch er fühlte nichts außer der Kälte ihrer Haut, die mit der feuchten Wärme des Dschungels kontrastierte.

Er spürte, wie er sanft weggezogen wurde. Die beiden Sanitäter beugten sich über Mary und untersuchten sie eine Zeit lang.

Dann drehte sich einer von ihnen – der, den Greg zu Boden gerissen hatte – zu ihm um und blickte ihn traurig an.

»Sie ist tot.«

Sie gingen daran, sie zu bergen.

42

Ein kleines Haus am Ufer des Simcoe-Sees, Kanada

Zu Tisch!«

Aimé Doubletour faltete seine Zeitung wieder zusammen und legte sie auf den niedrigen Tisch. Er begann zu lachen. »Sie sitzen in der Scheiße«, murmelte er. »Sie sitzen ganz schön in der Scheiße ...«

Seit drei Wochen verfolgte er aufmerksam die Ereignisse. Es hatte ganz allmählich begonnen. Und jetzt wurde es ernst. Es wurde stärker, mächtiger ... Und das war erst der Anfang!

Natürlich begriffen sie nichts. Für sie war das, was passierte, unmöglich! Unmöglich ... aber wahr. Seht zu, wie ihr allein damit fertig werdet! Schließlich war es nicht seine Schuld, wenn ihr Weltbild unzulänglich und falsch war und sie in ihrer Dummheit nicht absehen oder sich auch nur vorstellen konnten, was gerade ablief. An allen Fronten gleichzeitig!

Tiere begannen Menschen anzugreifen, als hätten sie sich abgesprochen ... Sie hatten alle Haustiere beseitigt, und jetzt begannen sogar die wild lebenden Tiere unberechenbar und gefährlich zu werden. Niemand konnte sich mehr in einen Wald wagen. Und die Erdbeben ... Die Seuchen ... Der Ökologe lachte kurz auf. Keiner begriff etwas. Dabei war es doch so offensichtlich! Und dann diese schulmeisterlichen Kapazitäten, die sich mit ihren akademischen Titeln spreizten und ihre chronische Unfähigkeit zur Schau stellten, die Bedeutung all dieser Vorfälle zu erkennen, wo diese doch klar auf der Hand lag ... Seid unbesorgt, Leute, die Wissenschaft sucht, und die Wissenschaft wird fündig werden, für all das gibt es einen Grund, die Welt kann ja schließlich nicht auf einmal ihre Gesetze ändern.

Gewiss, meine Herren Professoren, gewiss ... das ist keine Welt, deren Gesetze sich ändern ... Es ist eine Welt, deren Gesetze Sie nicht begriffen haben!

»Mein Teddybär! Hast du nicht gehört? Zu Tisch, habe ich gesagt ... Deine Suppe ist fertig ...«

Aimé sprang mit einem Satz auf.

»Ich komme, Mama ...«

Er ging ins Esszimmer, wo seine Mutter auf ihn wartete, die stolz und mit leicht vorwurfsvoller Miene hinter einer Suppenschüssel thronte, der ein verlockender Duft entströmte.

»Sie wird doch kalt ...«

Aimé setzte sich und strich Butter auf eine Scheibe Brot.

»Entschuldige bitte, Mama.«

Es wurde sehr, sehr brenzlig ... Die Vereinigten Staaten standen faktisch seit kurzem unter Quarantäne: Vor drei Tagen hatte die Mehrzahl der ausländischen Regierungen allen amerikanischen Staatsbürgern den Zutritt zu ihrem eigenen Staatsgebiet untersagt. Aus Angst vor Ansteckung. Offensichtlich glaubte man in der ganzen Welt lieber daran, dass es sich um ein rein amerikanisches Phänomen handelte ... Was für ein Witz! Natürlich schien bisher kein anderes Land betroffen zu sein. Es gab Erdbeben und Klimastörungen in Südamerika, doch niemand fühlte sich bemüßigt, hier einen Zusammenhang herzustellen. In Kanada hatten die Nachbeben des Erdbebens von Rochester auch auf Toronto und Umgebung übergegriffen; es hatte sogar eine kleinere Flutwelle auf dem Ontariosee gegeben. Doch abgesehen davon konnten die Kanadier das Gefühl haben, verschont geblieben zu sein ... Abgesehen davon sahen sie auch keinen Zusammenhang mit der Geschichte von den vergifteten Tomaten in Britisch-Kolumbien. Es waren genbehandelte Tomaten, und jedermann hatte alles eilig auf die künstlichen Gene geschoben ... Ein harter Schlag für die Lebensmittelindustrie, da war eine boshafte Kampagne im Gang ... Aimé lächelte ... Die Gentechnik war wirklich eine Schweinerei, doch sein kleiner Finger sagte ihm, dass diese Sache nichts mit den Machenschaften der Industrie zu tun hatte ... Es hatte mehr mit dem ganzen Übrigen zu tun ... Und es gab keinen Grund, weshalb Kanada von den Vorfällen verschont bleiben sollte ... oder irgendeine andere Region auf dieser Welt.

»Alles in Ordnung, mein Liebling?«

Aimé merkte, dass der Blick seiner Mutter auf ihm ruhte.

»Ja, Mama, alles in Ordnung ...«

»Du wirkst so sonderbar ...«

Die alte Frau schwieg einen Moment, dann fragte sie: »Du verheimlichst mir doch nichts?«

»Aber nein, Mama, ich versichere es dir! Ich habe nachgedacht, das ist alles ...«

»Und worüber hast du nachgedacht?«

Aimé machte eine Pause. »Nun ... Darüber, dass ich dich demnächst womöglich eine Zeit lang allein lassen muss ...«

Das Kinn seiner Mutter begann zu zittern.

»Mich allein lassen? Warum denn? Du warst doch schon im Frühjahr fast zwei Monate weg ...«

»Aber Mama, ich muss ja schließlich auch ein bisschen arbeiten! Ich habe eine Vortragssreise gemacht ...«

In den Augen seiner Mutter standen Tränen.

»Ich dachte, das wäre es für dieses Jahr gewesen ... Hältst du noch weitere Vorträge? Weshalb hast du mir nichts davon erzählt?«

Aimé stand auf und legte seinen Arm um die Schultern der alten Frau.

»Nein, bis zum Herbst halte ich keine Vorträge mehr ... Aber etwas sagt mir, dass ich bald einen Anruf bezüglich einer ... sagen wir, unvorhergesehenen Aufgabe erhalten könnte ...«

»Was für eine Aufgabe? Es ist unglaublich, du ...«

Die Stimme seiner Mutter, die etwas lauter geworden war, wurde unvermittelt vom Läuten des Telefons unterbrochen. Aimé stand auf und nahm den Hörer ab.

»Mr Doubletour?«

»Am Apparat ...«

»Colonel Bosman vom amerikanischen Verteidigungsministerium. Wir bräuchten Ihre Dienste… Wann können wir Sie abholen?«

Aimé wartete ein paar Sekunden mit seiner Antwort: »Ich habe Ihren Anruf erwartet. Ich bitte Sie nur um die Zeit, mein Mittagessen zu beenden.«

Dann legte er auf und ging langsam zu seiner Mutter zurück. Sie sah ihn starr an. Dicke Tränen strömten über ihre Wangen.

43

Fort Detrick, Maryland

Es war fünf Uhr morgens, und Colonel Bosman stellte erfreut fest, dass er langsam einschlief, als das Telefon klingelte. Er hätte am liebsten geschrien, doch dazu war er zu müde, und so hob er ab. Es war ein Captain, dessen Namen er momentan nicht einordnen konnte.

»Colonel, Sie sollen sich beim Präsidenten einfinden. Es gibt eine weitere Epidemie, in Jefferson City.«

»Wurde kauterisiert?«

»Das geht nicht, Colonel. Das Gebiet ist zu groß und zu dicht besiedelt. Und es handelt sich um ein Virus mit einer ziemlich langen Inkubationszeit. Die Seuche breitet sich aus.«

»Was ist mit der Presse?«

»Die Journalisten waren zur gleichen Zeit vor Ort wie wir. Wir konnten nichts tun; wir hätten sie alle erschießen müssen.«

Bosman stellte sich kurz die Szene vor, und ihm schoss die Idee durch den Kopf, dass das vielleicht die Lösung gewesen wäre, doch er verscheuchte sie mit einer Handbewegung. Das konnte man nicht tun.

»Gut, stellen Sie ganz Missouri unter Quarantäne. Machen Sie alle erforderlichen Truppen mobil. Niemand darf hinaus und niemand hinein, verstanden? Töten Sie alle Zuwiderhandelnden. Und ich möchte, dass in Kansas City und in Saint Louis die gleichen Maßnahmen getroffen werden, ebenso in allen Ortschaften, die im Grenzgebiet zwischen Missouri und anderen Staaten liegen. Die Städte werden abgeriegelt. Die Städte sind tot. Verstanden?«

»Ja, Colonel. Die Vorkehrungen sind bereits im Gange.«

»Wie, im Gange?«

»Befehl von General Merritt, Colonel.«

»Ach so ... Gut ... Und weshalb rufen Sie mich dann um diese Uhrzeit an?«

»Um Sie zum Präsidenten zu bringen, Colonel. Unten vor Ihrem Haus steht ein Wagen. Er wartet auf Sie.«

Bosman lehnte sich vor und sah hinaus. Ein schwarzer Zivilstreifenwagen stand unter seinem Fenster.

»Gut. Ich ... ich ziehe mich an und komme.«

Bosman legte auf und begann mechanisch seinen Schlafanzug aufzuknöpfen.

Anscheinend hatte Merritt alles in die Hand genommen ... Er verständigte ihn erst, nachdem er seine Entscheidungen getroffen hatte.

Gut ...

Der Colonel beschloss resigniert, die Ereignisse abzuwarten.

44

Irgendwo über dem Urwald Amazoniens, Venezuela

Greg hätte nicht zu sagen gewußt, wann sie wieder gestartet waren. Die Zeit war stehen geblieben. Für immer.

Sie hatten Mary bergen müssen. Sich um den Leichnam des Piloten kümmern müssen. Dann hatten sie Mary in den Hubschrauber gelegt. Sie hatten sie in eine Art Abfallsack stecken wollen, fürchterlich, und Greg hätte sie fast geschlagen. Doch sie hatten nicht weiter darauf bestanden.

Als sie aufstiegen, war die Nacht schon weniger schwarz, weil der Morgen nahte. Inzwischen war es helllichter Tag. Keine Wolke stand am Himmel. Die Luft war klar, die Landschaft voller Farben, als feiere die Natur etwas. Die Orkane waren weitergezogen. Sie hatten Menschenleben gefordert. Sie hatten ihm Mary genommen. Und nun strahlte die Sonne.

Mary war es gewesen, die ihn gelehrt hatte, die Erde zu lieben. Und nun hatte ihm die Erde Mary genommen und etwas in seinem Herzen zurückgelassen. Einen Schmerz, den nichts je würde lindern können. Und einen Zorn, den nichts je würde stillen können.

Greg blickte auf Marys Gesicht. Ihre Augen waren geschlossen, ihr Gesichtsausdruck wirkte friedlich… Sie schien in dem Augenblick, in dem sie dieses Leben verließ, das sie mit all seinen guten und schlechten Seiten so sehr liebte, jene Heiterkeit gefunden zu haben und jene Vollkommenheit, nach der sie so sehr gestrebt hatte.

Und die sie nie mit ihm teilen würde.

Greg fühlte, wie sich sein Gesicht um die Augen herum verzog, als versuche er ungewollt, seine Tränen zurückzuhalten… Dabei hätte er so gern geweint, sich ganz gehen lassen. Geschrien. Doch er konnte nicht. War es wegen der Anwesenheit der beiden Männer, die ihm gegenübersaßen und bisweilen verstohlen mitleidige Blicke auf ihn warfen? Musste er allein sein, um bis in die tiefsten Tiefen seiner Verzweiflung vorzudringen?

Im Grunde wusste er es nicht wirklich.

Er wusste, dass alles vorbei war, dass ihn mit Mary sein eigenes Leben verlassen hatte. Doch er machte es sich nicht klar, als würde ein gläserner Schutzwall diese Wahrheit, die ihn zerstören konnte, einstweilen von ihm fern halten.

Er sah Mary bei ihrer Abreise wieder vor sich. Er hatte sich nicht von ihr zu verabschieden gewusst. Er hatte nicht verstanden, dass es ein Lebewohl war. Dass es der Zeitpunkt war, ihr ein letztes Mal zu sagen, dass er sie liebte, dass er, wenn es ein Leben nach dem Tod gab, dieses mit ihr verbringen wollte. In alle Ewigkeit.

Greg drückte Marys Hand, die er seit dem Start nicht losgelassen hatte, noch stärker. Ihre eiskalte Hand. Ihr Gesicht war in einem wunderschönen Ausdruck erstarrt, der die Quintessenz all dessen zu sein schien, was sie war... Mary konnte ja sagen. Mary schien bisweilen, in seltenen Momenten, die sich nicht festhalten ließen, imstande zu sein, alles bedingungslos anzunehmen. Zu lieben.

Greg hatte sich nie geliebt gefühlt, außer von Mary.

Doch dieses Gesicht, dieser Ausdruck, das war nicht Mary. Es war wie ein Foto – eine Erinnerung an das, was sie gewesen war. Es war ihr Körper... Doch es war nicht sie.

Es fehlte... ihre Ausstrahlungskraft. Das, was sie in jedem Augenblick von sich selbst zu geben wusste. Die Wärme, die man von ihr bekam, Marys ureigene, unvergleichliche Wärme... Und Greg versuchte, indem er jedes bloßliegende Stück ihrer Haut berührte und erforschte, all das wieder zum Leben zu erwecken. Doch es war weg. Es war nicht mehr da.

Und Greg wusste, dass diese Abwesenheit ihn für immer begleiten würde, als sei sie ein Teil seiner selbst.

Seit geraumer Zeit flog der Hubschrauber über Felder und bewohnte Gebiete. Menschen gingen ihren morgendlichen Tätigkeiten nach. Dann begann der Landeanflug. Der Stützpunkt war in Sicht.

Dort wartete der amerikanische Pilot auf Greg, um ihn und Marys Leichnam in die Heimat zurückzubringen. So hatte man ihm seinen Auftrag wohl beschrieben. Niemand außer Greg hatte daran geglaubt, dass sie lebend zurückgebracht würde. Alle außer Greg hatten Recht gehabt. Der Helikopter setzte auf. Greg stieg aus. Der Pilot stand schon da.

»Es tut mir sehr Leid, mein Freund. Ich verstehe, was Sie fühlen.«

Die beiden venezolanischen Sanitäter hoben Marys Körper behutsam heraus und trugen ihn in die zweistrahlige Air-Force-Maschine. Hinter ihnen ging ein Militärarzt, der Mary untersuchen sollte.

»Möchten Sie etwas essen?«, wurde Greg gefragt.

Er schüttelte den Kopf. Er wollte weg. Weg von hier.

Der Arzt kam wieder aus dem Flugzeug und reichte dem amerikanischen Piloten ein Formular. Der Pilot bedeutete Greg, er solle einsteigen, und tat desgleichen.

Greg setzte sich neben Mary und griff wieder nach ihrer Hand.

Bald würde er nicht einmal mehr ihre Hand haben.

Das Flugzeug war seit mehr als zwei Stunden in der Luft. Tief unten erhob sich aus dem goldblauen Wasser eine Insel, die wohl Kuba sein musste.

Greg hatte seinen Blick nicht mehr von Mary abgewandt und ihre Hand nicht mehr losgelassen. Es war, als würde Mary mit ihm sprechen. Als würden sie gemeinsam nochmals die Momente durchleben, die sie miteinander geteilt hatten und die nun als vereinzelte Erinnerungsfetzen in ungeordneter Folge vorbeizogen. Mary sprach zu ihm, ganz leise, tief in seinem Herzen, und sagte ihm stumme Worte, die nur sie zu sagen wusste… Greg lauschte, ohne sich ablenken zu lassen; er war in eine Art Lähmung verfallen und befand sich in einer Welt zwischen Traum und Realität. Einer Welt, in der Mary nicht abwesend war. Er schien ihren Atem zu spüren, ihre Hand schien sich anders anzufühlen, in ihr Gesicht schien Farbe zu kommen...

Als wäre Mary hier...

Eine Erinnerung stieg in Greg hoch. Als er jenes Gefühl der Einsamkeit erlebte, jenes Gefühl eines ausweglosen Nichts, als er im Koma lag und in dieser Art Traum, der doch keiner zu sein schien, da war Mary bei ihm gewesen. Nicht lange, nur wie ein flüchtiger Schatten... Doch sie war es gewesen. Marys Wesen, nur ohne ihren Körper.

Und jetzt schien er dieses Wesen, das er mit keinem anderen je verwechseln würde, erneut zu spüren.

Mary war da.

Als fülle Marys Hand, die er in der seinen hielt, sich unmerklich mit einer Präsenz – mit ihrer Präsenz... als sei ihre Haut weniger kalt, als sei sie wieder von dem zarten und doch so kraftvollen Hauch durchdrungen... von Leben.

Greg bekam Angst. Fing er an durchzudrehen?

Marys Gesicht war nicht mehr ganz so blass. Ihre Lippen und Wangen überzogen sich mit einem ganz hellen Rosa.

Greg zwang sich, die Augen von Mary abzuwenden. Der Pilot im Sitz vor ihm hatte die automatische Steuerung eingeschaltet und rauchte eine Zigarette. Der Himmel war wolkenlos, und fünftausend Meter unter ihnen kräuselte sich sanft das Meer.

Der Eindruck verlor sich nicht.

Auf ihrem Gesicht lag eine Art von schelmischer Freude, wie immer dann, wenn Mary ihre leichte, spielerische Seite zum Vorschein brachte und dem kleinen Mädchen, das sie einst gewesen war, eine Weile die Zügel schießen ließ.

Greg hatte das Gefühl, Marys Hand drücke die seine, und musste gegen den Reflex ankämpfen, sie zurückzuziehen. Er blickte wieder auf ihr Gesicht.

Ihre Augen waren offen.

Ein nicht enden wollender Schauder lief ihm über den Rücken, und eine Zeit lang schien es Greg, als hinge sein Geist an einem unsichtbaren Faden zwischen Realität und Wahnsinn.

Mary hatte die Augen geöffnet und sah Greg an…

Marys Brust hob und senkte sich kaum merklich, doch regelmäßig. Über ihre Lippen huschte die Andeutung eines Lächelns. Eines ganz ganz schwachen, zarten Lächelns. Marys Lächeln. Ein Lächeln, das nur ihm galt.

Mary war ins Leben zurückgekehrt.

Da formten ihre noch ein wenig bläulichen Lippen leise den Satz: »So froh, dich zu sehen, mein Liebling.«

45

Washington, im Untergeschoss des Weißen Hauses, Oval Office II

Colonel Bosman konnte es nicht fassen. Er saß mit Merritt im Oval Office. Doch es war nicht das berühmte Oval Office. Es war ein anderes, das sich anscheinend genau unter dem ersten befand.

Allerdings mindestens dreißig Meter unter der Erde...

Ein paar Minuten zuvor hatte der schwarze Wagen das Gittertor des Weißen Hauses passiert und ihn vor der Treppe zum Haupteingang abgesetzt. Dort wartete der General mit zufriedener Miene auf ihn.

»Es läuft«, hatte er gesagt. »Wir haben die Situation im Griff.«

Bosman freute sich, das zu hören. Seit einigen Tagen hatte er das Gefühl, ins Leere zu greifen. Er war seinem Vorgesetzten gefolgt. Dieser hatte ihn über eine Hintertreppe und eine kleine Geheimtür bis ins dritte Untergeschoss des Weißen Hauses gelotst. Am Ende eines langen, menschenleeren Gangs wurde in der fahlen Beleuchtung eine mausgrau gestrichene Metalltür sichtbar. Merritt hatte den Schlüssel dazu. Sie traten in einen winzigen Raum. An dessen rechter Seite befand sich eine weitere Tür. Merritt hatte sie mit einem anderen Schlüssel aufgesperrt. Dahinter stand ein Aufzug mit geschlossenen Türflügeln. Merrit hatte seine Hand auf einen Scanner-Bildschirm gelegt, und die beiden Türflügel hatten sich geöffnet.

Kaum waren die beiden Männer in den Aufzug gestiegen, in dem es keinerlei Knöpfe gab, hatte dieser sich in Bewegung gesetzt, und Bosman hatte gleichzeitig leichte Übelkeit und ein Gefühl der Überraschung empfunden. Die Fahrtrichtung war nicht die, die er erwartet hatte.

Sie waren im Untergeschoss. Logischerweise hätte der Aufzug also nach oben fahren müssen.

Doch der Aufzug fuhr nach unten. Mit erstaunlicher Geschwindigkeit.

Als die beiden Türflügel sich wieder öffneten, glaubte der Colonel den Verstand verloren zu haben. Er befand sich im Erdgeschoss des Weißen Hauses.

»Verstehen Sie nicht?«

Ein paar Leute liefen durch die Gänge, doch viel weniger als sonst. Und genau das hatte den Colonel misstrauisch gemacht.

Das war nicht das Erdgeschoss des Weißen Hauses!

Man hatte es völlig identisch nachgebaut, doch mehrere Dutzend Meter unter der Erde ... Das Erdgeschoss und den ersten Stock des Westflügels ...

»Plus«, wie Merritt erklärt hatte, »eine Reihe wissenschaftlicher Einrichtungen und ein paar Dutzend Privatwohnungen. Das alles stammt aus der Zeit des Kalten Kriegs. Es ist strahlensicher und erdbebensicher, und dank einer der kleinen Verbesserungen, die ich angeregt habe, wird es bald auch ... bakteriensicher sein. Wir haben soeben ein äußerst leistungsfähiges Dekontaminierungssystem eingebaut, das in wenigen Stunden seinen Betrieb aufnehmen wird ...«

Die Reptilienaugen des Generals leuchteten stolz.

»Eine so gut wie unverwundbare Kommandozentrale«, hatte er hinzugefügt.

Dann hatte er ihn ins Oval Office II gebracht. Es war eine perfekte Nachbildung. Es gab sogar ein raffiniertes Beleuchtungssystem, das ein Licht durch die falschen Fenster dringen ließ, welches dem eines strahlenden Sommermorgens täuschend ähnlich war.

»Für diesen Job haben wir einen Chefkameramann aus Hollywood angeheuert«, hatte Merritt erläutert. »Witzig, nicht wahr?«

Sehr witzig.

Gegenwärtig war Merritt wieder in seine Erstarrung verfallen, die ihn wie ein Krokodil in einem Tümpel lauwarmen Wassers wirken ließ, bei dem man nie wusste, ob es bereits satt war oder nur den richtigen Moment abpasste, um einen anzufallen.

Sie warteten auf den Präsidenten und seine Berater.

Und der Colonel merkte allmählich, wie in seiner Brust eine fürchterliche Wut anschwoll.

Merritt schien ein boshaftes Vergnügen daran zu empfinden, mit ihm zu spielen. Er teilte ihm so wenig wie möglich mit und griff in die Zuständigkeiten ein, die er ihm selbst eingeräumt hatte, als sei der Colonel unfähig und nur versehentlich auf seinem Posten, und als sei es besser, ihn von jeder wichtigen Entscheidung fern zu halten. Gleichzeitig machte er ihn zum bevorzugten Zeugen seines allmählichen Vordringens in die Sphären der Macht. Doch immer erst nachträglich. Und immer so, als habe er einen kleinen Jungen vor sich, den er beeindrucken wollte.

»General«, brachte Bosman schließlich heraus.

Merritt öffnete das rechte Auge einen Spaltbreit.

»Da ist etwas, das ich nicht verstehe.«

»Das ist normal, mein Lieber.«

Der Colonel beschloss, diese Spitze zu überhören.

»Ich meine, was meine Aufgaben betrifft.«

»Ihre Aufgaben?«

»General, ich verstehe nicht, weshalb Sie die Verantwortung für den Einsatz in Jefferson City übernommen haben. Das wäre meine Aufgabe gewesen.«

»Da musste ganz einfach schnell gehandelt werden, und Sie lagen im Bett. Schlafen Sie weniger.«

Bosman hätte seinen Vorgesetzten am liebsten erwürgt.

»General, ich stehe vierundzwanzig Stunden am Tag zur Verfügung. Sobald ich eine Information bekomme, stehe ich an Ort und Stelle und handle. Das Problem ist nur, dass ich die Information nicht rechtzeitig bekommen habe. Und ich würde gerne wissen, warum.«

»Weil ich es so angeordnet habe.«

Der Colonel war sichtlich getroffen.

»Darf ich das so auffassen, dass Sie mich von meinen Aufgaben entbinden?«

»Aber nicht im Geringsten.«

Bosman ballte die Fäuste, doch es gelang ihm, sich zu beherrschen. Dieser Scheißkerl machte sich über ihn lustig.

»Wozu bin ich dann da?«, brachte er heraus.

Merritt sah ihm direkt ins Gesicht. Seine Augen waren kalt wie die eines Toten.

»Sie sind dazu da, meinen Befehlen zu gehorchen, mein Freund. Und wenn ich Ihnen keine erteile, dann sind Sie zu nichts nütze.«

An der Tür war das Geräusch von Schritten und Stimmen zu vernehmen, und Clint F. Harton betrat den Raum, flankiert von rund fünfzehn Beratern, von denen gut die Hälfte Militärs waren. Unter Letzteren erkannte Bosman mühelos Admiral Stuart Cavendish, Generalstabschef der Armee der Vereinigten Staaten. Auch Warren Misrahi, Präsident des Ausschusses für Auswärtige Angelegenheiten im Senat, war zugegen.

»Bleiben Sie doch bitte sitzen, meine Herren«, sagte der Präsident zu Colonel Bosman und dessen Vorgesetztem.

Die Männer nahmen um den Konferenztisch herum Platz. Harton ergriff das Wort: »Meine Herren, ich muss Ihnen gestehen, wenn ich auch nur einen Moment lang vorausgeahnt hätte, dass ich in meiner Eigenschaft als Präsident der Vereinigten Staaten mit einer derartigen Situation konfrontiert sein würde, dann hätte ich lieber in meiner Heimat Texas weiter Erdnüsse verkauft. So viel zu meiner Gemütsverfassung. Aber jetzt muss einer den Job machen, und da das zufällig ich bin, mache ich ihn auch. Wir müssen eine Entscheidung treffen. Und wenn wir sie treffen, muss ich sie in die Praxis umsetzen. Und Sie können mir glauben, dass ich das umgehend tun werde.«

Während er dies sagte, legte der Präsident einen dicken Aktenkoffer auf den Tisch und öffnete ihn. Bosman spürte, wie sich seine Zwerchfellmuskeln unangenehm verspannten. Es war das erste Mal, dass er die Schaltknöpfe der amerikanischen Nuklearmacht sah.

»Admiral Cavendish, ich möchte Sie bitten, uns einen Überblick über die gegenwärtige Situation zu geben.«

Der Generalstabschef erhob sich und stellte sich neben eine Weltkarte.

»Meine Herren, der letzte zusammenfassende Bericht stammt von vor zehn Minuten. Doch die Situation entwickelt sich so schnell, dass wir mit neuen Fakten rechnen müssen, noch ehe ich meine Ausführungen beendet habe. Die Erde bebt in unregelmäßigen Abständen entlang der gesamten Ostküste. Washington ist bisher verschont geblieben, doch für wie lange noch? New York, Trenton, Philadelphia... es gibt Hunderttausende von Toten. Die Beben nehmen immer mehr an Stärke zu. Etwa hundert Kilometer von Albany wurden 8,8 Grad auf der Richter-Skala registriert. Die Ostküste wird bis hinauf nach Boston von Flutwellen verwüstet. An der kalifornischen Küste ist es seit achtundvierzig Stunden etwas ruhiger, aber wahrscheinlich handelt es sich nur um eine Atempause. Was die Seuchen anbelangt...«

Der Admiral machte eine kurze Pause, um sich die Stirn abzuwischen.

»In Missouri entgleitet die Situation unserer Kontrolle. Das Virus verbreitet sich über die Atemwege. Eine seiner Versionen tötet sehr schnell, innerhalb von etwa zwanzig Minuten. Leider gibt es eine weitere Version mit längerer Inkubationszeit. Wir haben zehntausend Männer mit Virenschutz-Ausrüstung im Gebiet von Jefferson verteilt. Doch kontaminierten Personen ist es gelungen, die Stadt zu verlassen und neue Herde zu schaffen. Wir haben alle Straßen-, Flugverkehrs- und Eisenbahnverbindungen zwischen Missouri und dem übrigen Staatsgebiet abgeriegelt, doch es ist wenig wahrscheinlich, dass wir für einen ganzen Staat realisieren können, was wir schon auf der Ebene einer Ortschaft nicht geschafft haben... Man kann davon ausgehen, dass nunmehr die gesamte amerikanische Bevölkerung bedroht ist. Zumal immer schneller neue Herde auftreten. Ganz zu schweigen von dem neuen Phänomen, das aus mehreren weit auseinander liegenden Orten gemeldet wird... die völlig unerklärliche Vergiftung von Obst und Gemüse, die ganze Ernten betrifft.«

Der Admiral unterbrach sich und trank ein Glas Wasser. Bosman konnte kaum atmen. Die Situation verschlimmerte sich mit atemberaubender Geschwindigkeit. Was mochte ein solcher Alptraum bedeuten? Die Apokalypse? Das Ende der Welt? Der Colonel war nie sehr gläubig gewesen, doch jetzt hätte er gerne gebetet. Als bliebe ihm nichts anderes mehr zu tun übrig.

Der Präsident wandte sich an einen seiner Berater, einen kleinen, schmächtigen Mann in Zivil.

»Und die innenpolitische Situation?«

Der Mann erhob sich und begann zu sprechen. Er hatte eine Fistelstimme, die in jeder anderen Situation komisch gewirkt hätte.

»Leider immer weniger kontrollierbar... Es kommt in großem Ausmaß zu Panikreaktionen, die trotz aller Anstrengungen seitens der Polizei und der Armee nicht eingedämmt werden können, besonders in Gebieten, die bisher verschont blieben. So gut wie überall im Land finden ungeheure, völlig irrationale Massenfluchten statt, wobei sich die Bevölkerungsströme manchmal kreuzen... Aufstände, Plünderungen und leider auch Massaker... Zusammenstöße zwischen verschiedenen ethnischen Gruppen... Pogrome...«

»Im Übrigen, Mr President«, ergriff Cavendish wieder das Wort, »gibt es eine weitere Neuigkeit. Soeben sind mehrere Agenturmeldungen eingegangen. Europa ist ebenfalls betroffen.«

»Was?«

Der Präsident hatte beinahe geschrien. Alle Gesichter waren in einer Maske des Erstaunens erstarrt.

»Ein größeres Erdbeben in London. In Frankreich wurde die Stadt Lyon völlig zerstört. In Italien und Spanien bebt gegenwärtig die Erde. Und es sind Seuchenherde ausgebrochen. Ich weiß noch nicht, wo und wie gravierend, doch die Information stammt aus sicherer Quelle. Das fügt sich nahtlos an die Ereignisse in

Südamerika gestern und heute Nacht … Das Phänomen beschränkt sich keineswegs auf das amerikanische Staatsgebiet, sondern tritt nunmehr weltweit auf.«

Merritt stand unvermittelt auf. »Gestatten Sie, meine Herren! Weltweit ja, aber trotzdem örtlich begrenzt. Sehr zielgerichtet … Es sieht nicht so aus, als sei Asien in irgendeiner Weise betroffen …«

»Bisher nicht, das ist wahr«, räumte Admiral Cavendish ein.

»Und meiner Meinung nach wird es davon auch nicht betroffen werden!«

Der Präsident ergriff das Wort: »Meine Herren, ich hatte seit Sonntag drei Unterredungen mit meinem chinesischen Kollegen; er bestreitet natürlich jegliche Verantwortung seines Landes für die uns betreffende Krise und droht den Vereinigten Staaten im Falle eines Angriffs mit Vergeltungsmaßnahmen. Unsere Informanten haben bestätigt, dass sich die strategischen Nuklearanlagen der Volksrepublik in höchster Alarmbereitschaft befinden.«

»Mr President«, unterbrach Merritt, »mit Verlaub, in diesem Punkt sind wir den Chinesen technisch eindeutig überlegen. Wir sind in der Lage, ihre Langstreckenraketen auszuschalten. Und was ihre Atom-U-Boote betrifft, so verfolgen wir selbst deren kleinste Bewegungen auf unseren Radarschirmen und können sie alle binnen einer Stunde zerstören. Wenn wir einen atomaren Angriff auf chinesisches Staatsgebiet starten, sind wir in dieser Hinsicht vor Vergeltungsmaßnahmen geschützt. Jedenfalls glaube ich, dass die Offensive, der wir ausgesetzt sind, weit gefährlicher ist als ein atomarer Angriff.«

Admiral Cavendish schaltete sich ein: »Zunächst einmal, General: Sind wir so sicher, dass es sich um eine Offensive handelt? Und zweitens, dass die Chinesen dahinter stecken?«

Merritt wandte sich zum Generalstabschef. In seinem Blick war Verachtung zu lesen, und er bemühte sich nicht, diese zu verbergen.

»Nein. Wir haben keinerlei Gewissheit. Ich kann Ihnen lediglich sagen, wenn ich die Mittel hätte, eine bakteriologische Waffe zur Vernichtung einer Nation herzustellen, dann würde ich sie genauso konzipieren wie die, die bei uns zuschlägt. Präzise. Sicher. Und stufenweise wirksam. Ist Ihnen aufgefallen, dass genau in dem Moment, als die Beziehungen zum Ausland abgebrochen wurden und amerikanische Staatsbürger nicht mehr das Land verlassen konnten, auf unserem Staatsgebiet ein Virus aufgetaucht ist, das eine enorme Ausbreitungskapazität hat?«

»Ich möchte Sie darauf aufmerksam machen, General, dass trotz des Embargos auch in Europa Seuchen ausbrechen.«

»Und China hat gerade seine Grenzen für *alle* ausländischen Staatsbürger geschlossen.«

»Wie andere Länder auch. Das ist noch kein Beweis.«

»Aber was könnte denn in Ihren Augen ein Beweis sein? Ein volles Geständnis? Haben wir nicht ausreichend Vermutungen?«

Merritt wandte sich an den Präsidenten: »Mr President, gestatten Sie mir, Sie über einen neuen Sachverhalt in Kenntnis zu setzen. Auf dem gesamten Staatsgebiet wurde ein starkes Ansteigen der Radioaktivität in der Atmosphäre festgestellt, das von unterirdischen Emissionen herrühren könnte. Nun weiß man ja, dass Erdbeben an der Oberfläche sehr wohl durch unterirdische Atomexplosionen hervorgerufen werden können, wenn man den Wirkungsbereich richtig festlegt.«

Alle um Bosman herum zeigten sich völlig verblüfft. Auch er selbst war überrascht. Woher hatte der General diese Fakten?

»Ich gebe zu«, fuhr Merritt fort, »dass unsere Wissenschaftler keine Ahnung haben, wie man aus der Ferne so umfassende Verhaltensänderungen bei Tieren herbeiführen kann. Doch das bedeutet nicht, dass der Feind nicht über diese Möglichkeit verfügt. Durch Wellen? Durch Strahlung? Oder durch eine ausgeklügelte Vergiftung der Luft oder verschiedener Stellen in der Nahrungskette? ... Man kann nichts ausschließen. Nein, Herr Generalstabschef, wir sind nicht ›so sicher‹, dass es sich um eine Offensive handelt, und auch nicht, dass die einzige Macht, die ein Interesse daran hat, uns zu schwächen, dahinter steckt ...«

Er machte eine Pause.

»Aber, Mr President«, ergriff er mit gedämpfterer Stimme wieder das Wort, »wenn wir warten, bis wir ›sicher‹ sind, dann, fürchte ich, sind wir alle tot, noch ehe wir eine Entscheidung getroffen haben.«

Der Präsident schloss die Augen. Eine ganze Weile verharrte er so. Dann öffnete er sie wieder und sah in die Zuhörerschaft, wobei sein Blick auf jedem der Anwesenden kurz verweilte.

»Meine Herren«, sagte er schließlich, »wenn Sie eine Meinung haben, so ist jetzt der Zeitpunkt, sie zu äußern ...«

Lange herrschte Schweigen, dick wie eine Nebelmauer. Jeder schien aufgehört haben zu denken, ja sogar zu atmen. Keiner ergriff das Wort. Bosman hätte gerne etwas gesagt. Doch er wagte es nicht. Merritt stand in der Hierarchie über ihm. Durfte er sich vor dem Präsidenten gegen ihn stellen? Und was hätte er überhaupt gesagt? Er hatte nichts vorzubringen. Die Wissenschaftler, die unter seiner Führung arbeiteten, waren ratlos. Wie sie hatte auch er nur seine persönliche Überzeugung. Und seine persönliche Überzeugung sagte ihm nun, dass General Merritt Unrecht hatte. Dessen Interpretation widerstrebte ihm von Grund auf. Es war ganz und gar unmöglich. Unmöglich war die Vorstellung, dass Menschen eine Waffentechnik entwickeln konnten, die so weit über den Kenntnisstand der offiziellen Wissenschaft hinausging. Da müssten sie zu Göttern geworden sein. Es war unmöglich. Und wenn es nicht die Chinesen waren? ... Amerika schickte sich an, eine nukleare Apokalypse auszulösen und Millionen von Menschen zu töten, und das gerade in dem Augenblick, wo die Menschheit angesichts der schrecklichsten Bedrohung, der sie im Laufe ihrer Geschichte je ausgesetzt gewesen war, mehr denn je zusammenhalten musste.

»Mr Misrahi«, fuhr der Präsident fort, »haben Sie uns im Namen des Kongresses oder der republikanischen Opposition etwas zu sagen?«

Der Senator zögerte einige Sekunden.

»Mr President ... die Krise, in der wir uns gerade befinden, erfordert nationale Einigkeit. Der Kongress und die Partei der Republikaner stehen hinter Ihnen.«

Präsident Harton lächelte müde und etwas enttäuscht.

»Gut«, murmelte er wie zu sich selbst. »Gut.«

Dann setzte er eine feierliche Miene auf und ließ seinen Blick über die ganze Versammlung schweifen.

»Meine Herren«, verkündete er mit leicht belegter Stimme, »es muss nun eine Entscheidung gefällt werden ... Ich meinerseits glaube, dass General Merritt vielleicht Unrecht hat ...«

Der Präsident schwieg einen Moment, als suche er nach etwas in seinem Inneren.

»Aber ich weiß«, fuhr er fort, »wenn er nicht Recht hat, dann können wir gar nichts tun ... Denn wir haben keine andere Hypothese. Doch wir müssen etwas tun. Dazu sind wir hier: um etwas zu tun ...«

Der Präsident hielt einen Schlüssel in der Hand. Er steckte ihn in ein Schloss, durch das der Befehl zum Einsatz von Atomwaffen weitergegeben wurde.

»Wir werden nun also etwas tun«, sprach er weiter.

Seine Stimme wurde immer gedämpfter.

Er steckte einen weiteren Schlüssel in ein zweites Schloss.

»Punkt eins: Wir zerstören ihre Kapazitäten für einen atomaren Gegenschlag. Punkt zwei: Wir bombardieren. Eine Rakete auf Wuhan. Eine auf Nanking. Zur Warnung.«

Der Präsident drehte die beiden Schlüssel gleichzeitig. Auf einem Digitalbildschirm erschien der Countdown.

»Danach«, murmelte der Präsident mit kaum hörbarer Stimme, »sprechen wir uns wieder und sehen weiter.«

Bosman fühlte, wie sich sein Körper verkrampfte und ein kalter Schauder durch seine Glieder fuhr. Es war ein Fehler. Er wusste es. Ein Fehler, der Millionen von Männern, Frauen und Kindern das Leben kosten würde ...

Auf dem Bildschirm kam der Countdown zum Stillstand.

»Wenn wir uns irren, so gnade uns Gott«, sagte Harton.

Er drückte auf einen roten Knopf.

Bosman hätte nicht sagen können, seit wie vielen Minuten es still war. Alle Gesichter waren erstarrt, müde, gealtert. Dann ertönte ein Klingeln. Cavendish zog sein Mobiltelefon heraus und hielt es sich ans Ohr.

»Allmächtiger Gott«, murmelte er nur.

Er sah aus wie jemand, der dem Teufel persönlich begegnet war.

»Was ist los?«, fragte der Präsident.

»Mr President, heute Morgen hat die Erde in Peking gebebt. Die Stadt ist nahezu zerstört. Seit zwei Tagen wüten mehrere Seuchen in Nordchina und breiten sich mit großer Geschwindigkeit aus. Und auch Südostasien scheint betroffen zu sein.«

Ein junger Berater ergriff das Wort. Er schrie fast: »Mr President, wir müssen alles stoppen!«

Harton hatte die Augen ins Leere gerichtet. Seine Lippen verzogen sich zu einem irren Grinsen.

»Die Raketen sind unterwegs, Baxter. Keine Macht der Welt kann sie mehr aufhalten.«

46

Fort Detrick, Maryland, Militärkrankenhaus

»Haben Sie sich etwa abgesprochen, oder wie?«

Greg zuckte zusammen und blickte sich um. Er saß in einem Warteraum des Militärkrankenhauses. Seine rechte Hand hielt eine Kaffeetasse, die unsicher auf einem seiner Oberschenkel balancierte und schon lange nicht mehr dampfte. Seine Erinnerung kehrte zurück. In Zimmer 23 lag Mary in tiefem Schlaf. Er hatte das Kopfende ihres Betts verlassen, um einen Kaffee trinken zu gehen. Und er war auf der Bank eingeschlafen! Er musste eine gute Viertelstunde völlig weggedämmert gewesen sein …

»Alles in Ordnung, mein Freund?«

Vor ihm stand die hohe Gestalt Doktor Livingstones, und Greg hatte das Gefühl, die Augen sehr weit heben zu müssen, um in dessen Gesicht blicken zu können. Er stand mühsam auf.

»Es geht … Etwas müde … Abgesprochen wozu?«

Livingstone schwenkte ein Papier.

»Wissen Sie, was das ist?«

Greg führte das Dokument näher an seine Augen.

»Das ist der Bericht des venezolanischen Arztes.«

»Ja! Es ist auch eine Sterbeurkunde … auf den Namen Ihrer Frau! Ist das eine Eigenheit in Ihrem Eheleben, dass Sie wiederauferstehen?«

Greg lächelte.

»Es ist eine Protest gegen die Macht der Ärzte!«

»Sehr komisch. Ich würde es nur gerne verstehen! Sehen Sie sich das an: ›Aussetzen der Herzfunktionen, Aussetzen der Lungenfunktionen; der Tod scheint vor etwa vierundzwanzig Stunden eingetreten zu sein.‹ Also, entweder ist dieser Arzt der letzte

Hanswurst, oder es gibt da ein Geheimnis, das sich mir völlig entzieht …«

»Sie haben keine Hypothese?«

»Doch! Eine: Dieser Arzt ist der letzte Hanswurst!«

Livingstone machte Miene, wieder wegzugehen. Greg hielt ihn am Ärmel fest.

»Warten Sie! Ich würde es ja auch gerne verstehen. Ich habe Mary gefunden. Und ich habe gesehen, dass sie tot war, Doktor. Ich bin kein Arzt, aber ich bin Biologe, und ich kann erkennen, wann ein Organismus nicht mehr lebt. Meine Frau war tot, jedenfalls zeigte sie alle Anzeichen des Todes. Dafür muss es doch irgendeine Erklärung geben!«

»Wirklich? Und welche?«

»Ich weiß nicht … Der Arzt hat den klinischen Tod festgestellt … Ich selbst habe festgestellt, dass die Herz- und Lungenfunktionen ausgesetzt hatten … Und dennoch lebt sie, Gott sei Lob und Dank, und …«

»Gott sei Lob und Dank? Ist das Ihre Erklärung?«

»Es wäre nett, wenn Sie mich ausreden ließen, Doktor …«

»Reden Sie, reden Sie doch …«

»Ich sagte also«, fuhr Greg leise fort, »wenn sie am Leben ist, kann der biologische Tod nicht eingetreten sein. Möglicherweise kam es zum klinischen Tod, aber nicht zum Stillstand des Zellstoffwechsels. Wenn wir den klinischen Tod feststellen konnten, dann deswegen, weil wir unmittelbar nach dessen Eintreten eingetroffen sind …«

Greg unterbrach sich für einige Sekunden. Irgendetwas an seiner Erklärung stimmte nicht …

»Mr Thomas«, sagte Livingstone, »was haben Sie nach Feststellen ihres Ablebens getan?«

»Nun … wir haben den Körper ins Flugzeug getragen und …«

»Reanimation? Herzmassage? Adrenalinspritzen? Lidocain? Defibrillator?«

»Nichts von alledem. Wir waren überzeugt, dass sie tot war.«

»Mr Thomas«, sagte Livingstone, »Sie sind müde; zumindest

sollten Sie es sein ... Doch ich möchte Sie daran erinnern, dass bei einem Menschen zwischen dem klinischen und dem biologischen Tod im Allgemeinen weniger als fünf Minuten vergehen, und nie mehr als zehn, außer bei sehr niedrigen Außentemperaturen, die es in Venezuela nicht gibt, nicht einmal nach all den klimatischen Störungen, mit denen wir es derzeit zu tun haben! Wenn Sie nichts weiter getan haben, als den Körper nach Feststellen des Ablebens ins Flugzeug zu bringen, dann kann ich mir nur schwer vorstellen, was den biologischen Tod daran gehindert haben sollte, dem klinischen Tod zu folgen ...«

»Sie haben Recht«, gab Greg zu.

»Also gibt es nur zwei Möglichkeiten: Entweder Sie haben sich vertan, als Sie ihr Ableben feststellten, und man könnte zu dem Schluss kommen, dass Sie unter Schock standen und dass unser venezolanischer Arzt ein Hanswurst ist ... Oder Sie haben sich nicht vertan ... und in diesem Fall ist Ihre Frau wiederauferstanden, und wir müssen diese frohe Botschaft sofort der ganzen Welt verkünden, weil im Augenblick ein schrecklicher Mangel an frohen Botschaften herrscht.«

Livingstone ging zur Tür des Wartezimmers.

»Sie werden sicher verstehen«, fügte er hinzu, ohne sich umzudrehen, »dass ich für meinen Teil die erste Hypothese der zweiten vorziehe. Wahrscheinlich eine Frage der Lebenseinstellung.«

Greg blieb lange Zeit reglos sitzen. Er wusste nicht mehr, was er denken sollte. War es möglich, dass sie sich alle geirrt hatten, der Arzt, er selbst ... und die Sanitäter, als sie den Körper entdeckten? »Sie ist tot ...« Greg konnte diese Worte nicht vergessen ... Ihr Körper war kalt gewesen! Sie atmete nicht mehr, ihr Herz schlug nicht mehr! Wie also war sie wieder ins Leben zurückgekehrt? Der biologische Tod ist irreversibel ...

Wiederauferstanden? Das war undenkbar ...

Greg lachte müde.

Undenkbar ... Unmöglich ... Seit ein paar Wochen schienen diese Worte ihre Bedeutung verloren zu haben ... Heute Morgen war ihr Flugzeug auf einem Militärstützpunkt gelandet, dann hatte ein Hubschrauber sie nach Fort Detrick gebracht. Sie waren längere Zeit auf niedriger Höhe geflogen. Greg hatte ein Land gesehen, das ein Bild des Jammers bot und im Würgegriff von Panik und Chaos lag. Ganze Stadtbevölkerungen irrten, obdachlos und nicht einmal mit dem Allernötigsten versehen, auf den Straßen umher, nachdem sie aus ihren von den Erdbeben zerstörten Häusern geflohen waren oder Gerüchte von Epidemien gehört hatten... Es gab viel zu wenige Hilfs- und Rettungsdienste. Und die Behörden waren nicht in der Lage, auch nur den Anschein von Ordnung aufrechtzuerhalten.

Amerika stand am Rand des Verderbens...

Und anscheinend ging die ganze Welt den gleichen Weg.

Und niemand konnte sagen, was da eigentlich geschah. Er genauso wenig wie irgendein anderer. Die Forschungen brachten nichts. Für diesen Nachmittag war eine weitere Zusammenkunft der Wissenschaftler geplant. Man konnte davon ausgehen, dass auch sie zu keinen Ergebnissen führen würde...

Unmöglich... Undenkbar...

War es nicht die Wirklichkeit, die sich hartnäckig über die Grenzen des Denkbaren hinwegsetzte?

Abgesehen davon... Abgesehen davon war da noch etwas. Etwas, das Livingstone nicht bemerkt hatte, das er nicht bemerken konnte. Etwas, das nur er allein spüren konnte.

Mary.

Sie hatte sich verändert.

Tief greifend verändert.

Er hatte es sogleich gemerkt, als sie im Flugzeug die Augen aufschlug. Doch er hatte es nicht richtig begriffen. Nicht sofort. In jenem Augenblick war da nur noch sein Herz, das in seiner Brust hämmerte, als wolle es sie sprengen, und dessen Schläge ihm lauter schienen als das Geräusch der Düsentriebwerke. Da war nur noch diese Freude. Wie wenn man aus einem grauenhaften Traum erwacht, der uns in unsere ganz persönliche Hölle gestürzt hat und in dem unsere wahnwitzigsten Ängste Gestalt angenommen haben, ohne uns Hoffnung zu lassen, je wieder daraus zurückzukehren ... Die Freude über Marys Gegenwart, diesen zarten Hauch, dieses Geschenk des Lebens ...

Das war es, was anders war: die Intensität dieser Gegenwart.

Die Präsenz eines Wesens teilt sich nur verschleiert mit. Und meist werden die aufeinander geschichteten Schleier zu einer Maske, die uns tarnt und die Fratze unserer selbst zeigt. Und nur in den ganz seltenen Momenten, in denen die Wachsamkeit über unsere Ängste nachlässt, kommt unser wahres Gesicht zum Vorschein. In ganz besonderen Momenten, in denen wir eine Begegnung zulassen ... Manche lassen keine Begegnungen mehr zu, weil sie zu oft verletzt wurden, und gehen daran zugrunde, nurmehr eine Fratze zu sein.

Es hatte den Anschein, als ließe Mary seit ihrer Wiederkehr die absolute Begegnung zu ... Keine Maske mehr, keine Pose mehr ... Kein Schleier mehr. Ihre Präsenz war da, sie war einfach gegeben, wie ein Mondstrahl in wolkenloser Nacht ...

Er hatte die Nacht bei ihr verbracht. Man hatte ihn in einen bequemen Sessel neben ihrem Bett gesetzt, ihm eine Decke gegeben, und er hatte bis zur Morgendämmerung gewacht, Mary angesehen und ihre Hand gehalten. Sie schlief eine Zeit lang, dann öffnete sie die Augen. Sie hütete das Schweigen wie einen kostbaren Schatz, und Greg lauschte diesem Schweigen, das einen Teil von ihm bereicherte, den er nicht kannte ...

Selbst als der Schlaf ihr die Augen schloss, war Mary noch vollkommen da, eingebunden in dieses Schweigen, aus dem sie beide bestanden und das sie vereinte. Sie war rückhaltlos hingegeben.

Mary hatte gelernt, sich rückhaltlos zu geben.

Greg verließ den Warteraum und ging zu Zimmer 23.

Mary lächelte ihn an.

Greg lächelte sie seinerseits an, dann wurde ihm klar: sie hatten seit ihrem Wiedersehen keine drei Worte miteinander gewechselt. Als sie im Flugzeug erwacht war, hatte er ihr aufgeregt Fragen gestellt. Sie hatte sie ihm mit schwacher, doch sicherer Stimme beantwortet. Dann hatten sie beide geschwiegen. Als hätten sie sich nichts weiter mitzuteilen als nur die Freude, wieder zusammen zu sein, eine Liebe, der nichts hinzuzufügen war.

Doch jetzt fühlte Greg, wie in ihm der Wunsch nach Worten wuchs, der Wunsch nach Wissen. Mary war wie ein neuer Mensch. Dadurch entglitt sie ihm. Sie war weit weg. Greg wollte sie nicht besitzen oder einsperren. Er wollte ihr einfach näher kommen. Er wollte, dass sie ihm einen Weg zeigte, wie er zu ihr gelangen konnte.

Greg trat an Marys Bett und nahm ihre Hand.

Sie starrte ihn einige Sekunden an.

»Dein Kopf quillt über vor Fragen, mein Liebling!«

Greg zuckte leicht zurück. Konnte sie seine Gedanken lesen?

»Nein, sei beruhigt«, sagte sie, was ihn ganz und gar nicht beruhigte.

Ihre Augen funkelten belustigt.

»Alles, was du tief in dir verschlossen hältst, ist unerreichbar für mich. Du kannst vor mir verbergen, was du möchtest. Doch wenn du mir deine Empfindungen schildern willst... Ich glaube, dein Herz liegt jetzt offener vor mir als vorher...«

Mary drückte ihm leicht die Hand.

»Und das ist sehr angenehm«, fügte sie hinzu.

Greg hatte ein wenig Angst. War Mary eine Fremde für ihn geworden?

»Du hast dich so verändert«, sagte er.

»Ja. Mary hat sich verändert.«

Dann brach sie in Gelächter aus. Greg verlor einen Moment die Fassung. Er wusste, dass bestimmte Psychosen durch einen Verlust der Grenzen des Ichs gekennzeichnet sind, durch eine Entpersönlichung. Mary hatte in der dritten Person von sich gesprochen... Hatte sie den Verstand verloren? War etwa ihr Gehirn in Mitleidenschaft gezogen worden, hatte der Flüssigkeitsmangel gravierende Schädigungen verursacht? Oder hatten der Unfallschock und das Koma zu einem Trauma geführt?...

Marys Gesicht war wieder ernst geworden.

»Du machst dir Sorgen, Greg …«

Sie stützte sich auf einen Ellenbogen, richtete sich leicht auf und strich ihm zärtlich über die Wange.

»Schau, dazu besteht keinerlei Grund. Es tut mir sehr Leid. Ich habe in der dritten Person gesprochen, das hätte ich nicht tun sollen. Es ist mir einfach so herausgerutscht. Es fällt mir schwer, ›ich‹ zu sagen …«

»Was heißt das, es fällt dir schwer?«

»Nun … Es kommt mir gar nicht in den Sinn … Wie soll ich das erklären? Ich bin nicht mehr Mary.«

Greg spürte, wie ihn erneut die Angst packte, und Mary drückte seine Hand fester.

»Ich bin nicht verrückt geworden, mein Liebling, sei unbesorgt! Ganz im Gegenteil sogar …«

»Was meinst du damit?«

»Das ist schwer begreiflich zu machen … Es ist, als ob … als ob ich mich nicht mehr für … Mary Thomas halten würde – aber jetzt erschrickst du noch mehr! Ach, wenn ich nur die richtigen Worte finden könnte …«

Mary richtete sich ganz auf und setzte sich aufs Bett. Greg wollte sie davon abbringen, doch ihr Verhalten duldete keinen Widerspruch. Da begnügte er sich damit, den Ständer mit dem Tropf, dessen Schlauch sich gefährlich spannte, näher ans Bett zu schieben.

»Schau mich an«, sagte sie.

Ihre Augen waren auf ihn gerichtet. Ihr Gesicht wirkte müde, und doch ging eine merkwürdige Kraft von ihr aus. Greg fühlte ihre Präsenz, Marys Präsenz, die weit über ihren geschwächten Körper hinaus ausstrahlte und ihn einhüllte. Er fühlte sich geliebt, wie er noch nie geliebt worden war.

»Ich bin es, Greg«, sagte sie nur. »Hab keine Angst mehr.«

Er hatte keine Angst mehr.

»Du hast dich verändert«, sagte er.

»Ja. Oder besser, nein … Ich habe mich nicht verändert. Es gibt nur ganz einfach nichts mehr, das mich daran hindert … zu sein …«

»Und es geht dir gut?«

Ihre Augen leuchteten freudig auf.

»Ach, wenn du wüsstest!«

Dann wurde ihre Miene von einer Sekunde zur anderen ernst. Selbst in ihren Augen lag eine tiefe Traurigkeit, die Greg verstörte.

»Ich möchte so sehr«, murmelte sie, »dass du ... das selbst erfahren könntest.«

Dann verblasste die Traurigkeit.

»Aber das kommt noch, mein Liebling! Vertraue mir!«

»Aber ... was ist dieses ›das‹? Was ist mit dir geschehen?«

Sie sah Greg an, doch gleichzeitig schien ihr Blick nicht auf seinem Gesicht zu verharren, sondern in die Ferne zu dringen, in Weiten, die nur sie allein kannte.

»Ich kann keine Angst mehr haben.«

»Wie ist das möglich?«

Sie brach in Lachen aus.

»Aber das ist ganz normal!«

Dann war das Lachen wie weggewischt.

»Ich bin durch die tiefsten Tiefen der Angst gegangen. Der Tod war da. Ich habe ihn kommen lassen ...«

»Der Tod?«

»Ich habe ihm ins Antlitz geblickt. Und ich habe ja zu ihm gesagt.«

»Das verstehe ich nicht.«

»Das Flugzeug ist abgestürzt. Ich konnte aus der Maschine hinausgelangen, ehe sie in Flammen aufging, ich weiß selbst nicht mehr, wie ... Dann lag ich plötzlich auf der Erde ... Der Himmel beruhigte sich. Ich lag ausgestreckt auf dem Boden und sah die Sterne an. Und ich spürte ... Es schien mir, als würde die Erde nach mir verlangen, mich einsaugen ... Und ich spürte ... dass ich Erde war! Die Erde forderte mich zurück, weil jedes Molekül meines Körpers aus Erde besteht. Ich gehöre ihr. Und das habe ich akzeptiert. Und dann ...«

Mary schwieg einige Sekunden.

Greg merkte, dass er zu atmen aufgehört hatte, und zwang sich, tief Luft zu holen.

»Und dann ...«, fuhr sie fort, » ... habe ich auch gespürt, dass ich nicht nur Erde bin ... Sondern dass ich auch ja sagen oder nein sagen kann ... Lieben oder ablehnen. Ich habe ja gesagt. Dann ...«

Sie machte erneut eine Pause.

»Es war sonderbar. Die Zeit verstrich schneller und zu zugleich langsamer. Ich hatte das Gefühl, als würden Moos und Gräser auf meinem Körper wachsen. Und es tat gut. Ich war zu lebendiger Erde geworden, zu fruchtbarer Erde. Ich fühlte das Herz der Erde schlagen ... Ich kehrte in den Schoß der Erde zurück ... Ich spürte, wie mein Herz langsamer schlug und mein Atem schwächer wurde. Es war nicht mehr mein Körper, der lebte. Es war die Erde, die atmete. Es war die Erde, die lebte ...«

Mary wirkte plötzlich viel müder und lehnte sich, ohne Gregs Hand loszulassen, gegen ihr Kopfkissen.

»Weißt du«, fuhr sie fort, »die Erde lebt. Wir leben aus ihrem Leben. Wir sind Teile der Erde und haben die Macht, ja zu sagen. Oder nein zu sagen ...«

Ihre Augen öffneten sich nun zu unendlicher Traurigkeit. Greg bewegte sich nicht, aus Furcht, die Tiefe dieses Gefühls zu trüben.

»Der Mensch sagt so oft nein ...«

Dann schwieg sie. Greg blieb starr. Es war, als habe Mary sich einen Moment lang all der Not der Menschen geöffnet und sie durch ihre Stimme sprechen lassen. Ihre Augen waren jetzt geschlossen, doch sie hielt noch immer seine Hand.

Greg fühlte sein Herz schlagen.

Nein, sie hatte sich nicht verändert. Sie war vollkommen sie selbst. Nichts mehr in ihr stellte sich gegen sie.

Und das war überwältigend.

»Ich möchte ein wenig schlafen«, murmelte sie, ohne die Augen zu öffnen.

Greg küsste Mary auf die Stirn.

47

Tagebuch von David Barnes, Sonntag, 29. Juni

Es ist vorbei. Der Schleier ist gefallen. Sie brauchten nur ein Wort zu sagen, auf dass Finsternis alles bedecke – und ich in meiner kindlichen Naivität hatte geglaubt, sie würden es nicht tun! Das hatte ich natürlich deswegen gedacht, weil es mir gut in den Kram passte, weil ich mir so einreden konnte, noch eine Rolle zu spielen und gegen sie zu kämpfen; ich dachte, sie würden es nicht wagen, die Aktivitäten der Provider zu unterbinden, sie würden es nicht wagen, dem Internet den Garaus zu machen. Trotzdem habe ich keinen Moment lang geglaubt, dass freier Informationszugang für den Bürger auch nur die geringste Bedeutung für die seelenlosen Gehirne hatte, die immer noch meinen, sie regierten irgendetwas. Doch in meiner großen Naivität, die von einer Art aufputschender Erregtheit genährt wurde, dachte ich, sie hätten kein Interesse daran. Ich dachte, die Abschaffung des Internets sei der deutlichste Beweis für das entsetzliche Scheitern eines Staates, dessen einzige und letzte Macht darin besteht zu verbieten, dass seine Ohnmacht bekannt wird.

Ich hätte mir allerdings nicht vorgestellt, dass sie imstande wären, unter den Augen der ganzen Welt ihre Ohnmacht auf noch eklatantere, tragischere Weise zu demonstrieren und damit alles, was sie danach noch tun, zu belanglosen Lächerlicheiten zu degradieren.

Ein Atomangriff…

Jetzt sind sie frei, alles zu tun.

Es gibt Taten, die eine Schwelle darstellen. Ist diese einmal überschritten, ist alles möglich. Man weiß, dass ein Serienkiller seinen ersten Mord größtenteils als Offenbarung und Befreiung erlebt. Die Sache ist machbar. Der Dämon, der ihn verfolgte, konnte befriedigt werden. Die Grenze, die ihn zurückhielt, ist nicht länger unüberwindlich. Es gibt nun keine Grenzen mehr. Alles ist möglich geworden. Ein wahrer Rausch.

Sie haben Millionen Menschen getötet. Auf einen Schlag. Und ich weiß, dass jetzt manche diese Trunkenheit spüren. Natürlich gestehen sie sich das nicht ein, verbieten sich sogar, sie zu sehr auszuleben, und verbergen sie, indem sie nach außen hin den Schein wahren und unter enormer innerer Anspannung in der Erfüllung ihrer Pflichten aufgehen; ungefähr so oder auch anders stellen sie es vor sich selbst hin, damit sie sich noch im Spiegel ansehen können… Und in ihrem Inneren duckt sich im Schatten der Wunsch, wieder von neuem zu beginnen, die Dinge unter einem Blickwinkel zu sehen, unter dem Töten weiterhin möglich, zweckmäßig und wünschenswert ist…

Und sie sagen sich, wir sind gut…

Und sie werden wieder von neuem beginnen, sie werden wieder töten, so oder so, jetzt, wo niemand mehr die Möglichkeit hat, von ihren Taten zu erfahren.

Es gibt nur noch einen einzigen Fernsehsender, und nach dem letzten Stand der Dinge deckt er nur einen winzigen Teil des Staatsgebiets ab, wo man überhaupt noch Geräte anschließen kann, wo noch Strom verteilt wird… Und es gibt nur noch einen einzigen zugelassenen Radiosender.

Beide Medien verbreiten nur hochoffizielle Informationen, ein dichtes Geflecht aus Lügen, die der Beschwichtigung dienen und die keiner glaubt.

Das Internet existiert nicht mehr.

Ich bin von meinen Quellen und meinen Informanten abgeschnitten.

Und ich habe Schmerzen.

Ich kann nur schwer atmen.

Als sei die Luft plötzlich knapper geworden. Mein Geist dreht sich nach allen Seiten auf der Suche nach der Substanz, aus der er besteht und die allein ihn nähren und am Leben erhalten kann.

Auf der Suche nach Wahrheit. Meinem Sauerstoff.

Ich habe Entzugserscheinungen. Alles liegt unter einer Schicht aus Schweigen und Schatten. Und mir wird bewusst, wie sehr ich Licht brauche. Wissen. Sehen. Und sagen. Dazu bin ich geboren. Ohne das sterbe ich.

Denn ich bin ein Mensch. Der Mensch ist Geist. Der Geist nährt sich von der Wahrheit.

Heute Morgen riss mich ein eigenartiges Geräusch brutal aus dem Schlaf. Wie das Geräusch eines Weckers, doch dumpfer und gleichzeitig durchdringender. Ein Schauder lief mir über den Rücken, und der Schmerz in meinem Arm erwachte plötzlich neu. Ich wollte die Augen öffnen, doch meine Lider waren bleischwer. Dann spürte ich, wie sich eine Hand sanft und nachdrücklich auf meine Stirn legte. Andrew war da und saß auf meinem Bett. In der geschlossenen Faust seiner rechten Hand hielt er eine riesige, spuckende Klapperschlange. Ich fuhr ruckartig hoch und stieß einen Schrei aus. Auf dem Boden meines Zimmers krochen gut zehn Klapperschlangen, darunter drei riesige Diamantklapperschlangen, und ein paar Hornvipern herum.

»Die hier wollte sich gerade um deine Zehen wickeln«, sagte Andrew zu mir.

Er schleuderte sie mit einer gezielten Handbewegung ans andere Ende des Zimmers. Die anderen Schlangen bewegten sich gemeinsam auf das Bett zu. Andrew riss ein Stück Stoff aus dem Laken und wickelte es um seinen Stock. Er packte die Flasche mit Alkohol, der auf meinem Nachttisch stand und mit dem sie mich desinfiziert hatten, tränkte das stoffumwickelte Ende des Stocks damit und zündete es an. Er hielt den Stock zum Boden hin und beschrieb Kreise rund um uns. Die Schlangen krochen spuckend weg. Wir gingen aus dem Zimmer. Draußen wartete Leslie auf uns.

»Der Motelbesitzer ist tot. Sein Zimmer ist voller Klapperschlangen. Er liegt im Bett; sie haben ihn im Schlaf getötet.«

Leslie und Andrew sind draußen beschäftigt; ich glaube, es gibt ein Problem mit dem Auto, und sie wollen sicherstellen, dass es uns nicht mitten in der Wüste im Stich lässt. Sie haben mich allein gelassen, damit ich mich ausruhe. Es stimmt, dass ich müde bin. Wahrscheinlich die Wunde. Das ist normal. Nur dass ich die Müdigkeit erst spüre, seit ich weiß, dass ich überflüssig bin. Seitdem ich keine Rolle mehr habe, die ich spielen kann. Seitdem ich kein Journalist mehr bin.

Wahrscheinlich werde ich nie wieder Journalist sein. In der künftigen Welt ist das eine Tätigkeit, die, wie viele andere, keinen Sinn mehr haben wird.

Und es ist, als habe auch mein Leben keinen Sinn mehr.

Vor meinen Augen liegen die letzten Meldungen, die mich erreicht haben und die ich nie überprüfen werden könne.

Jemand namens Komatsu schreibt mir aus der Universität Tokio vom Erdbeben-Forschungsinstitut. Im Gebiet um Kanto gab es ein Beben der Stärke 8,4. Das Epizentrum liegt im Meer, etwa vierzig Kilometer vor der Bucht von Tokio. Flutwellen von mehreren Dutzend Meter Höhe haben die gesamte Küste überflutet. In Tokio selbst war das Beben unvorstellbar stark und kam ganz plötzlich. Die Schäden sind von ungeheurem Ausmaß. Hunderttausende von Toten. Fast eine Million Familien obdachlos.

Der Fujiyama ist ausgebrochen. Zum ersten Mal seit 1707. Etwa dreißig Krater haben sich geöffnet, und das ganze Gebiet ist von Asche bedeckt.

Komatsu schreibt, ich müsse seine Situationsanalyse in Umlauf bringen. Keiner wolle ihm glauben. Diese Ereignisse, so sagt er, seien nur Vorboten von etwas noch viel Gewaltigerem. Er stellte fest, dass der Wasserspiegel an den Ufern des Fuji-Flusses um mehr als einen Meter differiert. Er sagt, das sei ein Zeichen für einen Riss in der Erdkruste, der sich von Osten nach Westen über das gesamte japanische Staatsgebiet ziehe. Er spricht von etwas, das ich nicht ganz verstanden habe, von veränderten Konvektionsströmungen im Erdmantel der Pazifikküste des Japanischen Archipels. Er spricht von sehr großen geologischen Veränderungen. Er glaubt, dass der Japanische Archipel in Kürze vollständig untergehen wird.

Europa und Afrika sind von Erdbeben und Seuchen betroffen. Algier, Nairobi und Lagos sollen zerstört sein, doch genauere Informationen habe ich nicht. Ein Pariser Korrespondent, der sich offenbar in seinem Keller verschanzt hat, berichtet von einer völlig unkontrollierbaren Seuche, die angeblich in der französischen Hauptstadt wütet.

Zudem informieren mich drei verschiedene Personen über ein neues Phänomen: über Fälle von anscheinend spontan aufgetretenen Giftabsonderungen von Pflanzen, die für die menschliche Ernährung bestimmt waren. Es soll sich um Mutationen handeln, doch mehr sagen die drei nicht darüber. Das Phänomen soll die Vereinigten Staaten und Kanada betreffen.

Das sind die letzten Nachrichten an mich persönlich. Auf meiner Festplatte gespeichert, zu der ich sehr bald keinen Zugang mehr haben werde. Es gibt fast nirgends mehr Strom, und wenn die Armee ein Kraftwerk beschlagnahmt, dann nur für ihre eigenen Zwecke. Meine eigene Batterie hat nur noch wenige Stunden Reserve ...

Danach werde ich mein Tagebuch mit der Hand weiterschreiben. Beim Schein einer Kerze.

Faszinierend.

Es ist, als würde die Menschheit abermals ihre Geschichte durchlaufen, jedoch in umgekehrter Richtung. Und mit schwindelerregendem Tempo. Mittelalter, Antike, Neolithikum, Paläolithikum ... auf dem Zeitzähler huschen die Epochen nur so vorbei. Was der Mensch in Zehntausenden von Jahren errichtet hat, zerstört die Natur in wenigen Tagen.

Unsere kleine Flucht ist sinnlos geworden. Wir haben beschlossen, nach Oraibi zurückzukehren. Das Hopi-Territorium ist wahrscheinlich eines der letzten Gebiete in diesem Land und vielleicht auf der ganzen Welt, wo die Panik noch nicht die Oberhand gewonnen hat. Wo kein Chaos herrscht.

Denn mein Volk weiß seit langem, dass alles, was geschieht, unausweichlich ist.

Alles ist seit Jahrtausenden in den Fels der Prophezeiung graviert.

48

Fort Detrick, Maryland

Aimé Doubletour war sehr nervös. Seit einer Stunde lief er in dem Zimmer auf und ab, das Colonel Bosman ihm zugewiesen hatte, ohne dass es ihm gelungen wäre, sich auch nur im Geringsten zu beruhigen. Er sah auf seine Uhr. Vierzehn Uhr. Noch eine Viertelstunde bis zum Beginn der Besprechung. Er begann wieder umherzulaufen. Nervös und erregt. Tatsächlich konnte nichts ihn beruhigen. Und seinen Zorn konnte er auch auf niemanden abladen. Denn er war auf sich selbst wütend. Oder auf das Leben. Oder auf alle beide.

Wenn er zu Hause an seinem Seeufer war, mit seiner Mutter und seinem Hund, dann war es erträglich... Doch sobald er wieder mit der Welt der Menschen in Berührung kam... Oder vielmehr mit der Welt der Frauen...

Die Frauen... Damit hatte Aimé nun gar nicht gerechnet. Auf dem Stützpunkt gab es unheimlich viele Frauen. Es war unglaublich! Fast ein Drittel der Personen auf dem Stützpunkt waren Frauen. Militärangehörige... Das war doch nichts für Frauen, das Militär... Ein Soldat führt Krieg... Liebt den Krieg. Hatte er so lange derart abgeschnitten von allem gelebt, dass sich die Welt so verändern konnte, dass nun auch die Frauen den Krieg mochten?

Obwohl, angesichts der Art und Weise, in der einen diese Frauen ansahen, wenn sie einem über den Weg liefen, ohne die Augen niederzuschlagen, und einen buchstäblich mit Blicken durchbohrten, schon klar war, dass sie sich für das glorreiche Metier der Waffen wohl ebenso sehr des Sexes wegen als aus Liebe zum Krieg entschieden... Auf einem Militärstützpunkt hatten sie höchstens die Qual der Wahl!

Diese Schlampen …

Und es war jedes Mal das Gleiche … Jedes Mal, wenn er sein Haus, seinen Hund und seine Mutter verließ und jene sanfte Gelassenheit, die das sanfte Gleichmaß der Tage mit sich brachte, begann es von neuem. Ganze Scharen gieriger Schlampen nisteten sich in seinem Kopf ein, brachten seinen Körper in Aufruhr und ließen ihm keine ruhige Minute mehr.

Das war es, was ihn wütend machte.

Bei seinen Vorträgen gab es immer die Sexgeile aus der ersten Reihe. Die Städte wechselten, das Publikum ebenfalls, doch man hätte meinen können, im großen Drehbuch des Lebens sei bei Aimé Doubletours Vorträgen die Rolle der Sexgeilen aus der ersten Reihe zwingend vorgeschrieben. Eine, die beim Zuhören mit den Wimpern klimpert. Und sich alle zehn Minuten nachschminkt. Die nach einer Dreiviertelstunde ihre Jacke auszieht, damit Aimé Doubletour nur ja ihr bis zum Bauchnabel ausgeschnittenes Dekolleté bewundern kann; das hilft ungeheuer bei der Konzentration … Eine von denen, die am Ende des Vortrags hergewatschelt kommen und verzwickte Fragen stellen, um zu beweisen, dass er statt eines Gehirns einen Arsch auf den Schultern hatte!

Eine von denen, die immer einen Trauring am Finger haben. Oder einen Kerl, der hinten im Saal auf sie wartet.

Jedenfalls machte Aimé nicht gern den ersten Schritt. Eigentlich war er auch nie einer Frau begegnet, die ihm so gut gefiel, dass er sich so weit erniedrigt hätte, den ersten Schritt zu tun. Er war sehr wählerisch.

Er hätte eine Frau gebraucht, die etwas vom Leben verstand. Und das …

Außerdem war es gar nicht möglich. Mit seiner Mutter … Er wollte die Arme ja nicht umbringen. Es war schon hart genug, sie für ein paar Wochen allein zu lassen … »Was soll ich machen, ich liebe dich eben zu sehr«, sagte sie oft … Und das stimmte. Sie hatte alles für ihn geopfert. Nachdem sie von dem Vollidioten, der als ihr Ehemann fungierte und den Aimé nie Vater genannt hatte, verlassen worden war, hatte sie jahrelang gearbeitet. Für Aimé, damit er sein Studium finanzieren konnte… Sie hatte ihre Gesundheit für ihn ruiniert…

Und jetzt wurde sie alt…

In letzter Zeit war sie noch mehr gealtert und wirkte so zerbrechlich, als könne bereits der leiseste Windhauch sie umknicken.

Hoffentlich kommt sie zurecht, so ganz allein, dachte Aimé. Hoffentlich fällt sie nicht hin…

Ein Bild zog flüchtig durch seinen Geist und schnürte ihm das Herz zusammen: seine Mutter, wie sie mit einem Oberschenkelhalsbruch auf dem Kachelfußboden in der Küche lag… Allein und nicht in der Lage, wieder aufzustehen… Der nächste Nachbar wohnte mehr als zehn Kilometer von ihrem Haus entfernt… Sie hatte sein Mobiltelefon. Aber wenn es beim Sturz kaputtging?

Und dann… Aimé biss sich heftig auf die Unterlippe. Himmel Herrgott, warum hatte er daran nicht gedacht? Der Hund… Wenn er in einem Anfall von Wahn aggressiv würde? Der gute Jazz war zwar schon sehr alt und liebte Herrchen und Frauchen heiß und innig… Aber konnte man wirklich sicher sein? Ganz zu schweigen von den wilden Tieren in der Gegend… Pumas… Normalerweise griffen sie Menschen nicht an… Normalerweise!

Und all das war ihm bei seiner Abreise nicht einmal ansatzweise durch den Kopf gegangen! Wie war das nur möglich?

Aimé setzte sich aufs Bett. Er fühlte sich müde. Er war nicht mehr wütend.

Da war nur noch diese dumpfe Angst.

Colonel Bosman saß an seinem Schreibtisch, rauchte nachdenklich eine Zigarette und blies den Rauch nach oben. Sein Kopf war klar, geradezu ungewöhnlich klar. Er war noch nie so ruhig gewesen. Als ob er nun jenseits von allem stünde. Jenseits der Verzweiflung.

Er sah jetzt deutlich, wer er war.

Er verachtete sich nicht. Er hatte die Verachtung hinter sich gelassen und war jenseits von ihr. Er sah: Colonel Bosman war ein armes Schwein. »Colonel Bosman tut mir aufrichtig Leid«, murmelte er. »Colonel Bosman tut James aufrichtig Leid …«

Seit wie langer Zeit schon hatte ihn niemand mehr James genannt?

Am Stützpunkt sprach man ihn mit Colonel an. Oder mit Mr Bosman. Die Offiziere nannten einander manchmal beim Vornamen. Wenn sie befreundet waren. Doch keiner nannte Colonel Bosman James …

Arm dran. Ein Schwindel …

Nein, nicht James … James war kein Schwindel. Aber das »Colonel Bosman«! James war ein ganz kleiner Junge, der immer nur zu schweigen hatte. So waren alsbald Betrüger an seine Stelle getreten.

Zuerst war da der »gute Schüler«. Einer, auf den sein Vater stolz war. Überall der Erste. Eine schöne Art, sich geliebt zu fühlen … Geliebt wegen der schulischen Erfolge!

Dann der »gute Soldat« … Mustergültig, der gute Soldat! Hart im Nehmen und immer Gewehr bei Fuß … Mit ausgezeichneten Beurteilungen! Der Stolz des Regiments und seiner Vorgesetzten … Und seines Papas …

James verdiente es, am Leben zu sein; schließlich war er ein guter Schüler … ein guter Soldat … Und ein guter amerikanischer Staatsbürger, patriotisch gesinnt und bereit, für sein Land und die Freiheit zu sterben.

Gut, dazu hatte sich noch keine Gelegenheit geboten … Aber er hätte es getan … Ehrenwort! Er hätte mit Freude sein Leben gegeben, um der Welt zu beweisen, dass er gut war und dass er ein Existenzrecht hatte!

Sein Vater wäre so stolz auf ihn gewesen …

Und dann der letzte Schwindel … »Colonel Bosman«. Der perfekte Stabsoffizier in seiner ganzen Pracht. Der Mann, der ehrerbietig den Anweisungen von oben lauscht und mit seinem ganzen Können dafür sorgt, dass diese umgesetzt werden. Buchstabengetreu. Ohne Widerrede. Ohne nachzudenken.

Ein solches Muster an Vorbildlichkeit bot dieser Stabsoffizier

Bosman, dass er drei Jahre lang der jüngste Colonel der Armee der Vereinigten Staaten gewesen war!

Der Stolz seines Papas …

Ein Traum für seine Vorgesetzten … Aufmerksam und ergeben … Nie hätte er einen von einem General erteilten Befehl in Frage gestellt!

Im Grunde war Colonel Bosman der perfekte Sohn.

»Meine Herren, sofern Sie eine Meinung haben, ist jetzt der Moment, sie zu äußern« – nie würde er diesen Satz des Präsidenten im Oval Office vergessen …

James hatte eine Meinung. Eine feste Überzeugung, die er aus tiefster Seele vertrat. Sie durften China nicht bombardieren. Es war ein Fehler und ein Verbrechen. Die Vorfälle konnten nicht von Menschenhand verursacht worden sein. Es war etwas anderes. Etwas, das die gesamte Menschheit betraf. Die ganze Welt.

James hatte eine Meinung.

Doch Colonel Bosman hatte geschwiegen.

Hunderttausende von Toten … Für nichts und wieder nichts …

Dafür bist du verantwortlich, James … Verantwortlich … Mehr als Merritt, der dafür gewesen war … Mehr als der Präsident, der keine Meinung gehabt hatte. Wenn du dich zu Wort gemeldet hättest … wenn du dein Herz, dein Inneres hättest sprechen lassen … hätte der Präsident vielleicht gewartet. Es war alles nur eine Frage von Minuten gewesen. Wenigen Minuten …

Für Hunderttausende von Toten …

Colonel Bosman erhob sich langsam von seinem Schreibtisch. Der Moment der Zusammenkunft der Wissenschaftler war gekommen. Er würde dabei sein. Nicht, um Befehlen zu gehorchen. Nein. Nicht, weil Colonel Bosman für die Sache zuständig war.

Sondern weil er dabei sein wollte. Zuhören wollte.

Wenn die Menschheit noch eine Chance hatte, so bot sie sich dort.

Als James Bosman den Besprechungsraum betrat, saßen bereits alle um den großen Konferenztisch herum. Professor Barkwell mit seinem wichtigsten Assistenten, Norman Prescot mit zwei Mitgliedern seines Teams … desgleichen Greg Thomas, neben ihm Basler und Rosenqvist. Livingstone hatte Bosman am späten Vormittag angerufen und ihm die Neuigkeit mitgeteilt: Die Frau des Forschers war gerettet. Offensichtlich begriff der arme Mediziner gar nichts. »Ihre beiden Turteltäubchen sind eine Herausforderung für meine Wissenschaft«, hatte er gesagt, »und das gefällt mir gar nicht, wissen Sie!« … Bosman hatte sich über diese Nachricht aufrichtig gefreut, aber noch keine Gelegenheit gehabt, Greg Thomas gegenüber seiner Freude Ausdruck zu verleihen.

Während Bosman sich setzte, winkte letzterer ihm kurz zu und lächelte dabei unauffällig, doch intensiv. Dann schrieb er ein paar Worte auf einen Zettel, faltete diesen zusammen und ließ ihn Bosman über Basler und den zuletzt Eingetroffenen, den Ökologen Doubletour, der eine finstere Miene aufgesetzt hatte, zukommen.

Bosman nahm den Zettel und las ihn: »Danke, James. Von ganzem Herzen. Greg.«

Da ergriff Barkwell das Wort:

»Meine Herren, ich denke, dass Sie alle über die letzten Ereignisse im Bilde sind. Inzwischen ist klar, dass wir es mit einem Phänomen von weltweitem Ausmaß zu tun haben. Das stellt ein wichtiges Faktum für uns dar. Was den tragischen Fehler betrifft, den unser Land begangen hat, so gehört es nicht zu unseren Aufgaben als Wissenschaftler, darüber zu urteilen. Das ist ein Fall für unser staatsbürgerliches Gewissen …«

Der Colonel fühlte sich mit einem Mal sehr unbehaglich. Prescot wandte sich unvermittelt an ihn: »Was hingegen in unseren Aufgabenbereich als Wissenschaftler fällt«, grollte er, »ist die Feststellung, dass unsere Meinung bei der getroffenen Entscheidung überhaupt nicht berücksichtigt wurde! Colonel, ich möchte Ihnen nur sagen, dass ich mich schäme …«

»Ich auch, Mr Barkwell. Ich fühle mich absolut verantwortlich für das, was passiert ist, und billige mir keinerlei mildernde Umstände zu. Wenn ich noch nicht von meinem Amt zurückgetreten bin, wenn ich heute noch hier unter Ihnen bin, dann nur in der Hoffnung, alles zu tun, um wieder gutzumachen, was nie wieder gutzumachen ist.«

Bosman spürte, dass er aus tiefstem Herzen gesprochen hatte. Alle sahen ihn an, doch in ihren Blicken lag kein Urteil.

Doubletours Stimme brach das Schweigen: »Wie wäre es, wenn Sie mich über den neuesten Stand der Dinge unterrichten würden? Ich verstehe kein einziges Wort von dem, was Sie da erzählen ...«

»Hat man Ihnen nichts gesagt?«, wunderte sich Barkwell.

»Nein. Ich habe keinen blassen Schimmer ...«

Barkwell erläuterte ihm die Situation.

Doubletour stieß einen langen Seufzer aus.

»Wahnsinnige ... Sie sind wahnsinnig ...«

»Meine Herren, jetzt, glaube ich, liegt alles in Ihren Händen«, sagte Bosman. »Das, was da gerade abläuft, scheint die menschlichen Fähigkeiten bei weitem zu übersteigen. Haben wir überhaupt noch den Hauch einer Chance? Ich muss Ihnen gestehen, dass ich mit meinem Latein am Ende bin ... Aber ich glaube auch, dass uns nichts anderes übrig bleibt, als den Versuch zu machen zu begreifen.«

Eine Stunde war vergangen.

Und nichts Neues.

Das Team der Ethologen hatte als Erstes gesprochen. Sie hatten ein paar Minuten lang erklärt, welche Experimente sie während der letzten achtundvierzig Stunden durchgeführt hatten, um schließlich zu der Erkenntnis zu gelangen, dass diese nichts ergaben. Bosman fühlte sich abgespannt. Oh, er wusste natürlich, wie wichtig es war, die durchgeführten Versuche genau zu beschreiben, selbst wenn sie fruchtlos waren; das gehörte zu einem soliden wissenschaftlichen Vorgehen ... Doch hatten sie denn jetzt noch die Zeit für ein solides wissenschaftliches Vorgehen? Erforderte nicht die absolute Dringlichkeit der Lage ... direktere Methoden?

Dann hatte Prescot ein kurzes Referat über die Forschungen seines Teams gehalten.

»Wir machen Fortschritte«, sagte er, »doch es ist noch zu früh, um eine Hypothese aufzustellen.«

»Gebe Gott, dass es nicht zu spät ist, wenn Sie dazu bereit sein werden«, lautete Bosmans Antwort.

Soeben hatte ein Forscher das Wort ergriffen. Es war MacBride, zuständig für pflanzenbiologische Forschung.

»... das Phänomen ist also ziemlich leicht zu beschreiben«, sagte er. »Aber wenn man es erklären soll ...«

Der Colonel wurde aufmerksamer und richtete sich auf.

»Die festgestellten Vergiftungen«, fuhr MacBride fort, »sind auf ein von den Pflanzen selbst produziertes Cardenolid zurückzuführen, das Digoxin.«

»Wie bitte?«, fragte Bosman und zog die Brauen hoch.

»Das ist eine Substanz, die man in der Medizin verwendet, vor allem bei der Reanimation, um den Herzmuskel zu aktivieren. Doch ab einer bestimmten Dosis ist sie tödlich.«

»Diese Substanz wird von der Digitalis produziert, oder?«, fragte Barkwell.

»Normalerweise ja. Doch nun haben wir sie auch in Äpfeln, Birnen, Tomaten und Kartoffeln gefunden ...«

»Wie ist das nur möglich?«, rief Bosman. »Wie können diese Früchte und Gemüse eine Substanz produzieren, die überhaupt nichts mit ihnen zu tun hat?«

»Oh, das ist ganz einfach. Äußerst unwahrscheinlich, aber ganz einfach! Es genügt die Mutation eines einzigen Gens. Dazu muss man wissen, dass zwischen der Digitalis und, sagen wir, einer Tomate, neunzig Prozent der Gene übereinstimmen. Was die übrigen zehn Prozent betrifft, so genügt eine einzige Mutation, um eine neue Schnittstelle im Stoffwechsel zu schaffen ... Und dann produziert die Tomate Digoxin ... oder eine andere Substanz, die überhaupt nichts mit der Tomate zu tun hat!«

Der Colonel unterdrückte mühsam, was ihm auf der Zunge lag.

»Wie ist eine derartige Mutation möglich?«

»Es ist jederzeit jede Mutation möglich ... Das Unerklärliche ist ihr plötzliches weit verbreitetes Auftreten.«

»Haben Sie einen Anhaltspunkt?«

»Im Augenblick nicht. Wir forschen an Getreide. Infolge der wirtschaftlichen Konzentration hat eine kleine Zahl großer Konzerne das Vertriebsmonopol von Saatgut für den größten Teil des Nahrungsmittelanbaus inne. Es ist möglich, dass auf dieser Ebene eine Genkontamination stattfand, was ich jedoch, ehrlich gesagt, für wenig wahrscheinlich halte. Die Mutationen treten zu zufällig und an zu weit voneinander entfernten Orten auf ... Aber gut, man weiß ja nie. Wir forschen weiter ...«

Bosman fühlte sich müde. Sein Gehirn schien in einer dicken Narkoseflüssigkeit zu schwimmen, und seine bleiernen Augen sehnten sich nach Schlaf.

Da ließ ihn der Klang einer Stimme zusammenzucken. Es war Barkwell:

»... und ich glaube«, so der Biologe, »dass wir hier etwas haben. Bisher sind wir von einer Hypothese ausgegangen, die uns so offensichtlich schien, dass wir keine Sekunde lang daran dachten, sie in Frage zu stellen ... Nämlich, dass das Problem auf ein Virus zurückzuführen sei. Virus deswegen, weil diese Tierchen bei der Replikation mutieren ... Doch seit wir mit berühmten Kollegen aus aller Herren Ländern in Verbindung stehen, können wir von neuen Ansätzen profitieren ...«

Tatsächlich standen alle amerikanischen Teams seit einigen Stunden online mit europäischen und asiatischen Forschern in Kontakt. Nicht über das Internet, das schlicht und einfach abgeschafft worden war, sondern über Leitungssysteme, deren Existenz so streng vertraulich behandelt wurde, dass kein noch so gerissener Schlaukopf sich mehr einschleusen konnte. Die Wissenschaftler glichen ihre Fakten systematisch miteinander ab. Die Amerikaner hatten einen kleinen Vorsprung, da die Phänomene bei ihnen früher aufgetreten waren.

»Nun«, fuhr Barkwell fort, »das Problem ist nicht auf Viren zurückzuführen!«

Nicht auf Viren? Bosman war perplex. Die Gesichter um ihn herum spiegelten die gleiche Verblüffung wider.

»Wir hatten bereits festgestellt, dass sich Exemplare unserer Viren, wenn man sie in einen tierischen Organismus – in Hunde oder Mäuse – verpflanzte, replizierten, ohne zu mutieren, und größtenteils von besagten Organismen ausgeschaltet werden konnten. Wir haben dann viel Zeit darauf verwendet, die Ursachen dieser Immunität zu erforschen. Vergebliche Mühe. Doch wir hatten ein äußerst beunruhigendes Phänomen übersehen ...«

Barkwell atmete tief ein: »Wenn wir eine Gruppe menschlicher Zellen isolieren, um den Prozess der Virenreplikation zu beobachten, so ist die Anzahl der Mutationen zunächst sehr groß. Dann geht sie nach und nach zurück. Nach zwei oder drei Tagen kommt es überhaupt nicht mehr zu Mutationen.«

»Wie erklären Sie sich das?«, rief Basler mit weit aufgerissenen Augen.

»Wir haben keine Erklärung dafür! Wir stellen es fest, das ist alles ... Doch die Tatsache an sich bedeutet etwas Wichtiges: Wir haben den falschen Weg eingeschlagen! Wir haben auf der Ebene der Viren selbst nach einer mutagenen Substanz gesucht, nach einer biochemischen Reaktion, die zu Kopierfehlern in der Wirtszelle führt ... Nun verändert sich aber das Verhalten des Virus nicht zwischen dem Moment, in dem es sich repliziert und dabei mutiert, und dem Moment, in dem es nicht mehr mutiert. Wir müssen die Lösung also auf der Ebene der Wirtszellen suchen ...«

»Diese Lösung«, fragte Bosman mit ungeduldigem Zittern in der Stimme, »haben Sie die?«

»Nein, wir haben sie nicht. Noch nicht ... Doch wir haben eine Gewissheit.«

»Was für eine?«

»Wir sind mit einer neuen Krankheit konfrontiert. Einer völlig unbekannten Krankheit. Und diese Krankheit geht nicht auf die Virenmutationen zurück, die wir untersuchen.«

»Warum?«

»Ich will damit sagen, dass die Virenmutationen lediglich eine

Folge dieser Krankheit sind, die eben genau darin besteht, dass die Zellen eines Organismus nicht mehr in der Lage sind, ein Virus, das sie infiziert hat, fehlerlos zu replizieren. So bringen Viren jedweder Art, auch harmlose, Hunderte neuer Viren hervor… Ein derartiger Organismus wird zur Produktionsmaschine für Killerviren!«

Bosman blickte in die Runde. Alle Gesichter verrieten tiefe Verblüffung. Blackwells Theorie war verrückt. Sie eröffnete völlig neue Perspektiven… Der menschliche Körper wurde nicht mehr von einem äußeren Feind angegriffen, sondern produzierte seinen Angreifer selbst! Ein harmloses Grippevirus genügte, und schon produzierte der Organismus, einfach auf Grund eines Irrtums, Hunderte neuer Viren, darunter auch tödliche und extrem ansteckende… Ein Alptraum.

Greg Thomas ergriff das Wort: »Werter Herr Kollege, etwas an dem, was Sie sagen, stört mich… Diese Krankheit, von der Sie sprechen – waren all diejenigen, die infolge der Seuchen gestorben sind, von ihr befallen? Denn dann würde schon eine einzige Mutationen produzierende Person ausreichen, damit sich sofort überall eine Vielzahl neuer Viren ausbreitet, und…«

»Jawohl!«, unterbrach ihn Barkwell. »Alle untersuchten Personen waren befallen. Bei allen hatte das Virus mutiert.«

»Und genau das ist unbegreiflich!« rief Greg. »Was kann dazu führen, dass es bei Massen von Menschen gleichzeitig zu einer derartigen Veränderung ihrer grundlegenden Zellfunktionen kommt? Ein weiteres Virus?«

»Wir haben uns diese Frage gestellt. Wir haben kein weiteres Virus gefunden. Beim momentanen Stand unserer Kenntnisse ist diese Krankheit nicht zu erklären.«

Da erhob sich eine Stimme, die bisher noch nicht zu vernehmen gewesen war, in sanftem und leicht ironischem Ton: »Meine Herren, meine Herren… Nicht zu erklären vielleicht… Aber ich glaube nicht, dass sie unbegreiflich ist.«

Es war Doubletour.

»Was meinen Sie damit?«, fragte Barkwell.

»Ich meine, auch wenn man, zumindest derzeit, die Ursachen dieses Phänomens nicht kennt, so verbietet einem das trotzdem nicht, einen Sinn darin zu entdecken... Haben Sie bemerkt«, fuhr der Ökologe fort und wandte sich an Basler, Thomas und Rosenqvist, »dass es bei Ihren Untersuchungen und denen des Teams von Professor Barkwell einen gemeinsamen Nenner gibt?«

»Ich sehe keinen«, murrte Basler.

»Sie haben einen sehr wesentlichen Punkt angesprochen, Mr Thomas. Es kommt plötzlich gleichzeitig an Orten, die Hunderte, ja Tausende von Kilometern voneinander entfernt sind, zu einem neuen, identischen Verhalten des menschlichen Organismus, einem Verhalten, das wir nicht erklären können. Zudem scheinen plötzlich gleichzeitig an verschiedenen Stellen der Welt Tiere neuen, unverständlichen Verhaltensregeln zu gehorchen.«

»Das stimmt«, gab Greg zu. »Es gibt einen gemeinsamen Nenner.«

»Darin liegt das Geheimnis begründet!«, rief Doubletour mit triumphierendem Unterton in der Stimme.

Ja, darin liegt das Geheimnis begründet! Da sind wir ja enorm weitergekommen, dachte Bosman, der allmählich bezweifelte, ob dieser Kanadier mit seinem allwissenden Getue irgendetwas Vernünftiges beitragen konnte.

»Und es gibt noch einen weiteren gemeinsamen Nenner«, fuhr dieser fort, »nämlich den Menschen!«

»Was wollen Sie damit sagen?«, fragte Greg.

»Ganz einfach! Die Zielrichtung... All diese Prozesse haben eine gemeinsame Zielrichtung. In beiden Fällen verändert lebende Materie ihre Verhaltensregeln. In beiden Fällen geht es um die Ausschaltung menschlichen Lebens!«

»Auf was wollen Sie hinaus mit Ihrer Geschichte von der Zielrichtung?«, unterbrach ihn Bosman schroff. »Glauben jetzt auch Sie, dass hinter alldem irgendjemand steckt?«

Doubletour lachte schallend los.

»Irgendjemand? Aber ich bin doch kein Militär, Mr Bosman!

Ich suche keinen Schuldigen, der bestraft werden muss! Ich versuche lediglich zu verstehen ...«

Bosman sank leicht in sich zusammen. Getroffen, dachte er ...

»Ich verstehe ja Ihre Reaktion«, sprach der Mann aus Quebec weiter. »Für Sie ist Zielorientiertheit etwas spezifisch Menschliches ... Ich selbst denke ganz und gar nicht so ... Auch die Natur kennt zielgerichtetes Verhalten.«

Basler schnitt ihm brüsk das Wort ab.

»Ach wirklich?«, konterte er übellaunig. »Sind Sie ein Anhänger des Finalismus? Aber das ist doch keine Wissenschaft, Mr Doubletour! Das ist Wissenschaftsmüll! Ich glaube nicht, dass wir die Zeit haben, uns mit Theorien zu beschäftigen, von denen sich die Wissenschaft befreien musste, um weiterzukommen ...«

Doubletour ließ sich nicht aus der Fassung bringen.

»Dieses Argument habe ich erwartet! Mr Basler, ich will nicht in fruchtlose Polemik verfallen. Wenn ich von zielgerichteten Prozessen spreche, meine ich damit lediglich, dass es Phänomene gibt, die nur verständlich werden, wenn man sie als Teile eines umfassenderen Systems begreift.«

»Das verstehe ich nicht.«

»Nehmen Sie das Beispiel, von dem Professor Barkwell berichtet hat. Wir haben Zellen, deren biochemisches Verhalten differiert, je nachdem, ob sie in einen Organismus integriert sind oder sich außerhalb desselben befinden. Sind diese Zellen Teil eines menschlichen Körpers, so replizieren sie Viren und machen dabei Fehler. Wenn man sie aus diesem Körper isoliert, bleiben sie zunächst bei ihrem Verhalten, doch dann ändern sie es erneut und werden wieder ›normal‹. Ich will nicht von Zielorientiertheit sprechen, wenn Sie bei diesem Wort Zustände bekommen ... doch Sie werden einräumen müssen, dass man das Verhalten dieser Zellen nicht getrennt von dem System betrachten kann, zu dem sie gehören ...«

»Das tue ich gern«, erwiderte Basler. »Aber das ist keine Zielorientiertheit.«

»Dass ich nicht lache! Das ist so, als würden Sie versuchen, die

Funktionsweise eines Automotors zu verstehen, ohne sich darum zu kümmern, warum er hergestellt wurde und wozu er dient!«

»Das ist die einzige wirklich wissenschaftliche Vorgehensweise.«

»Wenn Sie darauf bestehen ... Trotzdem wird es Ihnen irgendwann von Nutzen sein zu wissen, dass Ihr Motor mit vier Rädern verbunden sein muss und dass er dazu dient, ein Auto anzutreiben! Ohne dieses Wissen werden Sie die Funktion mancher Motorteile nie verstehen!«

»Das ist Ihre Meinung«, brummte Basler, dem man anmerkte, dass er die Diskussion am liebsten beenden würde. »Ich teile sie nicht. Und ich glaube, Sie stehlen uns die Zeit.«

Bosman hätte sich gern eingemischt, um ihm beizupflichten, doch er beschloss zu schweigen, solange er noch die Kraft dazu hatte.

»Mr Basler«, erwiderte Doubletour, »wenn Sie und Ihre Kollegen uns mit Ihren ›wirklich wissenschaftlichen‹ Methoden erklären könnten, was derzeit geschieht, dann säße ich in diesem Augenblick am Ufer des Simcoe-Sees und würde Karpfen angeln! Doch Sie waren so freundlich, mich einzuladen, an Ihren Überlegungen teilzunehmen, woraus ich schließe, dass Ihre ›wirklich wissenschaftlichen‹ Methoden nicht alle Rätsel klären konnten ...«

Basler gab ihm keine Antwort.

»Und jetzt sage ich Ihnen«, fuhr der Ökologe fort, »es gibt etwas, das uns geradezu in die Augen springt, das Sie aber nicht sehen, weil Sie sich lediglich die Frage nach dem ›Wie‹ stellen und nicht die nach dem ›Warum‹.«

»Kommen Sie«, sagte Barkwell. »Drücken Sie sich klarer aus.«

»Wenn dieselbe Zelle mit demselben Virus konfrontiert wird, zeigt sie trotzdem nicht dasselbe Verhalten, je nachdem, ob sie Teil eines lebenden menschlichen Organismus ist oder sich in einem Reagenzglas befindet. Dafür haben Sie keine biochemische Erklärung gefunden, oder?«

»Nein.«

»Dann schlage ich die Hypothese vor, dass es sich um kein biochemisches Problem handelt. Ob sich eine Zelle anormal oder normal verhält, hängt vielmehr davon ab, ob sie zu einem lebenden menschlichen Organismus gehört oder nicht! Es ist die Zugehörigkeit zu einem Ganzen, die das Verhalten der einzelnen Teile bestimmt.«

»Das ergibt keinen Sinn!«, schrie Basler, der hörbar außer sich war.

»O doch«, entgegnete Doubletour, ohne seinen Widersacher eines Blicks zu würdigen. »Es ergibt einen Sinn, und der ist unübersehbar. Um empfindliche Gemüter nicht vor den Kopf zu stoßen, sage ich nicht, dass sich der Teil eines Ganzen so verhält, *um* die Zerstörung des Ganzen zu bewirken, sondern dass er sich *auf eine Weise* verhält, die die Zerstörung des Ganzen zur Folge hat.«

Für eine Weile trat Stille ein.

»Das kann ich nicht akzeptieren«, sagte Basler schließlich mit schwacher Stimme.

»Mr Basler«, erwiderte der Mann aus Quebec mit einschmeichelnder Stimme, »würden Sie den folgenden Wortlaut akzeptieren: ›Zahlreiche Wild- und Haustiere verhalten sich *so, dass* Menschen durch sie zu Tode kommen‹?«

»Das ja, aber ...«

»Wo liegt der Unterschied?«

»Das Verhalten der Tiere ist offensichtlich zielgerichtet, und ...«

»Und wenn nun beispielsweise ein Organismus Antikörper produziert, *um* Bakterien auszuschalten, ist dann nicht auch das Verhalten der Antikörper ›offensichtlich zielgerichtet‹?«

Basler antwortete nicht.

»Sehen Sie«, fuhr Doubletour fort, »es genügt schon, wenn Sie hier gelten lassen, was Sie sonst auch gelten lassen. Eine Gruppe von Zellen kann ein ›offensichtlich zielgerichtetes‹ Verhalten an den Tag legen ...«

»Und was folgern Sie daraus?«, warf Bosman schließlich ein, der nicht mehr wusste, was er denken sollte.

Es herrschte Totenstille, als der Ökologe seine Schlussfolgerung darlegte: »Ich persönlich glaube, dass die Natur ein Ganzes ist. Im Moment ist dieses Ganze dabei, sich gegen einen seiner Teile zu wenden. Um ihn zu zerstören. Auf unterschiedliche Weise. Und dieser Teil ist der Mensch.«

Greg blickte um sich. Die Gesichter rund um den Tisch waren verkrampft. Peter wirkte mürrisch und hielt die Augen weiter zu Boden gesenkt. Barkwell zog eine Grimasse. Einer seiner Assistenten schüttelte den Kopf, als habe er die allerletzte Absurdität vernommen. Prescot runzelte die Stirn, und seine Lippen waren leicht gespitzt, als pfiffe er eine unhörbare Melodie. Seine beiden Assistenten sahen einander mit leichtem Lächeln an. Rosenqvist hingegen zeigte keine Gefühlsregung.

Bin ich der Einzige, der glaubt, was dieser Kerl sagt?, fragte sich Greg.

Eine Befürchtung ging ihm durch den Kopf: Sie werden ihn rauswerfen. Keiner glaubt ihm, außer vielleicht Rosenqvist, der ihn herholen ließ, aber vielleicht schämt er sich womöglich nur, dass er es tat? Sie werden ihn rauswerfen! Nicht ernst zu nehmen ... jedenfalls nicht wissenschaftlich!

Und dennoch ... Tief in seinem Inneren spürte Greg so etwas wie den Hauch von Echtheit. Eine Intuition. Doubletour hat Lösungen. Nicht, dass er alles begriffen hätte oder wüsste ... Er geht nur schlicht von den richtigen Prämissen aus. Er ist auf der richtigen Spur. Unglücklicherweise war er ungeschickt vorgegangen ... Er hat sie offen angegriffen, und jetzt sind alle gegen ihn.

Er beschloss, es zu wagen:

»Mr Doubletour«, sagte er ganz ruhig, »ich nehme an, Sie haben ein paar Argumente, die Ihre Theorie stützen?«

»Natürlich«, antwortete dieser. »Wenn Sie mir etwas Zeit zugestehen.«

Greg ließ seinen Blick über die Anwesenden schweifen.

»Ich schlage vor, wir geben Mr Doubletour zehn Minuten Zeit ...«

Zunächst widersprach niemand. Dann wandte sich Prescot an Doubletour: »Ich würde mir Ihre Argumente gern anhören.«

»Ich auch«, äußerte Rosenqvist.

Immerhin, sagte sich Greg, haben noch zwei andere dasselbe Gefühl wie ich...

»Meine Herren«, sagte der Ökologe, »wir haben es uns zur Gewohnheit gemacht, die Wirklichkeit in Stückchen zu zerschnippeln. Und für jedes Stückchen haben wir eine wissenschaftliche Disziplin gegründet. In jeder dieser Disziplinen wiederum schneiden wir Stücke aus der Wirklichkeit und untersuchen sie im Labor. Das ist ja auch in Ordnung. Mit dieser Methode erzielen wir Ergebnisse. Nur, dass wir so die Möglichkeit verpassen, die Zusammenhänge zwischen jedem dieser Teile und dem umfassenden Ganzen zu begreifen. Bis heute hat das keinerlei Probleme aufgeworfen, und dies aus einem einzigen Grund: Das Ganze, das unsere Erde darstellt, verhielt sich konstant. Damit war die Gesamtheit sozusagen neutral in Bezug auf ihre Teile. Doch heute... ich glaube, die Erklärung für das, was heute geschieht, ist, dass die Erde sich nicht mehr so verhält, wie wir es immer beobachtet haben.«

Peter, der neben Greg saß, sah ostentativ auf seine Uhr. Prescot, Barkwell und noch ein paar andere hörten jedoch aufmerksam zu.

»Eigentlich«, fuhr Doubletour fort, »hätten uns bestimmte Phänomene schon längst alarmieren sollen... Phänomene, die einem, sofern man darauf achtet, sehr gut zeigen, dass man nichts von der Natur verstehen kann, wenn man nur deren einzelne Teile betrachtet, ohne den Bezug zum Ganzen zu sehen. Gestatten Sie mir, Ihnen ein paar Beispiele zu nennen...«

Der Ökologe machte eine Pause. Keiner muckte auf. Der Aufmerksamkeitspegel war leicht gestiegen.

»Sicher wissen Sie über folgende merkwürdige Tatsache Bescheid: Wenn ein Chemiker versucht, neue Verbindungen zu synthetisieren, um einen Kristall zu erhalten, dauert es Wochen und bisweilen Monate, bis die erste Kristallisation erfolgt. Doch sobald diese einmal stattgefunden hat, ist die zweite schon leichter, die drittte noch leichter und so weiter … Und das unabhängig von dem Ort, an dem die folgenden Versuche erfolgen, selbst wenn er sich am anderen Ende der Welt befindet … Um dieses Phänomen zu erklären oder um sich das Problem vom Hals zu schaffen, wird bisweilen behauptet, dass Bruchteile vorher synthetisierter Kristalle im Bart oder den Kleidungsstücken der Chemiker, die sich von Labor zu Labor bewegen, weitertransportiert werden und sozusagen als ›Saatgut‹ für Kristallisationen gleichen Typs dienen. Leider wurde besagter Vorgang auch in Laboratorien festgestellt, zwischen denen keinerlei Verbindung bestand … Des Weiteren behauptete man, dass winziges kristallines Saatgut sich durch die Atmosphäre weiterbewegen würde … Doch wenn eines der Labors sich in Paris befindet und das andere in Sydney, trägt diese Erklärung nicht weit …«

»Ich habe von diesem Phänomen gehört«, sagte Barkwell. »Was schließen Sie daraus?«

»Für mich ist die einzige Erklärung die, dass zwischen Kristallen gleichen Typs trotz räumlicher Trennung eine Verbindung besteht. Sie bilden ein Ganzes, das bestimmten Gesetzen gehorcht. Aus diesem Grund lässt sich ein Phänomen beobachten, das die Gesamtheit der Kristalle betrifft.«

»Das ist purer Mystizismus!«, wetterte Peter.

»Mein Lieber«, hielt ihm Prescot ruhig entgegen, »dasselbe sagte man auch von der Quantenphysik, als sie noch in ihren Anfängen lag …«

»Außerdem, Mr Basler«, fügte Doubletour hinzu, »würde ich Sie gern darauf aufmerksam machen, dass Sie sich mit einem ähnlichen Problem herumschlagen! All diese Tiere, die plötzlich ihr Verhalten ändern … ohne dass Sie bei den einzelnen Tieren auch nur die geringste Ursache dafür entdecken konnten … Meinen Sie nicht, dass diese Tiere irgendetwas miteinander verbindet?«

Peter verbarrikadierte sich ein weiteres Mal hinter Schweigen. Greg wusste, was er durchmachte. Im Gegensatz zu ihm selbst wollte sein Freund an die absolute Wahrheit der Wissenschaft glauben. Und wenn die Methode der Wissenschaft eine materialistische war, dann musste die Welt eben materialistisch sein. Im Unterschied zu ihm war Greg von Hause aus Agnostiker. Er schaffte es nicht, an etwas zu glauben. Und wenn ihm jemand erklärt hätte, er wisse aus sicherer Quelle, dass alles, was er zu wissen glaubte, nur nichtiges Gerede sei, wäre er nicht weiter erstaunt oder betroffen gewesen. Im Übrigen, war dies nicht genau das, was gerade geschah? Er hatte schon seit einiger Zeit den Eindruck, dass es nichts mehr gab, auf das er sich verlassen konnte. Und er fühlte sich dabei ganz wohl ... Er, der sein Leben der Wissenschaft verschrieben hatte, merkte, dass nichts mehr zu wissen einem im Grunde ein Gefühl von Freiheit gab! So wurde es möglich, der Welt unvoreingenommen zu begegnen ... »Ich habe ja gesagt«, hatte ihm Mary anvertraut. Vielleicht war es einfach das, was in ihr diese Veränderung bewirkt hatte. Wenn man unvoreingenommen war, unwissend, konnte man vielleicht endlich ja sagen ...

Ein plötzliches Stimmengewirr riss Greg aus seinen Gedanken. Es ging nun ziemlich laut zu. Soeben hatte Peter gesprochen. Doubletour antwortete ihm.

»... und aus diesem Grund, Mr Basler«, schrie Doubletour beinahe, »versichere ich Ihnen, jawohl, ich versichere Ihnen, dass Sie Ihre Fälle noch jahrhundertelang so untersuchen können, wie Sie das jetzt tun, und nichts erreichen werden! Nichts! Denn die Antwort liegt nicht bei den einzelnen Tieren! Die einzelnen Tiere verhalten sich auf eine Art und Weise, die Sie nicht verstehen, weil sie Gesetzen gehorchen, die Gesetze eines Ganzen sind.«

»Beruhigen Sie sich, Mr Doubletour«, sagte Prescot. »Ich für meinen Teil bin bereit, Ihre Argumente zu hören. Aber es wäre schön, wenn Sie sie uns mit etwas mehr Gelassenheit unterbreiten würden.«

»Während dieser Herr hier mir dauernd ins Wort fällt!«

Peter hatte sich wieder beruhigt. Er lächelte.

»Ich sage nichts mehr! Aber ich glaube jedenfalls, dass jeder hier verstanden hat, was ich von Ihren ... Lösungsvorschlägen ... halte ...«

Die Atmosphäre entspannte sich ein wenig. Doubletour ergriff wieder das Wort.

»Ich werde Ihnen ein anderes Beispiel nennen.«

Er wandte sich an Rosenqvist.

»Sie beschäftigen sich mit kollektiven Tropismen und Koordinationsphänomenen bei Zetazeengruppen, ist das richtig?«

»Ja.«

»Sie haben sich sicher mit dem Verhalten von Fischen bei der Bildung von Schwärmen beschäftigt?«

»Ganz genau.«

»Dann wissen Sie, dass diese Schwärme aus zwei bis drei Millionen Einzelfischen bestehen können, die in enger Formation schwimmen und simultan die Richtung wechseln. Es gibt weder eine festgelegte Rangordnung noch dauerhafte Führungsrollen. Damit bleibt das außerordentliche Koordinationsvermögen, von dem diese Fische zeugen, ein Rätsel.«

»Das stimmt.«

»Da ist zum Beispiel das, was man als ›Blitzexpansion‹ bezeichnet. Wenn der Schwarm von einem Raubfisch angegriffen wird, schwimmen alle Fische im selben Moment auseinander. Das dauert manchmal nur eine Fünfzigstelsekunde, und dabei erreicht jeder Fisch eine erstaunliche Geschwindigkeit, bis zu seiner zwanzigfachen Körperlänge pro Sekunde. Nun, und die Fische stoßen nie zusammen! Daher müsste jeder Fisch eigentlich nicht nur wissen, in welche Richtung er im Fall eines Angriffs fliehen soll, sondern auch, welche Richtung jeder der neben ihm schwimmenden Fische einschlagen wird – was unmöglich ist! Denn ein Angriff kann aus jeder beliebigen Richtung erfolgen, und zudem bewegen sich die Fische, die in der Mitte des Schwarms schwimmen und nicht sehen können, wann ein Angriff von der Seite her erfolgt, im selben Moment wie diejenigen, die auf der Angriffsseite schwimmen!«

»Dafür hat man also keine Erklärung?«, fragte Prescot, der zutiefst interessiert wirkte.

»Nun, man hat Experimente durchgeführt! Die Fische wurden

geblendet, um festzustellen, welche Rolle der Gesichtssinn beim Verhalten der Schwärme spielt. Doch es machte keinen Unterschied! Die Schwärme verhalten sich bei Nacht genauso wie bei Tag... Es wurde auch die Hypothese aufgestellt, dass die Fische durch jenes Sinnesorgan, das die Wahrnehmung von Wasserschwingungen ermöglicht und das man als ›Seitenlinienorgan‹ bezeichnet, über die Position ihrer Nachbarn im Schwarm informiert werden. So beobachtete man Fische, deren Seitenlinienorgan man auf der Höhe der Kiemen unterbrochen hatte. Auch das führte zu nichts. Es bleibt also ein Geheimnis! Nicht wahr, Mr Rosenqvist?«

»Ich gebe es zu. Und möchte ergänzen, dass man bei Delphinen gleichermaßen erstaunliche Beobachtungen gemacht hat. Wenn sie im Rudel sind, atmen sie sogar synchron. Man könnte meinen, dass sie dann nurmehr ein einziger Superorganismus sind...«

»Danke, mein Freund!«, rief Doubletour inbrünstig aus. »Genau darauf wollte ich hinaus! Sie bilden einen Superorganismus! Wenn man das Verhalten der Gruppe als das *eines* Organismus betrachtet, wird alles klar. Die Koordinierung zwischen den unterschiedlichen Individuen ist genau dieselbe wie die zwischen den unterschiedlichen Teilen eines tierischen Organismus.«

»Das bleibt eine Metapher«, sagte Prescot. »Denn in einem Organismus stehen die unterschiedlichen Teile miteinander in Verbindung. Der Informationsaustausch erfolgt über stoffliche Kanäle: über Gefäße, Nerven und so weiter... Aber bei Ihrem Fischschwarm haben wir es mit gesonderten Individuen zu tun! Wie sollen denn dort Informationen fließen?«

»Es genügt schon, wenn man nicht mehr davon ausgeht, dass es sich um gesonderte Individuen handelt! Genau da ist das Problem verankert: nicht in der Wirklichkeit, sondern in unserer Denkweise! Wenn wir davon ausgehen, dass die Natur aus gesonderten Individuen besteht, wird ein Großteil ihrer Phänomene unverständlich. Die Wissenschaft zieht sich aus der Schlinge, indem sie behauptet, später – immer ›später‹ – würde man mit zunehmendem Fortschritt eine Erklärung finden... Ich dagegen sage: Es gibt Phänomene, die nur erklärbar sind, wenn man die Natur als ein Ganzes betrachtet, das aus Teilen besteht, die ebenfalls wiederum Ganzheiten sind. Und die gegenwärtigen Ereignisse demonstrieren uns das soeben!«

»In diesem Fall wiederhole ich meine Frage: Was verbindet die unterschiedlichen Teile dieses ›Ganzen‹, das beispielsweise ein Fischschwarm sein kann? Denn was man davon sieht, ist ja trotz allem eine Ansammlung gesonderter Individuen!«

»Daraus schließe ich, dass die Verbindungen, von denen Sie sprechen und die es natürlich geben muss, nicht wahrnehmbar sind.«

Peter, der seit einigen Minuten vor Ungeduld verging, konnte nicht umhin, sich einzuschalten: »Ist das nicht vielleicht so etwas wie Mystizismus?«

»Mr Basler, Sie haben noch nie ein Elektron oder ein Quark gesehen und glauben dennoch an deren Existenz! Ist das etwa Mystizismus?«

»Ich glaube daran, weil ich deren Wirkung feststellen kann!«

»Nun, ich nenne Ihnen doch gerade Beispiele für solche nicht wahrnehmbaren Verbindungen! Und ich werde Ihnen noch weitere nennen. Denn die Vorfälle, mit deren Untersuchung Sie betraut sind und die Ihnen nach eigenem Bekunden unbegreiflich scheinen, sind gar nicht so ungewöhnlich!«

»Was meinen Sie damit?«, entfuhr es Barkwell.

»Kennen Sie die Geschichte von den Milch stibitzenden Blaumeisen? Eine aufschlussreiche Geschichte... Anfang des zwanzigsten Jahrhunderts begann man in England damit, Milch ins Haus zu liefern. Die Milch wurde in mit einem Pappkorken verschlossenen Flaschen vor die Tür gestellt. In den zwanziger Jahren kam man dahinter, dass Blaumeisen es sich angewöhnt hatten, den Pappkorken mit dem Schnabel zu durchbohren und einen Teil der Milch zu trinken. Nun war aber dieses Verhalten, und das ist das Bemerkenswerte daran, nicht nur rings in der Gegend zu beobachten, was man als eine Art von Nachahmung hätte erklären können, sondern auch in anderen Gegenden Englands. Allerdings entfernen sich Blaumeisen nie weiter als zwanzig Kilometer von ihrem Nest. Das Phänomen war so kurios, dass es zwischen 1930 und 1950 systematisch untersucht wurde. Mit der Zeit verbreitete es sich in exponentiellem Ausmaß. Man konstatierte es in Schweden, Dänemark und Holland… In Holland trat eine aufschlussreiche Besonderheit zu Tage: Während des Kriegs wurde die Milch nicht mehr ins Haus geliefert, und das bis ins Jahr 1948. Doch von diesem Zeitpunkt an ging es erneut los mit dem Milchklau, noch dazu in beständigerem Rhythmus als vor dem Krieg! Und dabei waren die Blaumeisen, die diese Angewohnheit vor dem Krieg angenommen hatten, zu diesem Zeitpunkt aller Wahrscheinlichkeit nach alle schon tot…«

»Und was schließen Sie daraus?«, fragte Prescot mit gerunzelter Stirn.

»Dass, wenn ein zu einer Spezies gehörendes Individuum ein Verhalten lernt, ein anderes Individuum, das derselben Spezies angehört, besagtes Verhalten leichter lernen wird, selbst wenn zwischen beiden keine… sagen wir, stoffliche Verbindung besteht.«

»Absurd«, brummte Peter.

»Absurd, wenn Sie so wollen… Aber erwiesen! Kennen Sie die Experimente von McDougall, Mr Basler?«

»Nein…«

»Das ist normal! Sie verschwanden… ein wenig zu schnell im Verborgenen. McDougall wollte die Lamarckschen Hypothesen experimentell überprüfen. Die Frage war, ob erworbene Eigenschaften durch Vererbung weitergegeben werden können. McDougall ließ rund dreißig Generationen Ratten dieselbe Übung machen. Große Überraschung – der Lernvorgang erfolgte von Generation zu Generation immer schneller!«

»Jetzt graben Sie also Lamarck wieder aus?«, knurrte Peter. »Das ist die Prähistorie unserer Disziplin!«

»Da stimme ich Ihnen zu, Mr Basler! Seien Sie unbesorgt, ich bin kein Lamarckianer! Aber warten Sie einen Moment. Natürlich wurde McDougalls Experiment wiederholt; man konnte es nicht dabei bewenden lassen. Und hier wird es interessant. Denn die Ergebnisse dieser zweiten Versuchsreihe haben gezeigt, dass die Lerngeschwindigkeit von einer Generation zur anderen nicht schneller wurde.«

»Sehen Sie!«, triumphierte Peter.

»Dies jedoch aus einem Grund, der Sie überraschen wird, denke ich. Die Lerngeschwindigkeit stieg nicht, da sie von den ersten Generationen der zweiten Versuchsreihe an bereits das Niveau der letzten Generationen bei McDougall erreicht hatte! Mit anderen Worten, einer beachtlichen Anzahl Ratten gelang die Übung auf Anhieb.«

»Was? Das ist unmöglich!«, rief Peter.

»Aber es ist eine Tatsache! Und das ist noch nicht alles. Es gibt noch ein anderes Ergebnis, das Sie überraschen wird. Bei den beiden Experimenten stellte man fest, dass die Lerngeschwindigkeit nicht nur unter den Nachkommen derjenigen Ratten stieg, die die Übung trainiert hatten, sondern ebenso bei den Nachkommen einer Gruppe von Ratten, die nicht trainiert worden war und als Kontrollgruppe diente. Wenn die nicht trainierten Ratten die Übung machten, lagen ihre Ergebnisse nicht nur über denen vorheriger Generationen, sondern wurden zudem von Generation zu Generation immer besser! Was sehr wohl beweist, dass zwischen den Individuen einer Rattenpopulation ein zeitliches und räumliches Zusammenspiel besteht – über Verbindungen, die wir nicht kennen.«

Rosenqvist machte einen leicht verstörten Eindruck.

»Wenn das, was Sie uns da sagen, stimmt«, stammelte er, »wie kommt es dann, dass ich noch nie von diesen Versuchen gehört habe?«

»Aus einem ganz einfachen Grund! Damals ging es der Wissenschaft darum, Lamarck zu widerlegen, das heißt, zu zeigen, dass erworbene Eigenschaften nicht vererbt werden können. Und die Ergebnisse der letzteren Versuchsreihe bewiesen das auch, da die Leistungssteigerung gleichermaßen auf die Nachkommenschaft der trainierten wie auch der untrainierten Ratten zutraf. Damit war Lamarck aus dem Spiel und die Sache allgemein abgetan! Und was an Ungereimtheiten bei den Ergebnissen blieb, würde man, wie man sagte, mit ›zunehmendem Fortschritt der Wissenschaft‹ später klären. Heute ist ›später‹. Und nichts wurde geklärt. Und der Versuch geriet in Vergessenheit…«

Prescot schlug mit der Faust auf den Tisch.

»Das wundert mich nicht im Geringsten! Sobald ein Ergebnis zu einem Störfaktor für die geltenden Dogmen wird, verschleiert man es.«

»Das Problem ist«, stimmte Doubletour zu, »dass im Moment das Verhalten der gesamten Natur den geltenden Dogmen zuwiderläuft…«

Da ergriff Bosman, der bislang nur zugehört hatte, ohne dass sein Gesicht die geringste Gefühlsregung ausdrückte, das Wort: »Das ist ja alles schön und gut, doch wie lauten Ihre Schlussfolgerungen, Mr Doubletour?«

»Alles, was ich aufzeigen wollte, ist, dass die Kristalle und die Tiere, das heißt die mineralische und die tierische Welt, Gesetzen gehorchen, die wir noch nicht verstehen, weil wir es uns angewöhnt haben, die Wirklichkeit in kleine Stückchen zu schneiden, ohne im Blick zu behalten, dass zwischen dem uns getrennt Scheinenden eine tiefer liegende Einheit besteht. Nun, im Moment scheinen die Tiere und Pflanzen und die Erde selbst einer allgemeinen Strategie zu gehorchen, deren Zielscheibe der Mensch ist.«

»Die Tiere und Pflanzen und die Erde«, knurrte Barkwell. »Sie vergessen etwas Wesentliches, mein Lieber!«

»Und das wäre?«

»Unseren eigenen Körper! Wenn meine Assistenten und ich richtig liegen, dann gehorchen auch unsere eigenen Körperzellen der fürchterlichen Logik, von der Sie sprechen!«

Ein paar Sekunden herrschte Totenstille im Raum.

»Das stimmt«, sagte Doubletour.

Er wandte sich an Bosman.

»Ich möchte hinzufügen, dass das Phänomen sich ausweiten wird. Die Natur ist dabei, neue Gewohnheiten anzunehmen. Zunächst gilt es eine Trägheitskraft zu überwinden. Dann ...«

»Dann?«

»Dann ... nun, dann geht es immer schneller.«

»Was sollen wir denn dann tun?«

Bosman hatte beinahe geschrien.

Doubletour wollte gerade antworten, als der Klang einer Sirene die Stille zerriss.

Alarm.

49

Fort Detrick, Maryland

Mary richtete sich in ihrem Bett auf. Es entsprach nicht mehr dem Rhythmus ihres Körpers, liegen zu bleiben. Eine überraschende, köstliche Energie durchströmte sie immer intensiver. Sie nahm ihren Ausgang zwischen ihren Beinen, schlängelte sich ihr Rückgrat entlang, erfüllte ihren Kopf mit überwältigender Klarheit und schien von ihrer Scheitelspitze aus gen Himmel zu streben und gleichzeitig wie ein Kraftstrom an ihrem Oberkörper entlang und über ihre Arme und Beine bis in ihre Füße zurückzufließen.

Gregs Bild ging ihr durch den Kopf. Er zeigte ein Anpassungsvermögen, das ihr Bewunderung abnötigte. Mary fühlte sich so neu, so grundlegend erneuert… Und das spürte er, und es machte ihm große Angst! Doch er akzeptierte es. Er ließ sich mitreißen.

Ich liebe diesen Mann, dachte sie.

Es war ein zartes, doch ungeheuer mächtiges Gefühl! Es war der Wunsch, danke zu sagen, der Schöpfung dafür zu danken, dass es Greg gab!

Dann riss sie ihren Infusionsschlauch heraus. Sie hatte genug geschlafen. In ihr war eine Lust, zu gehen und zu schauen. Menschen zu begegnen… wieder Kontakt mit der Welt aufzunehmen… mit ihrer Welt.

Einer arg angeschlagenen Welt…

Nach dem Mittagessen hatte sie ferngesehen. Es gab nur noch einen einzigen Sender, der jedoch vollkommen von der Armee kontrolliert wurde und nur an Militärstandorten empfangen werden konnte. Sie hatte sich an Diegos Worte erinnert. Es war im

Einbaum gewesen, auf dem Rio Mucajai. »Es ist so gut wie sicher«, hatte er gesagt, »dass Sie nach Ihrer Rückkehr nicht mehr ganz dieselbe sind ... Und die Welt, auf die Sie stoßen werden, wird auch nicht mehr ganz dieselbe sein ...«

Im Fernsehen hatte sie Kriegsbilder gesehen. Bilder des Todes. Bilder des Schreckens. Die Welt, die sie kannte und die ihr so vertraut war, bewohnt von unzähligen Menschen, war innerhalb weniger Wochen verschwunden. Alles war fremd und bedrohlich geworden. Die Erde, die der Mensch sich nutzbar gemacht zu haben glaubte, offenbarte ihr dunkles Gesicht. Sie verschlang ganze Städte, nährte den Menschen nicht mehr und hetzte ihre Tiere auf ihn ...

»Und Sie können sich vielleicht einsetzen«, hatte Diego hinzugefügt.

Mary hatte unter der Weisung des Brujo-ohne-Namen jenes dunkle Gesicht gesehen. Es war ein Gesicht des Leids. Das Herz der Erde war krank. Mary hatte die Tränen der Erde geweint.

Jetzt war sie bereit.

Es gab einen Weg des Friedens. Sie musste ihn ihnen zeigen.

Mary war aufgestanden und machte sich daran, das Zimmer zu verlassen, als ein eigenartiges Gefühl sie innehalten ließ. Etwas in ihrer Brust war stehen geblieben. Es war wie eine Ankündigung. Eine Vorahnung. Kurz zuvor war da noch diese Leichtigkeit gewesen, dieser feine Reiz eines unbegrenzten Vermögens, zu lieben und zu geben ... Dieser Reiz war immer noch da ... Doch etwas in Marys Brust hatte sich verdichtet. Und da war auch dieses dumpfe Murmeln in ihrem Kopf.

All das sagte ihr: Gefahr.

Der Tod ist hier.

Da ertönte der Klang einer Sirene. Dann hörte man Schreie, Schreckensschreie.

In Marys Herz lag tiefe Ruhe. Der Tod war hier. Doch der Tod konnte sie nicht erschrecken. Die Angst war nurmehr eine Erinnerung, die Erinnerung an Undurchsichtigkeit, an eine Verfinsterung des Geistes und an Verwirrung. Jetzt erschien alles in scharfer Klarheit, wie eine Diamantklinge. Jeder Gedanke, jeder Ton, jede Farbe, jede Gefühlsregung war ganz deutlich, um dann zu verblassen und etwas anderem Platz zu machen, ohne dass etwas hängen blieb oder sich mit anderem vermischte. Der Tod war hier. Doch Mary war durch den Tod hindurchgegangen, und sie war jede Sekunde bereit.

Sie ging aus dem Zimmer.

Captain Monk klappte den Roman, den er gerade las, wieder zu und streckte sich in voller Länge. Er hatte noch zwei Stunden Wache zu schieben und verspürte Lust auf Kaffee. Die Kaffeemaschine stand am anderen Ende des Raums. Etwas schwerfällig rappelte er sich von seinem Stuhl hoch. Aber ein schriller Ton ließ ihn zusammenzucken und in der Bewegung innehalten.

Alarm.

Der Captain setzte sich schlagartig wieder hin und warf einen Blick auf den Kontrollschirm.

Ort: Militärkrankenhaus.

Code K.

Er stürzte zu dem Behälter mit seinem Antiviren-Schutzanzug und nahm diesen heraus. Dann öffnete er den Metallspind, in dem sich die Dienstwaffen befanden. Code K... Im Spind lagen ein Maschinengewehr und eine Automatikpistole... ein Flammenwerfer... mehrere Brandgranaten...

Die Dienstvorschriften. Nur die Dienstvorschriften zählten. Alle Vorschriften. Captain Monk wusste, dass er ihnen Gehorsam leisten würde.

Doch er hätte sein Leben darum gegeben, es nicht tun zu müssen.

Im Sitzungssaal rührte sich keiner von seinem Platz. Alle Gesichter waren bleich und angespannt, alle Blicke auf Colonel Bosman gerichtet.

Greg hatte sich neben ihn gesetzt. Er hörte zu. Es gab nichts mehr weiter zu tun, als zuzuhören. Und zu warten.

Der Colonel hatte sofort nach Ertönen des Alarms an die Vorschriften erinnert: Keiner durfte sich von der Stelle bewegen, keiner den Saal verlassen. Die Vorschriften galten für alle, einschließlich Bosman. Im Übrigen war es gar nicht mehr möglich, den Saal zu verlassen: Im Fall eines Bakterienalarms wurden an allen Ausgängen automatisch Sperrvorrichtungen in Gang gesetzt.

Und es handelte sich um einen Bakterienalarm.

Nach dem, was Greg gehört hatte, betraf er das Krankenhaus.

Er betraf Mary.

Der Colonel leitete die Sicherheitsmaßnahmen vom Sitzungssaal aus über ein Telefon und sein Notebook. Greg hielt sich an seiner Seite. Er hörte zu. Er wusste, dass es nichts nützte, den Colonel zu unterbrechen und Fragen zu stellen. Er konnte nur abwarten.

Sonderbarerweise fühlte er sich nicht schlecht. Auch nicht gut. Und es war auch keine Gleichgültigkeit. Im Gegenteil, sein ganzes Wesen war auf das gegenwärtige Geschehen konzentriert. Und Mary war auch hier. Ihr Bild, ihre Ausstrahlung waren ihm gegenwärtig. Greg vergaß sie nicht für den Bruchteil einer Sekunde. Und auch nicht die Gefahr, die wieder da war. Den Tod.

Doch da war auch so etwas wie das geschärfte, absolute Bewusstsein seiner momentanen Ohnmacht. Er konnte nichts tun. Alles spielte sich unabhängig von ihm ab, außerhalb der Reichweite seiner Wünsche und Ängste. Er war machtlos.

Greg hatte Mary schon einmal verloren, und das war schlimmer gewesen als der Tod. Dann war ihm Mary wie durch ein Wunder wiedergegeben worden. Vielleicht würde Mary ihm erneut genommen werden. Darüber entschied das Schicksal. Greg wusste, dass er nur ein lächerlicher Spielball grenzenloser Kräfte war, die womöglich nicht mehr Gewissen hatten als ein Kind, das einen Würfel wirft. Widerstand leisten? Welch ein Witz ... Greg war entspannt. Er konnte nichts tun. So ist es, dachte er. Das Leben ist ein Spiel, wir sind sein Spielzeug, und nichts ist wichtig.

Mary war wichtig.

Aber Mary nahm nicht an dem Spiel teil. Greg war Mary begegnet, er war Marys Präsenz weit jenseits aller Formen begegnet, die die Zeit den Lebewesen verleiht. Das war während seiner Erfahrung im Land der Toten gewesen. Und er spürte, wie diese Erfahrung allmählich ein Teil seiner selbst wurde. Er lernte allmählich, das Spiel der sich beständig ändernden Realitätsformen des Seins zu erkennen.

Mary konnte aus dem Spiel ausscheiden. Er selbst konnte jeden Moment aus dem Spiel des Lebens gerissen werden. Aber er konnte Mary nicht verlieren. Er wusste nun: Mary und Greg waren im Grunde ihres Wesens eins.

In der Kommandozentrale hatte Captain Monk die Befehlsgewalt über zwanzig Männer von der Notpatrouille übernommen, die zu ihm gestoßen waren.

Im Augenblick rückte die Gruppe auf der breiten Straße vor, die zum Militärkrankenhaus führte. In wenigen Sekunden würden sie die Einsatzzone betreten, die sich über einen Radius von hundertfünfzig Metern rund um das Krankenhaus erstreckte ... In wenigen Sekunden würde Code K zur Anwendung kommen ...

Monk warf einen Blick in die Runde seiner Männer. Alle trugen den vorgeschriebenen Schutzanzug, und ihre Gesichter waren nicht zu erkennen. Sie bewegten sich langsamen Schritts vorwärts, wie Raubkatzen, die hinter einer Beute her sind.

Alle diese Soldaten hatten Kommandos angehört. Alle waren bereits im Gefecht gewesen. Sie wussten, was es bedeutete, das eigene Leben zu riskieren und den Tod zu bringen. Die Hälfte dieser Männer hat bereits getötet, dachte Monk.

Er nicht.

Wie ist das, einen Menschen zu töten?

Er würde es bald wissen ...

Code K kam im Falle von Bakterienalarm Stufe vier zur Anwendung. Monk kannte diese Stelle der internen Sicherheitsvorschriften auswendig: sofortige Präsenz in der betroffenen Zone, antibakterielle Ausrüstung, komplette Bewaffnung. Aufgabe: jegliche Form von Leben auslöschen, die Zone in Brand setzen. Es ging darum, das Terrain für das Kauterisationsteam vorzubereiten.

Auf den ersten Leichnam stießen sie etwa zehn Meter vor dem Haupteingang des Krankenhauses. Es war ein Lieutenant, der mit dem Rücken an einem Baum lehnte. Sein Käppi verdeckte sein Gesicht; er schien zu schlafen. Ohne dass Monk auch nur die kleinste Geste zu machen brauchte, löste sich ein Soldat aus der Gruppe. Mit dem Lauf seines Maschinengewehrs drehte er den Körper des Schlafenden um, und nun sah man dessen Gesicht. Der Captain schrak zusammen. Das Gesicht des Mannes war im Tod zu einem Ausdruck namenlosen Schreckens erstarrt. Getrocknetes Blut zog sich wie eine Kriegsbemalung von seinen Augen über die bleichen, eingefallenen Wangen. Der Soldat wusste, was er zu tun hatte. Er ging drei Schritte zurück und zielte mit seinem Flammenwerfer auf den Leichnam, der wie ein Freudenfeuer aufloderte. Das Ganze dauerte endlose Sekunden. Die Luft flimmerte. Monk hatte Angst, das Gleichgewicht zu verlieren. Dann wurde die Flamme kleiner und erlosch. Der Soldat mischte sich wieder unter die anderen.

Nach zehn Metern drei weitere Leichen.

Vor dem Eingang des Krankenhauses lagen zwei.

Im Inneren des Gebäudes Dutzende.

Mary empfand unermessliche Traurigkeit. Sie hatte soeben einer Krankenschwester die Augen geschlossen, deren starrer Körper gegen einen Metallspind hingesunken dalag. Mary war in drei Zimmern gewesen, ehe sie den Wachsaal betrat. Sie hatte nur Leichen mit verdrehten, blutigen Augen und mit in einer Grimasse des Schreckens erstarrten Mienen gesehen.

Sie hörte ein Röcheln.

Das Geräusch kam aus Doktor Livingstones Büro, dessen Tür in den Wachsaal führte.

Sie trat ein.

Livingstone saß an seinem Schreibtisch gegenüber der Tür. Er sah Mary mit offenem Mund und roten, weit aufgerissenen Augen an. Eine Sekunde lang zog sich ein verzerrtes Grinsen über sein Gesicht.

»Sie kommen genau im richtigen Moment«, gab er mit schwacher Stimme von sich. »Ich wollte ... Sie sprechen ...«

Mary wusste, dass er sterben würde. Sie machte einen Schritt auf ihn zu.

»Kommen Sie nicht näher! Es ist sehr ... ansteckend.«

Mary achtete nicht auf seinen Rat, ging um den großen Schreibtisch herum und nahm seine Hand. Sie war kalt.

»Was wollten Sie mir sagen?«

Livingstone warf ihr einen Blick voll Staunen und Respekt zu.

»Sie haben wohl vor gar nichts Angst?«, stammelte er.

Rotgrüner Schleim sickerte aus seinen Mundwinkeln. Auf seinem Schreibtisch stand eine Schachtel mit Papiertaschentüchern. Mary zog eines heraus und wischte dem Arzt den Mund ab.

»Was ich sagen wollte ... Ich weiß nun ...«

»Was wissen Sie?«, fragte Mary sanft.

»Was mit Ihnen passiert ist. Weshalb man Sie ... für tot gehalten hat.«

Die junge Frau lächelte traurig.

»Ist denn das so wichtig?«

Die Augen des Arztes leuchteten. Er schien wieder etwas Kraft zu finden.

»Sie sagten mir ... Sie hätten ... kurz vor Ihrem Unfall ... eine halluzinogene Substanz zu sich genommen?«

»Yopo ...«

»Bestimmte neurotrope Substanzen ... verursachen ... funktionelle Enzephalopathien ... Eine mögliche Komplikation dabei ist ...«

Livingstones Körper kippte plötzlich nach vorn, und Mary konnte ihn gerade noch halten.

»Doktor«, sagte sie und richtete ihn behutsam wieder auf, »Sie sind erschöpft. Sprechen Sie nicht weiter!«

»Ich habe es verstanden«, brachte Livingstone röchelnd hervor. »Eine starke Hypothermie ... dritten Grades ... Lethargie ...

Kollabieren der Atemzentren ... geschwächte vegetative Funktionen ... scheinbarer Tod.«

Mary sah ihn an. Sie merkte, dass es mit ihm zu Ende ging, dass ein unsichtbarer Hauch seinen Körper verließ. Doch der Arzt verkrampfte sich, als habe er die Macht, sein Leben festzuhalten. Er keuchte schwer. Er verzog das Gesicht.

»Mr Livingstone, Sie stehen an den Pforten des Mysteriums. Und immer noch streben Sie nach Wissen ... Erklärungen.«

»Das Mysterium ...«

Livingstone stieß ein Röcheln aus, das man für Hohngelächter halten konnte.

»Das ist ... nur ... Unwissenheit!«

Er hatte Marys Arm gepackt und klammerte sich mit aller Kraft daran wie an eine Rettungsboje. Um sich her spürte er den Atem des Todes, der ihn an sich zog, aber in seinen Augen lag entschiedene, verzweifelte Ablehnung.

Mary legte eine Hand auf seine Brust, die andere auf seine Stirn.

Sie fühlte Liebe in ihrem Herzen und in ihren Händen. Livingstone wurde nach und nach ruhiger. Er atmete leiser, als ließe er seine Zellen machen, was sie wollten, und als gebe er sich dem Gesetz seines Körpers anheim.

Dann entrang sich seinem Mund ein längerer, tieferer Atemzug. Sein letzter.

Mary konnte die Präsenz des Mannes, die wie ein Duft in der Luft schwebte, um sich spüren. Wie ein ganz leichter Duft.

Er hat ja gesagt, dachte sie.

Dann schloss sie ihm die Augen.

Da hörte sie die Schüsse.

Captain Monk richtete den Lauf seines Maschinengewehrs wieder nach oben. Es war vollbracht. Er hatte einen Menschen getötet. Es war ein junger Pfleger, dessen Körper sich auf dem Boden gewunden hatte wie der eines Insekts. Er hatte ihn mit einer kurzen Salve niedergestreckt, ehe er ihn zu Asche werden ließ. Der Mann wäre sowieso gestorben, es war nur eine Frage von Minuten gewesen. Er hatte ihn lediglich von seinen letzten Leiden erlöst.

Der Captain ging weiter. Er schritt ganz am Schluss der Gruppe. Je weiter sie ins Krankenhaus vordrangen, desto dichter war der Boden mit leblosen Körpern übersät und desto seltener mussten sie von ihren Waffen Gebrauch machen. Sie waren alle tot. Das Virus vollbrachte sein Werk offenbar innerhalb von zwanzig Minuten und höchst professionell. Man brauchte die Leichen nur noch einzuäschern.

Monk drehte sich um. Hinter dem Kommando zog eine dicke schwarze Rauchwolke her, die vom Boden aufstieg.

Monk arbeitete sich zwischen seinen Männern bis zur Spitze der Gruppen vor. Er stand vor einer Brandschutztür und öffnete sie. Dann blinzelte er. Der Flur lag im Gegenlicht, das durch ein großes Glasfenster drang. Monk zuckte zusammen: Er meinte, einen Schatten gesehen zu haben, der sich bewegte. Einer seiner Männer drängte sich an ihm vorbei nach vorn, zielte mit seiner Waffe und feuerte eine lange Salve ab. Monk sah etwa zehn Meter vor ihnen eine fliehende Gestalt. Eine Frau. Ein weiterer Soldat schoss. Doch die Frau stürzte nicht zu Boden. Sie schießen miserabel, dachte Monk. Dann hob er sein Maschinengewehr. Die Frau war am Ende des Flurs angelangt. Er konnte sie gar nicht verfehlen. Er drückte lange auf den Abzug, und Blei spritzte über den Flur.

Die Frau brach nicht zusammen.

Sie lief weitere drei Schritte, bog rechts ab und verschwand.

Monk stürzte zum Ende des Flurs. Der Notausgang. Sie wollte sich durch den Notausgang aus dem Staub machen!

Es war eine rote Tür, und Monk öffnete sie mit einem Schulterstoß. Dann ging er in Schussposition.

Draußen strahlte die Sonne. Eine sanfte Brise strich über die Bäume, deren Blätter leicht zitterten. Mehrere Körper lagen ausgestreckt auf dem Boden, als machten sie ein Schläfchen. Menschliche Körper.

Die Frau war verschwunden.

Mary saß zusammengekauert in einer Zimmerecke und kam langsam wieder zu Atem. Sie blickte um sich. Sie befand sich in einem Büro im Erdgeschoss des Krankenhauses. Es war höchst erstaunlich: Im Flur hatte sie die Kugeln pfeifen gehört, doch offensichtlich hatte keine sie getroffen. Dann war sie gelaufen. In ihrem Geist war kein Raum für Gedanken gewesen. Sie war gelaufen, als würde ein Vakuum vor ihr sie anziehen und ihr den Weg weisen. Kaum war sie draußen, hatte sie, einem Impuls folgend, die Richtung gewechselt, war an der Fassade entlanggeschlichen und hatte gegen ein Fenster im Erdgeschoss gedrückt. Es war offen. Ein Wunder! Anscheinend hat meine Stunde noch nicht geschlagen, dachte sie.

Sie richtete sich leicht auf und ließ ihren Blick nach draußen schweifen. Im Garten gingen bewaffnete Männer in Schutzanzügen langsam zwischen den Bäumen umher und sahen sich nach allen Seiten um. Sie suchen mich, sagte sie sich. Sie wollen mich töten. Sie haben Angst, sich anzustecken ...

Marys Atem ging wieder normal. Er durchlief ihren Körper wie klares Wasser, das sich beständig erneuerte. Sie spürte jede Faser ihres Körpers, das Spiel der Zellen und den Tanz der Moleküle. Ihr Fleisch beging ein einziges Fest. Sie wusste, dass sie nicht krank war.

Ein Bild ging ihr durch den Kopf: Gregs Gesicht. Sie musste zu ihm gelangen.

Mit einer Armbewegung bedeutete Captain Monk den fünf Männern, die ihm in den Park gefolgt waren, kehrtzumachen. Zu spät. Sie würden sie nicht mehr finden. Er musste Meldung erstatten. Monk drückte mit dem Zeigefinger auf die Taste des Funkgeräts in seiner rechten Hand, das ihn mit der Kommandozentrale verband. In seinem Kopfhörer rauschte es. Dann meldete sich eine Stimme: »Kommandozentrale, ich höre ...«

Einen Moment lang hätte er die Verbindung am liebsten abgebrochen. Hatte er nicht vielleicht geträumt? Gab es diese Frau wirklich? Sie trug keine Uniform, war also weder eine Krankenschwester noch eine Verwaltungsangestellte ... Als sie zu laufen begann, schienen ihre Füße kaum den Boden zu berühren ... Drei Männer hatten auf sie geschossen, darunter er selbst. Monk war ein verdammt guter Schütze. Doch die Kugeln hatten sie nicht getroffen. Wie wenn sie nicht aus Fleisch und Blut gewesen wäre ... Wie eine Erscheinung.

»Kommandozentrale, ich höre ... Sind Sie es, Monk?«

»Ja, ich bin es. Die Säuberung ist im Gange. Aber wir hatten ein kleines Problem.«

Greg merkte, dass er betete. Wie lange schon hatte er das nicht mehr von sich behaupten können ... Das Gebet kam spontan aus seiner Brust, dessen war er sich nun bewusst. Worte zogen durch ihn hindurch, Worte, die er darbrachte. War da jemand, der sie empfangen würde? Er wusste es nicht. Worte, die weit über ihn hinausreichten. Worte für Mary. Dank dafür, dass es Mary gab. Dass sie bitte nicht gehen solle, sofern das Leben es zuließ ... Noch nicht.

Plötzlich bewegte sich etwas neben der Tür. Die schweren Schwingflügel, die sich beim Ertönen des Alarmsignals geschlossen hatten, öffneten sich wieder. Männer in Schutzanzügen erschienen. Einer von ihnen schob einen Wagen, auf dem weitere Schutzanzüge lagen. Einer der Männer ging auf Bosman zu, der sich erhoben hatte. Durch das spiegelnde Plexiglas hindurch erkannte Greg Merritt. Aus seinem Helm ertönte unter Rauschen eine Stimme, die von einem Lautsprecher schlechter Qualität weitergetragen wurde.

»Meine Herren, kleiden Sie sich an, wir ziehen um.«

Greg krampfte sich das Herz zusammen. Wohin würden sie umziehen? Wohin würde man ihn bringen? Und Mary? Er trat zu Bosman und sah ihn an. Der Colonel wich ihm nicht aus, sondern hielt seinem Blick stand. Dann sagte er: »Das gesamte Krankenhaus ist kontaminiert. Das Virus breitet sich aus. Wir müssen weg.«

»Mary?« Greg hatte mit völlig neutraler Stimme gesprochen.

»Sie wurde gesehen. Lebend und anscheinend bei guter Gesundheit. Alle außer ihr sind tot. Man sucht nach ihr.«

»Man?«

»Der Sicherheitsdienst.«

Greg hatte verstanden. Man suchte nach Mary, weil man sie töten wollte, aus Angst, sie könne andere anstecken. Man suchte nach ihr, weil sie es geschafft hatte zu fliehen! Sie ist nicht krank, dachte Greg. Es war wie eine Gewissheit, wie eine Tatsache, die aus seinem tiefsten Inneren kam.

Bosman reichte ihm einen Overall. Er nahm ihn und schlüpfte hinein. Wann würde er Mary wiedersehen? Er wandte sich an Bosman. »Wohin gehen wir?«

»Nach Washington. Ins Weiße Haus.«

Greg spürte, wie sich ihm der Kopf drehte. Alle anderen um ihn herum hatten ebenfalls ihre Schutzanzüge übergestreift. Bosman reichte ihm einen Helm.

»Wir müssen los, mein Freund.«

Mary ließ sich leiten. Sie selbst tat nichts. Sie ging einfach. Zweimal war sie instinktiv stehen geblieben und hatte sich versteckt. Erst hinterher begriff sie, warum sie das getan hatte: Bewaffnete Soldaten waren vorbeigegangen und hatten nach ihr gesucht. Dann war sie wieder aufgestanden und weitergelaufen. Wohin ging sie? Sie wusste es nicht. In ihr war eine Weisheit, die sie leitete, doch sie hatte keinen Zugang zu ihr. Sie spürte lediglich deren Auswirkungen. Sie ging, in eine bestimmte Richtung gelenkt, von der sie nichts wusste, auf diesem Militärstützpunkt, den sie nicht kannte. Sie hatte keine Angst. Sie war bereit zu sterben. Sie hatte jegliche Herrschaft und Kontrolle über sich aufgegeben. Sie ließ eine Kraft wirken, die aus ihrem tiefsten Inneren sprudelte, doch von viel weiter her kam. Mary lächelte. Das Leben ist ein Wunder, dachte sie.

Aufgespürt!

Monk stieß einen Triumphschrei aus.

Er saß im Kontrollraum der Kommandozentrale des Sicherheitsdienstes. Seit einer knappen Viertelstunde ließ er den Blick nicht von den Monitoren, mittels derer der Stützpunkt überwacht wurde. Und auf einem von ihnen war soeben die Gestalt einer jungen Frau aufgetaucht. Sektor vier. Das war sie. Sie bewegte sich vorsichtig und offenbar zielgerichtet vorwärts. Sie ist sehr stark, dachte er. Sie ist ein Profi. Und augenscheinlich völlig gesund ...

Der Captain schaltete sein Funkgerät ein und erteilte Anweisungen. »Macht sie ausfindig und umzingelt sie. Wartet meine Befehle ab.«

Sie würden sie sich in aller Ruhe schnappen. Und sie dann beseitigen. Aber Monk wollte dabei sein. Denn Bosman würde es wahrscheinlich nicht ungern sehen, wenn man ihr vorher ein paar Würmer aus der Nase zog. Wer war diese Frau? Woher kam sie? Und warum litt sie, wie es schien, nicht unter diesem Virus, das alle außer ihr dahinraffte? Vielleicht hatte sie etwas mit dem Auftreten der Mikrobe zu tun ... Monk war seit Beginn der Vorfälle überzeugt, dass hinter alldem jemand steckte. Ein Feind, der umso gefährlicher war, als er verdeckt vorging. Vielleicht waren es doch nicht die Chinesen ... Obwohl ... Sie waren durchaus imstande, Millionen der ihren zu opfern, um einen hinters Licht zu führen. Aber wenn sie es nicht waren ... Es musste ganz einfach jemand hinter dem Ganzen stecken, und Monk hatte so eine Eingebung, dass diese Frau ihnen womöglich einiges mitzuteilen hatte ... Er wollte sie selbst befragen.

Das roch nach einer Beförderung ...

Greg sah seine Kollegen mit gesenktem Kopf unter den laut heulenden Rotorblättern durchgehen und in die beiden Helikopter steigen. Er ließ sie vorbei. Er würde als Letzter einsteigen. Wenn er überhaupt einsteigen würde. Er wusste es noch nicht. Konnte er Mary zurücklassen? Würde er es durchstehen, sie erneut zu verlieren?

Rosenqvist sah ihn durch den Helm seines Schutzanzugs an und stieg in die Maschine. Nur Peter stand noch draußen. Sein Freund trat einen Schritt auf ihn zu und legte ihm die Hand auf die Schulter. Greg spürte durch die Membran des Schutzanzugs hindurch die Wärme dieser Hand und die Freundschaft, die von ihr ausging. Peter wich zurück, drehte sich um und stieg in den Hubschrauber.

»Wir müssen gehen.«

Bosmans Stimme ertönte unter Knacken in Gregs Helm. Er hielt sich zwei Schritte hinter ihm. Offensichtlich hatte er dafür zu sorgen, dass alle Forscher abflogen. Greg rührte sich nicht von der Stelle. In seinem Kopf war kein einziger Gedanke; er war wie gelähmt.

»Ihre Frau befand sich in einem kontaminierten Sektor. Der Stützpunkt wird vernichtet. Man kann nichts mehr tun.«

»Mary ist nicht krank, das wissen Sie. Sie konnte fliehen.«

»Greg, es tut mir sehr Leid. Alle in diesem Sektor sind tot. Sie kann es nicht lebend überstehen. Hören Sie mir zu, ich ...«

Der Colonel hielt inne. Er blickte hinter Greg. In seinen weit aufgerissenen Augen lag ein Ausdruck völliger Verblüffung.

Greg drehte sich langsam um.

Marys Silhouette zeichnete sich im Gegenlicht ab. Sie bewegte sich leichten, schnellen Schritts auf die beiden zu. Als sie näher kam, zerzauste der Wind der Propeller ihr Haar. Ihre Erscheinung hatte etwas Unwirkliches, allzu Romantisches, beinahe Kitschiges an sich ... Alles war geradezu unwahrscheinlich perfekt. Greg fühlte, wie Benommenheit seinen ganzen Körper erfasste. Er hatte Angst aufzuwachen. Dann zuckte er zusammen. Mary war nur noch zwanzig Meter von ihm entfernt. Doch sie war nicht mehr allein. Bewaffnete Gestalten verteilten sich unbemerkt hinter ihr und kreisten sie langsam ein.

Mary beschleunigte den Schritt, ohne sich umzudrehen.

Zwei Männer begannen zu laufen. Sie überholten sie, bauten sich vor ihr auf und brachten die Maschinengewehre in Höhe ihres Gesichts in Anschlag. Die anderen Männer stießen dazu. Sie steckte in der Falle.

Greg drehte sich zu Bosman, der reglos dastand.

Da ertönte eine Stimme in Gregs Helm, eine Stimme, die nicht ihm galt: »Colonel, wir haben sie. Wir haben die Frau. Es sieht so aus, als hätte sie sich direkt in die Höhle des Löwen begeben ...«

»Bringen Sie sie her«, erwiderte Bosman.

Greg sah dem Colonel starr in die Augen. »Was werden Sie tun?«

Der Colonel wartete einen Moment mit seiner Antwort: »Greg, es gibt Vorschriften ... Die Situation ist Ihnen bekannt ...«

»James, machen Sie doch die Augen auf! Schauen Sie sie an ...«

Mary stand, von drei Soldaten festgehalten, zwei Schritte vor ihnen. Sie sah Greg an. In ihrem Blick lagen Gelassenheit und Lebenszuversicht. Greg hatte keine Angst.

Ein Uniformierter löste sich aus der Gruppe. Auf seinem Schutzanzug befanden sich in Brusthöhe die Tressen eines Captain. Die wenige Sekunden zuvor vernommene näselnde, angestrengte Stimme erklang erneut: »Colonel, ich glaube, wir sollten sie gründlich befragen, ehe wir sie wegputzen. Meiner Meinung nach weiß sie allerhand ...«

Bosman bewegte sich immer noch nicht. Doch seine Stimme erscholl eisig: »Monk ... seien Sie still.«

»Aber ... Verzeihen Sie bitte; wenn Sie wollen, dass wir sie sofort eliminieren, dann tun wir das natürlich, aber offen gesagt denke ich ...«

»Monk. Halten Sie den Mund.«

»Sehr wohl, Colonel.«

»Greg ... ich bedauere, was Sie soeben gehört haben.«

Greg wusste darauf nichts zu antworten. Er sah Mary an. Die junge Frau tat einen Schritt nach vorn. Der Soldat, der sie an der Schulter festhielt, verstärkte seinen Griff und machte Anstalten, sie zu sich zu ziehen. Sie leistete keinen Widerstand und trat einen Schritt zurück. Dann drehte sie sich zu dem Mann und legte ihre Hand auf seinen Handschuh. Der Soldat schien mit einem Mal bar jeder Energie. Mary griff nach seiner Hand und nahm sie von ihrer Schulter. Dann drehte sie sich zu dem anderen Soldaten, der sie festhielt, und dieser wich zurück. Die junge Frau ging auf Bosman zu. Als der Captain sie daran zu hindern versuchte, legte sie ihm mit einer sanften, doch erstaunlich schnellen Geste ihre Handfläche auf die Brust, und er bewegte sich nicht mehr. Seine Miene unter dem flaschengrün schimmernden Helm wirkte verblüfft.

Marys Stimme ertönte verzerrt in Gregs Ohren: »Colonel, können Sie mich hören?«

Bosman nickte.

»Sehen Sie mich an, Colonel. Ich gebe Ihnen mein Wort, dass ich nicht krank bin. Und ich kann Ihnen erklären, warum.«

Bosman brauchte eine Zeit lang, bis er mit zitternder Stimme antwortete: »Es tut mir Leid ... Ich muss meiner Pflicht nachkommen.«

Mary gab ein leichtes Lachen von sich. Greg hatte den Eindruck, Bosman verliere beinahe das Gleichgewicht.

»Sehen Sie mich an, Colonel. Nur ein paar Sekunden ...«

Mary ließ die Arme an ihrem Körper herabhängen. Sie sah Bosman an. Und sie bot sich ganz seinen Blicken dar. Wie bei einem Säugling spiegelte ihr Gesicht tausend Gefühle, die vorüberglitten, ohne dass sie sie anhielt. Sie schien nichts zu verteidigen zu haben.

»Colonel«, sagte sie.

Sie sprach sanft, wie zu einem kleinen Kind: »... Wenn Sie doch auf Ihr Herz hören würden ...«

Es folgte eine lange Pause. Die Männer aus der Patrouille standen untätig herum und sahen einander fragend an, als warteten sie auf eine Anweisung oder einen Befehl. Der Captain beobachtete Bosman, der wie versteinert war.

Dann sagte er: »Es ist in Ordnung, Monk, Sie können gehen. Wir nehmen sie mit.«

»Aber Colonel ... die Vorschriften ...«

Da brüllte Bosman los: »Die Vorschriften habe ich selbst erlassen, und ich kann sie auch wieder außer Kraft setzen! Gehen Sie jetzt, Monk, das ist ein Befehl!«

Der Captain drehte sich um und entfernte sich gesenkten Hauptes. Seine Männer folgten ihm. Bosman stieg in den Hubschrauber, ohne Greg und Mary eines Blicks zu würdigen.

Greg fasste Mary bei der Hand und zog sie mit sich in die Maschine.

Kaum hatte die Schiebetür des Cockpits sich geschlossen, ertönte Merritts Stimme in Gregs Helm:

»Bosman, was hat diese Frau hier zu suchen?«

Es folgte ein kurzes Schweigen, dann antwortete Bosman: »Sie untersteht meiner Verantwortung.«

»Und Sie meiner, Colonel. Ich habe Ihnen eine Frage gestellt.«

»Sie kommt mit uns.«

»Aus welchem Anlass?«

»Aus wissenschaftlichem Interesse.«

»Was soll das heißen?«

»General«, entgegnete Bosman mit ruhiger, fester Stimme, »ich bin bei dieser Mission der wissenschaftliche Verantwortliche, und als solcher sage ich: Die Frau kommt mit uns mit. Oder möchten Sie mich von meinen Aufgaben entbinden?«

Greg drehte sich zum General um. Dieser lehnte sich in seinem Sitz zurück und gab dem Piloten ein Zeichen. Der Helikopter startete.

50

Washington, im Untergeschoss des Weißen Hauses, morgens

Greg setzte sich aufs Bett. Freude erfüllte sein Herz. Aus dem Bad drang leichtes Wasserplätschern. Es war acht Uhr morgens, und Mary duschte! Dieser Vorgang, der ihm vor weniger als einem Monat noch völlig banal erschienen wäre, kam ihm heute wie ein Wunder vor… Sie hatte die Nacht mit ihm verbracht, in diesem kleinen Zimmer mit den kahlen Wänden, das ihnen Bosman bereitgestellt hatte… und jetzt duschte Mary! Welch ein Wunder…

Und was für eine Nacht!

Mit Mary zu schlafen war immer ein überwältigendes Erlebnis gewesen. Sie hatte schon immer diese heitere, fast schelmische Art gehabt, sich mit dem lauteren Ernst eines spielenden Kindes ganz hinzugeben… Doch jetzt… war da noch etwas anderes. Etwas völlig Neues…

Mary war nicht mehr dieselbe. Nun gab sie sich nicht mehr nur hin. Sie nahm auch. Eine ungebändigte Energie ging von ihr aus, als schöpfe sie ihre Bewegungen und ihre Lust aus den dunklen Tiefen der Erde. Das war herrlich und äußerst beängstigend zugleich. Wenn Mary mit ihm schlief, gab sie sich ihm ganz hin, doch sie forderte auch absolute, rückhaltlose Hingabe. Greg hatte im Dunkel der Nacht mehrmals Angst gehabt, sich in ihr zu verlieren. Er hatte sich an Marys Körper geklammert wie an eine Rettungsboje, um seine Orientierung im Raum nicht zu verlieren und sich nicht in diesem Nichts aufzulösen, das ihn so anzog…

Er hatte das noch nie erlebt.

Doch er wollte es wieder erleben. Und sich vielleicht noch

weiter hinauswagen, als er es getan hatte, sich noch mehr in die sublime Gefahr begeben, Marys Geliebter zu sein …

Das Wassergeräusch hatte seit einigen Sekunden aufgehört. Mary summte leise eine Melodie vor sich hin, die er nicht kannte. In ihrer Stimme lag heitere Freude, die gleichsam unzerstörbar schien.

»Freude braucht keinen Grund«, hatte sie ihm gesagt, als die Nacht sich ihrem Ende zuneigte und sie langsam einschlummerten …

Je länger er an der Seite dieser völlig veränderten Frau lebte, desto mehr wuchs in Greg der Wunsch zu verstehen, und es war sogar mehr als das: Er wollte teilhaben. Er wollte sich ihr auf dieser Verstehensebene anschließen, wo alles nurmehr mit Zustimmung und Liebe aufgenommen werden konnte.

Und dann wieder losgelassen werden konnte.

Unter all den Dingen, die ihn an Mary verblüfften, war da vor allem ihre Art, nichts festzuhalten. Es war, als akzeptiere sie, sich von jedem Augenblick, den sie erlebte, anrühren zu lassen und kein Gefühl daran zu hindern, durch ihren Blick und ihre Züge hindurchzugleiten. Doch wenn das Gefühl weg war, blieb nichts davon zurück. Sie lachte plötzlich laut auf, und im nächsten Moment war das Lachen völlig verschwunden und tiefster Ernst an seine Stelle getreten. Und auch dieser ging durch sie hindurch und verschwand dann wieder … Ihr Gesicht war von einer unendlichen Wandlungsfähigkeit, und ihr Körper reagierte geradezu spürbar auf Menschen und Dinge. Wenn er Mary so sah, wurde Greg bewusst, wie sehr er sich selbst stets bemüßigt fühlte, sein Gesicht und seinen Körper in Haltungen erstarren zu lassen, die nichts Wahres ausdrückten, sondern nur dazu dienten, anderen etwas vorzuführen, das sie genau einordnen konnten und das sie beruhigte. So verhielten sich alle. Niemand erlaubte es seinem Körper, sich dem Strom der Gefühle zu öffnen. Es waren verschlossene, angespannte, entsagende Körper, die nichts weiter konnten als sich zu verstellen und den anderen eine den Umständen angepasste Abfolge von Masken zu bieten …

Mary kam aus der Dusche.

Greg sah sie an. Auch diese Nacht hatten sie nicht wirklich miteinander gesprochen. Er spürte, dass es Zeit dafür war. Er brauchte Worte.

»Mary...«

»Ja.«

»Ich möchte gerne verstehen, was mit dir passiert ist.«

Sie atmete tief ein.

»Ich glaube«, sagte sie, »es ist das, was man in den Religionen als Erweckung bezeichnet... Als Vollendung...«

»Du bist... vollendet!«

Die junge Frau lachte laut auf.

»Nein! Ich glaube nicht... Weißt du, wir sind alle eins. Die Menschheit ist eins. Keiner kann behaupten, ›vollendet‹ zu sein, so lange alle anderen es nicht auch sind. Ich bin nicht vollendet. Aber... ich habe erkannt. Ich bin in der Wirklichkeit. Vollkommen... Und das ist wunderbar...«

Marys Blick war grenzenlos offen.

»Aber weißt du«, fuhr sie fort, »es ist auch so normal und natürlich... es ist die eigentliche Natur der Dinge. Es ist, als hätte ich immer nur in einem Dämmerzustand gelebt und mich für eine andere gehalten, als hätte ich Konstrukte, die nur meinem Selbstschutz dienten, auf die Welt und auf die anderen projiziert... Jetzt ist all das verschwunden. Und alles ist einfach und schön, alles ist eins. Weil es... ›mich‹ nicht mehr gibt.«

»Aber du bist doch hier...«

»Ich weiß nicht... Da sind Empfindungen und Gefühle, die kommen und gehen...«

Mary sah ihn noch eindringlicher an.

»Da ist ein sehr gut aussehender Mann, der vor mir sitzt«, fuhr sie fort, »da ist mein Herz, das schlägt, und da ist ein Gefühl der Freude...«

»Du hast ›mir‹ gesagt«, machte Greg sie aufmerksam, »und ›mein‹ Herz...«

»Du hast Recht! Aber es gibt halt in unserer kümmerlichen

Sprache keine Worte, mit denen man etwas ausdrücken könnte, das dieser Erfahrung gleichkommt... Wenn ich ›ich‹ sage... dann ist das nicht mein früheres Ich. Es ist wie eine Leere – wie soll ich es nur beschreiben? –, eine Art wohl wollende Leere, wie wenn man respektvoll zur Seite tritt, um jemandem Platz zu machen... Eine Leere, die alle Dinge zulässt, eine bezeugende Leere...«

»Das verstehe ich nicht...«

Mary brach in Lachen aus.

»Du wirst es verstehen, mein Schatz! Denn ich werde mich um deinen Fall kümmern; vertrau mir, und du wirst alles begreifen!«

Sie wurde wieder ernst: »Du bist nicht weit davon entfernt, weißt du...«

»Was meinst du mit ›bezeugender Leere‹?«

Mary erhob sich und begann zu tanzen, ohne auf seine Frage zu antworten. Greg merkte, wie die Angst der vorangegangenen Tage wieder in ihm aufstieg. Sie war doch nicht etwa verrückt geworden? Sie tanzte schweigend und mit geschlossenen Augen, als lausche sie einer Musik in ihrem Inneren, völlig losgelöst und der Bewegung hingegeben. Dann blieb sie stehen.

»Hast du jetzt verstanden?«

Greg grinste.

»Ich glaube, du überschätzt mich, mein Liebling.«

Mary sah ihn mit einem belustigten Funkeln in den Augen zärtlich an.

»Ich glaube, du unterschätzt dich, mein Herz! Weil du noch ein wenig Angst hast...«

Greg schlug die Augen nieder. Er wusste nicht, was er antworten sollte. Dann spürte er Marys Arm um seine Schulter. Sie hatte sich neben ihn aufs Bett gesetzt.

»Greg, verzeih mir... Ich weiß, es ist sehr schwer für dich, mich so verändert vorzufinden... Ich muss besser aufpassen...«

»Was willst du damit sagen?«

»Ich bin noch... wie erschlagen von dieser Veränderung, diesem Anderssein... zwischen dem, was Mary vorher war und dem, was sie jetzt ist… Und ich möchte so gerne, dass du wieder zu mir findest! Doch das ist noch ein Rest der alten Mary.«

Greg sah ihr in die Augen.

»Dann ist die alte Mary also nicht gänzlich verschwunden?«

Mary zog ihn an sich.

»Sie ist dabei zu verschwinden! Doch ich spüre, dass noch ein paar Automatismen übrig geblieben sind… Ein bisschen wie bei einem Ventilator, dessen Motor ausgefallen ist. Das Flügelrad dreht sich indes noch weiter, und zwar wegen des Trägheitsmoments…

Doch schließlich wird auch dieses unweigerlich stehen bleiben…«

»Aber ich habe sie geliebt, die alte Mary…«

»Nicht doch! Die alte Mary… hat es nie gegeben! Du hast die wirkliche Mary vor dir. Es ist nur alles verschwunden, was sie daran gehindert hat, zu lieben… sich hinzugeben! Die Illusion, jemand zu sein…«

»Dann bist du also niemand?«

Mary schwieg. Greg kam sich vor wie ein kleines Kind, das Erwachsene Dinge fragt, die über seinen Verstand gehen. Er hatte das Gefühl, nichts zu verstehen, und gleichzeitig sagte ihm eine innere Stimme, dass alles wirklich so war. Dass Mary… wirklich war.

»Was hast du gemeint, als du von der Leere gesprochen hast?«

»Es gibt nichts mehr, was sich widersetzt… Alles ist offen, alles wird angenommen… Alles wird zugelassen.«

Mary hob einen Arm.

»Schau«, fuhr sie fort, »diese Bewegung kann ich machen, weil der Raum um mich herum leer ist… Und weil um meinen Arm herum diese Leere besteht, kann er sich frei bewegen.«

Sie bewegte ihren Arm und ihre Hand mit weichen, harmonischen Gesten in alle Richtungen. Greg war ein wenig schwindlig. Er suchte nach seinen Gedanken, doch sie flohen wie Silberfischchen, sobald er sie fassen wollte.

»Das Problem ist«, begann Mary von neuem, »dass wir alle

voll sind! Voll von uns selbst... Alles ist dicht und kompakt und schwer, und wir finden das normal... Wir nennen das... Ich! Und nichts ist mehr frei, weder frei zu erscheinen noch zu verschwinden, noch zu tanzen... Es gibt keinen Platz mehr. So sind wir alle, so war ich auch... Und daran leiden wir so sehr! Daran kranken wir!«

»Und du bist geheilt?«

»Ja. Es gibt kein Ich mehr; es gibt nur eine Leere, in der sich alles frei entfalten kann. In der alles frei ist. In der alles Freude ist.«

»Und du, bist du frei?«

»Ich...«

In Marys Blick lag ein tiefer, fast erschreckender Ernst.

»Keiner ist hier, um ›frei zu sein‹... Aber Mary ist ein freier Raum, in dem das Leben mit seinen Formen spielen kann... Und das ist wunderschön!«

Dann schwieg sie. Greg lauschte ihrem Schweigen.

Er war ein wenig traurig. In einem dunklen Winkel seines Inneren flüsterte ihm eine Stimme leise zu, dass er Mary verloren habe. Die Mary, die er gekannt und geliebt hatte, gab es nicht mehr... Eine andere Person war an ihre Stelle getreten, eine andere Frau, und es war, als sei diese Frau... zu groß für ihn. Seine Gefährtin von früher hatte die gleichen Empfindungen wie er, sie konnte unter Krisen leiden und schlecht gelaunt sein... Doch nun schien Mary über alldem zu schweben und sich in Sphären zu bewegen, die ihm nicht zugänglich waren.

Mary ergriff seine Hand.

»Ich liebe dich, Greg.«

Greg beugte sich zu ihr und küsste sie ganz leicht auf die Lippen.

»Ich liebe dich auch, obwohl es dich nicht mehr gibt... Lass Professor Barkwell nicht warten!«

»Du hast Recht«, sagte Mary und stand auf.

Sie fuhr sich schnell mit der Bürste durch die Haare, dann ging sie aus dem Zimmer.

Greg streckte sich auf dem Bett aus.

Er musste den Vormittag mit Peter und Rosenqvist verbringen, um sich über die laufenden Forschungen informieren zu lassen. Doch bis dahin hatte er noch etwas Zeit.

Mary hingegen wurde um halb neun vom Team für Infektionskrankheiten erwartet. Sie musste eine Reihe von Untersuchungen über sich ergehen lassen, durch die herausgefunden werden sollte, warum sie sich im Krankenhaus von Fort Detrick nicht angesteckt hatte.

»Sie werden nichts finden«, hatte sie versichert.

Mary war überzeugt, dass ihre Immunität nicht auf organischen Ursachen beruhte. Doch worauf dann? Sie schien zu glauben, dass sie mit ihrer neuen Gemütsverfassung zusammenhing. Mit ihrer Erweckung. Aber welche Verbindung sah sie zwischen einem Wandel, der zweifellos spektakulär, jedoch psychologischer Art war, und einem rein körperlichen Phänomen wie einer Virenimmunität?

Dazu hatte sie lediglich den rätselhaften Satz geäußert: »Ich befinde mich nicht im Krieg.«

Was hatte sie damit gemeint?

Seit sie sich wiedergefunden hatten, war es so oft unmöglich, Mary zu verstehen, ihr Verhalten und ihre Worte zu deuten...

Trotzdem spürte Greg, wie ein neues Gefühl in ihm an Stärke gewann: Er akzeptierte es, sie nicht zu verstehen.

Früher war alles, was er an Mary nicht verstand, eine Quelle der Angst für ihn gewesen. Oft hatte er ihr Fragen gestellt über ihre innere Suche und zum Sinn all der Übungen, denen sie sich widmete: Meditation, Mantras, taoistische Gymnastik... Er beobachtete sie gern insgeheim, wenn sie sich ihren rätselhaften Ritualen hingab, ihren Geheimnissen als Frau, halb Fee und halb Hexe... Es war etwas Wildes in ihr, eine Kraft, die keine Bildung und Kultur je würden bändigen können. Greg war fasziniert.

Doch er hatte auch Angst.

Mary war eine Fremde. Und wenn er versuchte, sie zu verstehen, so geschah dies letztlich, um sie zu besitzen.

Doch angesichts der bei ihr eingetretenen Veränderungen war nun jeder Versuch, sie in irgendeiner Weise einzuengen, so offenkundig zum Scheitern verurteilt, dass er davon absah.

Mary war ein Geheimnis.

Und das war gut so. Denn auch Greg war dem Geheimnis begegnet. Vor kurzem erst, als er im Koma lag.

Natürlich war diese Erfahrung schon wieder verblasst, die Erinnerung nur noch vage. Selbst die Worte, die er niedergeschrieben hatte, schienen sinnentleert, so fremd war das, was er erlebt hatte, jeder Sprache und jedem Gedanken.

Doch etwas blieb.

Greg hatte verstanden, dass alles ein Geheimnis ist.

Das Leben ...

Mary ...

Er selbst.

Und seither war er stark genug, das zu akzeptieren.

Wenn er Mary nun Fragen stellte, so nicht mehr, um sie zu besitzen, sondern um sie zu begleiten. Um mit ihr neue Länder und unbekannte Gegenden zu besuchen. Um in sich selbst neue Lebensräume zu entdecken, die er bis dahin nur ahnen konnte und auf die ihn Mary nun durch ihre schiere Intensität hinwies.

Greg hatte sich verändert.

Noch inmitten der Tragödie, als seine ganze Welt in sich zusammenbrach und ihm ein Bezugspunkt nach dem anderen abhanden kam, begann er zu ahnen, dass das Leben ein Abenteuer ist, schön und voller Sinn.

Und er war entschlossen, dieses Abenteuer auf sich zu nehmen.

Bosman saß an seinem Schreibtisch, den Kopf zwischen den Händen, und dachte nach. Seit dem Vortag und dem überstürzten Aufbruch von Fort Detrick hatte er Merritt nicht mehr gesehen. Er wusste nicht, was in dessen Kopf vorging, und das machte ihm zu schaffen. Es schien ihm, als regle der General seit Beginn der Krise alles auf seine Weise und als gebe er nur das absolut notwendige Minimum an Informationen weiter, um jeden seiner Untergebenen bestmöglich manipulieren zu können. Und zu Zwecken, die nur ihm bekannt waren.

Es war nun klar, dass Merritt mindestens ein weiteres Wissenschaftlerteam rekrutiert hatte, das die Phänomene untersuchen und konkrete Maßnahmen ergreifen sollte. Dazu gehörte die Realisierung jenes ungeheuren Bunkers unter dem Weißen Haus, dessen Bestimmung offensichtlich darin bestand, seine Insassen vor allen Gefahren zu schützen, die ein Menschenleben verkürzen und zu einem gewaltsamen Tod führen konnten. Eigentlich hatte Merritt nur alle bereits seit Jahren vorhandenen Einrichtungen zum Schutz vor Erdbeben und atomarer Strahlung ausbauen lassen. Doch die kleinen Ergänzungen, die er anregte, waren spektakulär. Vor allem das ausgeklügelte Dekontaminierungssystem, durch das sich alle vor Betreten des Bunkers hatten durchschleusen lassen müssen …

Sie waren, von Hinweisschildern geleitet, einer nach dem anderen durch eine lange Reihe von Räumen mit gefliesten Wänden gegangen. Jeder Raum war mit einem anderen Desinfektionssystem ausgestattet. Zuerst hatten sie ihre Kleidung ablegen und diese in eine Art Waschmaschine stecken müssen, die jedoch die besondere Eigenart hatte, die Textilien in ein Häufchen Asche zu verwandeln. Dann waren sie nackt durch ein Dampfbad geschritten, dessen abstoßender Geruch in den Lungen brannte. Danach hatten sie ein Fußbad machen und sich unter eine Dusche stellen müssen, aus der eine zähe Flüssigkeit rann, bei der es sich offenbar um irgendeine alkalische Lösung handelte. (Es wurde davor gewarnt, Augen oder Schleimhäute mit ihr in Berührung zu bringen.)

Daraufhin waren sie eine Treppe hinuntergestiegen, die in einem Becken mit gräulichem Wasser endete, und mussten, den Vorschriften entsprechend, mit geöffneten Augen durch einen unter Wasser liegenden Stollen schwimmen, der in den nächsten Raum führte. Dort erhielten sie die Anweisung, die Augen zu schließen, um etwaiger Erblindungsgefahr vorzubeugen. Gut fünf

Minuten lang wurden sie mit Strahlen beschossen, die beim Durchdringen des Körpers eine Art Schüttelfrost hervorriefen.

Es folgten mehrere Duschen mit verschiedenen, übel riechenden Flüssigkeiten. Wer auf diese Scherze verfallen war, hatte offensichtlich keine Zeit gehabt, sie mit Duftstoffen zu versetzen. Dann kamen zwei weitere Bäder, in denen man ganz untertauchen musste, sowie zwei medizinische Untersuchungen durch zwei gleichermaßen unsympathische Ärzte, die sie je eine Phiole voll bunter Pillen schlucken ließen.

Zu guter Letzt erwartete ihn die grinsende Visage des Generals, der auf seine Reaktion zu lauern schien. Bosman hatte nicht mit der Wimper gezuckt. Der General hatte ihn beiseite genommen und sich ganz nahe zu seinem Gesicht gebeugt. Sein Atem roch nach Zigarren und Gin.

»Sehen Sie, mein Freund«, hatte er gesagt, »der menschliche Körper ist die ekelhafteste Sache auf der Welt. Er wimmelt von Millionen und Abermillionen Parasiten und widerlichen kleinen Tierchen. Pfui! So hatten unsere Wissenschaftler ein amüsantes Problem zu lösen: Wie sollte man all das abtöten, ohne gleich den ganzen Kerl dabei umzubringen? Faszinierend! Offensichtlich haben sie eine Lösung gefunden ...«

Dann hatte er hinzugefügt: »Ich muss Ihnen etwas gestehen, mein Lieber. Seit dieser kleinen Reinigungsaktion fühle ich mich besser. Sauberer. Leichter! Sie nicht?«

Merritt hatte sich umgedreht.

»Hygiene, Colonel ... Hygiene ...«

Bosman hätte sich am liebsten übergeben.

Leichter ... Besser hätte es der Alte gar nicht ausdrücken können. Als Bosman sich zwei Tage später wog, sah er, dass er zwei Kilo abgenommen hatte. Doubletour hatte ihm erklärt, dass sich ein Zehntel des Trockengewichts eines menschlichen Organismus aus Bakterien zusammensetze. Manche davon seien überlebensnotwenig, hatte er ergänzt. Der Ökologe schien der Richtigkeit der ganzen Aktion mehr als skeptisch gegenüberzustehen und war äußerst beunruhigt bezüglich der Langzeitfolgen ...

Wo steuerte der General hin? Wusste er es überhaupt selbst?

Bosman schloss die Augen.

Der Mann war ihm ein Rätsel. Der tragische, kriminelle Fehler, für den er verantwortlich war, hatte nicht dazu geführt, dass er seine bärbeißige Selbstherrlichkeit aufgab. Wie konnte er seiner selbst noch so sicher sein? Und welcher unbegreifliche Zauber bewirkte, dass er noch nicht in Ungnade gefallen war?

Er hatte nach wie vor großen Einfluss auf den Präsidenten, vielleicht mehr denn je. Dabei war Harton ein intelligenter Mann... ein Mann, der in der Vergangenheit geistige Unabhängigkeit und sogar eine gewisse Form von Mut gezeigt hatte...

Plötzlich ging Bosman ein Licht auf: Eben weil Merritt seiner selbst so sicher war, folgte der Präsident seinem Rat. Denn Merritt war der Einzige, der diese Selbstsicherheit an den Tag legte. Harton musste, kraft seines Amtes, handeln. Doch in diesem apokalyptischen Szenario wusste er, wie alle anderen, weder ein noch aus. Merritt hingegen zweifelte nie. Auf die Frage, was zu tun sei, hatte er immer eine Antwort.

Eine Lösung.

Die er mit solchem Nachdruck präsentierte, dass man das Gefühl hatte, das Problem existiere gar nicht mehr. Da war es dann nicht so wichtig, ob die Lösung ins Verderben führte. Denn die Situation war so ernst, dass nichts mehr die Katastrophe verschlimmern zu können schien.

Und Merritt beruhigte seine Umgebung.

Denn er hatte stets noch eine Rückzugsmöglichkeit in petto. Eine weitere Lösung.

Wie diesen Bunker.

Der vorerst allen, die sich in seinen Mauern aufhielten, das Leben gerettet hatte.

Bisher war der General immer einen Zug voraus gewesen. Und er verbarg seine Strategie sorgfältig.

Der Colonel hielt sich den Kopf mit den Händen.

Wer arbeitete unter Merritts Befehl? Wer waren die Personen, die den Bunker und dessen Technologie konzipiert hatten? Gab es irgendwo Leute, die mehr über die laufenden Ereignisse wussten als seine eigenen Forscherteams?

Bosman konnte im Augenblick überhaupt nichts abschätzen. Doch da war etwas Neues in seinem Inneren. Energie. Kraft. Er spürte verworren, dass es vielleicht einen Sinn haben könnte, wenn der Zufall, das Schicksal oder die Vorsehung ihn zu einer Zeit, die so entscheidend für die menschliche Zukunft war, dort sein ließen, wo er gerade war; zumindest konnte er selbst versuchen, dem Ganzen einen Sinn zu geben.

Vorausgesetzt, er hatte keine Angst zu leben.

James Bosman hatte General Merritt die Stirn geboten. Im Hubschrauber, als es um Gregs Frau ging. Er wusste selbst nicht, weshalb er sich für diese Frau eingesetzt hatte. Er hatte keinen Grund dazu gehabt. Doch der Entschluss war an einem Ort in seinem Inneren geboren worden, der tiefer lag als alle Vernunftgründe. Und es war, als habe etwas in ihm losgelassen. Eine hartnäckige Hand, die seinen Magen umklammert und ihm seine Kraft an der Wurzel abgedrückt hatte.

Die Hand war verschwunden.

Um vierzehn Uhr sollten sich alle im Oval Office II einfinden. Der Präsident, Merritt und die Wissenschaftler. Bosman war entschlossen, das Geschehen aufmerksam zu beobachten. Würde er zu etwas nutze sein können? Er wusste es nicht. Doch er war entschlossen, nichts mehr hinzunehmen. Und, wenn nötig, auf die Ereignisse Einfluss zu nehmen.

Koste es, was es wolle.

51

Washington, im Untergeschoss des Weißen Hauses, Oval Office II

Aimé Doubletour fuhr ein weiteres Mal mit der Hand unter den scheußlichen Kunstfaser-Overall, den man ihm an Stelle seiner eigenen Kleidung gegeben hatte, und kratzte wütend an dem, was von seiner Haut noch übrig war. Ganz offensichtlich bekam er eine Allergie! Wie sollte auch jemand, der bei einigermaßen guter Gesundheit war, keine Reaktion auf die wahnwitzige Behandlung hin entwickeln, zu der man sie bei ihrer Ankunft im Bunker gezwungen hatte? Eine methodische Zerstörung des inneren Milieus im menschlichen Organismus! Diese Idioten, die sich für Wissenschaftler hielten, hatten nicht die geringste Ahnung von der Physis eines Lebewesens. Sie hatten nicht die geringste Ahnung, wie lebensnotwendig es für einen etwas komplexeren Organismus war, mit Milliarden anderer Lebewesen zu kooperieren. Sie glaubten, einen Menschen von allem befreien zu können, was in seinem Körper lebte, jedoch nicht menschlich war, ohne dafür bezahlen zu müssen... Natürlich waren die Körper dieser Leute bereits so verseucht und nach jahrelangen Ernährungssünden aller Art so abgestumpft, dass sie nicht einmal mehr in Realzeit reagierten. Für sie bestand keine Gefahr, dass sie an diesem fürchterlichen Juckreiz leiden würden, den nur ein winterliches Bad im eisigen Wasser des Simcoe-Sees hätte lindern können! Sie fühlten sich alle sichtlich wohl, wie sie da um den großen ovalen Tisch herum saßen; nicht das kleinste Anzeichen auch nur der geringsten Reaktion ihrer degenerierten Körper... Sie hielten für Gesundheit, was nichts anderes war als mangelnde Empfindlichkeit und die Unfähigkeit ihres Körpers, Zeichen zu geben! Doch sie würden schon noch sehen. Denn ihre Politik einer allgemeinen Betäubung bewirkte nur einen zeitlichen Aufschub der unausweichlichen Folgen, die dann umso schrecklicher sein würden…

Aimé fühlte, dass Blicke auf ihm ruhten. Die beiden Assistenten Barkwells starrten ihn an, desgleichen ein Berater des Präsidenten. Schert euch doch alle zum Teufel, dachte er. Den Dicken, der sich da am anderen Ende des Tisches kratzt, den könnt ihr am Arsch lecken!

In diesem Moment tauchten die Umrisse einer Frau auf, die den Raum betrat. Sie bewegte sich geschmeidig und flink. Aimé merkte, wie eine Welle durch seinen ganzen Körper und über seine langen kastanienbraunen Haare lief. Sie sah gut aus, so viel stand fest. Der grünliche Overall, der ihnen allen verpasst worden war, schien nur zu dem Zweck entworfen worden zu sein, dass man ihre sanften Formen genau erahnen konnte. Sie setzte sich ihm gegenüber zwischen Bosman und einen Forscher für Tierverhaltensforschung, sofern er sich recht erinnerte. Wer war diese Frau? Eine Forscherin? Sie hatte so einen Ausdruck… intelligent, aber von einer Intelligenz, die so weit in das Wesen der Dinge vorgedrungen war, dass sie Verzweiflung und Zynismus hinter sich gelassen hatte und sich in stille Freude verwandelt hatte…

Aimé wurde bewusst, dass er die Frau seit mehreren Sekunden etwas zu beharrlich beobachtete. Er wollte gerade die Augen abwenden, als sie den Blick auf ihn richtete.

Ihm schien, als würde dieser Blick plötzlich einen unermesslichen Raum in seinem Inneren öffnen. Er atmete tiefer und ruhiger, als habe er unvermittelt eine enorme Last abgeworfen, die er auf seinem Rücken getragen hatte, ohne es gemerkt zu haben. Es war ein köstliches Gefühl.

Die junge Frau ihm gegenüber wirkte belustigt. Aimé hätte am liebsten gelacht. Dann zuckte er zusammen. Eine Stimme hatte gesprochen.

In seinem Kopf.

Sie hatte die Lippen nicht bewegt. Außerdem sah sie ihn auch nicht mehr an. Die Besprechung hatte begonnen.

Doch er hatte eine Stimme gehört, die nur die ihre sein konnte. Eine Stimme in leichtem, liebevollem Ton, voll freudigem Humor. Doch auch streng. Unerbittlich. Eine Stimme, die dem Blick ähnelte, den sie auf ihn geworfen hatte.

Eine Stimme, die ihm eine einfache Frage stellte: Wurdest du schon von einer Frau erkannt?

Dieser alte General war faszinierend. Sein Gesicht schien einem rätselhaften, doch unabwendbaren Prozess unterworfen zu sein ... einem Prozess der Verfinsterung. Jedes Mal, wenn Greg ihn sah, schien General Merritts Gesicht noch mehr von Düsternis umflort zu sein, als habe es die merkwürdige Eigenschaft, Schatten abzusondern. Seine tief in den Höhlen liegenden Augen entzogen sich dem Blick des Betrachters. Und was noch merkwürdiger anmutete: Sein Mund war zwischen tiefen Fleischfalten verborgen, so dass man dessen Ausdruck nicht erkennen konnte. Wenn Merritt sprach, war keinerlei Lippenbewegung zu sehen, und der Ton schien aus einem Lautsprecher irgendwo in seinem Körperinneren zu kommen. Wenn er nicht sprach, wusste man nicht, ob er das Gesicht verzog oder lächelte.

Im Moment hatte er nach ein paar einleitenden Bemerkungen Professor Barkwell das Wort erteilt, dem die Aufgabe zufiel, den Präsidenten über den neuesten Stand der Ergebnisse und Erkenntnisse zu informieren.

Der Präsident hörte zu, wobei das verbindliche Lächeln, das er gewöhnlich aufsetzte, nach und nach dahinschwand. Seine Mundwinkel verzogen sich zitternd, und sein Unterkiefer sackte leicht nach unten. Dann fasste er sich wieder und runzelte die Stirn.

»Wenn ich Sie richtig verstehe, dann sagen Sie mir soeben, dass sie den Zusammenhang zwischen all diesen Phänomenen entdeckt haben ... Und dass es darum geht, den Menschen auszuschalten. Dass die gesamte Natur darauf abzielt, uns loszuwerden!«

»Mr President«, antwortete Barkwell, »das sind lediglich Hypothesen, an denen, offen gestanden, nichts Wissenschaftliches ist… und die nicht zu beweisen sind… Aber…«

Der Präsident unterbrach ihn schroff: »›Nicht zu beweisen‹!… Glauben Sie nicht, dass wir etwas bräuchten, das ein bisschen konkreter ist?«

Er schlug mit der Faust auf den Tisch.

»Meine Herren, haben Sie denn überhaupt eine Vorstellung von dem, was sich draußen an der Oberfläche abspielt? Während Sie hier auf Staatskosten schön sicher im Warmen sitzen und mit Ihren großartigen Ideen geistige Selbstbefriedigung betreiben, sterben dort draußen Menschen, haben Sie das etwa vergessen? Der Staat hat die Lage nicht mehr unter Kontrolle; es gibt keine Polizei, keine Behörden und keine organisierten Rettungsdienste mehr!… Seuchen überall! Erdbeben überall! Millionen von Amerikanern, Frauen und Kindern, die wie wilde Tiere leben und sterben! Und die gesamte Menschheit überall auf der Erde steht vor dem Untergang! Ich frage Sie also, meine Herren Experten, was ich konkret tun kann. Konkret, verstehen Sie!«

General Merritts Stimme erhob sich mit ungewöhnlicher Sanftheit: »Mr President, wir haben noch Aktionsmöglichkeiten, das wissen Sie. Wir haben Teams, die… funktionsfähiger sind. Wir werden sie zum vereinbarten Zeitpunkt zu Rate ziehen. Doch im Augenblick ist es, wie ich finde, nicht uninteressant, den hier versammelten Herren zuzuhören. Um etwas klarer zu sehen. Um so viel wie möglich zu verstehen. Um besser reagieren zu können.«

Der Präsident wirkte plötzlich ruhig. Es war, als hätten sich ganz plötzlich dunkle Ringe um seine Augen gebildet, die auf seine Müdigkeit hinwiesen..

»Sie also auch, Merritt«, entgegnete er mit schwacher Stimme, »Sie denken genauso wie sie?«

Der Mund des Generals verzog sich zu etwas, das ein Lächeln sein mochte. Greg hatte einen Moment lang sogar den Eindruck, seine Zähne blitzen zu sehen.

»Ich denke noch gar nichts, Mr President«, sagte er in scheinheiligem Tonfall. »Ich glaube nur, man sollte sich alle Standpunkte anhören ...«

»Dann hören wir also«, murmelte der Präsident. »Hören wir ... Die Natur will die Menschheit zerstören ... Das ist es, oder? Kann mir das jemand erklären?«

Niemand schien das Wort ergreifen zu wollen. Doubletour räusperte sich.

»Mr President, ganz so ist es nicht ... Wir müssen versuchen, einen wissenschaftlichen Standpunkt einzunehmen.«

Greg hörte, wie Peter neben ihm hämisch lachte.

»Zunächst«, fuhr Doubletour fort, »müssen wir uns den Tatsachen beugen. Die neuen Phänomene, die die Erde seit mehreren Wochen erschüttern, haben ein gemeinsames Ziel: den Menschen. Die Viren befallen nur Menschen. Die Erdbeben treten hauptsächlich in besiedelten Gebieten auf. Die Tiere greifen Menschen an. Die Pflanzen, die giftig werden, sind von Menschen angebaute, zur Ernährung des Menschen bestimmte Kulturpflanzen ... Das sind die Fakten.«

»Die Natur greift den Menschen an – ist es das, worauf Sie hinauswollen?«

»Nicht ganz, Mr President. Wenn man das Phänomen verstehen will, muss man sehr auf die Wortwahl achten. Die Natur hat weder Absichten noch einen Willen. Es handelt sich lediglich um Gesetze, die zur Anwendung kommen.«

»Du meine Güte, welche Gesetze denn?«

»Ich werde es Ihnen mit ganz einfachen Worten erklären: Wir wissen inzwischen, dass das große Gesetz des Lebens und seiner Entwicklung nicht, wie man noch vor ein paar Jahrzehnten glaubte, auf Wettbewerb beruht.«

»Dabei dachte ich, dass Darwin ...«

»Mr President, Darwin hat auf einen Mechanismus aufmerksam gemacht, nämlich den der natürlichen Auslese. Selbstverständlich gibt es den, doch Darwin hat ihn viel zu stark verallgemeinert. Wir wissen inzwischen, dass man die Evolution nicht mit diesem Prinzip erklären kann.«

»Wie dann?«

»Mit einem anderen Prinzip: dem der Kooperation.«

»Wie bitte?«, entfuhr es Merritt.

Doubletour schenkte dem General ein strahlendes Lächeln.

»Aber ja, General! Die Lebewesen in der Natur gehen ständig Bündnisse miteinander ein. Auch Sie selbst verdanken, ohne es zu wissen, die Tatsache, dass sie am Leben sind, der Kooperation, die zwischen Ihnen und Millionen anderer Lebewesen besteht!«

»Was meinen Sie damit?«, knurrte der alte Militarist.

»Ich werde Ihnen ein paar Beispiele nennen. Unter den unzähligen Tabletten, die man Ihnen vorher zu schlucken gab, befand sich auch eine mit Vitamin K. Dieses ermöglicht das Gerinnen des Bluts. Nun, vor der widersinnigen Behandlung, der wir uns auf Ihr Geheiß hin vor Betreten des Bunkers unterziehen mussten, bestand für Sie keinerlei Veranlassung, dieses Vitamin einzunehmen. Und wissen Sie, warum? Weil auf den Schleimhäuten Ihres Darms Millionen kugelförmiger Bakterien saßen, die es produzierten! Als Gegenleistung ernähren Sie diese Bakterien! Desgleichen brauchen Sie und ich, um leben zu können, eine bestimmte Menge Stickstoff, den wir uns aus den Pflanzen holen, die wir verzehren. Und diese Pflanzen wiederum könnten keinen Stickstoff assimilieren, wenn sich nicht Millionen von Bakterien an ihren Wurzeln befänden, die so das Überleben der Pflanzen sichern – und das unsrige!«

Der alte General runzelte mit weiterhin finsterem Gesicht die Stirn.

»Ich werde Ihnen ein Beispiel nennen, das Sie noch mehr erstaunen wird«, fuhr Doubletour, zunehmend erregter, fort. »Haben Sie gewusst, dass sich im Inneren all Ihrer Zellen eine Art winziger Taschen befindet, die man als Mitochondrien bezeichnet und die etwas ganz Besonderes sind? ... Sie haben ihre eigene, von der Wirtszelle unabhängige DNS und ihren eigenen Fortpflanzungsmodus ... Mit einem Wort, sie verhalten sich wie ein Fremdkörper innerhalb der Wirtszelle. Nun, ohne diese ganz speziellen ›Immigranten‹ könnten Sie nicht leben, General – genauso wenig wie ich oder irgendeine Pflanze oder irgendein Tier! Denn die Mitochondrien, und nur sie, können Sauerstoff in Energie umwandeln!«

»Ja und?«, brummte Merritt. »Ihr kleiner Biologiekurs scheint mir wenig angebracht, um ...«

»Warten Sie!«, schnitt Doubletour ihm in höchster Erregung das Wort ab. »Wir wissen, dass die Mitochondrien in unseren Zellen in Wirklichkeit ... Bakterien sind! Oder besser gesagt, vor Hunderten von Jahrmillionen haben Abkömmlinge von Bakterien damit begonnen, in Symbiose mit anderen Mikroorganismen zu leben, bis sie schließlich nurmehr einen einzigen Organismus bildeten. So sind unsere Zellen entstanden! Und so ging die Evolution vonstatten, bis hin zu uns! Organismen gehen eine Verbindung miteinander ein und arbeiten immer enger zusammen, bis sie schließlich zu einem einzigen Organismus werden ... Und wir ...«

Doubletour hielt inne. Er hatte es geschafft. Alle hingen an seinen Lippen. Er zog sein Taschentuch heraus und wischte sich die Stirn ab.

»Wir ... wir sind das erstaunliche Produkt von Millionen symbiotischer Verbindungen, die so harmonisch waren, dass sie sich irgendwann ganz stabilisieren und schließlich ein jeweils neues und immer komplexeres Lebewesen hervorbringen konnten ... Bis hin zu uns ... Wir verkörpern gewissermaßen die Geschichte dessen, was lebt ... die gesamte Erdgeschichte.«

Doubletour hatte die letzten Worte in einem Atemzug ausgesprochen. Sein Blick schien nach innen gewandt, als sehe er eine Reihe von Bildern, die nur er kannte.

»Bedenken Sie, meine Herren«, fuhr er fort, »bedenken Sie ... die Zellen unserer Netzhaut stammen von einer einzelligen roten Alge ab, die man noch heute in südlichen Meeren findet ... Die Zellen unseres Halses und unserer Spermien sind Vettern einer wohl bekannten Mikrobengruppe ... Unsere Gehirnzellen gingen aus einer Bakteriengattung namens Spirochaeta hervor ... Lassen Sie uns noch weiter gehen! Das Protoplasma unserer Zellen hat dieselbe chemische Zusammensetzung wie die allerersten Ozeane... Und die kohlen- und sauerstoffreiche Zellumgebung unterscheidet sich in chemischer Hinsicht nicht von derjenigen der Erde zur Zeit des Ursprungs allen Lebens! Meine Herren... wir sind das Geschichtsbuch der Erde. Und deren Geschichte ist eine Geschichte von Bündnissen und Kooperationen... von intelligenten Verbindungen zwischen Lebensformen.«

Präsident Harton ergriff wieder das Wort.

»Mr Doubletour, das ist ja alles ganz wunderbar, aber ich sehe keinen rechten Zusammenhang mit der Tragödie, die wir gerade durchleben.«

»Aber verstehen Sie denn immer noch nicht?«, brauste Doubletour auf. »Gemeinschaft, so lautet das Gesetz des Lebens! Harmonie, so lautet das Gesetz des Lebens! Weil die Erde eine Einheit ist! Die Erde ist ein Lebewesen, ein riesiger Organismus, dessen Teile im Interesse des Ganzen miteinander kooperieren! Genauso, wie Ihre Milz mit Ihrem Darm und Ihr Fuß mit Ihrem Gehirn zusammenarbeitet, im Interesse des Ganzen, das Sie sind! Wissen Sie, dass die Luft, die Sie atmen, exakt 21 Prozent Sauerstoff enthält? Ein bisschen mehr, und die ganze Welt wäre nur noch ein einziges Flammenmeer! Ein bisschen weniger, und das Atmen wäre nicht möglich und damit keinerlei Form von Leben... Und was hält dieses Mengenverhältnis so wundersam aufrecht? Milliarden von Bakterien, die Methan an die Atmosphäre abgeben! Ohne diese Bakterien gäbe es auf der Erde kein Leben mehr! Und so wird jede Art von Gleichgewicht, das zum Leben notwendig ist, wie chemische Zusammensetzungen, die Lufttemperatur, der Salzgehalt der Meere und so weiter, vom Leben selbst aufrechterhalten und reguliert, und das gilt für den gesamten Planeten!«

Doubletour ließ seinen Blick über die Zuhörer schweifen.

»Die Erde, meine Herren, ist ein Lebewesen! Begreifen Sie das? Alles ist eins.«

Es folgte eine lange Pause. Greg war beeindruckt von den Ausführungen des Ökologen. Ihm war mehr oder weniger bekannt, was dieser gesagt hatte, oder zumindest hätte es ihm bekannt sein müssen, aber ... er hatte es sich nie auf diese Weise bewusst gemacht. Und plötzlich schien alles einen neuen Sinn zu bekommen. Greg fühlte, wie ihm ein Schauder den Rücken hinunterlief. Einen neuen Sinn, den er nicht voll und ganz begriff, der jedoch so etwas wie eine Vorahnung in ihm freisetzte. Ein Gefühl ... Ein namenloses Entsetzen.

Die Stimme des Präsidenten brach das Schweigen. Er sprach in müdem Tonfall: »Verzeihen Sie, meine Herren, aber ich sehe immer noch keinen Zusammenhang mit den gegenwärtigen Vorfällen.«

Doubletour sah ihn mit ungeheucheltem Erstaunen an. Dann holte er tief Luft und sprach, wobei er jedes Wort einzeln betonte: »Mr President, wenn in einem Organismus ein Teil nicht mehr mit dem Ganzen zusammenarbeitet, gefährdet es dessen Funktionieren und Überleben. Daraufhin setzt eine Immunreaktion ein: Das Ganze schützt sich vor dem Teil.«

»Gut, und dann?«, murmelte der Präsident mit einer gewissen Übellaunigkeit.

»Dann passiert etwas ganz Einfaches. Wir sind ein Teil der Erde. Aber wir arbeiten nicht mehr mit der Erde zusammen. Der Mensch vermehrt und entwickelt sich seinen Zielen gemäß, die jedoch nicht mehr die des Ganzen sind. Der Mensch vermehrt und entwickelt sich exakt so wie Krebszellen in einem Organismus: anarchisch und ohne in die Gesamtlogik eingebunden zu sein. Mr President, der Mensch ist das Krebsgeschwür der Erde.«

Barkwell ergriff das Wort. Seine Augen glänzten, als habe er Fieber: »Mr Doubletour, wollen Sie damit sagen, dass die gegenwärtige Tragödie eine ... Immunreaktion ist?«

Der Ökologe lächelte triumphierend.

»Durchaus! Eine Abwehrreaktion des Immunsystems! Die Erde befreit sich letztlich von einer Lebensform, die sie bedroht ...«

Greg hielt sich den Kopf mit beiden Händen. Doubletours Sicht baute zwar auf wissenschaftlichen Elementen auf, war jedoch nicht wissenschaftlich. Aber sie stellte zwischen den verschiedenen Vorfällen einen so überzeugenden Zusammenhang her, dass sie sich gleichsam als eine Tatsache aufzudrängen schien. Als eine erschreckende Tatsache.

»Aber Herrgott noch mal«, brüllte der Präsident, »was können wir denn nun *tun*?«

Der Ökologe verfiel in ein hämisches Lachen. Er schüttelte sich wie ein kleiner, von Schadenfreude aufgestachelter Dämon. Dann antwortete er endlich: »Nichts. Gar nichts, Mr President... Es ist zu spät...«

Er wirkte glücklich.

Der Typ ist verrückt, dachte Bosman, während er den Ökologen betrachtete.

Dieser hatte sich wieder gesetzt, wurde jedoch noch immer von einem stummen Lachen geschüttelt.

Er ist verrückt, so viel steht fest... Aber die Welt ist es auch! Und eine leise Stimme im Kopf des Colonels flüsterte eindringlich, dass der dicke Ökologe, wie verrückt er und seine Theorien auch immer sein mochten, womöglich der Einzige war, der etwas von der Sache begriffen hatte.

Eine Immunreaktion...

Wenn sich in einem Organismus Krebszellen entwickeln und dieser sich bedroht fühlt, produziert er Antikörper, die die Krebszellen angreifen. Es herrscht Krieg. Ein Krieg, an dessen Ende nur die Vernichtung der Krebszellen oder die Vernichtung des gesamten Organismus stehen konnte. Und damit auch die der Krebszellen!

»Es ist zu spät«, hatte Doubletour gesagt.

Wenn sich die Entwicklung des Menschen für die Erde mit einem Krebsgeschwür vergleichen ließ, war es in der Tat zu spät! Zu spät für den Menschen, der abgestoßen werden sollte...

Bosman konnte eine solche Vorstellung nicht akzeptieren. Doubletours Interpretation war faszinierend, beinahe überzeugend... ganz einfach deshalb, weil es keine andere gab! Der Ökologe war der Erste gewesen, der eine Gesamtsicht der Phänomene vorgetragen hatte. Und wie es oft bei Personen mit Symptomen von Verfolgungswahn der Fall ist, hatte er so etwas wie Charisma… Zuerst hörte man ihm einfach gern zu, dann glaubte man ihm. Bei dieser Art von Persönlichkeit musste man sehr auf der Hut sein.

Bosman blickte um sich.

Prescot, dessen Augen fiebrig glänzten, pfiff lautlos vor sich hin. Seine beiden Assistenten sprachen miteinander und kritzelten dabei hektisch auf Papierzetteln herum. Barkwell kaute an seinen Fingernägeln und nickte mechanisch mit dem Kopf. Greg hatte gedankenverloren die Augen gesenkt. Neben ihm saß seine Frau und beobachtete mit offenem Blick und bebenden Nasenflügeln die Anwesenden, als schnuppere sie die Atmosphäre. Ihr Blick kreuzte sich mit dem des Colonel; dieser wandte die Augen ab.

Wen hat Doubletour überzeugt?, fragte sich Bosman.

Der Präsident schluckte nervös ein paar Tabletten. Schweißperlen glänzten auf seiner Stirn. Mehrere Berater um ihn herum, die sich in dem vorgeschriebenen Schutzanzug sichtlich unwohl fühlten, schienen auf ein Zeichen des Präsidenten zu warten, um ihm zu Diensten zu stehen.

Doubletour lachte nicht mehr. Er sah mit irrem Blick auf seine Hände.

Merritt war die ganze Zeit über unbewegt geblieben. Er rauchte eine Zigarre. Anscheinend wartete er ab, um sich im geeigneten Moment einzuschalten. Er zumindest konnte nicht überzeugt sein.

Eine Stimme brach das Schweigen: »Meine Herren…«

Es war die des Präsidenten. Sein Blick war auf einen unsichtbaren Punkt weit jenseits der Grenzen des Raums gerichtet.

»Meine Herren«, fuhr er mit monotoner Stimme fort, »es ist mir unmöglich, an die Deutung zu glauben, die uns soeben dargelegt wurde. Unmöglich. Jetzt möchte ich Sie hören. Sagen Sie etwas. Bringen Sie etwas anderes vor. Erklären Sie mir, weshalb das, was soeben gesagt wurde, nicht stimmen kann.«

Präsident Hartons Blick schweifte durch den Raum und glitt

fragend über jeden der Wissenschaftler. Einer nach dem anderen schlug die Augen nieder. Barkwell entschloss sich, zu sprechen:

»Mr President, als Wissenschaftler kann ich nicht an das glauben, was soeben gesagt wurde. Aber als Wissenschaftler hätte ich auch nie geglaubt, dass das, was seit mehreren Wochen passiert, überhaupt möglich sein könnte. Und als Wissenschaftler habe ich keinerlei Alternative vorzubringen. Als Mensch hingegen ...«

Barkwell ließ einen Moment verstreichen.

»Als Mensch kann ich nicht umhin ...«

Der Forscher brach ab und senkte den Kopf. Da ertönte Peter Baslers Stimme: »Nun gut, ich als Mensch und Wissenschaftler finde, dass Mr Doubletours Hirngespinste eine Aneinanderreihung von Absurditäten sind, die noch dazu die tragische Begleiterscheinung haben, alle Handlungs- und Forschungsimpulse in uns zu lähmen! Und ich meinerseits kann mich nicht dazu entschließen, die Vernichtung der Gattung Mensch tatenlos hinzunehmen!«

Der Präsident klopfte mit der Faust auf den Tisch.

»Ein wahres Wort, Mr Basler! Was schlagen Sie vor?«

Baslers Mund stand offen, seine Augen waren aufgerissen. Dann krümmte sich allmählich sein Rücken.

»Mr President, im Moment habe ich nichts vorzuschlagen.«

»Herrgott noch mal, meine Herren«, brüllte der Präsident, »so sagen Sie doch etwas! Sollen wir uns wie Hunde verkriechen, während die Welt untergeht?«

Da war Merritts rauhe Stimme zu vernehmen: »Mr President, ich habe etwas vorzuschlagen.«

Der General wartete eine Weile, bis Schweigen einkehrte, als wolle er seinen Auftritt besser vorbereiten.

»Ich bin absolut überzeugt, dass Mr Doubletour Recht hat. Vollkommen Recht. Seine Sicht der Dinge entspricht in nichts dem, was ich zu wissen glaubte, doch sie hat mich vollkommen überzeugt.«

Die letzten Worte hallten in der Totenstille wider. Der Präsident murmelte kaum hörbar: »Sie also auch, Merritt ... Sie auch.«

»Ja, Mr President. Ich muss jedoch hinzufügen, dass es einen Punkt gibt, an dem ich unserem Freund ganz und gar nicht zustimme.«

Merritt setzte ein Kannibalenlächeln auf.

»Wenn er nämlich sagt, man könne nichts tun. Ich habe irgendwie das Gefühl, dass Mr Doubletour sozusagen dem anderen Lager angehört... Und dass er sich sogar ein bisschen über unsere angebliche Machtlosigkeit freut... Wir sind aber nicht machtlos.«

»Was können wir also tun?«

Der Präsident sprach in nahezu flehendem Ton. Merritt drehte sich behutsam zu ihm. Seine Augen glänzten.

»Krieg führen, Mr President. Krieg.«

52

Tagebuch von David Barnes, Dienstag, 1. Juli

Gestern Abend sind wir wieder nach Oraibi zurückgekehrt, und hier, wie in allen Hopi-Dörfern ringsum, herrschen ein Ernst und eine Besinnung, wie man sie sonst nirgendwo mehr findet.

Überall sonst ist alles in Auflösung begriffen; es herrschen Chaos und Angst. Kleine Gruppen von Menschen irren über die Straßen und bekriegen sich, töten unterschiedslos alle Tiere... und alle Menschen, denen sie begegnen, aus Angst vor Angriff, Ansteckung oder einfach nur, um sie auszurauben. Eine dieser Banden versuchte uns anzuhalten. Wir konnten ihnen entkommen, aber sie haben auf uns geschossen. Leslie meinte, dass sie es wahrscheinlich auf unser Benzin abgesehen hatten...

Wir fuhren durch Flagstaff. Die Stadt ist ein einziges Trümmerfeld. Dort hatte ein so heftiges Erdbeben stattgefunden, dass die Gebäude in der Innenstadt zu Staub zerfielen und die Erde aufriss. Binnen weniger Sekunden bildeten sich zwei tiefe, mehrere Meter breite Spalten, eine im Norden, die andere im Süden. Überall Tote und ein paar wenige verstörte Überlebende, denen auch nach zwei Tagen noch keinerlei Hilfe zugekommen war und die sich an unserem Auto festklammerten.

Wir sind einer Gruppe Navajo-Indianern begegnet, mit denen wir sprechen konnten. Sie kamen aus Phoenix, wo die Erde nicht gebebt hat, wo keine plötzliche Epidemie zugeschlagen hat und wo man die Rudel streunender Tiere in Schach hält. Aber dort verbreiten Privatmilizen, die die Stadt eingenommen haben, Angst und Schrecken und exekutieren im Schnellver-

fahren alle, die eine Gefahr darzustellen scheinen oder die einfach nur als Ventil dienen. Schwarze… Indianer… Und all jene, die der Hunger allmählich auf die Straßen treibt… in dem verzweifelten Versuch zu überleben, der zum Scheitern verurteilt ist, denn sie bekommen nichts von dem, was die Minderheit der Mächtigen in ihren Lagern gehortet hat.

Überall herrscht Krieg. Ein Krieg, in dem jeder gegen jeden kämpft.

Hier jedoch nicht.

»In Zeiten der Läuterung«, so hatte Lololma mir gesagt, »ruht das Schicksal der Welt auf wenigen Gruppen von Menschen, deren Herz verständig ist. Die Hopi sind kein Volk wie die anderen. Ich verlange nicht von dir, das zu glauben, hatte er hinzugefügt. Du wirst es sehen. Und vielleicht, wenn du es wünschst, selbst erleben.«

Dann lächelte er und legte mir die Hand auf die Schulter.

»Denn jetzt bist du einer der Unseren.«

Mir stiegen die Tränen in die Augen. Er drückte mich an sich. In diesem Augenblick war ich ein Kind. Ein kleiner Junge, der sich gern ab und zu an seinen Vater gekuschelt hätte, dies jedoch nicht konnte. Ein kleiner Junge, der eine Familie gefunden hatte.

Im Grunde wollte ich immer nur das. Doch ich wollte es so verzweifelt, dass ich diesen Wunsch aus meinem Bewusstsein verdrängte. Eine Familie… Einen Ort, wo man geliebt, verstanden, aufgenommen wurde, ohne dass irgendjemand Bedingungen stellte.

Ich glaube, es gibt nur sehr wenige solche Familien.

Doch die Hopi fühlen sich durch Bande vereint, die weit über die der Familie hinausgehen. Sie sind Brüder, weil sie sich über ihre fleischlichen Eltern hinaus als Söhne und Töchter einer göttlichen Mutter und eines göttlichen Vaters empfinden. Der Sonne und der Erde. Der Quellen des Lebens. Und die Hopi sind auch Brüder der Weißen und aller Menschen, die mit ihnen zusammen zur Menschheit gehören, sofern diese es wollen.

Das Wort Hopi bedeutet Frieden.

Der Gott meines Vaters war nichts als die Projektion seines Zorns auf das Leben. Diesen Gott habe ich abgelehnt. Das Volk meiner Mutter hat einen anderen Gott, zu dem ich gerne beten können würde.

Sie nennen ihn Taiowa, den unendlichen Geist.

Und seit über einem Monat beten sie Tag und Nacht zu ihm. In den Kivas lösen Männer und Frauen einander ab, damit immer jemand da ist.

Beten, meditieren. Das Leben preisen. Darin bestehe, so sagte mir Lololma, die Aufgabe des Hopi-Volks. Alle unsere Gesetze dienen nur dazu. Sie sind nicht wie die Gesetze der Weißen, die nur von deren Belieben abhängen und die sie ändern, wenn sie ihnen nicht mehr gefallen. Unsere Gesetze sind Lebensregeln. Sie spiegeln die Ordnung des Ganzen wider und erhalten die Harmonie zwischen uns und dem Ganzen aufrecht.

»Der Frieden«, so sagte mir mein Großvater, »ist die menschliche Seele, die sich ihrer Bindungen zum Ganzen bewusst ist. Wenn kein Mensch mehr dieses Bewusstsein hätte, weißt du, was dann passieren würde?«

Ich antwortete, ich wisse es nicht.

Er lachte.

»Dann würde die Welt verschwinden!

Aus diesem Grund«, fügte er hinzu, »beten und meditieren wir jetzt unablässig. Es sind die Tage der Läuterung. Diese Welt stirbt, weil sie aus dem Gleichgewicht geraten ist. Eine andere Welt kann entstehen. Doch dazu sind Wächter erforderlich. Das ist die Bestimmung des Hopi-Volks: zu wachen. Wahrscheinlich gibt es noch andere Menschen auf der Welt, die auch wachen. Sie sind dem Großen Geheimnis nahe. Sie sind die Wachposten. Wie wir und gemeinsam mit uns bereiten sie den Großen Übergang vor. Den Eintritt in die Fünfte Welt.«

Das ist es, was mein Großvater mir sagte.

In den Hopi-Mythen stellt sich die Geschichte der Erde als eine Abfolge von Entstehung und Zerstörung dar. In der Ersten

Welt, genannt Tokpela, lebt der Mensch im Glück, weil sein Herz dem Großen Geheimnis nahe ist. Er hört auf Taiowa. Doch eines Tages spricht ein Vogel zu ihm und redet ihm ein, dass er anders sei als die übrigen Lebewesen. So verliert der Mensch seine Demut, und der Schöpfer beschließt, der Ersten Welt ein Ende zu setzen. Er zerstört sie durch Feuer.

Die Zweite Welt heißt Tokpa. Dort lebt der Mensch im Überfluss, doch die Tiere misstrauen ihm und leben abseits von ihm. Eines Tages lässt sich der Mensch von der Gier übermannen. Er will immer mehr. Er begnügt sich nicht mehr mit den Gaben seines Schöpfers. Taiowa zerstört diese Welt durch Kälte.

Der Name der Dritten Welt lautet Kuz-Kurza. Die Menschen vermehren sich und breiten sich über die ganze Erde aus. Sie bauen riesige Städte und bringen eine mächtige Kultur hervor. Mit Hilfe von Maschinen können sie sogar durch die Luft fliegen. Sie erliegen der Versuchung der Macht. Eine Sintflut, die die ganze Erde bedeckt, setzt der Dritten Welt ein Ende.

Jedesmal überleben einige Auserwählte die Zerstörung, weil sie auch weiterhin auf das Große Geheimnis hören. Diese Auserwählten legen den Grundstein für die nächste Welt. Für die Hopi ist unsere Welt die Vierte. Sie ist ihrem Ende nahe. Der Mensch der Gegenwart hat seine Demut verloren und ist den Versuchungen der Gier und der Macht erlegen. Seinetwegen ist die Welt aus dem Gleichgewicht geraten. Und wieder muss es zu Tod und Neugeburt kommen.

Deshalb betet und meditiert das Hopi-Volk. Um die Verbindung zwischen der Menschheit und dem Unendlichen Geist aufrechtzuerhalten und das Kommen der Fünften Welt zu ermöglichen.

Vor mehr als zehn Jahren korrespondierte ich etliche Monate lang mit Professor Hapkovski, einem israelischen Wissenschaftler, der am Keen College in New Hampshire Religions- und Ideengeschichte lehrte... Ich hatte mich damals in die Hopi-Mythen vertieft. Offen gestanden studierte ich sie mit einer gewissen

Gleichgültigkeit, einer kühler Distanziertheit, die ich für Objektivität hielt... und die nichts anderes war als meine Art, mich selbst darüber hinwegzutäuschen, wie verzweifelt ich mir wünschte, zu diesem Volk zu gehören... Ich zog Vergleiche mit anderen Überlieferungen und versuchte, Übereinstimmungen zu finden.

Konnte es eine historische Grundlage für die Hopi-Geschichten geben? So lautete die Frage, die mich damals beschäftigte. Hapkovski verfügte über eine sagenhafte Bildung. Er glaubte nicht, dass hinter diesen Mythen irgendeine Realität steckte. Doch gleichzeitig lieferte er mir so prompt Fakten und Antworten, dass ich mich manchmal fragte, ob meine Fragen bei ihm nicht mehr Ratlosigkeit zurückließen, als er zugeben wollte...

Die Mythen meines Volks sind erstaunlich. Sie handeln von der Geschichte des Menschen und der Geschichte der Erde, und was sie erzählen, scheint im Wesentlichen ganz anders zu sein als das, was der Mensch der Gegenwart zu wissen glaubt. Doch in den Mythen werden sehr weit zurückliegende geologische Entwicklungen erwähnt, über die die Hopi keinesfalls Bescheid wissen konnten. So heißt es zum Beispiel, die Zweite Welt sei durch eine allumfassende Vereisung zerstört worden, nachdem die Erde über ihre Pole gekippt sei. Wie hätten die Hopi die Erinnerung an eine Eiszeit bewahren können, die ihren Höhepunkt vor fünfundzwanzigtausend Jahren erreichte?

Zudem ist in einer ihrer Überlieferungen präzisiert, dass die aus dem Gleichgewicht geratene Erde eine Zeit lang aufgehört habe, sich zu drehen. Nun konnte ich feststellen, dass in allen Regionen der Erde Mythen existieren, die eine kurzfristige Unterbrechung des Laufs von Sonne und Mond erwähnen, mit anderen Worten, eine Unterbrechung der Erdrotation.

Auf der Festplatte dieser Kiste müssen noch ein paar Beispiele gespeichert sein. Hier sind sie:

In Mexiko ist in den Annalen des Cuauhitlan die Rede von einer kosmischen Katastrophe, in deren Verlauf die Nacht viermal so lang war wie gewöhnlich.

Bei mehreren amerikanischen Indianerstämmen besagt die Legende, dass die Sonne eines Tages um mehrere Stufen in den Himmel zurückwich, um sich einem Kind zu entziehen, das versuchte, sie einzufangen, beziehungsweise (entsprechend der jeweiligen Version) einem Tier, das ihr Angst machte.

In Griechenland gibt es die Sage des Tyrannen von Argos: Atreus und Thyestes streiten um die Herrschaft über Argos; sie kommen überein, dass Atreus König sein solle, wenn die Sonne ihren Lauf umkehrt. Ovid schreibt: »Der Sonnenkönig Phoibos hielt in der Mitte seines Weges an und hieß die Jungen, die seinen Wagen zogen und die sich der Morgenröte gegenüber befanden, eine halbe Umdrehung zu machen.«

In China schrieb Haui-Nan-Tse im zweiten Jahrhundert: »Als der Herzog Lu-Yang Han bekriegte, ging die Sonne im Verlauf der Schlacht unter. Der Herzog schwang seine Lanze und gab der Sonne ein Zeichen. Auf seine Bitte hin machte sich die Sonne in umgekehrter Richtung wieder auf den Weg und zog durch drei Sonnenhäuser.«

Gleichlautend eine Passage aus dem indischen Mahabharata: »Über dem Schlachtfeld schien die Zeit in der Schwebe. Die Sonne bewegte sich nicht. All die Krieger sahen die beiden Männer in der Ferne miteinander sprechen. Später beteuerten sie, es habe nur einen Moment gedauert. Und doch sprach Krishna nach dem allgemeinen Zeitmaß über Stunden hinweg.«

Und die Bibel selbst! Sie berichtet über das berühmte Wunder Josuas. Dieser verfolgte die Könige von Kanaan und bat die Sonne und den Mond, stehen zu bleiben. Die Sonne unterbrach ihren Lauf über Gibeon, der Mond über dem Tal von Ajalon. Ergänzend steht im Text: »Die Sonne blieb also mitten am Himmel stehen, und ihr Untergang verzögerte sich, ungefähr einen Tag lang.«

Überraschend an diesem letzten Beispiel ist, dass Sonne und Mond gleichzeitig in ihrer Bewegung innehalten. Hätte so etwas von Menschen erfunden werden können, die zu jener Zeit überzeugt waren, dass diese Gestirne sich unabhängig vonein-

ander bewegten und jedes nach seinem eigenen Rhythmus um eine unbewegliche Erde kreiste?

Könnte man sich nicht ebenso gut vorstellen, dass die Geschichte von Josua, wenn auch gewiss auf romantisierte und infolge der mündlichen Überlieferung verzerrte Weise ein Phänomen schildert, das Menschen einer längst vergangenen Epoche tatsächlich erlebt haben?

Sollte es möglich sein, dass die Menschheit in ihren Mythen die Erinnerung an eine planetarische Katastrophe festgehalten hat? Dass die Erdrotation für einige Stunden aus- und dann wieder eingesetzt hatte, wodurch (das wird in den Mythen erwähnt) Stürme von unerhörter Heftigkeit und furchtbare Überschwemmungen ausgelöst wurden? Und dass mit dieser Naturkatastrophe ein Wegkippen der Erde über ihre Achse einherging, was wiederum dazu führte, dass bestimmte besiedelte Gebiete danach auf einem anderen Breitengrad lagen und vereisten?

Schließlich sind die Ursachen der großen Eiszeiten noch immer nicht wissenschaftlich geklärt …

Könnte es sein, dass dem, was mein Volk als den Übergang von der Zweiten zur Dritten Welt bezeichnet, reale Fakten zugrunde liegen?

Was das Ende der Dritten Welt betrifft, so beschreiben die Hopi es als gewaltige Sintflut, die die gesamte Erde verwüstete. Nun, auch hierzu gibt es in allen Regionen der Erde Überlieferungen, die erwähnen, wie das Land von Wasser überflutet wurde und wie dadurch ein Großteil des Menschengeschlechts unterging. Natürlich denkt man sogleich an die Bibel mit ihrer Geschichte von Noah. Doch der Sintflut-Mythos findet sich ebenso bei den Chinesen und den Ägyptern, in Indien, in skandinavischen Erzählungen, in Tibet, Polynesien und Australien … Und anderswo …

Die Hopi berichten zudem, diese Sintflut habe eine technisch weit fortgeschrittene Kultur vernichtet. Sie behaupten sogar, in dieser Kultur habe es eine Form von Luftfahrt gegeben und es seien fliegende Maschinen *gebaut worden …*

Sollte es möglich sein, dass vor Jahrtausenden eine Zivilisation existierte, die über bedeutende wissenschaftliche und technische Erkenntnisse verfügte und die dann durch eine weltweite Naturkatastrophe zerstört wurde, die alle ihre Spuren auslöschte – ein Ereignis, das in den Hopi-Legenden als Ende der Dritten Welt festgehalten ist?

Eine Kultur, die die Hopi Kuz-Kurza nennen: die Verlorene Welt…

Ich weiß absolut nichts darüber. Doch der Gedanke scheint mir weder verrückt noch völlig unwahrscheinlich. Hat es nicht gerade mal dreihundert fortschritts- und erfindungsreiche Jahre gedauert, bis eine hoch technisierte Kultur wie die unsrige entstand, die dazu in der Lage ist, den gesamten Planeten zu kolonisieren und dessen Erscheinungsbild radikal zu verändern? Die menschliche Spezies in ihrer jetzigen Form existiert seit mindestens vierzigtausend Jahren, wahrscheinlich noch länger… Könnte man sich nicht vorstellen, dass vor fünfzehn oder zwanzig Millionen Jahren entsprechend günstige historische Bedingungen es ermöglicht haben könnten, dass binnen einiger Jahrhunderte eine Kultur auftauchte, die der unsrigen vergleichbar ist?

Gerade stoße ich auf Unterlagen über die Sagen der griechischen Antike, die von Hesiod zusammengetragen wurden. Dort ist die Rede von vier Zeitaltern der Menschheit und vier Menschenrassen, die alle durch eine Katastrophe vernichtet wurden. Die dritte Rasse, die der Bronzezeit, wurde von Zeus durch eine Sintflut zerstört, als Strafe für die Schandtat des Prometheus, der der Menschheit das göttliche Feuer gebracht hatte, Symbol für Wissen und technisches Können…

Wie kann man da übersehen, dass zwischen den Überlieferungen der Hopi und den griechischen Sagen ein unglaublicher Zusammenhang besteht? So als würden sie von denselben Vorfällen sprechen, an die allein die Mythen die Erinnerung bewahrt haben?

Ich habe hier noch viele andere Dokumente vor Augen, z.B.

zu den Überlieferungen der Azteken, Mayas, Chinesen und Mazedonier, auf die ich nicht weiter eingehen will… Doch alle sprechen von der Geschichte der Erde und der Menschheit als einer Abfolge von Schöpfung und Zerstörung. Und alle schildern Naturkatastrophen, die nahezu die gesamte Menschheit vernichteten…

Überall auf der Welt erzählen uns die Mythen und Sagen dieselbe Geschichte. Sollte man sie dann also ernst nehmen? Oder handelt es sich bei ihnen nur um Produkte einer delirierenden Imagination? – Reine Hirngespinste, wie sie allen Völkern zu Eigen sind, die gewissermaßen noch in den Kinderschuhen stecken… Diese Auffassung vertreten die Weißen von der hohen Warte ihrer Fortschrittsidee aus, die es ihnen ermöglicht, sich als Endpunkt der gesamten Menschheitsgeschichte zu sehen… Aber wie soll man sich dann die unglaublichen Übereinstimmungen in den Überlieferungen von Völkern erklären, zwischen denen keinerlei Verbindung bestand und die keinerlei Kontakt miteinander hatten? Wie soll man sich die verblüffende Geschlossenheit menschlicher Mythenwelten erklären?

Und wie ist es zu erklären, dass all jene Mythen, Sagen und Legenden heute wieder eine erschreckende Aktualität zu bekommen scheinen?

Die Hopi stellen sich diese Fragen nicht. Für sie bedeutet Intelligenz nicht, nach dem Wie und Warum zu fragen. Für sie ist Intelligenz ein lauschendes Herz, ein aufmerksames Herz. Ihre Überlieferungen sprechen von der Geschichte des Menschen, und die Hopi verstehen diese zu deuten.

Und schon seit Menschengedenken haben sie diese Ereignisse erwartet.

Sie bereiten sich seit jeher darauf vor.

Ich verbrachte ein paar Stunden vor dem Fels der Prophezeiung, meditierte vor der gewaltigen steinernen Tafel, die sich, nicht weit von Oraibi, seit undenklichen Zeiten dort erhebt.

Mein Großvater hatte mir die merkwürdigen Zeichnungen

erklärt, die in den Stein gemeißelt sind. Sie zeigen zwei Wege, die der Menschheit offen stehen. Der eine ist der heilige Weg, der Weg in die Tiefe, symbolisiert durch einen alten Mann, der sich, auf einen Stock gestützt, zur fruchtbaren Erde niederbeugt. Der Alte ist der Mann, der das Wissen in sich trägt. Er weiß, was er der Erde schuldet. Er sagt ihr Dank, er singt den Gesang der Schöpfung, und im Gegenzug lässt ihm die Erde ihre Fruchtbarkeit zuteil werden.

Darüber ist ein anderer Weg dargestellt, der Weg an der Oberfläche, der Weg derer, die nicht mehr zu beten und zu meditieren verstehen. Er wird durch eine Reihe von fünf kleinen Männchen symbolisiert. Sie stehen auf einer Linie, die gleichsam im Raum hängt, abgeschnitten von den fruchtbaren Tiefen der Erde. Auf ihren Köpfen sitzen sonderbare kleine Hütchen; dies bedeutet, dass sie nicht mehr mit dem Himmel verbunden sind und die Worte des Schöpfers nicht mehr hören. Zudem sitzen ihre Köpfe nicht fest auf ihren Körpern, sondern schweben frei für sich mehrere Zentimeter darüber… Für die Hopi symbolisiert dieses Bild eine Menschheit, deren Intellekt allmächtig ist, jedoch nur Wesen hervorbringen kann, die von sich selbst abgetrennt sind und nur noch denken können. Wesen, die keinen Körper mehr haben, um das Leben auszukosten, und kein Herz mehr, um zu lieben. Wesen, die in ihrem Machtrausch vergessen haben, dass der Mensch dazu bestimmt ist, Himmel und Erde zu vereinen.

Der Weg an der Oberfläche verläuft in Zickzacklinien, die ins Leere führen. Es ist der Weg der Zerstörung. Wenn die Menschheit diesen Weg einschlägt, dann, so die Prophezeiung der Hopi, muss eine Läuterung eintreten.

Mein Großvater Lololma meint, dass die Tage der Läuterung angebrochen sind.

Alle Hopi glauben das.

53

Washington, im Untergeschoss des Weißen Hauses

James Bosman öffnete ein Auge und fuhr mit einem Ruck auf. Wie spät war es? Er schaltete das Licht ein. Acht Uhr. Er hatte eigentlich früher aufstehen wollen, jedoch erst spät in der Nacht Schlaf finden können und war dann am frühen Morgen in eine bleierne Benommenheit versunken, aus der er sich nur mühsam lösen konnte. Als sei sein Bewusstsein weit hinter seinen Augen und ganz tief in seinem Schädel in einem zähen Sud gefangen.

Herrgott noch mal, wach auf!

Und wozu, bitte schön?, fragte eine Stimme in seinem Kopf. Was soll Colonel Bosman heute schon zu tun haben? Keiner will etwas von ihm. Er hat keinerlei Einfluss mehr. Warum also nicht weiterschlafen?

Der Colonel ließ den Nacken wie eine Last auf sein dünnes Kopfkissen zurückfallen. Es stimmte. Inzwischen schien alles ohne ihn abzulaufen.

Merritt hielt sich nun an andere Teams, von denen er ihm kein Wort gesagt hatte. Bosman ahnte das schon seit einiger Zeit. Bei der Besprechung tags zuvor hatte der Alte es dann bestätigt.

»Wir haben funktionsfähigere Teams…«

Was das wohl heißen mochte?

Funktionsfähiger…

Und warum hatte sich der General so leicht von Doubletours Theorien überzeugen lassen? Zwischen den beiden Männern gab es weniger Gemeinsamkeiten als zwischen einer Languste und einem Eisbären. Sie sprachen nicht dieselbe Sprache. Sie lebten nicht in derselben Welt. Sie gehörten nicht derselben Spezies an…

Merritt …

Doubletour …

Bosman glitt in wohligen Dämmerschlaf. Die Welt konnte sich ohne ihn drehen … Und es tat so gut, sich einfach gehen zu lassen.

Als Colonel Bosman erwachte, zeigte sein Wecker zehn Uhr fünfzehn an. Er fühlte sich gut. Sein Kopf war klar. Er hatte verstanden.

Warum hatte General Merritt sich so schnell Doubletours Ideen angeschlossen?

Weil es die Einzigen waren, die ihm wieder einen Feind verschafften.

DRITTER TEIL

54

Washington, Kongresssaal im unterirdischen Bunker des Weißen Hauses, Montag, 7. Juli

Colonel Bosman gab sich Mühe, die Lider halb geschlossen zu halten und so seinem Gesicht einen Ausdruck souveräner Ruhe zu verleihen. Er zwang sich auch, die Kinnladen fest aufeinander zu pressen, damit sein Mund Sicherheit und Willensstärke ausdrückte. Aber seine Lippen neigten unwiderstehlich dazu, sich zu runden, und auch seine Augen, die sich so gern weiteten, gehorchten seinen Befehlen nicht.

Der riesige Kongresssaal vor ihm füllte sich. Bosman ließ seinen Blick über die Sitzreihen schweifen und versuchte, die Plätze zu zählen, auf denen jemand saß. Dieser Saal bietet Raum für mindestens tausend Personen, überlegte er.

Wieder einmal verstand er überhaupt nichts mehr. Doch General Merritt hatte ihn an einer Stelle platziert, wo der Colonel keinesfalls seine Ratlosigkeit zu erkennen geben wollte. Nämlich auf der Tribüne und zu seiner Rechten. Zwei Plätze vom Präsidenten entfernt. Und zusammen mit einem halben Dutzend weiterer Männer, die er nicht kannte und die beunruhigend wirkten.

Der Saal war bereits zu zwei Dritteln voll und füllte sich weiter. Bisweilen streiften ihn flüchtige Blicke. Woher mochten alle diese Leute kommen?

Der Bunker unter dem Weißen Haus war so konzipiert, dass er höchstens einige Dutzend Personen beherbergen konnte ... Nun waren es Hunderte, Männer und Frauen, doch in der Mehrzahl Männer. Bosman musterte die Anwesenden und suchte nach bekannten Gesichtern. Hinten im Saal saß ein dicker Mann ganz allein in einer Reihe und kratzte sich heftig. Er erkannte Doubletour. Merkwürdigerweise heiterte ihn das auf. Ein vertrautes Gesicht … In einer Welt, die ein boshaftes Vergnügen daran fand, ihm jeden Tag fremder zu werden, war das ein Trost für ihn, selbst wenn es sich um das Gesicht dieses komischen Typs handelte.

Dann sah er Greg an der Seite seiner Frau. In der Reihe vor dem Ökologen. Nicht weit davon Basler, Rosenqvist und Barkwell sowie deren Teams. Und Norman Prescot. Und neben ihnen ihre Familienangehörigen, oder zumindest diejenigen, die man hatte retten können.

Bosman atmete tief ein. Er hatte einige Augenblicke befürchtet, von allen, die ihm vertraut waren, abgesondert worden zu sein. Merritt hatte ihn um sechs Uhr morgens zu sich bestellt, in einen Raum des unterirdischen Bunkers, den Bosman nicht kannte. Er hatte ihm keinerlei Hinweise gegeben, wie er dort hinkam, und der Colonel hatte sich unzählige Male im Labyrinth der Gänge verlaufen, die nur von fahlen Notlampen erhellt wurden. Dann waren ihm drei Männer in Schutzanzügen begegnet, die sich merkwürdig ähnelten und ihm widersprüchliche Auskünfte gaben. Nach endlos scheinenden Minuten hatte er eine Tür aufgestoßen. Dort saß Merritt.

»Sie sind spät dran, Colonel.«

Er hatte nichts geantwortet, was den Alten zu befriedigen schien. Dieser hatte sich zu einer Art Armaturentafel umgedreht und einige Knöpfe daran betätigt.

Ein Stück Wand glitt lautlos zur Seite.

Dahinter befand sich ein Aufzug.

Bosman hatte verstanden, dass auch dieser nicht nach oben fuhr. Dass er nur für Fahrten nach unten diente. Und dass sein Vorgesetzter, dem satte Befriedigung ins Gesicht geschrieben stand, noch weitere Unsinnigkeiten für ihn bereithielt.

Der Aufzug war nach unten gefahren. Lange Zeit. Schnell. Wie tief unter der Erde mochten sie sich wohl befinden? Der Colonel hatte nicht die geringste Ahnung. Unter dem Weißen Haus befand sich ein strahlen-, erdbeben- und bakteriensicherer Bunker, der eine exakte Nachbildung der Räumlichkeiten im Westflügel, der wissenschaftlichen Spitzeneinrichtungen und einer Reihe von

Zimmern und Schlafsälen darstellte. Und unter diesem Bunker... Bosman entdeckte, dass es da noch einen weiteren, viel größeren gab, in dem sich äußerst geschäftig wirkende Personen aufhielten, die er noch nie gesehen hatte und die klare Ziele zu verfolgen schienen, von denen er überhaupt nichts wusste.

Dieser zweite Bunker beherbergte auch den riesigen Konferenzsaal, in dem sich inzwischen gut tausend Leute befanden.

Angesichts der auf ihn gerichteten Blicke bemühte sich der Colonel, aufrecht zu sitzen und so gelassen auszusehen wie jemand, der die Situation im Griff hat. Er kniff leicht die Augen zusammen und atmete tief durch. Doch dann wurde ihm schwindlig. Ein Gefühl der Übelkeit machte sich in seinem Gaumen breit, als es plötzlich stark nach Gin und abgestandenem Schweiß roch.

Das war Merritt, der sich über ihn beugte und dessen Mund beinahe sein linkes Ohr berührte. Die rauhe Stimme des Generals ließ Bosmans Trommelfell vibrieren: »Sie werden zusehen. Sie werden zuhören. Sie werden lernen.«

Mühsam dreht der Colonel den Kopf zu seinem Vorgesetzten, doch dieser hatte sich schon wieder abgewandt und blickte geradeaus. Dann klopfte der General mit dem Zeigefinger auf das vor ihm aufgestellte Mikrophon. Das hallende, leicht übersteuerte Geräusch schallte durch den Saal, und alle verstummten auf der Stelle. Bosman betrachtete den Tisch, vor dem er saß. Er war der Einzige von allen, die dort Platz genommen hatten, der kein Mikrophon vor sich hatte.

Merritt ergriff das Wort: »Mr President... Meine Damen und Herren... Ich danke Ihnen allen, dass Sie so pünktlich erschienen sind. Heute ist ein besonderer Tag. Ich bin der festen Überzeugung, dass die Historiker in einigen Jahrzehnten oder in einigen Jahrhunderten, wenn sie die tragischen Zeiten und die unglaublichen, tief greifenden Erschütterungen des menschlichen Lebens schildern, die wir gegenwärtig durchmachen, dass sie dann diesen Tag als den ersten eines neuen Zeitalters betrachten werden. Als Tag eins.«

Merritt sprach völlig frei und hatte seine Zuhörer schon jetzt gefesselt.

»In der Tat sind heute zum ersten Mal die Männer und Frauen in einem Raum versammelt, die aufgerufen sind, den Widerstandspol Nummer eins der Menschheit und deren Kommandozentrale im furchtbarsten Krieg zu bilden, den diese im Laufe ihrer Geschichte erleben musste. Ich habe keinen Zweifel, dass Sie sich alle unserer Mission bewusst und dass Sie entschlossen sind, alles zu geben, um diese zu erfüllen. Meine Damen und Herren, wir haben überlebt, und an uns entscheidet sich das Schicksal der Menschheit.«

Merritt senkte seine Stimme und ging mit dem Mund näher ans Mikrophon. Es war eine gut einstudierte Technik. Die Stimme, die nun den Saal erfüllte, war ernst, tief, kam aus seinem Inneren: »Und ich weiß, dass die Milliarden von Männern, Frauen und Kindern, die von uns gegangen sind, jetzt von irgendwoher auf uns blicken, auf uns, die wir das schreckliche Privileg genießen, sie überlebt zu haben; sie blicken auf uns und rufen uns zu: ›Haltet durch! Lasst nicht nach in eurer Wachsamkeit! Leistet Widerstand mit all euren Kräften, für uns, für künftige Generationen und für die Menschheit, die Gott schuf und der er die grandiose Aufgabe übertrug, sich die Erde untertan zu machen! Kämpft! Siegt!‹«

Im Saal brach ein heftiger Beifallssturm los. Einige schrien. In den ersten Reihen sah Bosman etliche Leute, denen Tränen übers Gesicht liefen. Die meisten dieser Männer und Frauen hatten fast ihre gesamte Familie verloren und oft den Ehemann, die Ehefrau oder die Kinder … Überlebende also … Bosman hatte keine Familie und keinen Freund zu beweinen, doch ihm schien, als verstehe er den Schmerz dieser Menschen und auch den Hass, der bisweilen ihre Züge verzerrte.

Merritt hob eine Hand.

»Danke. Danke im Namen der Menschheit, deren Wohl in unseren Händen liegt. Gestatten Sie mir zunächst, Sie einander vorzustellen. Sie kommen aus unterschiedlichen Lebensbereichen, und ich halte es für angebracht, dass Sie sich kennen lernen und miteinander vertraut machen. Und zu einem zusammengeschweißten Team werden... Wir müssen Brüder werden!«

Wieder brach Beifall los, aber Merritt wehrte ihn mit einer Handbewegung ab.

»Unter Ihnen sind zunächst all jene, die zu den Teams des Präsidenten gehören. Viele von Ihnen wissen nicht, dass wir uns unter dem Weißen Haus befinden. Über uns gibt es einen weiteren Bunker, der eine identische Nachbildung der wichtigsten Funktionseinrichtungen im Amtssitz des Präsidenten enthält. Dort wohnt Präsident Harton mit seinen militärischen und wissenschaftlichen Beratern und deren Teams. Ich möchte alle diese Personen nun bitten aufzustehen.«

Sogleich erhoben sich einige der Anwesenden; andere folgten ihnen. Rund hundert insgesamt. Diejenigen, die sitzen geblieben waren, begannen zu klatschen.

»Die große Mehrzahl von Ihnen«, fuhr Merritt fort, »kommt aus einem anderen Bunker, der sich unter dem Pentagon befindet. Es gibt ihn, wie den Bunker unter dem Weißen Haus, seit dreißig Jahren, und er wurde vor kurzem umgebaut, um ein Höchstmaß an Sicherheit zu garantieren. Im Unterschied zu dem anderen Bunker ist dieser viel größer. Man kann etwa tausend Personen darin unterbringen. Derzeit sind Sie genau neunhundertdreizehn. Dieser Bunker beherbergt Repliken aller strategischen Vorrichtungen, die im Fall einer nuklearen Zerstörung aller Einrichtungen draußen für das Überleben der Vereinigten Staaten wesentlich sind. Die Leute aus dem Pentagon haben heute schon unseren unterirdischen Pendelbus eingeweiht. Er kann zweihundert Personen befördern. Der unterirdische Tunnel, in dem er fährt und der erst seit drei Tagen fertig gestellt ist, wurde nach denselben Sicherheitsnormen konzipiert wie die beiden Bunker, die er miteinander verbindet. Außerdem gibt es eine Verbindung zwischen dem Ort, wo weiterhin die Entscheidungen getroffen werden, und dem Ort, an dem sie zur Ausführung kommen.«

Merritt machte eine Pause.

»Eine Verbindung zwischen Kopf und Körper…«, sprach er in leiserem Ton weiter, »… der neuen Menschheit.«

Der Saal begann erneut zu applaudieren, und diesmal ließ der General es zu. Er griff nach einem vor ihm stehenden Glas und füllte es aus einer Mineralwasserflasche. Bosman merkte, wie ihm ein sonderbarer Geruch in die Nase stieg, und fragte sich kurz, ob die durchsichtige Flüssigkeit, die in der Plastikflasche schimmerte, tatsächlich das war, was sie zu sein schien. Merritt stellte sein Glas wieder ab. Die Fleischmassen, aus denen sein Gesicht bestand, hatten sich leicht gerötet.

»Allen hier im Saal Anwesenden ist das Merkmal gemeinsam, dass sie Gegenstand eines äußerst strengen Ausleseverfahrens waren. Es ging darum, die Besten zu bekommen, zum einen auf allen strategischen Gebieten, zum anderen für Aufgaben in allen Einsatzbereichen. Sie sind die Besten. Die besten Forscher, die besten Ingenieure, die besten Arbeiter und die besten Soldaten. Seit mehreren Wochen haben wir den Ereignissen stetig vorgegriffen. Sehr früh schon haben wir die Möglichkeit ins Auge gefasst, dass uns der feindliche Angriff mit der Frage des Überlebens der Menschheit konfrontieren würde. Da war kein Platz für Sentimentalitäten. Meine Damen und Herren, wenn Sie überlebt haben, so deshalb, weil Sie von uns ausgewählt worden sind. Und dass wir Sie ausgewählt haben, bedeutet, dass Sie von Nutzen sein können.«

Der General schwieg. Die Gesichter waren ernst. Man spürte unerbittliche Entschlossenheit bei diesen Männern und Frauen, die Entschlossenheit, alles zu geben. Die Entschlossenheit derer, die alles verloren haben.

»Und Sie werden von Nutzen sein, das verspreche ich Ihnen. Denn das fürchterliche Debakel, das die Menschheit seit mehreren Wochen erlebt, bedeutet keineswegs, dass alles vorbei ist. Wir haben zwar eine Schlacht verloren, doch noch lange nicht den Krieg. In Wirklichkeit fängt der Krieg erst an! Meine Damen und Herren, wir haben einen Plan. Wir werden diesen Plan umsetzen. Und wir werden siegen! Denn die Intelligenz ist auf unserer Seite.

Das Wissen ist auf unserer Seite. Die Vernunft ist auf unserer Seite!«

Im Nu erhob sich der ganze Saal und wurde von anhaltendem, prasselndem Applaus erfüllt. Bosman wäre auch gerne aufgestanden, doch keiner auf dem Podium hatte das getan, und so begnügte er sich damit, mit den anderen zu klatschen. Nach geraumer Zeit hob Merritt die Hand. Das Klatschen hörte auf, und alle setzten sich wieder.

»Meine lieben Freunde«, fuhr er mit emotionsgeladener Stimme fort, »ehe ich Ihnen unseren Plan in groben Zügen umreiße, möchte ich Ihnen zunächst einen Zustandsbericht über die Lage draußen geben.«

Der General wartete einen Moment. In den Blicken lag Angst.

»Zunächst muss ich Ihnen sagen, dass es dort oben über unseren Köpfen kein Washington mehr gibt. Eine Seuche wütete fünf Tage lang in der Stadt. Gestern zerstörte ein Erdbeben der Stärke 8,8 drei Viertel der Gebäude vollständig. Zu dieser Stunde gibt es keine Überlebenden mehr. Unsere Hauptstadt war eine der letzten städtischen Bastionen, die noch standen. Ihr Fall ist eine schreckliche Nachricht. Doch wir waren darauf gefasst. Wir waren darauf vorbereitet. Und so traurig wir auch sind, glaube ich doch, diese Nachricht gibt auch Grund zu hoffen, gibt Grund zu glauben, dass am Ende die menschlichen Kräfte siegen werden. In der Tat... Meine Damen und Herren, das Erdbeben von Washington hat den Beweis erbracht, dass unsere Vorkehrungen absolut zuverlässig und wir geschützt sind. Die erdbebensicheren Einrichtungen haben sich bewährt: Wir haben nicht die geringste Erschütterung gespürt. Mag die Erde beben, mag sie in Stücke brechen – wir sind sicher. Unsere Technologie schützt uns. Wir können zum Gegenschlag ausholen.«

Der General füllte sein Glas erneut und leerte es in einem Zug. Dann entfuhr ihm ein langer, zufriedener Seufzer, der etwas von einem Röcheln hatte.

»Punkt zwei«, fuhr er sogleich fort. »Die weltweite Situation. Meine Damen und Herren, sie ist fürchterlich. Wir filmen über

Satellit in Realzeit, wie sich die Ereignisse entwickeln. Das ist im Moment alles, was wir tun können: die Katastrophe miterleben. Alle urbanen Zentren mit mehr als hunderttausend Einwohnern sind zerstört. Alle Ansiedlungen mit mehr als tausend Menschen werden infolge der Ausbreitung der Killerviren innerhalb von zwei bis drei Tagen dem Untergang geweiht sein. Unter diesen Bedingungen ist Überleben nur in isolierten Grüppchen möglich, und diese sind wilden Tieren ausgesetzt und können sich nur dann gefahrlos ernähren, wenn sie über Vorräte in Form von Konserven verfügen. Zur gegenwärtigen Stunde ist die amerikanische Bevölkerung wahrscheinlich zu neunundneunzig Prozent vernichtet. In zwei bis drei Wochen wird das Überleben oben der Ausnahmefall sein.«

Die Stille im Saal war unerträglich, bedrückend, beklemmend. Über einige Gesichter liefen Tränen, doch alle hatten die Kiefer zusammengebissen und zeigten nach wie vor dieselbe Entschlossenheit.

»In der übrigen Welt… Wir stehen über Satellit mit drei Hauptstädten in Verbindung, in denen unterirdische Verteidigungseinrichtungen zur Verfügung stehen: Paris, London und Peking. Wir können gegenwärtig nichts weiter tun, als Informationen auszutauschen. Vielleicht gibt es früher oder später Technologien… Doch ich habe wenig Hoffnung. Die Lage in Europa und China, wie auch sonst überall auf der Welt, entspricht der, die wir hier haben. Ein Überleben oben ist unmöglich. Nun fürchte ich sehr stark, dass die Bunker, in denen sich unsere Informanten aufhalten, nicht so sicher sind, dass sie langfristig das Überleben ihrer Bewohner garantieren. In den drei von mir genannten Städten ist die Situation ähnlich. Die dortigen Regierungen und der größte Teil ihres Generalstabs haben sich in strahlensichere unterirdische Schutzräume geflüchtet. Doch sie waren nicht so weitblickend wie wir und wussten sich nicht zu organisieren. Es stehen ihnen Nuklearwaffen zur Verfügung, jedoch keine wissenschaftlichen Einrichtungen. Und ihre Versorgung ist im Gegensatz zu der unsrigen nur so lange sichergestellt, wie ihre leicht verderblichen

Lebensmittel reichen. Zudem sind ihre Vorkehrungen zum Schutz vor Erdbeben unzureichend; die Bauten gerieten bei mehreren Stößen bereits stark ins Wanken. Sie werden nicht lange durchhalten. Ich fürchte, dass wir sehr bald die Letzten und Einzigen sein werden, die die Verantwortung für die Zukunft der Menschheit tragen.«

Merritt unterbrach sich erneut. Bosman hatte plötzlich das Gefühl zu ersticken, und wurde sich bewusst, dass er nicht mehr atmete. Er atmete tief durch. Für einen kurzen Moment fühlte er sich besser, doch plötzlich begann sich der Saal um ihn zu drehen. Er schloss für ein paar Sekunden die Augen. Weiße Flecken in allen möglichen Größen tanzten fröhlich im Schwarz seiner Pupillen. Unterhalb seines rechten Auges spürte er einen winzigen, punktgenauen Schmerz, der stärker und stärker wurde. Er hätte sich am liebsten hingelegt. Geschlafen. Sich lange ausgeruht, ausgeruht von dieser Wirklichkeit, die er sich in seinen schlimmsten Alpträumen nicht auszumalen gewagt hätte. Er öffnete die Augen wieder.

Links von ihm trank Merritt erneut.

Dann fuhr er mit seiner Rede fort.

»Ich weiß, dass jeder von uns diese gewaltige, überwältigende Verantwortung annimmt und zu tragen wissen wird, zu welchem Preis auch immer. Und jetzt möchte ich Ihnen von dem Plan erzählen.«

Der General senkte seine Hand auf eine vor ihm liegende Computertastatur und tippte etwas ein. Eine große weiße Projektionsfläche tauchte an der Wand auf. Die Lichter im Saal wurden langsam schwächer. Nach und nach erschienen Buchstaben auf der weißen Fläche:

Phase 1: Überleben.

Phase 2: Feuersturm.

Dann lag der Saal völlig im Dunkeln. Bosman hatte das eigenartige Gefühl, es sei plötzlich kälter geworden. Es gab nur noch diese Buchstaben auf der Projektionsfläche, die das Podium in ein fahles Licht tauchte. Dann ertönte Merritts Stimme:

»Phase 1: Überleben. Es geht um die Schaffung maximaler Sicherheitsbedingungen für die Menschheit und um ihr langfristiges Überleben. Zunächst jedoch geht es darum, uns vor allen Gefahren abzuschotten. Nun wissen Sie aber: Alles, was lebt, stellt eine Bedrohung dar. Daher ist völlige Isolierung erforderlich. Der Mensch muss also jeglichen Kontakt zu irgendeiner anderen Lebensform abbrechen. Das ist einfach, wenn es sich um Organismen auf unserer Stufe handelt. Die Schwierigkeit wächst in dem Maß, in dem die Größe des Feindes schrumpft. Im Falle von Mikroorganismen – Viren, Bakterien – erfordert diese Aufgabe Spitzentechnologien und deren absolut strikte Anwendung. So übergebe ich nun das Wort an Personen, die in der Lage sind, Ihnen fachspezifischere Erklärungen zu geben. Die Männer hier neben mir sind, mit Ausnahme von Colonel Bosman, der mir zur Hand geht, alles hochrangige Wissenschaftler, die ihre Karriere streng geheimen Forschungsarbeiten gewidmet haben. Zunächst Professor Clarke De Ville, Experte für bakteriologische Kriegführung.«

Ein Mann um die fünfzig mit gelblichem Teint und monotoner Stimme erläuterte nun sehr ausführlich die unterschiedlichen Techniken bakterieller Isolierung, welche die Bewohner des Bunkers vor jeglicher Form von Ansteckung schützen sollten. Bosman wurde klar, dass er, wie alle anderen auch, sich regelmäßig würde untersuchen lassen müssen, damit jeder Parameter seines Stoffwechsels kontrolliert werden konnte, und dass die infolge der Zerstörung von für das Überleben des Menschen wesentlichen Mikroorganismen zwangsläufig auftretenden Mangelerscheinungen durch die tägliche Einnahme ausgeklügelter chemischer Präparate ausgeglichen würden.

Das gedämpfte Gemurmel im Saal brach abrupt ab: Der Wissenschaftler hatte aufgehört zu sprechen. Bosman sah, wie sich das Gesicht des kleinen Mannes langsam vom Mikrophon entfernte und dessen Oberkörper allmählich in den Stuhl zurücksank. Der letzte Satz, den der Mann gesagt hatte, hallte noch in Bosmans Kopf wider: *So ist es uns also gelungen, Bedingungen für eine totale biologische Isolierung zu schaffen.*

Merritt ergriff wieder das Wort: »Ich kann mir vorstellen, was Sie sich jetzt fragen: Und wie steht es mit der Ernährung? Wir haben genügend Lebensmittel gelagert, um uns alle rund sechs Monate durchzubringen. Aber danach?«

Der General schien zu lächeln.

»Auch hier haben wir für alles vorgesorgt. Gestatten Sie mir, Ihnen ein paar Bilder zu zeigen.«

Merritt tippte auf seiner Tastatur. Auf der imaginären Leinwand sah man nun Bilder eines Films.

»Professor Damon Greenaway, Experte für Pflanzenbiologie, wird sie Ihnen kommentieren.«

Gewächshausartige Einrichtungen erstreckten sich, so weit das Auge reichte. Sie waren in grelles weißliches Licht getaucht, das ein wenig blendete... Seitlich davon bewegten sich Männer in schwarzen Schutzanzügen um eine riesige, mit Pflanzen bedeckte Plattform.

Greenaways Stimme erfüllte den Saal: »Das Problem, das wir hatten«, begann der Biologe mit leicht schleppendem Tonfall zu erklären, »bestand darin, dass eine völlige biologische Isolierung eine Unterbindung jeglichen Kontakts mit Erdreich impliziert, da Erdreich nicht steril ist. Es ist ein Reservoir für Keime und Schmutz aller Art. Somit war es völlig ausgeschlossen, für unsere Kulturen natürlichen Humus zu verwenden. Wir haben uns daher für eine Methode entschieden, die es uns erlaubt, das anzubauen, was wir möchten, ohne auf Erde zurückgreifen zu müssen. Die gesamte Vegetation, die Sie hier sehen, ist das, was man als Hydrokultur bezeichnet. Die perfekte Lösung: Man braucht keinen Humus! Die Pflanzen wurzeln in unbelebtem Material, das natürlich vollkommen keimfrei gemacht wurde. Jetzt fragen Sie sich sicher: Und wie ernähren sich diese Pflanzen?«

Bosman vermutete, dass der Typ nun selbstgefällig lächelte.

»Ganz einfach, ihre Wurzeln stecken in einer Nährflüssigkeit: in Wasser, das mit allen Nährstoffen angereichert ist, die die Pflanze benötigt, wie Stickstoff, Phosphor und Spurenelemente, speziell Eisen... Wir haben völlig unter Kontrolle, was die Pflanze aufnimmt und wieder abgibt. Kein einziges Molekül, kein einziges Atom dieser Pflanzen entgeht unserer Kontrolle. Darüber hinaus gibt es noch eine zusätzliche kleine Besonderheit. Diejenigen unter Ihnen, die sich mit Pflanzen auskennen, werden die Kulturen auf der Leinwand ohne Schwierigkeiten erkennen. Soja, oder?«

Der Biologe lachte kurz auf.

»Aber nein! Es ist keine Soja. Es ist Panis Nutriens, Nährbrot. Es ähnelt der Soja, ist aber genetisch nicht ganz genau Soja, weil wir ein paar kleine Veränderungen vorgenommen haben, indem wir drei Fremdgene in die Chromosomen der Sojapflanze implantierten. General Merritt hat mich gebeten, nicht zu fachspezifisch zu werden, daher fasse ich mich kurz. Diese Pflanze ist ein Lebensmittel, das nahezu das gesamte Nährstoffspektrum abdeckt. Ein Mensch, der jeden Tag eine bestimmte Menge davon zu sich nimmt, würde, auch wenn er nichts anderes äße, sämtliche Nährstoffe erhalten, die für sein Überleben und die Gesundheit seines Organismus erforderlich sind. Aus diesem Grund haben wir dieses kleine Wunder Nährbrot getauft. Und ich möchte Ihnen noch etwas anvertrauen …«

Er legte eine Pause ein, um mehr Effekt zu erzielen.

»Wir arbeiten an einer netten kleinen Manipulation, die sich dahingehend auswirken wird, dass diese Pflanze euphorisierende Eigenschaften haben wird. Nährbrot, das bedeutet Nahrung und, als Zugabe, Glück!«

Der Tonfall in der Stimme des Mannes verriet absolute Befriedigung und tiefe Freude darüber, dass er das war, was Bosman der Gipfel an Obszönität schien. Und der Schmerz, der seinen Schädel durchbohrte, war mit jeder Sekunde schwerer zu ertragen.

»Alles in allem«, schloss der Mann, »ist es uns gelungen, ein vollwertiges Nahrungsmittel herzustellen, das absolut risikofrei ist, da wir die gesamte Stoffwechselkette kontrollieren und keine spontane genetische Mutation uns entgehen kann.«

»Und ich füge hinzu«, ergänzte Merritt mit freudiger Bestimmtheit, »dass mir die Wahrscheinlichkeit einer derartigen spontanen

Mutation extrem gering, ja sogar gleich null zu sein scheint. Aus wohl fundierten Gründen: Wir glauben, dass eine Pflanze, die unter völlig sterilen Bedingungen angebaut wird, ohne dass irgendeine Verbindung zu anderen Formen von Leben besteht und ohne dass sie mit Erde in Berührung kommt, keinen Anlass zu Mutationen hat, die sich gegen den Menschen richten. Das ist wie bei einem Soldaten, der von seinen Truppen und seinem Kommando abgeschnitten ist: Er stellt keine Gefahr mehr dar. Die Pflanzen, die Sie hier sehen, sind keine Produkte der Erde. Sie sind Erzeugnisse des Menschen. Sie gehören dem Menschen.«

Der gesamte Saal begann ein weiteres Mal zu klatschen. Merritt hob die Hand, und es kehrte Ruhe ein.

»Sie sehen also, Phase 1 unseres Plans ist eine defensive Phase, eine Rückzugsphase. Es geht darum, die Menschheit vor allem zu schützen, was nicht menschlich ist. Und wir können heute sagen: Wir sind geschützt. In drei Monaten werden wir damit beginnen, die Nahrungsmittel, die wir auf der Basis von Panis Nutriens herstellen, an sie zu verteilen. Danach werden wir die beiden Schlüsselfaktoren für unser Überleben kombinieren: totale Isolierung und absolute Autonomie. Die Menschheit wird zum ersten Mal in ihrer Geschichte völlig autark sein.«

Merritt machte eine kurze Pause, um sein Glas leer zu trinken. Darauf näherte er sein Gesicht wieder dem Mikrophon.

»Dann«, ließ er sich vernehmen, jedes Wort einzeln betonend, »werden wir bereit sein für die offensive Phase unseres Plans. Für Phase 2: den Feuersturm.«

55

Washington, unterirdischer Bunker, Kongresssaal

In der Zuhörerschaft wurde Gemurmel laut: Soeben war der General wieder aufgetaucht, gefolgt von den Wissenschaftlern und Bosman. Alle nahmen ihre Plätze wieder ein. Eine unmerkliche Bewegung lief wie ein Fieber durch den Saal. Greg selbst spürte, wie seine Beine vor Ungeduld zuckten und wie die Nervosität seinen Darm reizte.

Der Feuersturm ...

Nachdem Merritt kurz auf die zweite Phase seines Plans zu sprechen gekommen war, hatte er eine Pause angeordnet. Das Podium hatte sich geleert. Die Pause hatte sich hingezogen. Die Leute um Greg und Mary herum waren unruhig und aufgeregt und durch die plötzliche Abwesenheit des Generals verunsichert. Die meisten von ihnen schienen bereit, auf der Stelle für ihn zu sterben, denn er hatte ihnen zu einem Zeitpunkt, als alles verloren schien, etwas gegeben, an das sie sich klammern konnten: Anlass zur Hoffnung.

Greg wusste nicht, was er denken sollte.

Mary, die neben ihm saß, verharrte seit Beginn der Sitzung so, als ginge sie all das, was sich hier abspielte, nichts an. Sie hatte nicht mit den anderen geklatscht, sie teilte deren Gefühle nicht. Einen Moment lang hatte Greg gemeint, Tränen in ihren Augen zu sehen.

Was mochte sie aus dem Plan dieser Männer heraushören, das sie so tieftraurig stimmte? Sah sie eine andere Lösung? Einen anderen Weg?

Sie schwieg einfach. Und dieses Schweigen stürzte Greg in die Abgründe des Zweifels und hinderte ihn daran, sich der heftigen

Begeisterung hinzugeben, die die anderen vereinte. Und der Hoffnung, diesem letzten Trost.

Und trotzdem ... Hatte nicht Merritt im Grunde die Situation viel früher begriffen als alle anderen? Ohne ihn wären zur gegenwärtigen Stunde wahrscheinlich alle Anwesenden tot ... Darunter auch er. Darunter auch Mary. War der Plan Merritts und seiner im Geheimen operierenden Männer nicht die einzige Chance für die Menschheit, langfristig zu überleben? Das Stimmengewirr, das den Saal erfüllte, hatte sich beim Wiedereintreffen des Generals gelegt. Er sprach erneut:

»Wir wollen uns nun, wenn es Ihnen recht ist, mit der offensiven Phase unseres Plans beschäftigen. Mit der Phase der Rückeroberung. Als wir mit örtlich begrenzten Epidemien konfrontiert wurden, haben wir uns einer Methode bedient, die ziemlich wirkungsvoll ist, zumindest, wenn man sie rechtzeitig anwendet: der Kauterisation. Wir haben der Öffentlichkeit nicht mitgeteilt, worin diese Methode besteht, doch es ist durchgesickert. Wohl auch, weil es sich um eine ganz einfache Technik handelt: eine Bombe mit einem Luft-Kraftstoff-Gemisch wird über dem betreffenden Gebiet abgeworfen. Bei der Explosion saugt sie allen Sauerstoff aus der Luft auf und verdampft das Ganze in einem Umkreis von zwei Kilometern. Dadurch wird alles Leben vernichtet, selbst Mikroorganismen. Nun ja, meine Damen und Herren, Phase 2 unseres Plans, die wir Feuersturm getauft haben, ist relativ einfach.«

Merritt machte eine kurze Pause.

»Wir werden«, sagte er dann langsam, »die Erde kauterisieren.«

Stille trat ein, die wie Blei auf der Versammlung lastete. Greg hatte Mühe zu atmen. Sein Blick richtete sich auf Bosman, der neben dem General saß. Es war ihm anzusehen, dass auch er hier zum ersten Mal vom Plan seines Vorgesetzten erfuhr, genauso wie alle anderen Anwesenden.

Die Erde kauterisieren ... Was das wohl bedeuten mochte?

»Natürlich«, fuhr der General fort, »ist das ein Vorgang, der technisch komplizierter ist als der, den ich Ihnen soeben beschrieben habe. Ich übergebe jetzt das Wort an Professor John Warson, Atomkriegsexperte.«

Ganz links auf dem Podium rückte ein großer Mann mit ausgemergeltem Gesicht seinen Stuhl näher an den Tisch heran. Leises Hüsteln hallte im Saal wider. Dann begann er mit neutraler, gleichgültiger Stimme zu sprechen.

»Meine Damen und Herren, es geht darum, zwei massive nukleare Angriffe in der Größenordnung von zehn- bis fünfzehntausend Megatonnen auszulösen, einen in der südlichen, den anderen in der nördlichen Hemisphäre. Wir verfügen hierfür über eine strengster Geheimhaltung unterliegende Technologie, die um ein Vielfaches effizienter ist als die atomare Schlagkraft, die unserem Land offiziell zur Verfügung steht. Es handelt sich um Plasmawaffen, das heißt um Bomben, die nicht mehr, wie die klassischen Atomwaffen, Interaktionsprozesse zwischen zwei Kernen auslösen, sondern Prozesse, bei denen eine große Zahl von Kernen aus hochkondensierter Materie im Spiel ist. Lassen Sie mich das etwas genauer erklären: Während eine ›normale‹ strategische Waffe eine Feuerkraft von zwischen einer und zehn Megatonnen entwickelt, sind es bei unserem kleinen Schmuckstück hier mehr als tausend Megatonnen. Die Bomben explodieren am Boden oder in unmittelbarer Bodennähe. All das ist nicht kompliziert. Wir haben die Mittel, es auf der Stelle zu tun. Es geht einfach nur darum zu berechnen, wie die Bomben auf optimale Weise abgeworfen werden können und welches der beste Ort dafür ist. Ich denke, dass wir in zwei bis drei Wochen so weit sind.«

Greg warf einen Blick auf Mary. Sie hatte die Augen geschlossen. Ihr Gesicht war völlig glatt und verriet nichts weiter als höchste Konzentration.

»Wir haben in einem Modellversuch die Folgen eines solchen Angriffs untersucht. Er löst zunächst Aufwinde von fünfhundert Stundenkilometern aus, die sich dahingehend auswirken, dass enorme Staubmassen etwa ein Dutzend Kilometer in die Höhe, also in die Stratosphäre, geschleudert werden. Die Staubmassen verteilen sich und hüllen die Erde schließlich vollständig ein. Die Folge davon ist ein beträchtlicher Rückgang der Helligkeit, etwa um den Faktor 400. Totale Nacht. Auf beiden Erdhälften.«

Auf dem Gesicht des Physikers erschien ein kurzes Lächeln, das gleich wieder verschwand. Sein Tonfall blieb monoton.

»Erste Folge dieser Verdunklung: die Photosynthese setzt aus. Für eineinhalb oder zwei Monate ... Das reicht völlig, um sämtliche Pflanzen abzutöten. Endgültig. Zweite Folge: Die atomare Nacht führt zu einem Temperatursturz. In einer Größenordnung von durchschnittlich 25° Celsius ... In kontinentalen Gebieten können es leicht 40° und mehr sein. Natürlich kann kein Tier unter solchen Bedingungen überleben. Zumal die Temperatur erst nach etwa zwei Monaten wieder ansteigt, und das nur ganz langsam. Somit gibt es auch keine Tiere mehr.«

Greg klammerte sich fester an seine Sitzlehne. Allmählich stieg ein Schwindelgefühl in ihm hoch, gegen das er gern angekämpft hätte.

»Bleiben noch«, fuhr der Wissenschaftler fort, »die Mikroorganismen. Die in der Tat die ernsthafteste Bedrohung für das langfristige Überleben der Menschheit darstellen. Die Operation Feuersturm erledigt auch dieses Problem! Zunächst ziehen die Explosionen aufgrund ihrer Stärke eine Versiegelung des Bodens über ausgedehnte Gebiete nach sich. Damit werden alle Mikroorganismen zerstört. Dann bewirkt das infolge der Atomexplosionen entstandene Atmosphärengemisch, dass ein erheblicher Prozentsatz der Bakterien in sehr große Höhen getragen wird, wo sie wiederum durch die ultraviolette Strahlung abgetötet werden. Und schließlich hat die gemeinsame Wirkung der Explosionen und der durch sie unweigerlich ausgelösten gewaltigen Brände zur Folge, dass beträchtliche Mengen Stickstoff in die Atmosphäre steigen. Und die Ozonschicht zerstören! Resultat: Die überlebenden Mikroorganismen wie auch das Plankton in den Ozeanen werden durch die ultraviolette Strahlung gänzlich zerstört!«

Der Redner warf sich in Siegerpose.

»In diesem Moment, meine Damen und Herren, werden wir definitiv jede Form von Leben auf unserem Planeten ausgerottet haben ... uns ausgenommen natürlich! Und jene Formen von Leben, die wir zu schaffen beschließen ...«

Alle im Saal schienen wie versteinert, als sei die Zeit stehen geblieben. Greg hatte das Gefühl, die Szene aus der Distanz zu erleben, in einer Blase aus Empfindungslosigkeit, die ihn von allen anderen isolierte. Dann flüsterte ihm eine Stimme etwas ins Ohr; es war Doubletours Stimme, der in der Reihe hinter ihm saß.

»... Wahnsinnige ... und inkompetent noch dazu ... ultraviolette Strahlung regt im Gegenteil den Gentransfer zwischen Bakterien an und ...«

Ein ohrenbetäubender Lärm ließ den Ökologen verstummen. Wie auf ein unsichtbares Zeichen hin hatte der ganze Saal zu klatschen begonnen und stieß Freudenschreie aus.

Die Menschen erhoben sich in Scharen. Der Applaus wurde noch stärker.

Mary hatte die Augen immer noch wie zum Gebet geschlossen und bewegte sich nicht.

Greg hätte gern mitgemacht und wäre am liebsten ebenfalls aufgestanden. Doch etwas hielt ihn zurück. Weitere Sekunden verstrichen. Das Geschrei hallte in seinem Kopf wider. Er und Mary waren die Einzigen, die sitzen blieben. Mehrere Leute drehten sich nach ihnen um.

Da ertönte abermals Merritts Stimme, und die Freudenschreie verstummten. Alle setzten sich wieder.

»Liebe Freunde, die Operation Feuersturm hat nur eins zum Ziel: die Erde draußen einfach zu einem Boden zu machen. Zu einem leblosen, völlig keimfreien Boden, auf dem eine neue Menschheit entstehen und sich entwickeln kann. Denn wenn der Krieg erst einmal vorbei ist, nach dem endgültigen Sieg des Menschen und seiner Fähigkeiten, wird eine weitere Phase beginnen: die der Rückeroberung! Für die Menschheit wird ein neues Zeitalter anbrechen, zu deren Gründervätern uns das Schicksal auserkoren hat. Und ich möchte diese Versammlung nicht beenden, ohne Ihnen kurz eine Vorstellung von jener Zukunft zu vermitteln, von der wir bereits träumen können und die wir begründen werden, sobald Gott uns den Sieg geschenkt hat!«

Der General trank ein paar Schlucke Wasser, wischte sich die Lippen mit dem Handrücken ab und fuhr mit seiner Rede fort.

»Ich erteile ein weiteres Mal einem herausragenden Wissenschaftler das Wort, Professor Gene Babbelmann, Experte für Gentechnologie, der Ihnen unseren langfristigen Plan kurz erläutern wird.«

Ganz rechts auf dem Podium erhob sich ein Mann undefinierbaren Alters mit dicken Brillengläsern auf der Nase.

»Meine Damen und Herren«, sagte er, »es dürfte Ihnen bekannt sein, dass wir alle hier, wie alle Menschen seit zig Tausenden von Jahren, ein und derselben Spezies angehören, nämlich der des *Homo sapiens sapiens*. Vor uns gab es andere menschliche Spezies. Einige davon sind unsere Vorfahren, andere unsere Vettern gewesen. *Homo erectus, Homo habilis, Homo neandertalensis*... Jede starb zu einem bestimmten Zeitpunkt ihrer Geschichte aus und machte Platz für eine bessere, das heißt besser angepasste Spezies. Wir, die Vertreter des *Homo sapiens sapiens*, gehören der bislang letzten an. Heißt das nun, dass wir die höchste menschliche Spezies sind? Sicher nicht!«

Er wurde von einem sonderbaren Lachen geschüttelt, das abrupt wieder abbrach.

»Der Übergang von einer Spezies zur nächsten vollzog sich bisher in der Tat auf, sagen wir ... natürliche Weise. Der Neanderthaler hat nicht beschlossen auszusterben und für immer von der Erdoberfläche zu verschwinden. Er war einfach dem Prozess unterworfen. Der *Homo sapiens sapiens* hat nicht beschlossen, der Fähigste zu sein und sich durchzusetzen. Aber heute... sieht die Sache anders aus...«

Durch das Mikrophon hallte wieder jenes kurze, sonderbare Lachen in den Saal, und Greg lief ein eisiger Schauder über den Rücken.

»Der *Homo sapiens sapiens*, dessen letzte Vertreter wir sind, hat heute einen solchen Grad an technologischer Leistungsfähigkeit erreicht, dass er alle Prozesse beherrscht, die zur Erschaffung eines neuen Menschen nötig sind. Ich bin daher in der Lage, Ihnen zu verkünden …«

Der über sein Mikrophon gebeugte Wissenschaftler schnalzte kurz mit der Zunge.

»Ich bin in der Lage, Ihnen zu verkünden, dass in den nächsten fünf Jahren eine neue Spezies Mensch auftauchen wird. Wir werden sie *Homo transgenicus* nennen.«

»Ich halte es für angebracht«, sagte General Merritt, »Ihnen nun eines der bestgehüteten Staatsgeheimnisse zu offenbaren, weil von jetzt an kein Grund mehr dafür besteht, dass es ein solches bleibt. Das amerikanische Verteidigungsministerium hat zur Zeit des Kalten Kriegs eine staatliche Behörde für die Entwicklung strategischer Technologien ins Leben gerufen, und ich hatte die Ehre, diese zehn Jahre lang zu leiten. Die Forscher, die hier auf diesem Podium sitzen sowie mehrere Dutzend der in diesem Saal unter Ihnen anwesenden Wissenschaftler sind Mitglieder der genannten Behörde. Zu uns gehörten Männer von allen amerikanischen Universitäten, deren Aufgabe darin bestand, die fähigsten Studenten ausfindig zu machen. Unser Budget war so großzügig bemessen, dass nur wenige unseren Argumenten widerstehen konnten. Wir gaben unseren Forschern eine professionelle Identität, die sie vor jedem Verdacht schützte. Selbst ihre Angehörigen sollten die wahre Natur ihrer Arbeit nicht ahnen. Diese bestand darin, unter höchster Geheimhaltung all jene Techniken zu entwickeln, die von strategischem Interesse waren oder es eines Tages sein konnten. Unsere Forscher verfügten über nahezu unbeschränkte finanzielle Mittel, die aus Geheimfonds stammten. Sie mussten niemandem Rechenschaft ablegen, was sie vor ethischen Skrupeln bewahrte und ihnen die schwerfälligen Anerkennungsverfahren ersparte, die im Bereich der offiziellen Forschung üblich sind. Das erklärt, weshalb wir dieser um zehn oder zwanzig Jahre voraus sind! Der unterirdische Bunker mit seinen erdbeben- und bakteriensicheren Einrichtungen ging direkt aus den Entdeckungen hervor, die im Rahmen dieser Behörde gemacht wurden. Ebenso die Erfindung des Nährbrots. Und die der Plasmawaffe. Und schließlich die genialen genetischen Entdeckungen, die Professor Babbelmann Ihnen erläutern wird.«

Der kleine Mann mit der riesigen Brille näherte seinen Mund wieder dem Mikrophon.

»Es handelt sich um die Modifikation menschlicher Keimzellen durch die Übertragung von Genen in das befruchtete Ei. So können wir das genetische Erbgut eines Individuums beliebig verändern, und ich sage bewusst: beliebig! Denn wir haben eine außerordentlich flexible Technik entwickelt. Sie besteht darin, dass einem Ei nicht Gene direkt eingepflanzt werden, sondern ein künstliches Chromosom. Warum das? Nun, dieses dient als Träger! In dieses Chromosom werden neue Gene transplantiert... und so besteht die Möglichkeit, an einem Individuum oder über mehrere Generationen hinweg unterschiedliche Veränderungen zu testen. Man baucht der DNS des künstlichen Chromosoms nur eine Sequenz zu entnehmen und sie durch ein neues Gen zu ersetzen. Und das so lange, bis das gewünschte Resultat erzielt ist.«

Die Lautsprecherboxen hallten ein weiteres Mal von jenem sonderbaren Auflachen wider, das in einem Gehüstel endete.

»*Homo transgenicus* ist die Spezies, die an unsere Stelle treten wird. Ein Mensch, der uns an Größe, Stärke und Intelligenz überlegen sein wird. Ein Mensch, der keine genetisch bedingten Krankheiten mehr haben wird... Weder Asthma noch Diabetes... noch Krebs! Ein Mensch, dessen Umfeld völlig frei von parasitären Mikroorganismen sein wird. Ein Mensch, dessen Alterung gesteuert und beträchtlich verlangsamt werden wird. Kurz und gut, ein Mensch, der dann sterben wird, wenn er sich dazu entschließt – mit hundertzwanzig oder hundertdreißig Jahren –, indem er einfach einschläft. Ein Mensch? Nein. Ein übermenschliches Wesen!«

Die Zuhörer stießen Beifallsrufe aus. Merritt ergriff wieder das Wort. »Meine lieben Freunde«, rief er mit lauter Stimme, »meine Freunde!«

Es wurde still.

»Meine lieben Freunde, wir können schon jetzt die Augen schließen und von der Welt von morgen träumen. In der Welt von morgen wird dem Menschen nichts mehr begegnen, was ihm fremd ist. Er wird überall zu Hause sein, er wird alles steuern, und er wird alles beherrschen! Kontrolle über die Geburt, Kontrolle über den Tod – wir werden wirklich alles unter Kontrolle haben und die Natur besitzen. Wenn wir um uns blicken, werden wir nichts sehen, was wir nicht selbst geschaffen haben. Der Mensch, Schöpfer aller Dinge ... Schöpfer seiner selbst! Der Mensch, Schöpfer des Menschen!«

Wieder erhoben sich die Anwesenden von ihren Sitzen, vereint in einer an Wahnsinn grenzenden Verzückung. Aus jeder Brust entrang sich ein Schrei, und alle Blicke waren auf Merritts unbewegliche Gestalt geheftet. Auch Greg wollte aufstehen. Mary saß immer noch teilnahmslos auf ihrem Stuhl. Greg blieb ebenfalls sitzen, drehte sich um und hielt nach vertrauten Gesichtern Ausschau. Da erblickte er Doubletour. Dieser stand und klatschte mit den anderen und wich Gregs Blick aus. Nur Prescot, der etwas weiter weg saß, war sitzen geblieben. Er hatte die Augen geschlossen und hing seinen Gedanken nach, als gehe ihn das alles nichts an.

Da stand der General auf, die Arme zum Siegeszeichen erhoben, und die Raserei erreichte ihren Höhepunkt. Wellen heftiger Erregung gingen durch die Menge, und Greg spürte, wie sie, Energieströmen gleich, auch ihn durchfluteten. Es war, als würde sein Körper aufgeladen, als vibrierten Millionen elektrischer Impulse unter seiner Haut ... Und sein Körper spannte sich an und wollte mit den anderen aufstehen, und inmitten des allgemeinen Stimmengewirrs formte sich in seiner Kehle ein Schrei. Greg wollte aufspringen und griff nach Marys Arm, um sie mitzuziehen. Ohne ihn eines Blicks zu würdigen, machte sie sich wieder los.

Mit einem Mal war es zu quälend. In Gregs Körper hatte sich zu viel zurückgehaltene, blockierte Energie aufgestaut. Warum standen Mary und er nicht auf wie die anderen? Sie waren zu klein inmitten dieses hochragenden, schreienden Waldes. Die um sie herum Stehenden warfen ihnen flüchtige Blicke zu. Einige hörten sogar zu klatschen auf und sahen sie durchdringend und aggressiv an. Greg hätte sich am liebsten in Luft aufgelöst. Er war der Außenseiter, der Abtrünnige, der Verräter; derjenige, den eine Gruppe töten muss, wenn sie überleben will.

Er musste einfach aufstehen.

Doch gleichzeitig spürte er, dass er, wenn er aufstand, das unsichtbare Band, das ihn mit Mary verband, für immer durchtrennen, sie endgültig allein lassen würde. Das würde ihm das Herz zerreißen.

Es wäre der Tod.

Greg blieb sitzen.

Da nahm Mary seine Hand.

Plötzlich gab etwas in ihm nach. Langsam machte sich ein Gefühl der Stärke in ihm breit, das von seinem Unterarm aus mitten in seine Brust zog und ihm dann wie ein wildes Lachen ins Gesicht schoss. Einen Moment lang hatte er das Gefühl, die Szenerie von der Decke des Saals aus zu betrachten. Und alles erschien ihm in unerbittlicher Klarheit. Er begriff.

Was sich da wie in Zeitlupe unter ihm abspielte, war eine ungeheure Farce.

Eine Versammlung von Hampelmännern.

All diese Leute wurden von Kräften getrieben, von denen sie nichts begriffen, waren trunken von einer Macht, die nur die Kehrseite ihrer Angst darstellte. Und es war der erbarmungslose Mechanismus der Angst, der sie lenkte und der Gesetzen folgte, deren ohnmächtiger Spielball sie waren, ohne sich dessen bewusst zu sein. Alle diese Leute nährten sich aus dem gemeinschaftlichen Chaos, in dem ihr Gefühl wurzelte, jemand zu sein. Der blinde Wahn bot einen Ausweg aus dieser unbeschreiblich tiefen Nacht, dem Meer ungeweinter Tränen, dem ungestillt schwärenden Hass und dem Magma unterdrückter Ängste, so wie eine schwache Stelle in der Erdrinde einen Ausweg für die Lava bietet.

Das Nichts bahnte sich seinen Weg durch die Bewusstlosigkeit. Und die brüllende Menge hatte nichts Menschliches mehr an sich. Sie war nur ein Kanal, der sich den Kräften des Todes darbot.

Greg wusste nun, warum Mary weinte.

Der Beifall war verstummt. Alle hatten sich wieder hingesetzt. Im Saal herrschte tiefe Stille, in der alle miteinander zu kommunizieren schienen. Das dauerte einige Sekunden. Greg hatte Marys Hand nicht mehr losgelassen.

Greg und Mary waren nur scheinbar bei den anderen. Eine Energieblase isolierte sie von den Kräften, aus denen die Versammlung schöpfte. Dies erfüllte Greg mit einem tiefen Glücksgefühl. Und gleichzeitig spürte er, dass sich in seinem Inneren ein Schritt ins Bodenlose vollzogen hatte. Ein Schritt ins Ungewisse. Und dass er sich mit dieser Einsamkeit abfinden musste.

Merritt sprach: »Meine lieben Freunde. Meine Brüder und Schwestern ...«

Seine Stimme war tief und gefühlvoll.

»Ich möchte Ihnen gerne im Namen unseres gesamten Teams für Ihre Unterstützung danken, für Ihre Begeisterung und für die Energie, die Sie uns schenken. Wir werden gemeinsam siegen. Wir werden gemeinsam den neuen Menschen schaffen und auf eine neue Erde stellen. Das wird nicht ohne Tränen und Opfer abgehen, doch dazu sind wir alle bereit. Danke.«

Er legte eine kurze Pause ein. Nichts sollte die Aufmerksamkeit der Versammelten stören.

»Ehe ich diese Versammlung für beendet erkläre, möchte ich ein letztes Mal Professor Babbelmann das Wort erteilen, der Ihnen eine Mitteilung praktischer Natur machen wird.«

»In der Tat, General. Meine Damen und Herren, ich bräuchte eine bestimmte Zahl von Freiwilligen, Männer und Frauen, für ein paar Versuche ... Ich möchte klarstellen, dass sie absolut ungefährlich sind. Und von höchstem Interesse für unser Projekt. Wenn Sie gestatten, werde ich Ihnen in ein paar Worten ...«

Wieder ließ der Forscher das krampfartige Glucksen vernehmen, das anscheinend seine Art zu lachen war. Diesmal jedoch brach das Lachen nicht nach wenigen Sekunden ab.

Es dauerte an.

Wie es schien, hatte er es nicht mehr unter Kontrolle. Sein ganzer Körper wurde so stark geschüttelt, dass der neben ihm Sitzende sich zu ihm beugte. Allmählich verwandelte sich das Lachen in einen nicht zu unterdrückenden Hustenanfall, der immer heftiger wurde und nicht mehr aufhören wollte.

Greg sah, wie sich der von Zuckungen geschüttelte Oberkörper des Mannes langsam auf den Tisch zu neigte und sein Mund immer näher ans Mikrophon geriet. Es war nun kein Husten mehr, das durch die Lautsprecher drang, sondern ein dumpfes Rasseln, das sich allmählich in das Röcheln eines Tiers verwandelte.

Dann war es still.

Der Körper des Forschers war über dem Tisch zusammengesunken. Seine Kollegen drängten sich um ihn, dann bahnte Merritt sich seinen Weg zu ihm. Die vor Greg Sitzenden hatten sich erhoben, um besser sehen zu können. Auf dem Podium fuchtelte jemand mit dem Arm in Merritts Richtung. Es war ein Zeichen der Ohnmacht.

Wie ein böser Wind ging ein Raunen durch die Reihen, streifte Greg und Mary und lief weiter bis zum Ende des Saals. Er ist tot. Der Mann ist tot.

56

Washington, unterirdischer Bunker, Kongresssaal

Merritt, die Stirn schweißüberströmt und mit noch heiserer Stimme als sonst, erteilte barsch Befehle.

»Bringen Sie den Leichnam durch die Hintertür raus. Räumen Sie den Saal.«

Alle gehorchten. Selbst Harton ging mit den anderen. Er hatte sich während der Zusammenkunft kein einziges Mal zu Wort gemeldet; sie war vom Anfang bis zum Ende Merritts Show gewesen, von ihm selbst inszeniert... Und nun befolgte der Präsident der Vereinigten Staaten (bedeuteten diese Worte überhaupt noch etwas?) die von seinem Berater gebrüllten Befehle, als sei er ein einfacher Soldat...

Bosman erlebte die Szene wie im Traum. Seine Migräne war einem Gefühl gewichen, das wie dicker, wattiger Nebel war und ihn gleichsam abschirmte.

Alle liefen aufgeregt umher. Schreie waren zu hören. Ein Ordnungsdienst, der aus dem Nichts aufgetaucht war, bemühte sich, das chaotische Hin und Her der Menge in Schach zu halten. Einige drängten nach vorn, um einen Blick auf den Toten zu erhaschen. Das Unglaubliche mit eigenen Augen zu sehen. Andere wichen aufgeschreckt zurück, wohl aus Angst vor einem Virus, das es eigentlich gar nicht geben konnte.

Unmöglich...

Woran war der Mann gestorben?

Diese Frage erregte die Hunderten von Anwesenden, eine Frage, bei der es ums eigene Überleben ging.

Theoretisch war es unmöglich, dass ein Mikroorganismus die Schockbehandlung überstanden hatte, der sich alle vor Betreten des Bunkers unterziehen mussten. Ebenso ausgeschlossen erschien es, dass ein Virus oder ein Bakterium von außen eingedrungen sein könnte. Was aber war es dann?

Vermutlich einfach ein Herzanfall... Schließlich konnte man ja auch sterben, ohne dass äußere Ursachen im Spiel waren. Eines natürlichen Todes sterben, wie man so sagte...

Während der Saal sich langsam leerte, folgten die Männer, die auf dem Podium gesessen hatten, den beiden Soldaten, die den Toten trugen, und verschwanden durch die Hintertür.

Bosman schloss sich ihnen an.

Durch die Menge rings um Greg liefen Strömungen wie bei einem Meer, das von Winden aus gegensätzlichen Richtungen gepeitscht wurde. Auf den Gängen und zwischen den Stuhlreihen kamen sich die Menschen in die Quere; die einen wollten näher zum Podium, die anderen versuchten, wieder zum hinteren Ende des Saals zu gelangen, je nachdem, welche Befehle gerade durchs Mikrophon dröhnten.

Greg sagte sich, dass es vernünftiger sei, sich einen Weg zu einem der Ausgänge zu bahnen. Er drehte sich zu Mary um. Sie weinte nicht mehr. Als sie im Gang waren, schlug Mary die Richtung zum Podium ein.

»Wohin gehst du?«, fragte er sie.

Sie sah ihm kurz in die Augen. Auf ihrem Gesicht zeigte sich keinerlei Gefühlsregung, nur unbedingte Entschlossenheit.

Handeln.

Sie ging weiter.

Greg folgte ihr.

Mary setzte ihre Ellenbogen ein, um zum Podium zu gelangen. Alle anderen zogen sich von dort zurück, doch sie ging zügigen, leichtfüßigen Schritts weiter. Es sah so aus, als nutzte sie sogar die gegenläufigen Bewegungen, die sie am Vorwärtskommen zu hindern schienen. Greg hielt sich in ihrem Kielwasser.

Am Fuß des Podiums versperrten ihnen zwei bewaffnete Soldaten den Weg. Mary flüsterte einem der beiden ein paar Worte ins Ohr. Der Soldat trat zur Seite. Der andere Soldat warf seinem

Kollegen einen fragenden Blick zu. Dann trat er ebenfalls zur Seite.

Mary stieg aufs Podium.

Dieses war nun leer.

Greg sah Bosman, bevor dieser durch eine dunkle Tür verschwand. Mary beschleunigte ihren Schritt. Sie musste dem Colonel etwas zugerufen haben, das Greg wegen des lauten Stimmengewirrs nicht verstand, denn Bosman hatte sich umgedreht. Er hielt ihr die Tür auf und ließ sie an sich vorbei. Als er Greg erblickte, bedeutete er ihm, ihnen zu folgen.

Bosman schloss die Tür hinter Greg und Mary. Die Zone, in die er sie eingelassen hatte, war strikt dem Führungskader vorbehalten.

Was ist bloß in mich gefahren?, fragte er sich... Warum habe ich die beiden hereingelassen?

Sie befanden sich in einem großen Raum voller Computer. Man hatte den Toten auf einen Schreibtisch gelegt; um ihn herum machten sich einige Männer zu schaffen. Etwas weiter weg stand stumm und nachdenklich Merritt, neben ihm der Präsident.

Mary ging, gefolgt von ihrem Mann, auf die beiden zu.

Es war zu spät, sie zurückzuhalten.

»Ich muss unbedingt mit Ihnen sprechen.«

Mary hatte ihre Worte ruhig und selbstsicher an den alten General gerichtet. Dieser zog eine Braue hoch.

»Darf ich erfahren, was Sie hier zu suchen haben?«

»Ich möchte Ihnen erklären, weshalb ich im Krankenhaus nicht krank geworden bin. Warum ich mich nicht mit dem Virus infiziert habe.«

»Sie befinden sich hier in einer Zone, deren Zutritt Ihnen strengstens untersagt ist. Raus!«

Merritt hatte völlig gelassen gesprochen und damit die tödlichste Form von Verachtung ausgedrückt, doch Mary hatte nicht aufbegehrt. Es war, als könne nichts sie verletzen.

»General«, sagte sie und deutete auf den Leichnam des Wissenschaftlers, »dieser Mann hier ist tot. Andere werden ihm folgen. Es ist wichtig, dass Sie mich anhören.«

Da drehte sich Merritt brüsk zu ihr um und begann ihre Gestalt mit einem lüsternem Glitzern in den zusammengekniffenen Augen zu mustern.

»Meine Liebe«, entgegnete er, »Ihr Körper ist in mehr als einer Hinsicht faszinierend, das gebe ich gerne zu. Aber wenn Sie mir von Ihrem Fall erzählen wollen, so habe ich keine Lust, mir das anzuhören. Es ist Aufgabe der Wissenschaftler, Sie zu untersuchen.«

»Sie werden nichts finden.«

»In diesem Fall«, konterte der General in eisigem Ton, »müssen wir noch einmal darüber nachdenken, ob wir Sie in diesem Stützpunkt überhaupt gebrauchen können.«

Die Drohung war unüberhörbar, und Greg erschauderte. Mary antwortete prompt: »Ihre Methoden führen uns in die Katastrophe. Sie behaupten, das Überleben des Menschengeschlechts sichern zu wollen, aber Sie werden den Tod aller heraufbeschwören.«

Mary zeigte auf den Toten.

»Dieser Mann hier ist ein Beweis dafür. Sie müssen sich anhören, was ich Ihnen zu sagen habe.«

Mit zusammengebissenen Zähnen und mörderischem Blick trat Merritt noch näher an Mary heran. Sein Gesicht war nur Zentimeter von dem ihren entfernt. Er sprach mit dröhnender Stimme und betonte jedes Wort einzeln: »Ich wüsste nicht, dass aus dem Mund einer Frau je etwas Intelligentes herausgekommen wäre, außer meinem Schwanz.«

Sie hielt seinem Blick stand.

»Wenn Ihre Intelligenz nicht so weit unten sitzen würde, hätten Sie nicht so große Angst, einer Frau zuzuhören.«

Es entstand eine Pause. Der General war einen Schritt zurückgewichen und sah sie wie erstarrt an. Einige Sekunden lang wirkte er wie ein angeschlagener, völlig benommener Boxer, der sich noch unschlüssig ist, ob er fallen soll. Dann fasste er sich wieder. Abgrundtiefer Hass verhärtete seine Züge und gab seinem Gesicht plötzlich so etwas wie Entschlossenheit.

»Meine Liebe, nachdem Sie so ungeheuer geistreich sind«, zischte er, »sollten Sie sich daran erinnern, wer hier das Sagen hat. Ich habe die Macht, Sie umbringen zu lassen, wann immer es mir einfällt; also kommen Sie mir nicht mehr in die Quere!«

Der General hatte sich bereits wieder von Mary abgewandt, als in Gregs Rücken eine Stimme ertönte: »Nein, General. Ich glaube nicht, dass Sie diese Macht haben …«

Es war Harton.

»Wir sind immer noch in einem Land, das Vereinigte Staaten von Amerika heißt«, fuhr dieser fort, »und zufällig bin ich dessen Präsident. Ich wünsche, dass Sie das nicht wieder vergessen, General Merritt …«

Der Präsident wandte sich an Mary.

»Kommen Sie in einer Stunde zu mir. In mein Büro. Ich würde Sie gerne anhören.«

57

Merritts Büro

Bosman hatte auf Geheiß seines Vorgesetzten im Sessel Platz genommen. Doch Merritt saß nicht, wie üblich, hinter seinem großen Schreibtisch. Er hatte sich zunächst ein großzügig gefülltes Glas Gin genehmigt und war dann auf dem Ledersofa zusammengesackt. Hinter dem Colonel. Dieser hatte zunächst einen Moment gezögert und dann seinen Stuhl umgedreht, damit er dem alten General gegenübersaß.

Dieser hatte nicht dagegen aufbegehrt.

Er starrte ins Leere und schnupperte an dem Alkoholdunst, der seinem Glas entströmte, das er mit beiden Händen ans Gesicht presste. Seine Augen glänzten; er war in sich zusammengefallen, als habe ihn ungeheure Müdigkeit übermannt. Bosman hatte ihn noch nie so gesehen.

Merritt war sichtlich gealtert.

Als sei er plötzlich verletzbar geworden.

Die Stille währte lange. Der Colonel saß reglos da. Er wartete.

Dann ertönte dumpf Merritts Stimme: »Diese Frau...«

Er hatte die beiden Worte mit halb geschlossenen Augen so ausgesprochen, als würde er eine tödliche Gefahr heraufbeschwören.

»Wissen Sie, Colonel, weshalb Sie bei dieser Konferenz an meiner Seite saßen?«

Bosman schüttelte den Kopf.

»Sehen Sie, mein Lieber, der Welt fehlt es an Männern. Sehr. Vor kurzem haben wir den Untergang einer Zivilisation miterlebt. Faszinierend, nicht? Und weshalb ist diese Zivilisation untergegangen? Ich werde es Ihnen sagen: Sie ist untergegangen, weil es keine Männer mehr gab. Sie ist untergegangen, weil nur noch Schlappschwänze da waren.«

Der General leerte sein Glas. Er schien allmählich wieder zu Kräften zu kommen.

»Wissen Sie, mein Lieber, ich glaube an Gott. Ich glaube an die göttliche Vorsehung. Ich glaube nicht an den Zufall. Wenn der Mensch fast gänzlich von der Erdoberfläche verschwunden ist, dann ist das kein Zufall und auch nicht die Folge irgendwelcher Gesetze. Es ist eine Entscheidung der göttlichen Vorsehung. Eine äußerst weise Entscheidung! Diese Welt ist ins Verderben gerannt. Sie musste mit eisernem Besen ausgekehrt werden. Und Gott ist kein Schlappschwanz, ganz gewiss nicht! Er greift durch, wenn es erforderlich ist! Und das tut weh ...«

Merritt stieß ein raues Gelächter aus.

»Wir haben uns eine Welt der Weiber geschaffen. Eine Welt der Schwulen. Eine Welt, in der man geradezu andächtig auf die Meinung von Frauen hört; eine Welt, in der Männer wie Frauen denken, wie Frauen fühlen und wie Frauen handeln sollten, damit sie wenigstens eine kleine Chance hatten, dass man ihnen verzieh, dass sie keine Frauen waren! Glauben Sie, das hätte ewig so weitergehen können? Nein!«

Bosman, der die Beine ausgestreckt hatte, winkelte sie rasch wieder an. Sein Vorgesetzter war unvermittelt aufgestanden, um sich an der Bar ein zweites Glas einzuschenken. Dann ging er mit dem Glas in der Hand wieder zum Sofa und ließ seinen schweren Körper erneut darauf niedersinken.

»Und es ist kein Zufall«, fuhr er fort, »wenn Sie und ich uns jetzt in der Situation befinden, in der wir gerade sind. Mit der grandiosen, ungeheuren Verantwortung, die neue Menschheit ihrem Schicksal zuzuführen.«

Merritt hob seinen Blick zum Colonel.

»Wir wurden auserwählt, mein Lieber.«

Bosman wusste darauf nichts zu antworten. Worauf wollte der Typ hinaus?

Der General fuhr nach einem weiteren Schluck Gin fort:

»Wissen Sie, mein lieber James – Sie gestatten doch, dass ich Sie James nenne? –, nun, es wird Sie vielleicht überraschen ... Aber ich fühle Zuneigung zu Ihnen. Ja ...«

Er machte mit nachdenklicher Miene erneut eine Pause.

»Ich bin nicht mehr ganz jung. Ich wurde mit einer Mission betraut: den Übergang von einer Welt in eine andere zu gewährleisten ... Ich bin dabei, diese Mission auszuführen. Und ich werde es tun, bis meine Kräfte erschöpft sind. Es ist ein Job für einen Mann ...«

Der General hatte den Blick ins Leere gerichtet und schwieg einen Moment. Er nahm einen langen Schluck Gin, dann seufzte er.

»Die Demokratie ... Pfff! Sehen Sie sich nur Harton an. Dieser Mann hat immer nur ein Talent gehabt, nämlich Männchen zu machen. In einer Demokratie ist das schon ausreichend, damit man an die Macht kommt. Man braucht nur schöne weiße Zähne und ein schwules Lächeln zu haben und vor den Kameras Nettigkeiten zu säuseln ... Ich werde Ihnen etwas sagen. Ein Mann, der noch nie im Kugelhagel sein Leben aufs Spiel gesetzt hat, ein Mann, der noch nie einen Menschen getötet hat, verdient die Macht nicht. Weil er nicht weiß, was das Leben ist.«

Bosman erlebte diese Szene wie aus großer Ferne. Sein Vorgesetzter kam ihm plötzlich ganz klein vor, als sei er weit weg, und seine Worte drangen zu ihm durch einen dichten Nebel aus verworrenen Lauten und Tönen ...

»Sie sind jung, mein lieber James ... Sie haben die Zukunft noch vor sich. Sie sind die Zukunft. Und ich weiß, was Sie wollen. Mehr als alles andere ...«

Der General drehte sich zu ihm und sah ihm tief in die Augen.

»... Sie wollen ein Mann sein, nicht wahr? Ein Mann!«

Bosman zuckte zusammen. Der General hatte das letzte Wort beinahe herausgeschrien.

»Ich beobachte Sie schon von Anfang an. Ich kenne Sie, wissen Sie ... Sie waren nie im Krieg, mein Lieber. Nie. Und das macht Ihnen zu schaffen, oder? Sie würden gerne wissen, wie das ist.

Wie es ist, wenn einem die Kugeln um die Ohren pfeifen, wie es ist, wenn man neben sich eine Granate explodieren hört… Wie es sich anfühlt, wenn die eigene Messerklinge in die Gurgel des Feindes dringt…«

Bosman merkte, wie sich sein Magen zusammenkrampfte. Einen Moment lang war ihm das Bild seines Vaters durch den Kopf geschossen. Du kleiner Idiot, ich war im Krieg, hatte er gesagt, wenn der kleine James nicht schnell genug gehorchte oder wenn er eine eigene Meinung vertrat…

»Ich werde einen Mann aus Ihnen machen, mein kleiner James. Einen wirklichen Mann. Sie sind intelligent. Es fehlt Ihnen nur der eiserne Mumm.«

Eisern? Eiserner Mumm? Was das wohl heißen mochte? Der Alte musste seit dem frühen Nachmittag gut einen Liter Gin in sich hineingeschüttet haben, und es war ein Wunder, dass er nicht schon längst tot umgefallen war. Plötzlich beugte sich Merritt näher zu ihm und legte ihm seine Hand aufs Knie.

»Mein kleiner James, ich will Ihnen etwas gestehen. Ich liebe Sie wie einen Sohn.«

Bosman war wie versteinert. Er hörte Zähne klappern. Es waren die seinen. Er presste die Kiefer zusammen.

»Eines Tages«, fuhr der General fort, ohne seine Hand wegzunehmen, »werde ich nicht mehr sein. Sie werden mein Werk fortführen. Ja…«

Schließlich nahm der General seine Hand von Bosmans Knie, aber nur, um besser an seine Wange heranzukommen. Er kniff sie mit zwei Fingern zusammen und schüttelte Bosmans Gesicht hin und her; vermutlich hielt er das für eine herzliche Geste.

»Colonel Bosman«, flüsterte er ihm ins Ohr, »eines Tages werden Sie mein Nachfolger sein!«

Dann ließ er ihn los.

Bosman begann wieder zu atmen. Merritt war erneut auf das Sofa gesunken, nahm eine Zigarre aus seiner Tasche und deutete, mit den Fingern schnalzend, auf den Schreibtisch hinter dem Colonel. Dieser drehte sich um. Auf dem Schreibtisch lag ein Feuerzeug. Er erhob sich, nahm es und hielt die Flamme seinem Vorgesetzten hin. Dieser zog einige Male an der Zigarre. Bosman setzte sich wieder.

Im nächsten Moment begann Merritt von neuem: »Aber zuerst…«

Er seufzte.

»Zuerst müssen wir unser kleines Problem hier lösen.«

Der General griff, ohne aufzustehen, nach einer auf einem runden Tischchen neben dem Sofa liegenden Fernbedienung, hielt sie in Richtung der Wand gegenüber und klickte. Ein Teil der Wand glitt zur Seite, und ein großer Monitor tauchte auf.

»Und unser kleines Problem«, murmelte Bosman, »ist natürlich ein Frauenzimmer.«

Auf dem Bildschirm war ein Schreibtisch zu sehen, den Bosman mühelos erkannte. Es war der Schreibtisch des Präsidenten im Oval Office.

Dieser erschien nun auf der linken Seite des Bildschirms, gefolgt von einer Frau.

Bosman erkannte Mary.

»Wie Sie sehen, mein Lieber«, sagte Merritt vergnügt, »ist dieser Idiot von Harton nicht über alle meine Tricks informiert…«

Dann stellte er den Ton lauter.

58

Oval Office

Mary hatte sich auf ein bequemes Ledersofa gesetzt, während der Präsident sich an der Bar zu schaffen machte und Getränke zubereitete.

In ihrem Herzen war maßlose Traurigkeit.

Von einem Impuls aus ihrem tiefsten Inneren getrieben, hatte sie beschlossen zu handeln. Zu sprechen. Von der Gewissheit zu berichten, die sie in sich trug, und von jener frohen Stärke, die ein vollkommenes, absolutes Ja war. Ein Ja zum Leben. Frieden.

Sie hätte diesen Frieden so gerne mit anderen geteilt.

Aber sie fühlte sich furchtbar machtlos. Dieser Bunker war aus Angst gebaut worden und von Angst behaust.

Mary spürte die Kräfte der Angst. Sie waren, obwohl immateriell, in Form eines tiefen, dumpfen, durchdringenden Vibrierens beinahe greifbar... Sie selbst hatte keine Angst. Doch sie war nicht stärker als die Angst der Menschen.

Es war, als spüre die junge Frau die Sinnlosigkeit ihres Tuns, und wie unangebracht es überhaupt war, dass sie sich in dieser unterirdischen Welt befand. In dieser Welt der Männer. Dieser tauben Welt.

General Merritt war taub. Um die abgründige Angst nicht zu spüren, die in seiner Seele spukte, musste er sich selbst vormachen, dass er die Dinge im Griff hatte. Dass er allmächtig war. Die Männer um ihn glaubten an diese Lüge. Weil sie sie beruhigte. Sie waren alle von sich selbst abgeschnitten und nährten eine kollektive Illusion, die sie für umso realer hielten, je mehr sie sie teilten. Alle waren bereit zu sterben und darüber hinaus bereit zu töten, um ihre Illusion aufrechtzuerhalten. Da war nichts zu machen.

Mary sah, wie Diegos Bild durch ihre Erinnerung glitt. Diego, der sie geduldig vorbereitet, geleitet und gefördert hatte.

»Sie haben vielleicht die Möglichkeit, sich einzusetzen ...«

War dies ihre letzte Prüfung? Zu akzeptieren, dass sie sich nicht mehr einsetzen konnte? Den Triumph der Kräfte der Angst zu akzeptieren und zuzusehen, wie das Nichts die letzten Lebensfunken verschlang. Und nichts tun zu können ...

»Sie sehen sehr nachdenklich aus ...«

Der Präsident hielt zwei Gläser in den Händen. Er setzte sich neben sie aufs Sofa.

»Ich bin traurig, Mr President.«

»Oh, ich bitte Sie«, sagte dieser und rückte etwas näher, »nennen Sie mich Clint.«

Er reichte ihr ein Glas. Es war hochprozentiger Alkohol.

»Auf das Wohl der Menschheit«, rief er. »Und auf Ihre Schönheit!«

Mary stieß mit ihm an.

»Was macht Sie traurig, Mary?«, fragte Harton.

»Der Wahnsinn der Menschen ...«

»Was meinen Sie damit?«

»Sie saßen doch selbst auf dem Podium. Sie haben zugehört wie ich. Dieser Plan ...«

Der Präsident legte beschützend seine Hand auf Marys Schulter.

»Mary, was erscheint Ihnen denn an diesem Plan so wahnsinnig? Sie wissen, in welcher Situation wir uns befinden ... Glauben Sie, wir sollten uns damit abfinden und zusehen, wie die Menschheit vom Erdboden verschwindet?«

Mary sah Harton in die Augen.

»Ich finde mich nicht damit ab, dass die Menschlichkeit aus den Herzen der Menschen verschwindet.«

Der Präsident sah sie einige Sekunden lang an. Er wirkte betroffen. Dann nahm er ihre Hand und rückte mit seinem Gesicht ganz nah an das ihre.

»Mary«, flüsterte er, »ich möchte Ihnen so gerne wieder Ihre Lebensfreude zurückgeben. Sie sind anders als andere Frauen ...«

Die junge Frau zog behutsam ihre Hand zurück.

»Dann seien Sie zu mir anders als andere Männer, Mr President!«

»Dieser Schwachkopf Harton konnte Sex noch nie widerstehen ...«

Merritt beugte sich zum Colonel.

»Sehen Sie, mein lieber James«, fuhr er fort, »wenn diese Nutte ein Fischmaul hätte, wäre sie ungefährlich.«

»Ein Fischmaul?«, wiederholte Bosman.

»Ja, wenn sie eine Vogelscheuche wäre oder so ... Die Weiber sind nur dann ein Problem, wenn sie uns aufgeilen. Denn dann neigen wir dummerweise dazu, ihnen auch Intelligenz zuzusprechen ...«

Bosman hätte Merritt am liebsten ins Gesicht geschlagen. Doch er hielt die Augen auf den Bildschirm gerichtet. Der Präsident und Gregs Frau schwiegen weiterhin. Die fest installierte Kamera filmte eine große Fläche, so dass die Gesichter der beiden nicht sehr deutlich zu sehen waren, doch zwischen den beiden schien ein bestimmtes Gefühl zu fließen. Mary sah den Präsidenten an. Dieser zündete sich nachdenklich eine Zigarette an. Sie hatte ihn mit einer Mischung aus Sanftheit und Entschlossenheit, die dem Colonel Begeisterung abnötigte, wieder auf den Boden der Tatsachen zurückgebracht. Selbst wenn Harton in ihr nur ein Objekt der Begierde sehen konnte, hatte er im Grunde Recht: Sie war nicht wie die anderen. Von ihr strahlte eine unendliche Sanftheit aus, die paradoxerweise den Eindruck unbeugsamer Stärke vermittelte. Wenn diese Frau etwas wollte ... Sie hatte so eine Art, einen anzusehen, die einen völlig entwaffnete und unfähig machte, irgendetwas zu verbergen oder abzuwehren. Und man hatte nicht die Kraft, sich ihr zu widersetzen.

»Mary, hören Sie«, sagte der Präsident. »Ich möchte gern, dass Sie mir verzeihen. Ich habe mich Ihnen gegenüber benommen wie ... So als ob ... als würde ich Sie nicht wirklich sehen.«

»Und jetzt sehen Sie mich?«

»Ja ... Ich glaube.«

»Und was sehen Sie?«

»Ich sehe eine Frau, die mich vor einer Stunde zutiefst gerührt und beeindruckt hat... Eine Frau, der ich gerne zuhören möchte. Sie wollten General Merritt ein paar Dinge sagen.«

Mary sah ihn einige Sekunden lang an.

Dieser Mann, dachte sie, ist in der Lage zuzuhören. Doch sie hatte eine ungute Vorahnung. Etwas lastete über ihnen, genau hier und jetzt, etwas Undefinierbares und Gefährliches. Etwas Unabwendbares.

Der Schatten des Todes?

Sollte sie davon sprechen? Sollte sie handeln? Es war, als schritten sie durch einen nicht wahrnehmbaren Schleier ins Unentrinnbare. Zum ersten Mal seit ihrer wundersamen Wesenswandlung fühlte sich Mary verlassen. Es war nicht mehr jene freudige Kraft in ihr, die sie leitete, ohne dass sie dabei etwas denken oder tun musste.

Jetzt war da nichts, das sie an der Hand genommen und geführt hätte. Sie war allein.

Da klärte sich plötzlich etwas in ihr.

Ihre Metamorphose war wie eine zweite Geburt...

Zuerst hatte sie nackt in Erde und Wasser gesteckt. Es hatte menschlicher Hände bedurft – der Hände von Greg! –, die sie ergriffen und sich um sie kümmerten. Im Flugzeug, das sie nach Hause zurückbrachte, hatte sie einem Neugeborenen geglichen: völlig abhängig und ohne eigene Kraft. Dann war sie wie ein Kind gewesen: von einer festen, beruhigenden Stimme geleitet, die sie dorthin führte, wo sie sein sollte. So war es in Fort Detrick gewesen, als jene Männer sie töten wollten. Sie ließ sich führen, ohne etwas zu wissen oder zu denken, und alles, was sie tat, hatte sich ganz selbstverständlich und zwangsläufig ergeben. Das war wunderbar gewesen. Doch es war vorbei. Von nun an musste sie erwachsen sein. Sie musste in sich selbst die Antwort auf das Wie und Wohin finden. Jene tiefe, geheimnisvolle Weisheit, die sie zunächst gleichsam von fern gelenkt hatte, musste ein Teil ihrer selbst werden.

Der Präsident sah Mary unaufhörlich an. In seinen Augen lag Ratlosigkeit, als versuche er, ein Rätsel zu entziffern.

»Mr President«, sagte sie.

»Ja?«

»Ich würde gerne wissen, welche Bedeutung Sie alldem beimessen, was passiert ist.«

Harton zögerte einen Moment.

»Tja, nun ... Ich glaube tatsächlich, dass es eine Art Krieg ist. Der Mensch ist vom Untergang bedroht. Die Erde stößt ihn ab.«

»Die Erde kämpft gegen uns?«

»Gewissermaßen ...«

»Glauben Sie, dass die Erde einen Willen hat, ein Bewusstsein? Eine Seele?«

»Eine Seele ... Ich weiß nicht ... Ich stelle mir etwas Dumpfes, Finsteres vor ... etwas Feindseliges.«

»Was meinen Sie damit?«

»Unter der Erde, im Schoß der Erde, befindet sich die Hölle. Sie ist der Schlupfwinkel Satans. Ich glaube, dass wir es mit einem Angriff der Kräfte des Bösen zu tun haben. Und dass wir mit aller Macht Widerstand leisten müssen!«

»Auf welche Weise?«

»Indem wir alle Pforten schließen. Indem wir uns nicht mehr von dem, was von der Erde kommt, ins Verderben ziehen oder gefährden lassen. Indem wir uns in jeder Hinsicht abschotten.«

Harton sah die junge Frau an.

»Sie lassen mich reden ... Und dabei wollte ich Ihnen zuhören. Sie haben etwas zu sagen, nicht wahr?«

»Ich bitte Sie, antworten Sie weiter auf meine Fragen.«

Der Präsident setzte eine resignierte Miene auf.

»Stets zu Ihren Diensten ...«

»Sie sagen, wir müssten uns vor alldem abschotten, was von der Erde kommt. Doch wurde unser Körper nicht aus Erde geschaffen?«

Harton verzog verächtlich die Mundwinkel.

»Und deshalb erniedrigt und entwürdigt sie uns.«

Er machte eine kurze Pause.

»Ich habe diesen Körper oft verflucht«, murmelte er, »und seine Instinkte, denen ich nicht widerstehen kann.«

»Sie sind nicht eins mit Ihrem Körper?«, fragte Mary leise.

»Nein! Ich muss meinen Körper ertragen. Er ist entweder müde oder erregt, aber immer angespannt, und in ihm toben wirre Triebe... Er gehorcht meinem Willen nicht. Er ist ein Chaos dunkler Kräfte. Er ist nicht ich.«

»Aber was sind Sie denn dann?«

»Meine Gedanken, mein Wille. Meine Seele.«

»Ihre Seele liegt mit Ihrem Körper im Krieg?«

»Ja! Das war schon immer so.«

Mary schwieg ein paar Sekunden. Sie spürte, dass dieser Mann bereit war, sich zu öffnen. Doch sie hatte noch immer diese schreckliche Vorahnung. Sollte sie etwas sagen? Der Tod schwebte über ihnen.

Dann entschloss sie sich. Plötzlich war alles klar. Wahrheit bedeutet Leben. Der Weg der Lüge und Verdunklung führt mit Sicherheit in den Tod, in einen Tod, der viel schrecklicher ist als der des Körpers. Der Tod des Geistes. Der Tod des Wesens. Wenn dieser Mann sich das Herz öffnen ließ, dann hungerte er tief in seinem Inneren nach Marys Worten. Sie schuldete sie ihm, was auch immer der Preis dafür sein mochte.

»Mr President«, sagte sie, »Sie wollten mich anhören... doch ich glaube, dass alles gesagt ist.«

»Ich verstehe nicht.«

»Sie sagen, der Mensch liege mit der Erde im Krieg... Das heißt also, dass der Mensch mit seinem eigenen Körper im Krieg liegt! Denn unser Körper ist ein Teil der Erde. Er gehorcht den Gesetzen der Erde. In Wirklichkeit liegt der Mensch mit sich selbst im Krieg.«

Der Präsident zog die Augenbrauen hoch. Auf sein Gesicht trat ein Ausdruck tiefer Ratlosigkeit. Er wirkte, als gebe er sich enorme Mühe, all das zu begreifen, doch als widersetze sich eine gegenläufige Kraft in ihm dem Verstehen. Nach ein paar Sekunden fragte er: »Mary, ich bitte Sie, drücken Sie sich klarer aus. Worauf wollen Sie hinaus?«

Die junge Frau lächelte sanft.

»Es ist ganz einfach, Mr President. Wenn die Erde wirklich mit uns im Krieg liegt, wenn die Erde uns wirklich abstößt, dann liegt unser eigener Körper mit uns im Krieg. Unser eigener Körper stößt uns ab.«

Harton schien von einem langen, eisigen Schauder ergriffen. Doch er runzelte weiterhin die Stirn, als weigere sich sein Verstand noch immer, das zu begreifen, was sein Körper bereits spürte.

»Ich ... Ich verstehe nicht recht.«

»Mr President, heute ist ein Mann gestorben. Was ich Ihnen zu sagen habe, ist, dass ihm bald weitere folgen werden. Ab jetzt spielt sich dieser Krieg im Inneren des Menschen ab. Die Erde und der Geist kämpfen in uns gegeneinander. Da kann der Mensch nicht siegen. Er kann nur sterben.«

»Diese Frau ist eine Intellektuelle«, sagte Merritt. »Das sind die Schlimmsten ... Sehen Sie sich nur diesen Riesendummkopf an: Da sitzt er mit heraushängender Zunge und schluckt jeden Unsinn, den sie ihm auftischt ... Sehen Sie, mein lieber James, und merken Sie sich diese Lektion gut: Wenn Harton es geschafft hätte, sie zu bumsen, hätte er sich nicht verpflichtet gefühlt, ihr zuzuhören.«

Der General zog ein Mobiltelefon aus seiner Tasche und tippte eine Nummer ein.

»Und wir«, fuhr er mit nachdenklicher Miene fort, »wir wären nicht gezwungen, hart durchzugreifen ...«

Nach drei Sekunden hörte Merritt die Stimme seines Gesprächspartners.

»Jackson? Der Plan kommt zur Ausführung. Jetzt sofort, ja. Ich bin gleich bei Ihnen.«

Dann stand er auf.

»Colonel, Sie bleiben hier. Sie sehen zu. Sie lernen.«

Bosman sah zu, wie der General aus dem Zimmer ging, ohne ein Wort zu sagen. Angst krampfte ihm das Herz zusammen. Er kannte Major Jackson. Er war einer von Merritts Getreuen und Spezialist für geheime Missionen.

Und für schmutzige Jobs.

Major Jackson war ein Mörder.

Harton atmete tief durch.

»Aber dann ...«, murmelte er, »... dann sind wir verloren. Dann können wir nichts tun.«

»Doch, Mr President«, sagte Mary ruhig.

»Aber was denn?«

Er hatte beinahe geschrien.

Mary lächelte ihm zu.

»Frieden.«

»Frieden? Was meinen Sie damit?«

»Jeder von uns muss mit sich selbst Frieden schließen.«

»Was heißt das?«

»Wir sind aus Erde geschaffen. Unser Körper wird der Erde zurückgegeben. Das akzeptieren wir nicht. Wir wollen selbst über unser Leben herrschen. Wir wollen nie sterben. Und wir sagen nein. Nein zur Erde, aus der wir hervorgegangen sind. Nein zum Leben. Nein zu uns selbst. Und wir gründen eine ganze Kultur, die auf dieser Ablehnung basiert. Auf dieser Angst. Wir erlangen Wissen und Macht und haben nur ein Ziel: der Erde die Geheimnisse des Lebens zu entreißen und uns zu Herren über das Leben aufzuschwingen. Also liegen wir im Krieg, ohne es überhaupt zu merken. Im Krieg mit uns selbst.«

»Aber was können wir tun?«

»Lernen, ja zu sagen.«

»Und was heißt das konkret, um Himmels willen?«

»Zunächst muss General Merritts Plan gestoppt werden.«

»Er ist unsere einzige Hoffnung!«

»Dann müssen wir es akzeptieren, diese Hoffnung aufzugeben. Denn dieses Projekt führt uns in den Tod.«

Der Präsident hielt sich den Kopf mit beiden Händen. Sein Körper schien plötzlich von ungeheurer Müdigkeit übermannt.

Nach ein paar Sekunden sagte Mary leise: »Der Mensch muss lernen, das Leben anzunehmen. Er muss lernen, die Erde, aus der er besteht, zu lieben. Die Menschheit muss sich neu schaffen. Auf den Grundfesten des Lebens.«

Harton hob den Kopf und sah die junge Frau an.

»Aber wie?«

»Wir müssen aufhören, uns abzuschotten.«

»Was meinen Sie damit?«

»Wir müssen hinaus.«

»An die Oberfläche? Aber das bedeutet den Tod!«

»Viele werden womöglich sterben. Aber andere werden leben. Und alle werden das Leben gewählt haben. Und nicht das Überleben. Das Überleben zu wählen bedeutet, den Tod zu wählen. Sie kennen doch den Satz: ›Wer sein Leben retten will, wird es verlieren; wer es verlieren will, wird es retten.‹ Das ist ein Gesetz des Lebens.«

Der Präsident öffnete den Mund, um etwas zu erwidern, doch er kam nicht mehr dazu. Hinter ihnen war eine laute Stimme zu vernehmen: »... Und wir werden ihn unverzüglich umsetzen! Eine Bewegung, und Sie sind auf der Stelle tot.«

Am Eingang des großen Raums zielten fünf Männer mit Maschinengewehren auf sie.

»Was hat das zu bedeuten?«, schrie der Präsident.

Der erste der Soldaten legte den Lauf seiner Waffe an Hartons Schläfe.

»Halten Sie die Klappe«, sagte er mit ruhiger, eiskalter Stimme. »Und setzen Sie sich an Ihren Schreibtisch.«

Der Präsident gehorchte mit leicht gekrümmtem Rücken.

Dann ging alles sehr schnell.

Der Soldat, der die Tressen eines Majors trug, glitt hinter Harton und drückte mit zwei Fingern auf einen bestimmten Punkt an dessen Kehle. Harton wurde ohnmächtig und brach über dem Schreibtisch zusammen. Der Soldat zog einen kleinen Revolver aus seiner Tasche, der bis auf den Lauf straff in ein großes weißes Tuch gewickelt war. Er legte den Revolver in Hartons rechte Hand. Dann hob er vorsichtig mit einer Hand den Unterarm des Präsidenten, während er mit der anderen Hand dessen Kopf an den Haaren hochzog. Der Revolverlauf war auf Hartons Schläfe gerichtet.

Ein Schuss wurde abgefeuert.

Der Major legte den Kopf des Präsidenten behutsam wieder auf den hölzernen Schreibtisch. Langsam breitete sich eine dicke, dunkle Blutlache aus.

Mary wandte die Augen ab.

Ein Gebet stieg stumm aus ihrem Herzen. Sie begleitete gefasst den sterbenden Mann. Jenen Mann, dessen Gegenwart noch vage zu spüren war. Er ging mit offenem Herzen. Er stieg rasch auf, und bald spürte Mary ihn nicht mehr. Ruhige Freude erfüllte sie.

Sie wusste, dass er ja gesagt hatte.

Ein weiterer Mann trat ins Zimmer. Mary drehte sich um.

Merritt.

Er hielt ein Blatt Papier in der Hand und zeigte es ihr:

Mir ist klar geworden, dass ich nicht mehr leben kann. Ich bitte all die um Verzeihung, die mich geliebt haben. Ich verabschiede mich von allen.

Clint Fitzgerald Harton

Der General legte das Blatt auf den Schreibtisch des Präsidenten und wandte sich an die junge Frau.

»Eigentlich hätte ich Sie töten müssen. Und glauben Sie mir, es wäre mir ein Vergnügen gewesen. Aber dieser Idiot hätte mir Scherereien gemacht. Ich lasse Sie mit Ihrem Gewissen allein. Dieser Mann ist wegen Ihnen gestorben.«

»Dieser Mann ist weit weniger tot als Sie«, erwiderte Mary.

Merritts Gesicht verzog sich vor Hass.

»Meine Liebe, keiner versteht Ihre Hirngespinste. Aber Sie haben einen gewissen kurzlebigen Charme, mit dem Sie die Schwachen dazu bringen, einen Sinn darin zu suchen.«

Er deutete auf Hartons Leichnam.

»Ich bin mir nicht so ganz sicher, ob Sie ihnen Glück bringen ... Denken Sie darüber nach, wenn Sie Lust bekommen sollten zu erzählen, was Sie soeben gesehen haben.«

Merritt gab den fünf Soldaten ein Zeichen, woraufhin diese das Oval Office verließen. Er folgte ihnen.

»Weshalb lassen Sie mich am Leben?«, fragte Mary.

Der General blieb stehen und drehte sich langsam um. In seinem Blick lag so etwas wie Schadenfreude.

»Weshalb sollte ich Sie töten? Sie sind nicht mehr gefährlich. Sie waren es, als der Chef auf Sie hörte. Aber jetzt ...«

Merritt musterte sie geringschätzig ein paar Sekunden.

»Jetzt bin ich der Chef.«

Er drehte sich wieder um.

»Und es gefällt mir, wenn meine Feinde mich siegen sehen«, sagte er, während er aus dem Zimmer schritt.

James Bosman sah nicht mehr auf den Bildschirm in General Merritts Büro. Er hatte die Hände über die Augen gelegt.

Er weinte.

Je stärker er die Tränen fließen ließ, desto mehr wuchs ein anderes Gefühl in ihm und erfüllte seine Brust mit einer unbekannten Energie.

Es war entsetzlicher Zorn.

Nach einigen Minuten stand er auf und ging aus dem Zimmer.

59

Mikrobiologisches Labor

Professor Barkwell sah von seinem Mikroskop auf. Alle Tests ergaben das Gleiche.

Er hatte verstanden.

Er wusste, woran der Mann gestorben war.

Und das war grauenhaft.

Er stand auf und machte ein paar Schritte in dem weiß gefliesten Raum. In seinem Gehirn war zunächst kein Gedanke mehr, nur noch ein Vakuum, das sein mentaler Selbstschutz noch aufrechterhalten konnte, um zu verhindern, dass es ihm wirklich klar wurde. Doch dann durchbrach die Flut der Gedanken diesen viel zu schwachen Damm.

Er hielt sich den Kopf mit beiden Händen.

Was können wir nur tun, um Himmels willen? Was können wir nur tun?

Doubletours Bild ging ihm durch den Kopf.

Ich muss ihn anrufen …

In diesem Moment klingelte das Telefon.

»Wir haben noch mehr Arbeit für Sie, mein Freund. Drei weitere Tote. Dazu noch ein Dutzend Kranke. Ernste Fälle …«

Ich muss aufstehen, dachte Aimé Doubletour.

Doch sein Körper war eine träge, schwere Masse. Es war, als verschwende er zu viel Energie, wenn er ihn bewegte.

Und er fühlte sich so wohl in seinem Bett. Wie spät mochte es sein? Um das zu erfahren, hätte er den Kopf zur Seite drehen müssen, damit der kleine Wecker auf dem Nachttisch in sein Blickfeld kam.

Der bloße Gedanke daran erschöpfte ihn bereits.

Doubletour lauschte, die Augen zur Decke gerichtet, auf seinen leicht pfeifenden Atem. Er fühlte sich gut. Nur ein klein wenig beunruhigt.

Bin ich vielleicht krank?

Aber im Grunde fühlte er sich gut.

Und genau das machte ihn krank.

Seit ein paar Tagen war seine Seele von tiefer Ruhe durchdrungen, und eine wohlige Benommenheit machte seinen Körper träge. In diesem unterirdischen Bunker, in dem er von jeglichem Leben, von seiner Geschichte und seiner Vergangenheit abgeschnitten war, konnte nichts ihn erreichen. Und man verlangte auch nichts von ihm. Niemand konnte etwas mit Aimé Doubletours Theorien anfangen. Die Behörden hatten ihn gerufen, weil sie im Dunkeln tappten. Sie tappten immer noch im Dunkeln. Aber man verlangte nichts mehr von ihm.

Eigentlich war es klar. Dieser General Merritt hatte ihn benutzt. Er hatte ihn vor dem Präsidenten seine Vorstellungen entwickeln lassen und sogar so getan, als sei er überrascht darüber. Als widerspreche er ihm.

Dann hatte er sie in null Komma nichts für sich reklamiert.

Aimé Doubletours Vorstellungen basierten auf Respekt vor der Erde und auf Liebe zum Leben. General Merritt hatte daraus wie durch schwarze Magie im Handumdrehen Instrumente des Todes gemacht ... die seinem Wahn Vorschub leisteten.

Doubletour schloss die Augen. Ein Gefühl der Verzweiflung übermannte ihn, ein Gefühl der absoluten Sinnlosigkeit jeglichen Handelns. So war es auch sinnlos, einen Finger zu heben, ein Augenlid nach oben zu ziehen oder sich von seinem Bett wegzubewegen ... Doch das hatte keine Bedeutung. Denn es ging ihm gut.

Ob er womöglich doch krank war?

Musste er nicht schwer krank sein, wenn er sich so wohl fühlen konnte, wo er doch in einem winzigen, komfortlosen Zimmer in einem hermetisch abgeriegelten Bunker eingeschlossen und für immer von allem abgeschnitten war, was er liebte: über feuchte Erde zu laufen, im Wasser eines Sees zu baden, die Arme um einen Baum zu schlingen...

Und seine tote Mutter...

Doubletour hielt sich den Kopf mit den Händen.

Seine Mutter musste einfach tot sein. Oben gab es keine Überlebenden mehr. Seine Mutter war tot.

Und er konnte nicht das Geringste dabei empfinden!

Es war nur eine abstrakte Vorstellung, ein undeutliches Bild. Das Gesicht seiner Mutter, ihre oft traurigen Augen voll sanfter Vorwürfe, ihre leise Stimme mit einem Anflug von Bitterkeit... Er liebte seine Mutter. Er hätte alles für sie gegeben. Und jetzt... Er wusste, dass er sie nie wiedersehen würde.

Noch schlimmer war, dass sie wahrscheinlich unter furchtbaren Qualen gestorben war, allein und verzweifelt.

Vielleicht hatte sie nach ihm gerufen...

Aimé forschte unablässig nach einer auch noch so geringen Regung seines matten Körpers und suchte verzweifelt nach der kleinsten Andeutung beginnenden Schmerzes, Bedauerns oder schlechten Gewissens. Doch nichts.

Er bestand nur aus Gleichgültigkeit.

»Ich bin ein Ungeheuer«, murmelte er.

Er schloss erneut die Augen.

Er fühlte sich so gut.

Das plötzliche Läuten des Telefons riss Doubletour aus seinem Schlaf, in den er genüsslich gesunken war.

Er versuchte, sich zur Seite zu drehen, um an den Hörer zu gelangen, der auf dem Nachttisch lag. Mit einem spaltbreit geöffneten Auge sah er seine tastenden Finger, die nach der Leitung griffen.

Das schrille Läuten dauerte an.

Dann hatte er das Telefon in der Hand, ohne zu wissen, wie ihm das gelungen war.

»Doubletour... Schlafen Sie? Hier ist Barkwell.«

»Ich wusste, dass Sie das interessieren würde.«

Aimé blickte durchs Mikroskop und erwiderte nichts.

Als Erstes musste er wieder zu Sinnen kommen.

All seine Theorien fanden sich bestätigt. Auf eklatante Weise.

Was er hier in diesem Mikroskop sah, war sein Sieg. Doch ebenso das Zeichen dafür, dass er vielleicht nicht mehr viel Zeit haben würde, diesen zu feiern. Denn die Bedrohung war entsetzlich.

»Was halten Sie davon?«, fragte Barkwell erneut.

Doubletour sah dem Forscher in die Augen.

»Der Mann ist gestorben, weil sein eigener Organismus ihn angegriffen hat...«

60

Gregs und Marys Zimmer, Samstag, 12. Juli

Greg hatte Bauchweh. Stechende Schmerzen durchfuhren ihn in kurz aufeinander folgenden Wellen, als würden seine Eingeweide hartnäckig von scharfen, spitzen Kneifzangen gepeinigt.

Es lag nun fünf Tage zurück, dass der Präsident umgebracht worden war, und seit fünf Tagen hatten Mary und er ihr Zimmer nur zu den Mahlzeiten verlassen.

Es gab kaum mehr etwas von Belang, über das man sprechen konnte. An den ersten beiden Tagen hatte der Tod Babbelmanns von sich reden gemacht. Man sprach von nichts anderem. Die Leute hatten Angst. Woran war Babbelmann gestorben? Waren sie nun alle in Gefahr?

Dann hatte Merritt beruhigende Nachrichten verbreitet. Babbelmann war eines schönen Todes gestorben. Aneurysmaruptur. Danach war nicht mehr die Rede von dem Mann gewesen. Es hatte genügt, das, was ihn getötet hatte, mit einem Begriff zu belegen: Aneurysmaruptur. Diese Formel hatte wie eine magische Beschwörung ihre Ängste zerstreut und jegliches Interesse an Babbelmann ausgelöscht.

Danach waren die Gespräche sozusagen immer substanzloser geworden. Anfangs hatte man sich einander noch gegenseitig vorgestellt, um miteinander bekannt zu werden: Man erzählte von seinem Beruf und ein wenig von seiner Geschichte. Man sprach über das Leben vorher.

Einmal hatte ein Mann von seiner Frau und seinen Kindern berichtet. Irgendwann war er mit der Stirn auf den Tisch gesunken und in Tränen ausgebrochen. Zwei weitere Männer hatten zu weinen begonnen. Zwei Typen vom Sicherheitsdienst hatten alle drei behutsam mitgenommen.

Tags darauf waren sie wieder aufgetaucht. Mit einem immer währenden Lächeln auf den Lippen und mit strahlendem Blick.

Von da an vermied man es, über das Leben zuvor zu sprechen.

Doch natürlich sprach man über die Zukunft. Über den Plan. Doch außer dass man die Visionen Merritts und seiner Getreuen bis zum Überdruss wiederkäute, gab es nicht viel zu sagen, und die Gespräche erschöpften sich schnell.

Einmal hatte ein Informatiker ein paar kritische Bemerkungen zu der Organisation des unterirdischen Stützpunkts gemacht. Nichts Schlimmes, doch tags darauf saß der Mann nicht mehr an seinem gewohnten Platz am Tisch und wurde nie wieder gesehen. Niemand in Gregs und Marys Umgebung hatte sich fortan über irgendetwas negativ geäußert.

Der Schmerz, der für ein paar Minuten abgeklungen war, wütete von neuem in Gregs Gedärmen. Er hielt sich den Bauch.

Es war Angst.

Eine diffuse Angst, ein gegenstandsloses Unbehagen. Er hätte gerne gehandelt, irgendetwas getan ... Doch es gab nichts zu tun. Seine Fähigkeiten waren auf dem Stützpunkt von keinem besonderen Nutzen. Zu wissen, weshalb die Tiere ihr Verhalten geändert hatten, war nun bedeutungslos geworden. Später, so hatte man ihm gesagt, später werden wir Sie brauchen ... Später ... Doch bis dahin wollte niemand etwas von ihm. Und der Bunker war nicht gerade für Mußestunden konzipiert. Anfangs hatte der Konferenzsaal als Kino gedient, und es war eine umfangreiche Videothek mit allen Hollywood-Erfolgen der letzten Jahre geplant gewesen, aus der man mehrere Monate lang schöpfen können sollte, ohne sich zweimal denselben Film ansehen zu müssen, und am ersten Abend war der Saal brechend voll gewesen. Doch Greg hatte sich während des Films sehr schlecht gefühlt und war am nächsten Tag nicht mehr hingegangen.

Dann waren die Kinositzungen abgeschafft worden.

Es ging das Gerücht, zwei Männer hätten sich im Anschluss

an eine Vorstellung umgebracht. Alle diese Filme zeigten eine Welt, die es nicht mehr gab. Es war zu schmerzhaft, eine intakte Stadt zu sehen und Leute, die an Tischen auf einer Terrasse saßen oder im Mondschein im Wald spazieren gingen... Sie sollten sich nicht an alte Bilder klammern, sondern vorwärts blicken. Die Vergangenheit war nurmehr eine Last. Sie sollten sie vergessen.

Doch die Zukunft war so ungewiss, dass man sie sich einfach nicht vorstellen konnte.

Und was die Gegenwart betraf...

Greg zog eine schmerzverzerrte Grimasse, als ihm ein stechender Schmerz den Magen durchbohrte.

Mary ging zu ihm und legte ihm eine Hand auf den Bauch.

Er fühlte sich sofort besser. Unter Marys sanfter, warmer Hand breitete sich ein wohliges Gefühl in seinem Körper aus.

Nach einer Minute war der Schmerz gemildert, und er sah zu ihr auf.

»Wie schaffst du es, so fröhlich zu wirken?«, fragte er sie.

»Ich bin es!«

Greg schüttelte den Kopf. In ihm wetteiferten Bewunderung und Unverständnis miteinander.

»Wie kannst du nur so fröhlich sein?«

»Was steht dem entgegen?«

»Du sagst, die Welt um dich herum sei das Gegenteil von allem, was du bist. Und alles, was du geliebt hast, sei verschwunden. Du wolltest handeln, du hast mit dem Präsidenten gesprochen. Und sie haben ihn vor deinen Augen umgebracht. Merritt überwacht dich, und du bist machtlos...«

»Aber was hat das mit meiner Freude zu tun?«

»Du bist gescheitert, Mary...«

»Ja, aber ich habe alles gegeben. Ich habe alles geboten, was ich bin. Ich habe es geschenkt. Was kann ich dafür, wenn die Welt es nicht wollte?«

»Es ist dir egal?«

Das Gesicht der jungen Frau wurde wieder ernst.

»Oh nein! Ich bete aus ganzem Herzen, dass die Menschen sich für das Leben entscheiden. Aber ich akzeptiere meine Grenzen. Aus diesem Grund bin ich froh. Und dann, weißt du …«

Sie lächelte wieder geheimnisvoll. Greg sah sie fragend an.

»Ich habe gesät. Ich kenne die Ernte nicht. Aber eine kleine Stimme in meinem Inneren sagt mir, dass sie gut ausfallen wird.«

Es entstand eine Pause, dann wurde an die Tür geklopft. Mary stand auf, um zu öffnen.

Greg vernahm eine leicht erstickte Stimme. Es war Doubletour.

»Mary«, stammelte er, »ich … entschuldigen Sie bitte, ich will Sie nicht stören, aber … ich möchte mit Ihnen sprechen … unter vier Augen, wenn möglich.«

Mary trat zur Seite, um ihn einzulassen, und warf Greg einen verständnisinnigen Blick zu. Bosman war bereits zweimal gekommen, um sich mit Mary zu unterhalten, und Rosenqvist einmal. Greg hatte sich jedes Mal verdrücken müssen.

»Wenn dieses Zimmer jetzt zum Beichtstuhl wird …«, brummte er vor sich hin.

Er winkte Doubletour freundschaftlich zu und ging hinaus.

Norman Prescot schlug mit der Faust auf seinen Schreibtisch.

Die Antwort war irgendwo ganz nahe. Sie schwebte gleich einer leichten Brise in der Luft, und Norman streckte begierig die Hand aus, um sie zu erhaschen. Doch er griff nur ins Leere.

Die Antwort verhöhnte ihn.

Und er konnte darüber nicht mehr schlafen.

Es gab eine Erklärung für all diese Phänomene, eine ganz einfache Erklärung. Doch dazu war es erforderlich, die Erde und ihr Verhalten in völlig neuem Licht zu sehen. Und hier wurde es schwierig.

Man musste lernen, nichts mehr zu wissen.

Nun hatte Norman sein Leben jedoch mit Wissen zugebracht. Das war sein Beruf. Seine Universität bezahlte ihn dafür, dass er menschliches Wissen vermittelte und vermehrte. Es ging darum, sich auf die Arbeit seiner Vorgänger zu stützen wie auf ein unverrückbares Fundament und seinen eigenen Stein hinzuzufügen. Später würden andere wiederum ihren Stein auf den seinen legen … Und die Mauer des Wissens würde höher und höher werden.

Wenn man Forscher war, brauchte man viel Demut.

Als Person war man nichts. Nur jemand, der, in der Masse verloren, einen weiteren Stein legte, einen Stein, den ebenso gut irgendein anderer hätte legen können …

Doch als Ausgleich war da der Stolz auf dieses kollektive Werk, das den Himmel herausforderte, auf dieses grenzenlose Bauwerk menschlichen Wissens. Der Stolz, ein Mensch zu sein.

Das Problem war nur, dass jeder Stein des Wissens sich auf all jene anderen Steine des Wissens stützen musste, die vor ihm gelegt worden waren. Es war untersagt, den Sockel des Gebäudes in Frage zu stellen. Man konnte die Ausrichtung etwas verändern. Aber dabei musste man sich nach wie vor mit gewohntem Respekt auf die Meister der Vergangenheit stützen.

Es war unmöglich, sich etwas wirklich Neues auszudenken.

Was für ein Witz …

Dabei gab es Neues, ach, wie viel Neues! Die Wirklichkeit hatte in wenigen Wochen nicht nur alle Modelle vom Tisch gefegt, mittels derer man sie zu erfassen glaubte, sondern ebenso alle Einrichtungen, die es ermöglichten, dies zu tun … Die moderne Zivilisation mit ihrem Konzept von Wissen und Dominanz war zunichte gemacht worden … Die Universitäten waren verschwunden und mit ihnen die überwiegende Mehrheit der Wissenschaftler.

Und trotzdem blieb Professor Prescot Akademiker!

Er konnte nicht von dem Wissen ablassen, auf dem er seine Karriere aufgebaut hatte. Er schaffte es nicht. Dieses Wissen, an das er nie geglaubt und dessen Unrichtigkeit sich in krassester Weise offenbart hatte, dieses tote Wissen beherrschte ihn noch immer wie ein Bild, das krankhaft auf der Netzhaut verharrte und von dem man genau wusste, dass es nicht die Welt zeigte, sondern einen daran hinderte, die Welt zu sehen.

Und irgendwo hinter diesem Spuk lag die Wahrheit.

Und machte sich über ihn lustig…

Norman erhob sich abrupt und stieß seinen Stuhl zurück. Dieser fiel ein Stück weiter weg zu Boden.

»Herrgott noch mal!«, brüllte er.

Er musste sie finden.

Er musste.

Mary wartete geduldig. Doubletour saß ihr gegenüber und wirkte verstört. In seinem Kopf überschlugen sich die Gedanken und kräuselten seine Stirn, doch es war, als pressten sich seine Lippen aufeinander, damit kein Laut aus seinem Mund drang.

»Haben Sie Angst?«, fragte Mary.

»Nein!«, protestierte Doubletour. »Das heißt… ich fühle mich etwas angespannt… Doch, ich habe ein wenig Angst, ja…«

»Wovor?«

»… Nun… Ich komme mir ziemlich dumm vor. Da sitze ich jetzt vor Ihnen, und ich weiß eigentlich nicht einmal, warum… Ich habe mir einfach nur gesagt…«

Der Ökologe wischte sich die Stirn ab, auf der winzige Schweißtropfen perlten.

»Ich habe mir gesagt, dass Sie mir vielleicht helfen könnten…«

»Wobei könnte ich Ihnen helfen?«

»Ich weiß nicht… Klarer zu sehen… Es ist idiotisch.«

Mary lächelte ihn an.

»Was ist idiotisch?«

»Wenn ich Sie ansehe, habe ich das Gefühl, wie soll ich sagen? – dass etwas in Ihnen ist… das die Dinge begreift. Und in mir sind viele… komplizierte Fragen.«

»Wir können es immerhin versuchen!«, sagte Mary fröhlich. »Was sind das für Fragen?«

»Sie waren bei der Besprechung im Oval Office dabei. Ich habe meine Ideen erläutert. Auf diesen Moment hatte ich sehr lange gewartet. Ich dachte, nun sei endlich meine Stunde gekommen und mein Leben bekäme einen Sinn: Ich würde den höchsten

Autoritäten klar machen, dass die Menschheit auf dem falschen Weg ist, dass man den Menschen und sein Verhältnis zur Natur aus einem anderen Blickwinkel betrachten müsse… Und statt dessen…«

Doubletour wischte verstohlen eine Träne von seiner Wange.

»…geschieht genau das Gegenteil. Meine Ideen haben es General Merrit ermöglicht, seinen Standpunkt durchzusetzen! Oh ja, ich habe eine Rolle gespielt! Aber es war eine tödliche Rolle…«

Der Ökologe zog mit zitternder Hand ein Taschentuch aus seiner Tasche und schnäuzte sich geräuschvoll.

»Ich begreife nicht, wie meine Ideen als Werkzeug benutzt werden konnten, um das Gegenteil dessen zu bewirken, was ich liebe… All dessen, was ich bin…«

Der Ökologe schlug mit der Faust auf den Tisch.

»Ich hasse ihn!«, schrie er.

Mary sah den Mann an, der ihr gegenübersaß. Sein Zorn war ungeheuer und dennoch nur die Oberfläche eines Meers von Traurigkeit, in das er nie hatte sinken wollen. Vielleicht ist es an der Zeit, dachte sie… Sie ahnte, dass das Leben diesem Mann so schmerzlich zusetzte, damit er diese Selbsterfahrung zuließ. Damit er eins mit sich selbst wurde. In ihm spielte sich ein Kampf ab, und Mary empfand großes Mitgefühl für ihn.

»Da ist noch etwas«, flüsterte er mit fast unhörbarer Stimme.

Mary war ganz Ohr, doch Doubletour schien zu zögern.

»Es ist etwas, das unter die höchste Vertraulichkeitsstufe fällt. Ich habe nicht das Recht… Sie in Gefahr zu bringen.«

»Ich habe keine Angst«, sagte Mary.

Der Ökologe sah sie lange an. Dann fuhr er fort: »Es ist eine Krankheit aufgetreten. Eine tödliche Krankheit. Oder besser gesagt, es ist keine Krankheit…«

Doubletour stieß ein verzweifeltes Lachen aus.

»Sie dachten, es reiche aus, den Menschen von jeder anderen Lebensform zu isolieren, und schon sei sein Wohlbefinden gesichert und er könne nicht mehr krank werden… Was für eine Ironie!«

Er schwieg ein paar Sekunden. Mary wartete.

»Erinnern Sie sich daran, dass ich im Oval Office über Mitochondrien gesprochen habe?«

»Ja, ich erinnere mich ... Das sind diese kleinen ... ich weiß nicht allzu viel darüber ... die unsere Zellen atmen lassen, oder? Und die entfernte Abkömmlinge von Bakterien sind ...«

»Ganz genau! Ohne Mitochondrien könnten wir nicht leben. Eigentlich waren diese Bakterien, die ihre Vorfahren sind, fürchterliche Parasiten. Sie griffen andere Bakterien an und fraßen sie von innen her auf. Doch das Problem war, dass sie, wenn sie ihre Beute töteten, mit ihr zusammen starben. Trotzdem gelang es einigen, in die Wirtsbakterien einzudringen und sich von ihnen zu ernähren, ohne sie zu töten – der Wirt hielt ihnen stand! Mit der Zeit etablierte sich eine Kooperation. Und infolge von Mutationen war das parasitäre Bakterium schließlich nicht nur ungefährlich für seinen Wirt, sondern brachte ihm sogar Nutzen! Im Laufe von Hunderten von Jahrmillionen bildeten die beiden dann einen einzigen Organismus. So ist jede unserer Zellen ein Ort der friedlichen Koexistenz zweier Lager, die sich einst fürchterlich bekriegten!«

Mary verstand. Nun geschah, was sie seit Tagen vorausgeahnt hatte. Es war unvermeidlich.

»Und dieser Frieden«, murmelte sie, »ist zerbrechlich ...«

»Furchtbar zerbrechlich ... Und immer von kurzer Dauer. Man weiß bereits seit langem, dass der Zelltod über die Mitochondrien programmiert wird. Wenn eine Zelle stirbt, dann deswegen, weil die Mitochondrien, die sie beherbergt, sie vergiften! Die Mitochondrien produzieren freie Sauerstoffradikale, eine für die Zelle tödliche Substanz. Alles spielt sich so ab, als würden sie nach einer gewissen Zeit erneut zu ihrer atavistischen parasitären Form zurückfinden! Der Killerinstinkt ihrer Vorfahren erwacht wieder. Und die unsicheren Bündnisse, die unsere Zellen darstellen, zerbrechen. Das ist der Grund, weshalb wir altern und irgendwann sterben.«

Mary überlegte ein paar Sekunden.

»Ein Lebewesen ist ein vergängliches Wunder«, sagte sie. »Ein paar Augenblicke Frieden, die die Seele dem Chaos und dem Krieg abringt…«

Sie sah Doubletour in die Augen.

»Und jetzt herrscht Krieg… Im Körper des Menschen, ja sogar im Inneren seiner Zellen… Das ist die Krankheit, von der Sie sprachen, oder?«

»Ja… Unser eigener Körper kämpft gegen uns. Seit dem aufsehenerregenden Tod Babbelmanns gab es etwa fünfzehn weitere Todesfälle. Wir haben eine Zeit lang gebraucht, bis wir es verstanden. Es handelt sich weder um Viren noch um Bakterien. Die Mitochondrien sind es, die auf unerklärliche Weise und alle gemeinsam ihre Wirtszellen angreifen. Und das im gesamten Organismus. Die Folge ist eine Art von beschleunigter Alterung, die jedoch nicht sichtbar wird, da es zu schnell geht, als dass solche Alterserscheinungen zu Tage treten können. Die Leute sind geschwächt, aber das ist häufig das einzige Symptom. Das Ganze dauert ein paar Tage. Dann stirbt die betreffende Person, unvermittelt.«

Es folgte eine ziemlich lange Pause. Dann sagte Mary: »Wenn ich Ihre Sicht der Dinge richtig verstanden habe, dürfte Sie das alles nicht allzu sehr überraschen, nicht wahr?«

»Nein, in der Tat…«

»Also… was macht Sie dann so ratlos? Was ist es, das Sie nicht begreifen?«

Angst überschattete kurz den Blick des Ökologen. Es dauerte einige Sekunden, bis er antwortete: »Was ich nicht begreife…«, sagte er mit tonloser Stimme…

Verzweiflung verzerrte sein Gesicht.

»… warum *ich*? Warum werde ich von dieser Krankheit heimgesucht?«

Norman Prescot ging zum Wandschrank. Er hatte Hunger. In einer Ecke musste noch ein Stück Brot liegen. Und ein Ei… Mechanisch öffnete er den Schrank und begann darin herumzusuchen. Aber unabhängig davon drehten sich seine Gedanken wie rasend im Kreis.

Eines zumindest war ihm nunmehr klar: Das gradualistische Modell hatte versagt. Die Erde war kein stabiles System. Sie war von Zeit zu Zeit starken Störungen unterworfen, die sich unmittelbar und ganz erheblich auf die Erdkruste auswirkten. Das zog größere Folgeerscheinungen für die Erdoberfläche, wahrscheinlich auch für das Klima und vielleicht sogar für die Lage der Kontinente nach sich. Norman war überzeugt, dass nun eine solche geologische Periode begann.

Doch um welche Art Störungen handelte es sich? Und was waren die Ursachen dafür?

Er biss in die Brotschnitte, nahm das letzte Ei aus dem Karton und ging zur Mikrowelle.

Die jüngsten Fakten, über die er verfügte, bestätigten zumindest eines: Die lithosphärischen Platten begannen sich schneller zu bewegen. Neue Verwerfungen bildeten sich. Und niemand konnte die Folgen absehen, die dieses Phänomen in ein paar Jahrzehnten nach sich ziehen würde.

Norman legte seine Hand über seinem linken Auge auf die Stirn. Er hatte einen Anflug von Migräne. Vielleicht der Hunger... Er gab das Ei in die Mikrowelle und stellte den Regler auf eine Minute.

Es blieb noch einiges offen. Welche Mechanismen waren in der Tiefe am Werk und unterwarfen die Erde in mehr oder weniger regelmäßigen Abständen solch heftigen Naturkatastrophen, die zu einer Umgestaltung der Erdoberfläche führten? So lautete die Frage. Was die Antwort betraf...

Ein merkwürdiges Geräusch, das vom Mikrowellenherd her kam, erregte Normans Aufmerksamkeit. Er streckte die Hand aus, um den Kochvorgang zu unterbrechen. Doch er kam nicht mehr dazu. Ein weißer Lichtblitz blendete ihn; gleichzeitig erfolgte eine heftige Explosion, und er wurde mit Bestandteilen von etwas Weichem bespritzt.

Der Mikrowellenherd.

Was zum Teufel ...

Plötzlich begann der ganze Raum zu beben, während sich ohrenbetäubendes Getöse ausbreitete. Norman stürzte ohne nachzudenken unter den Tisch, um sich zu schützen.

Er wusste, dass es ein Erdbeben war.

Ein Erdbeben, das so stark war, dass es die erdbebensicheren Vorrichtungen im Stützpunkt außer Kraft setzte.

Er hielt sich die Ohren zu und schloss die Augen.

Als Aimé Doubletour aus Marys Zimmer ging, fühlte er sich erleichtert und wie ausgewechselt. Er hatte verstanden.

Diese Frau ist eine Magierin, dachte er. Sie hatte ihm einfach nur Fragen gestellt. Unablässig. Was hatte er geantwortet? Er wusste es nicht mehr. Nicht einmal an die Fragen, die sie ihm gestellt hatte, konnte er sich erinnern. Je mehr sie ihn fragte, desto stärker schien ein Nebel aus seinem tiefsten Inneren aufzusteigen, der in seinen Kopf drang und sein Gehirn einhüllte. Irgendwann hatte er keine Gedanken mehr gehabt. Da war nur noch eine schwindelerregende Stille gewesen.

Es war um die Erde gegangen und um Verlangen ... Um Frauen ...

Plötzlich hatte er verstanden, weshalb seine Ideen General Merritts monströsem Plan in die Hände gespielt hatten. Und weshalb er krank war.

Es war so einfach! Wie hatte er nur so lange seine eigene Wahrheit ignorieren können? Und nun war es, als springe sie ihm förmlich ins Auge.

Aimé war gedankenverloren durch dunkle Flure gegangen und stand nun vor seiner Zimmertür. Er öffnete sie und trat ein.

Die Wahrheit ...

Aimé Doubletour glaubte, die Erde zu lieben, er glaubte, das Leben zu lieben. Er sah nicht, dass sein Herz von Zorn erfüllt war. Zorn auf die Frauen, doch in erster Linie war es Zorn auf sein eigenes Verlangen. Auf das Verlangen an sich.

Die ganze Erde ist Verlangen.

Das war ihm nach einer Frage von Mary blitzartig aufgegangen.

Die ganze lebendige, bebende Erde drückt Verlangen aus, und dieses Verlangen ist ihr Leben selbst.

Weil Aimé wütend dagegen aufbegehrte, ließ er in seinem Inneren die kostbarste Offenbarung dieses Lebens, das er zu lieben glaubte, nicht zu. Und weil er seinen Körper ablehnte, bekämpfte er das Leben der Erde in seinem Inneren.

Er lag im Krieg. Wie alle anderen.

Deshalb war er krank. Sein Körper war der Schauplatz dieses Kriegs. Ganz einfach.

Und deshalb hatte Merrit ihn auch benutzen können.

Er ging zum Spiegel und betrachtete einige Sekunden sein Gesicht. Er hätte am liebsten gelacht. Alles war so klar. Er sah sich so, wie er war. Doch er empfand keine Bitterkeit und keinen Selbstekel.

Aimé Doubletour war wie General Merritt.

Sie hatten sich immer in zwei unterschiedlichen Lagern befunden, doch sie führten denselben Krieg. Es war ein Krieg gegen sich selbst. Es war ein Krieg gegen das Leben. Gewiss, der Ökologe hatte sein Leben damit verbracht, Frieden zu predigen, und der General das seine, um Krieg zu führen. Sie waren in allem verschieden. Doch derselbe Zorn trieb sie an. Und verband sie.

Und weil sich Aimé Doubletour und General Merritt im Grunde so ähnlich waren, hatte das Vorgehen des Ökologen, mit dem er dem Frieden zu dienen glaubte, letztlich dem Krieg gedient. Es hatte ganz einfach der Stärkere gesiegt. Und Merritt war weitaus stärker als Doubletour.

Doch sie waren sich ähnlich.

Aimé hielt die Augen auf sein Spiegelbild gerichtet und sah, wie ihm Tränen über die Wangen liefen.

Plötzlich war ein dumpfes Dröhnen zu hören, das aus dem Schoß der Erde zu kommen schien.

Und der Boden begann zu beben.

Als Norman Prescot die Augen wieder öffnete, fand er sich inmitten eines unbeschreiblichen Durcheinanders wieder. Der Mikrowellenherd war fünfzig Zentimeter von seinem linken Bein entfernt gelandet. Der Wandschrank war aus der Mauer gerissen und ans andere Ende des Zimmers geschleudert worden, und das Bett war umgedreht und gegen den Tisch geworfen worden, unter dem er sich geschützt hatte.

Gute Reaktion, dachte er.

Kleidungsstücke, Bücher und zerbrochenes Glas lagen verstreut auf dem Boden.

Norman legte die Hand an seine Wange. Über sein Gesicht tropfte etwas Zähflüssiges, Klebriges, und er hatte Angst, verletzt zu sein. Doch es tat ihm nichts weh, und ein Blick auf seinen Arbeitskittel überzeugte ihn davon, dass es sich um das Ei handelte, das auch die Wand hinter ihm bespritzt hatte.

Die Tür des Mikrowellenherds war halb herausgerissen, und nun erinnerte sich Norman wieder. Kurz bevor die Erde gebebt hatte, war da diese Explosion gewesen...

Eigenartig, sagte er sich.

Er saß unter dem Tisch, der ihm vermutlich das Leben gerettet hatte, und seufzte. Er hatte keine Lust, gleich aufzustehen. Fast gegen seinen Willen drängten sich Vermutungen in seinem Kopf. Sein Denken lief in außergewöhnlicher, fast hypnotischer Schärfe ab.

Es war merkwürdig.

Seine Gedanken konzentrierten sich auf die Explosion des Mikrowellenherds...

Was mochte nur mit diesem Ei geschehen sein?

Plötzlich ging ihm ein Licht auf, und Norman schüttete sich aus vor Lachen.

Er hatte verstanden.

Er wusste, weshalb das Ei explodiert war. Aber es war ihm vollkommen egal.

Denn er hatte die Antwort.

Die Erde... Das Ei...

Binnen eines Augenblicks war alles plötzlich vollkommen klar geworden.

Da wurde Norman bewusst, dass es nichts zu lachen gab, und er schloss die Augen.

»Wir sind verloren«, murmelte er.

61

Tagebuch von David Barnes
Datum: Ich weiß es nicht mehr. Ich habe aufgehört, die Tage zu zählen.

Wozu soll ich noch schreiben? Was treibt mich noch, diese Seite zu füllen, die so weiß ist in der stechenden Sonne? Mein restliches Tagebuch ist unwiderruflich verloren, seit die Batterie meines Computers ihren Geist aufgegeben hat. Ich habe nichts Gedrucktes. Und es tut mir nicht Leid darum. Ich hatte zu schreiben begonnen, um zu mir selbst zu finden. Ich habe zu mir gefunden, doch ich glaube nicht, dass das Schreiben dabei auch nur die mindeste Rolle gespielt hat. Weshalb also weiterschreiben? Ich weiß es nicht. Ich tue es ganz einfach, von einem Wunsch getrieben, dessen Sinn ich nicht kenne…

Vielleicht habe ich dadurch zu mir gefunden.

Ich bin jetzt imstande, mich aus dem tiefsten Inneren meiner selbst antreiben zu lassen, ich brauche keine Rechtfertigungen mehr für mein Handeln und brauche auch nicht zu wissen, wohin es mich führt. Ich handle, das ist alles. Ich sehe mir bei meinem Tun zu. Oft begreife ich. Aber erst hinterher.

»Das bedeutet frei zu sein«, sagte mir Lololma. »Du lernst die Freiheit, David.«

Im Grunde habe ich mich viel zu wichtig genommen. Ich glaubte, eine Rolle spielen, zu etwas nütze sein zu können. Ganz allein gegen die Kräfte des Todes, gegen die Kräfte der Nacht zu kämpfen, die die Welt beherrschten. Ein Held zu sein.

Was für ein Witz!

In Wirklichkeit habe ich nichts anderes getan, als mich aufzublasen und wichtig zu machen. David Barnes, der große Jour-

nalist, der Ritter der Transparenz, auf seinem einsamen Feldzug gegen das Heer der Lüge... Letzten Endes hatte mein kleiner persönlicher Ausreißversuch im Zusammenhang mit dem Ende der Welt nicht mehr Wirkung als ein Kieselstein, den man in einer stürmischen Nacht ins Meer wirft!

Und das ist gut so!

Die grandiosen Resultate, die ich mir von meinem geschäftigen Getue erwartete, konnten meinem Leben keinen Sinn geben. Doch heute hat mein Leben einen Sinn. Ganz einfach deshalb, weil ich akzeptiert habe, dass ich nichts unter Kontrolle habe.

Ich habe meinen Tod akzeptiert.

Ich glaube, es geschah eines Nachts. Während ich schlief. Vor drei Tagen. Nach einem langen Gespräch mit Lololma.

Ich war vom Licht der Morgendämmerung erwacht. Alles war klarer, heller, deutlicher. Ich hatte das Gefühl, leicht und durchsichtig zu sein, als bestehe mein Körper aus der Luft, die ich atmete. Es herrschte Frieden. Ich war für alles offen.

Natürlich hielt dieses Gefühl nicht an. Am Abend hatte sich schon wieder etwas von der früheren Schwere eingestellt. Mein Körper war erneut von tausend kleinen Spannungen erfüllt, die Ausdruck der Weigerung waren, am Leben zu sein, und die mein Körper im Laufe der Jahre gespeichert hatte... Dennoch hatte sich etwas verändert. Ein neues Bewusstsein war geboren. Ich vermochte plötzlich zu sehen. Und zu akzeptieren, was ich sah.

Gestern haben wir Nachrichten über die Dörfer auf der zweiten Mesa bekommen: Mishongnovi und Shipaulovi existieren nicht mehr. Ihre Einwohner sind tot. Die Krankheit. In Shongopavi leben nur noch sieben Personen, sechs Männer und eine Frau. Alle krank.

Von der ersten Mesa haben wir keinerlei Nachricht.

Hier in Oraibi sind wir noch etwa dreißig Leute. Wir kämpfen. Eine Zeit lang schlich sich die Versuchung in unsere Herzen, es dabei bewenden zu lassen. Uns nicht mehr zu wehren. Wozu noch, wo man dem Ende doch nicht entrinnen kann? Aber dann sprach Lololma. Er machte uns klar, wie wichtig es sei, dass das Bewusstsein der Menschen den Großen Übergang begleite. »Lasst uns ohne Unterlass beten und meditieren«, sagte er, »lasst uns den Gesang der Schöpfung singen. Lasst uns den Unendlichen Geist preisen. Solange es von uns gefordert wird, müssen wir Wächter sein. Wir müssen diejenigen sein, deren Bewusstsein Himmel und Erde verbindet und die Welt vor dem Untergang bewahrt.«

Ich habe seine Worte nicht so richtig verstanden. Und ich weiß, dass nur wenige sie verstanden haben. Doch wir alle haben den Kampf mit neuer Kraft wieder aufgenommen. Wir halten unablässig die riesigen Flammenherde in Gang, die wir rund um Oraibi angelegt haben und die uns vor wilden Tieren schützen. Wir haben ein Zeltlager aufgebaut, das uns nachts Unterschlupf und bei Erdbebengefahr mehr Sicherheit bietet. Aber wir können nichts tun gegen die Entkräftung, die sich unserer Körper bemächtigt, unsere Bewegungen langsamer macht und uns in einer Trägheit verharren lassen möchte, in die man sich ganz leicht fallen lassen könnte. Dennoch geben wir nicht auf. Wir arbeiten an den Gemeinschaftsaufgaben, bis unsere Kräfte erschöpft sind, und wenn wir nicht arbeiten, steigen wir in die Kivas hinunter, um uns dort mit dem Schöpfer in Verbindung zu setzen und durch uns eine Verbindung zwischen dieser sterbenden Welt und ihrer Lebensquelle zu schaffen.

»Warum sterben die Hopi?«

So lautete die Frage, die ich vor drei Tagen meinem Großvater stellte. Er sah mich mit amüsiertem Blick an, wie man ein kleines Kind ansieht, und ich glaube, dass ich rot wurde.

»Warum sollten sie nicht sterben?«, rief er aus.

Ich brauchte ein wenig Zeit, um zu antworten: »Haben sie nicht den heiligen Weg gewählt? Singen sie nicht den Gesang der Schöpfung? Sie haben Achtung vor der Erde, sie beten zum Himmel…«

»Erspart ihnen das den Tod?«

Ich schwieg eine Zeit lang. Die Gedanken tanzten wie wild in meinem Kopf. Eine innere Stimme sagte mir, keine Fragen mehr zu stellen. Doch ich fing trotzdem wieder an: »Ich dachte, diese Welt würde sterben, weil der Mensch vom rechten Weg abgekommen ist… Vom Weg des Friedens. Sind die Hopi nicht ein Volk des Friedens?«

»Die Menschheit ist krank«, antwortete mein Großvater. »Sind die Hopi keine Menschen?«

Ich blieb hartnäckig: »Sind die Hopi nicht anders als die übrigen Menschen?«

Da wurde Lololma wütend.

»Verstehst du nicht«, schrie er, »dass die Menschheit eins ist? Und dass wir alle für alles verantwortlich sind?«

Dann beruhigte er sich wieder. Er sah mich mit seinen schwarzen, brennenden Augen an. Ich fühlte mich geliebt.

»Es ist eine große Erneuerung«, fügte er hinzu. »Nur die Auserwählten werden überleben. Sie werden das neue Fundament sein, der Boden der Fünften Welt.«

Er schloss die Augen.

»Ist es besser, zu überleben oder nicht zu überleben?« murmelte er. »Wer weiß? Jeder sollte an seinem Platz sein.«

Er blickte mich erneut an.

»Vielleicht wird es unter den Hopi Auserwählte geben, David… Vielleicht auch nicht… Wer weiß?«

Er lächelte mich an, wobei seine Augen etwas spöttisch guckten.

»Aber wer hofft, zu den Auserwählten zu gehören, kann gewiss sein, dass er nicht zu ihnen gehören wird!«

Ich blieb einige Sekunden mit offenem Mund stehen. Ich muss sehr dumm ausgesehen haben.

Dann lachte ich mit ihm.

Natürlich hatte ich in einem Teil meines Inneren, in den ich nicht hineinblickte, gehofft, ein Auserwählter zu sein. Ich hatte gehofft, nicht sterben zu müssen. Ich hatte eine Zeit lang geglaubt, der Vernichtung entgehen zu können, die über die Welt hereinbrach, indem ich mein Schicksal mit dem des Volks meiner Mutter verband. Ich war blind.

Sehen ist ein Weg.

Akzeptieren, was ist, was sich ergibt, was geschieht. Bedingungslos. Ohne den Blick abzuwenden, ohne die Augen Trugbilder fabrizieren zu lassen, um das fern zu halten, was stört.

Sehen ist mein Weg.

Doch es ist ein schwerer Weg!

62

Colonel Bosmans Zimmer

Das Neonlicht im Zimmer war zu grell, und James Bosman schaltete es aus. Eine einfache Nachtlampe genügte durchaus. Er setzte sich auf seinen Schreibtischstuhl, wobei er darauf achtete, seinen Rücken gerade zu halten. Er war nicht schläfrig, und etwas in ihm wollte wach bleiben, obwohl sein geschwächter Körper zunehmend von Müdigkeit übermannt wurde.

Er war krank.

Alle waren krank. Das stand so gut wie fest. Und die, die es noch nicht waren, würden es bald sein.

Freilich gab es hierüber keinerlei Gewissheit, denn die medizinischen Einrichtungen, mit denen die erforderlichen Tests hätten durchgeführt werden können, waren allesamt vom Erdbeben zerstört worden. Doch die Zahl der Leute, die ihre Geburtsurkunde nicht mehr brauchten, war groß genug, um die Vermutung nahe zu legen, dass die Krankheit nicht viele verschonen werde.

Und bestimmt nicht Colonel Bosman.

Aber eigentlich konnte er sich dessen ohne Test auch nicht ganz sicher sein. Die Müdigkeit, die von Stunde zu Stunde stärker wurde und die Schwächung seines ganzen Körpers waren womöglich gar nicht auf die Krankheit zurückzuführen... Vielleicht der Schlafmangel... Allerdings hatte es bei denen, die zusammenklappten, immer damit angefangen, dass sie große Müdigkeit spürten und sich völlig geschwächt fühlten... Wenn man sie dann zusammengesunken in einer Ecke ihres Zimmers oder einem dunklen Flur fand, waren sie eiskalt und rochen bereits... Drei Teams streiften unablässig durch die Nachtzone des Bunkers; ihre einzige Aufgabe bestand darin, die Leichen einzusammeln und sie ins Krematorium zu schaffen, ehe sie bewohnte Räumlichkeiten verpesteten.

In der Tageszone war es anders. Dort konnte man nach und nach aufräumen. Jedenfalls starb man dort in weniger stetem Rhythmus. In der Tageszone lag die Sterblichkeitsrate deutlich niedriger als in der Nachtzone. Ein merkwürdiges Phänomen. Vielleicht hing sie mit der wahnwitzigen Hyperaktivität zusammen, zu der sich die Hellen, wie man sie bezeichnete, zwangen. Das mochte sie etwas länger unter Spannung halten als die Nächtlinge, wie man diejenigen nannte, die in der Nachtzone einquartiert waren.

Seitdem durch das Erdbeben eine Seite des Bunkers über eine Breite von mehreren Metern eingedrückt und der Hauptstromgenerator zerstört worden war, mussten Licht und Energie streng rationiert werden, und der Stützpunkt war in zwei Bereiche aufgeteilt worden. Die Tageszone umfasste alles, was den unmittelbaren strategischen Bedürfnissen der Menschheit Rechnung trug. Dort befanden sich sowohl die Räumlichkeiten und das Personal, die das Überleben der Bunkerinsassen gewährleisteten (Sicherheit, Hygiene und Gesundheit, Ernährung), als auch die Personen, die mit der Ausarbeitung des Plans beschäftigt waren, also Merritts Teams. Insgesamt waren das zehn bis fünfzehn Prozent der Bunkerinsassen. In der Tageszone herrschte eine unermüdliche Aktivität, und das Licht erlosch nie. Die Belegschaft hatte theoretisch das Recht, nachts eine Ruhepause einzulegen, nämlich acht von vierundzwanzig Stunden. Doch die Leute arbeiteten lieber weiter, auch wenn sie manchmal in komaähnlichem Zustand auf einem Stuhl oder auf einer Schreibtischecke zusammensanken, weil sie sich vollkommen verausgabt hatten ... Die Hellen wollten sich generell nicht mehr in die Nachtzone zurückziehen. Anscheinend machte es ihnen Angst, unter den Nächtlingen zu sein.

Das war nur allzu verständlich: In der Nachtzone gab es weder Licht noch Heizung. Zwar wurden Fackeln hergestellt, doch sie reichten bei weitem nicht für alle. So verbrachten die Nächtlinge ihre Stunden damit, in mehrere Decken gerollt über ihre Langeweile zu stöhnen und zu versuchen, nicht überzuschnappen. Manche drängten sich in Scharen um eine Fackel in einem der Gemeinschaftsräume und leierten zitternd alte Soldatenlieder herunter. Andere fürchteten sich schrecklich vor der Dunkelheit, verbarrikadierten sich in ihren Zimmern, kauerten sich in einer Ecke zusammen und bemühten sich, der Zeit, die in ewiger Gleichförmigkeit verstrich, einen Rhythmus zu geben, indem sie von Raum zu Raum miteinander kommunizierten: Sie schlugen mit einem Metallgegenstand, manchmal sogar mit ihrem eigenen Kopf, gegen die Wände und Rohrleitungen ... Andere wagten sich allein in die finsteren Flure hinaus, stießen sich an den Mauern und gaben bisweilen tierische Schreie von sich ... Viele starben, als sei das der sicherste Weg, der Hölle zu entkommen.

Deshalb arbeiteten die aus der Tageszone lieber weiter, als mit den Maulwürfen zu verkehren, mit den lebenden Toten, wie sie sie nannten ... So tat sich ein Graben zwischen den beiden Bunkerteilen auf. Ein Graben aus Unverständnis, das bald zu Hass wurde und alle einholte. Auch Merritt. »Sie haben Angst im Dunkeln?« hatte er gemurmelt. »Sie sind doch keine Kinder mehr!« Aber auch der General wagte sich nicht mehr in die Nachtzone. »Ich brauche keinen Schlaf«, sagte er. Seine Augen glänzten immer stärker und seine Gesichtsfarbe wurde immer wächserner. Merritt war stets von einer Alkoholfahne umgeben, die ausgereicht hätte, mehr als einen Kneipengänger betrunken zu machen, doch Colonel Bosman hatte das Gefühl, dass sein Vorgesetzter, der die Toiletten auffallend regelmäßig aufsuchte, nun nicht mehr ohne Substanzen über die Runden kam, im Vergleich zu denen der Gin, der in seinen alten Adern floss, so harmlos war wie Muttermilch ...

Wie es schien, war er nicht der Einzige. Die Männer aus der Tageszone hatten alle denselben, etwas zu starren Blick, der durch die kohlrabenschwarzen Augenringe noch verstärkt wurde ... Und sie hatten dasselbe irre Lächeln.

Bosman nahm nichts.

Er wollte, dass ihm alles bewusst war. Bis zum Schluss. Immer stärker bewusst.

Seit geraumer Zeit – er gab sich nicht mehr die Mühe, den genauen Zeitraum zu bestimmen – teilte er seine Stunden zwischen der Tages- und der Nachtzone auf.

Wenn er unter den Nächtlingen war, machte er sich die Autorität zunutze, die ihm sein Rang verlieh, und seine bekannte Nähe zum General, um so etwas wie Disziplin aufrechtzuerhalten und das Chaos einzudämmen, das die Leute um den Verstand zu bringen drohte. Er organisierte die Vergabe von Fackeln und verteilte mehr schlecht als recht Aufgaben, die von kollektivem Nutzen waren ... Aktivität hielt in jenen in Not geratenen Seelen einen Schimmer von Wachsein aufrecht und bewahrte manche von ihnen vor dem Wahnsinn. Wenn er unter den Hellen war, begnügte Bosman sich damit, die Dinge zu beobachten. Merritt fand nach wie vor große Freude daran, ihn zum privilegierten Zeugen seiner Taten zu machen. Bosman sagte nichts. Sein Vorgesetzter hatte nicht die geringste Ahnung von dem, was er dachte oder fühlte.

Die Hellen bewegten sich in einer Atmosphäre von Gereiztheit, die zuweilen an Hysterie grenzte. Sie sprachen nicht miteinander, sondern brüllten sich Befehle und Anweisungen zu, warfen sich Beleidigungen an den Kopf und schlugen manchmal ohne bestimmten Grund aufeinander ein, nur um ihrer panischen Wut Luft zu machen, die Dinge nicht kontrollieren zu können. Zwei Männer waren von anderen getötet worden, die unter dem Einfluss von Drogen gestanden hatten .... Die Totschläger wurden ruhig gestellt, indem man ihnen eine kleine chemische Zwangsjacke verpasste und sie zwei Tage lang in einen künstlichen Schlaf versetzte ... Danach hatte man sie wieder zu den anderen zurückkehren lassen.

»Das ist alles nicht so schlimm«, hatte Merritt gesagt. »Es beweist, dass noch Leben in ihnen ist ...«

Doch inwiefern war in diesen von Angst getriebenen und von Drogen abgestumpften Marionetten mehr Leben als in den Nächtlingen, denen sie sich haushoch überlegen fühlten?

Sie haben allesamt die gleiche Angst zu leben, hatte Mary gesagt.

Anspannung oder Resignation… Die beiden Seiten derselben Absage an das Leben. Die Hellen betäubten sich mit Drogen und mit dem Rausch einer trügerischen Macht. Und die Mehrzahl der Nächtlinge verfiel in eine dumpfe, verzweifelte Trägheit, die nicht bedeutete, dass sie den Tod akzeptierten, dem sie ausgeliefert waren, sondern einfach, dass sie sich weigerten, ihn nahen zu spüren. Ob Helle oder Nächtlinge, alle betäubten sich und schnitten sich von sich selbst ab. So wurden sie allmählich nicht mehr von der lebendigen Spontaneität ihrer Wünsche geleitet, sondern von seelenlosen Kräften und Mechanismen, die blind und taub waren.

Das hatte Mary ihm verständlich gemacht.

Kurz nach dem Tod des Präsidenten hatte Bosman der jungen Frau einen Besuch abgestattet. Er war von dem tiefen Wunsch beseelt gewesen, Mary möge ihn ansehen und mit ihm sprechen. Sie hatte ihm zugehört. Und sie hatte auch selbst ein paar Worte gesprochen, Worte, die ihn zutiefst erschüttert hatten und die sein Gedächtnis nicht hatte bewahren können. Die Worte dieser Frau schienen von weit jenseits ihrer selbst zu kommen. Sie konnten einen nicht unberührt lassen. Und nachdem er sie aufgesucht hatte, war er nicht mehr derselbe. Er wollte jetzt leben. Er wollte an sich glauben.

Er hatte keine Angst mehr.

Unmittelbar nach seiner zweiten Unterredung mit Mary hatte Merritt ihn zu sich beordert und ihn gefragt, was er bei ihr zu suchen habe. Offensichtlich stand sie unter Beobachtung.

»Seien Sie auf der Hut, mein lieber James, diese Frau ist eine Hexe«, hatte er zu ihm gesagt.

Bosman hatte seinen Vorgesetzten wortlos stehen lassen.

Er wusste, dass Merritt vollkommene Macht über ihn hatte. Vollkommene Macht über sein Leben. Doch ihm war nicht bange geworden. Er hatte einfach das Zimmer verlassen. Merritt hatte nicht reagiert.

Und nun hatte er auch keine Angst vor der Schwäche, die seinen Organismus von Stunde zu Stunde mehr zu überwältigen drohte. Er hatte keine Angst zu sterben.

Nichts war ihm mehr wichtig.

Aber er hatte einen Wunsch: er selbst zu sein. Nur er selbst.

Bosman lächelte. Sein Körper war erschöpft, doch im Halbdunkel des Zimmers lagen Leichtigkeit und Süße.

Er streckte sich auf seinem Bett aus und schloss die Augen. Er musste schlafen.

In dem Moment, als sein Körper in schläfrige Benommenheit fiel, ließ heftiges, anhaltendes Klopfen ihn zusammenfahren.

»Ja?«

Von der anderen Seite der Tür war eine erstickte Stimme zu hören.

»Ich bin es, Rosenqvist, Colonel. Peter Basler geht es nicht gut. Gar nicht gut. Wir sind alle bei ihm und haben uns gefragt, ob ...«

Bosman richtete sich ruckartig auf.

»Ich komme«, sagte er.

63

Peter Baslers Zimmer

Die Flamme, die hinter ihnen brannte, warf zitternde Schatten auf Peters Bett und auf die Wand. Mary war es gelungen, eine Fackel herbeizuschaffen, das rarste und kostbarste Gut in der Nachtzone, und das war sehr wichtig. Es war wichtig, Peters Gesicht zu sehen. Solange noch ein Hauch Leben in seinem Körper war.

Greg hielt die Hand seines Freundes. Unmerklich wurde die Berührung dieser Hand schwächer, als leere sie sich langsam von der ihr innewohnenden Präsenz. Peter ging. Greg hätte ihn gern auf diesem Weg begleitet, doch das war unmöglich. Das wusste auch Peter. Seine Augen waren geschlossen, seine Wangen eingefallen, und er schien nur auf sein Atmen konzentriert und von der Dringlichkeit beseelt, diese Momente vollkommen zu erleben. Zuvor hatte er Greg durch leichtes Drücken seiner Hand zu verstehen gegeben, dass er trotz seines leblosen Körpers bei ihm sei. Und jetzt war er nur noch dem Geheimnis seiner Bestimmung zugewandt. Bereits mit sich allein.

Greg warf einen Blick um sich. Soeben war James hereingekommen, gefolgt von Rosenqvist, und das freute ihn. Ganz nahe bei ihm stand Mary und etwas weiter hinten Doubletour. Auch Prescot und Barkwell waren da.

Greg schloss kurz die Augen. Für sie alle mit Ausnahme von Mary hatte dieser Augenblick den furchterregenden Beigeschmack einer Art Generalprobe. Denn alle außer Mary waren von derselben Krankheit befallen, die Peter dahinraffte. Von jener Krankheit, die sie alle in wenigen Tagen dahinraffen würde, wenn nicht ein Wunder geschah.

Greg war selbst krank. Er wusste es. Seit einem schwer zu bestimmenden Zeitraum war sein Körper von einer Mattigkeit und Schwäche befallen, die das wichtigste und unzweifelhafte Symptom der Mitochondrien-Krankheit darstellte. Alle waren von dieser Krankheit befallen oder würden es schließlich werden.

Greg sah seine Frau an. Wie konnte sie eine solche Gelassenheit ausstrahlen? Es war, als könne nichts diesem Kern aus reiner Freude etwas anhaben, aus dem ihre Seele bestand. Dabei wusste sie, dass Greg krank war. Und Greg konnte keinen Moment lang an ihrer Liebe zweifeln. Er wurde von ihr geliebt, wie vielleicht noch nie ein Mensch geliebt worden war. Absolut. Bedingungslos.

Mary liebte ihn. Sie wusste, dass er sterben würde.

Und da war sie, gefasst, mit halb geschlossenen Lidern, mit geschmeidig aufrechtem Rücken und mit einem Ausdruck unerschütterlichen Vertrauens in das Leben auf ihrem Gesicht.

»Es gibt noch Hoffnung«, lautete der Satz, den sie unermüdlich wiederholte, wenn man sie fragte.

Mehr sagte sie nicht.

Hoffnung...

Plötzlich änderte sich etwas in der Atmosphäre des Raums. Die Schatten an der Wand begannen leicht zu schwanken. Die Flamme der Fackel zitterte, zögerte jedoch, zu erlöschen, als stünde sie im Sog eines kaum spürbaren, kräftigen Hauchs. Eine eigenartige Kälte schien Gregs Rücken entlangzukriechen. Es ging alles sehr schnell.

Greg sah Peter an. Die Hand des Freundes in der seinen war nurmehr ein kraftloses Ding, und sein Gesicht war ausdruckslos.

Mary legte ihre Hand auf Gregs Arm. Ihre Augen waren geschlossen, und ihre Lippen bewegten sich leicht, als ob sie betete. Bosman, der links von ihm stand, war näher getreten.

Peter ist tot.

Andächtige Stille herrschte in dem eiskalten Zimmer, als spürten alle, dass es vorbei war. Merkwürdigerweise empfand Greg keine Traurigkeit.

»Leb wohl«, murmelte er.

Eine Träne floss langsam seine Wange herunter. Mary hielt seine Hand. Die Zeit schien stillzustehen.

Wie viel Zeit war verstrichen, seit Peter seinen letzten Atemzug getan hatte? Keiner hatte das Zimmer verlassen. Alle standen um ihn herum und drängten sich aneinander, um im schwachen Licht der herunterbrennenden Fackel weniger zu frieren. Keiner sprach. Die Andacht, die in diesem Sterbezimmer herrschte, hatte etwas Friedvolles. Peters Präsenz war diffus zu spüren, ohne dass ein Zusammenhang mit jenem verlassenen Körper bestand, der auf dem Bett ruhte, und alle blieben stumm, wie um jene Gegenwart noch einmal zu spüren, ehe sie für immer verschwand. Greg war erschöpft, doch merkwürdig ruhig, und er hörte, wie sich in seinem Geist Worte zu flüchtigen Gebeten formten. Er ließ sie aufsteigen, ohne einzugreifen. Als könne nur ein Gebet Peter noch auf dem Weg begleiten, den er nun allein zurücklegte.

Sein Freund war bis zuletzt er selbst geblieben. Aufsässig, aufrührerisch.

»Man hat mir meine Welt geraubt«, hatte er ihm ein paar Tage zuvor gesagt.

Peter hatte sich eine Vorstellung von der Welt gebildet und lebte darin. Als die Welt nicht mehr dieser Vorstellung entsprach, konnte er das nicht hinnehmen. Das Leben trotzte seinem Wissen? Dann war das Leben im Unrecht! Allmählich hatte er sich in seiner Wut eingeigelt. Als er starb, lag auf seinem Gesicht der Ausdruck eines enttäuschten Kindes.

Greg wandte sich zu Mary. Sie hatte die Augen geschlossen und strahlte vor liebender Kraft. Sie stand reglos da, aufrecht und war so schön in ihrer Präsenz.

Greg merkte, dass Blicke auf ihr ruhten. Der von James, der von Doubletour... lautere Blicke ohne Berechnung; fragende Blicke.

Unmerklich schien sich die Aufmerksamkeit aller ihr zuzuwenden. Als sei Marys andächtige Gegenwart ein Schwerpunkt in dem Schweigen, das ihr Bewusstsein vereinigte.

Da war die Erwartung, dass sie sprechen würde.

Und Greg wurde klar, dass auch er wartete. Mary hatte die Augen wieder geöffnet. Einige Sekunden später begann sie zu sprechen: »Sie sind alle sehr müde, und ich spüre, dass Sie verzweifelt sind …«

Marys Worte wurden mit ungemeiner Aufmerksamkeit aufgenommen.

»Ich möchte Ihnen sagen, dass es Hoffnung gibt.«

Alle Gesichter blickten sie forschend an und versuchten, ihr Geheimnis zu ergründen.

»Sind Sie bereit, davon zu hören?«

Rosenqvist schaltete sich ein: »Mary, wohin ich auch blicke, ich sehe nichts, was mich beruhigen könnte. Wenn Sie einen Grund zur Hoffnung sehen, so bitte ich Sie, ihn uns zu nennen!«

»Hoffen hat nichts Beruhigendes an sich. Manchmal ist es leichter zu verzweifeln …«

Greg las auch in den anderen Gesichtern eine Ratlosigkeit, die mit der seinen vergleichbar war.

»Hier ist Leben nicht möglich«, sagte Mary. »Hoffnung, die einzige Hoffnung, besteht für uns nur dann, wenn wir diesen Bunker verlassen und ins Freie hinaufgehen.«

»Das ist der reine Selbstmord!«, rief eine Stimme.

Es war Barkwell.

»So etwas können wir nicht tun«, fuhr er fort. »Wir befinden uns hier in einem keimfreien Milieu. Verstehen Sie? Wir haben kein Immunsystem mehr! Wenn wir an die Oberfläche steigen, bedeutet das sofort den sicheren Tod. Unsere Abwehrkräfte waren schon den neuen Viren gegenüber völlig unzureichend. Und jetzt haben wir nicht einmal mehr Abwehrkräfte!«

»Professor Barkwell«, sagte Mary, »wie erklären Sie sich, dass ich das Virus im Krankenhaus von Fort Detrick überlebt habe?«

Der Forscher zögerte.

»Ich kann es mir nicht erklären. Wir haben alle nur erdenklichen Untersuchungen vorgenommen, aber …«

»Ich werde Ihnen sagen«, entgegnete Mary, wobei sie sich an alle wandte, »weshalb ich nicht krank bin.«

Sie machte eine Pause.

»Ich bin nicht krank, weil ich in Frieden mit mir und der Welt lebe. Und ich lebe in Frieden, weil ich mich nicht abschirme.«

Auf allen Gesichtern zeichnete sich Verständnislosigkeit ab.

»Ich bitte Sie, drücken Sie sich klarer aus«, warf Barkwell ein.

»Sehen Sie sich diesen Bunker an. Wir haben alle Verbindungen abgebrochen, die uns an die Erde koppelten. Auf diese Weise glauben wir, in Sicherheit zu sein, den Tod fern halten zu können ... Welch eine Ironie! Die Verbindungen, die uns an die Erde koppeln, die Interaktion unseres Körpers mit allem, was lebt, ist unser Leben selbst! Und genau das zerstören wir und glauben dabei, uns zu schützen. Doch wir führen Krieg gegen das Leben.«

»Aber wir schützen uns vor einer Bedrohung, die sehr real ist!«

»Ja. Aber unsere Angst hat diese Bedrohung erst geschaffen. Unsere Angst nährt sie. Wenn wir hinausgehen, lassen wir diese Angst hinter uns. Genau das bedeutet es, im Frieden zu sein: zu akzeptieren, dass man zur Erde gehört.«

»Das ist ja alles sehr schön«, sagte Barkwell, »aber was kann uns vernünftigerweise davon überzeugen, dass wir nicht im selben Moment sterben, in dem wir unsere Nase aus der keimfreien Zone herausstrecken?«

»Was konnte Sie vernünftigerweise davon überzeugen, dass ich das Virus von Fort Detrick überlebt habe?«

»Was garantiert mir, dass mein Organismus genauso reagiert wie der Ihre?«

Mary brach völlig unerwartet in lautes Gelächter aus.

»Absolut nichts! Nichts garantiert Ihnen das!«

Barkwell, völlig aus der Fassung gebracht, schwieg einige Sekunden. Dann runzelte er die Stirn und schüttelte den Kopf.

»Mary, ich habe großen Respekt vor Ihnen. Aber ich bin Wissenschaftler, verstehen Sie. Ich brauche Beweise.«

Ein Anflug von Traurigkeit überschattete das Gesicht der jungen Frau.

»Genau dazu dient Ihnen die Wissenschaft ... Sie wollen nur Beweise, um Garantien zu haben.«

Barkwell machte eine wütende Geste.

»Ich will Beweise, weil ich an die Wissenschaft glaube, das ist alles! Und die Lösung, die Sie vorschlagen, widerspricht allem, was ich weiß.«

Da erklang eine dumpfe, müde Stimme: »Barkwell, sehen Sie mich an ... Sehen Sie sich selbst an.«

Es war Prescot. Sein Gesicht war abgemagert, und seine Augen glänzten fiebrig.

»Wir sind krank, erschöpft ... am Ende. Man hat uns ausgewählt ... weil wir Wissenschaftler sind, weil man glaubte ... Wissen würde die Menschheit retten. Und dabei gehen wir alle zugrunde! Unser Wissen rettet uns nicht ... Also ich ... ich würde Mary gerne anhören.«

Barkwell öffnete den Mund, wie um zu antworten. Doch er blieb stumm.

Nach einer Weile begann Mary erneut zu sprechen: »Glauben Sie nicht, ich würde die Wissenschaft gering schätzen. Auch ich bin Wissenschaftlerin. Aber die Anthropologie ist eine ganz besondere Wissenschaft. Um ein Volk kennen zu lernen, muss man mit ihm und auf seine Art leben. Dazu muss man alle Orientierungspunkte aufgeben und auf etwas zugehen, das man nicht kennt. Kennen lernen bedeutet für uns nicht, die Welt umzugestalten und auch nicht, dass wir in der Lage sind, sie vorherzusehen. Kennen lernen bedeutet, sich durch Unbekanntes verändern zu lassen. Kontakt mit dem Anderen, dem Fremden, bedeutet zu akzeptieren, dass man Unbekanntes in sich selbst entdeckt. Nun, ich glaube ...«

Mary machte eine kurze Pause.

»... dass uns jetzt nur das retten kann: zu akzeptieren, dass wir auf etwas vertrauen, das wir nicht kennen. Es bedeutet, sich für das Leben zu entscheiden.«

Sie hatte die letzten Worte so inbrünstig gesprochen, dass das anschließende Schweigen fast wie ein Gebet war. Greg fühlte, dass etwas in ihm die Waffen streckte. In diesem immer dunkler werdenden Zimmer, in dem ein Toter lag, hatte sich Ruhe ausgebreitet. Es war tiefe Traurigkeit zu spüren. Doch die Gedanken waren versiegt. Und Greg wollte an Mary glauben.

»Die Krankheit«, fuhr sie fort, »bedeutet, dass Ihr Körper im Krieg liegt. Die Körperteile, aus denen Sie bestehen, arbeiten nicht mehr zusammen. Das ist der Grund, weshalb Sie sterben. Weil Sie keine Einheit mehr sind. Und nun möchte ich Ihnen sagen ...«

Sie unterbrach sich für einen Augenblick.

»... Was Sie zu einer Einheit macht, ist die Seele. Eine lebendige Seele. Eine vibrierende Seele. Sich für das Leben zu entscheiden heißt, sich für das zu entscheiden, was uns zum Vibrieren bringt. Wir stehen jede Sekunde neu vor dieser Entscheidung. Aber wir entscheiden uns zu oft für das, was uns beruhigt. Was uns auslöscht. Dann wird unsere Seele schwach. Sie vibriert nicht mehr. Sie strebt nur noch danach, alle Gefühle auszulöschen; sie stöhnt vor Angst vor dem Leben. Sie zieht sich zurück. Unser Körper ist nicht mehr von ihrer vibrierenden Gegenwart beseelt, die seine Einheit und Harmonie ausmachen ... Und seine Schönheit. Und unsere Seele ist nicht mehr fähig zu leben und nur noch dazu imstande zu wissen. Und je weniger lebendig sie ist, desto gieriger ist sie nach jener Allmacht, die das Wissen ihr verleiht. So macht sie aus dem Körper, den sie nicht mehr mit Leben erfüllen kann, aus dem verlassenen Fleisch, das nur noch ein toter Gegenstand ist, das Objekt ihres Wissens und das Instrument ihrer Allmacht. Sie unterwirft das Fleisch und sie unterwirft die Erde mit dem lächerlichen Ziel, niemals zu sterben ... Und die geplünderte, vergewaltigte, leidende, von der Seele abgelehnte Erde lehnt diese nun ihrerseits ab. Das bedeutet Krieg. Doch es ist ein Krieg der Liebe. Denn in uns trachten Geist und Materie mit aller Kraft danach, sich zu vereinigen. Und in einem Krieg der Liebe ...«

Ein Lächeln glitt über Marys Gesicht. Die Fackel war beinahe erloschen, doch im Raum strahlte ein eigenartiges Licht.

»... in einem solchen Krieg besteht der einzige Sieg darin, sich zu ergeben.«

Dann schwieg sie.

Doch es war, als hörten ihr alle weiter zu. Als fühlte jeder der Männer, dass Marys Worte in seinem Inneren Saiten zum Klingen brachten, die ihm völlig neu waren. Und wie sie ihren Worten gelauscht hatten, lauschten sie nun Marys Schweigen.

Nach geraumer Zeit sprach Prescot: »Mary, alles, was Sie gesagt haben, hat mich sehr berührt. Für mich ist es zu spät. Aber ich hätte gern …«

Er hielt inne, wirkte erschöpft.

»… ich hätte gern«, fuhr er mühsam fort, »Ihre Hoffnung geteilt.«

Er schwankte leicht. Greg fürchtete, er würde gleich ohnmächtig zusammenbrechen. Doch er suchte nur nach den richtigen Worten.

»Tatsächlich«, sprach er weiter, »kann ich als Geophysiker Ihr Gefühl in einem Punkt bestätigen … Nämlich wenn Sie sagen … dass wir keine Chance haben, in diesem Bunker zu überleben. Ich habe inzwischen eine kleine Vorstellung von dem, was sich hier abspielt. Ich glaube … es wird alles noch schlimmer werden. Unser Bunker wird die nächste Erschütterung nicht überstehen.«

Prescot versuchte mühsam aufzustehen. Er hatte einen Ordner in der Hand, den er Bosman reichte: »Hier habe ich … meine persönlichen Schlussfolgerungen zu diesem Thema festgehalten … Ich habe versucht, mich so klar wie möglich für … Laien auszudrücken. Ich würde mich freuen … wenn Sie das lesen würden, Colonel.«

Dann wandte er sich an Mary.

»Ich möchte hinzufügen … Sie haben so schön gesprochen … aber ich fürchte, dass leider …«

Prescots Hände zitterten, und einen Moment lang schien es, als breche er zusammen. Greg machte eine Bewegung, um ihn zu stützen, doch Prescot erholte sich wieder.

»Das Erdbeben«, begann er von neuem, »hat die beiden am nächsten zur Erdoberfläche gelegenen Stockwerke zerstört. Dort liegt alles in Trümmern. Um dort oben durchzukommen … müssten Arbeiten von gigantischem Ausmaß durchgeführt werden …

Arbeiten, die die biologische Isolierung zerstören würden ... Und deshalb ...«

Prescot holte Luft.

»Ich glaube, dass es derzeit unmöglich ist, den Bunker zu verlassen.«

Der Forscher ging zitterigen Schritts zur Tür.

»Es tut mir sehr Leid ... Ich möchte Ihnen Lebewohl sagen ... Leben Sie wohl.«

64

Prescots Aufzeichnungen

Wie ich bei einer interdisziplinären Zusammenkunft darzulegen versuchte, habe ich schon seit langem den Eindruck, dass die Erdgeschichte in regelmäßigen Abständen durch Naturkatastrophen von beträchtlichem Ausmaß bestimmt wird, infolge derer sich ihre Physiognomie verändert und es zum Aussterben ganzer Gattungen ... und Kulturen kommt.

Schon zu Beginn der schlimmen Ereignisse hatte ich das Gefühl, dass wir den Anfang einer solchen Katastrophe erlebten. Und dass wir uns auf tief greifende Erschütterungen würden gefasst machen müssen, vergleichbar mit dem, was in der Bibel und zahlreichen anderen Überlieferungen in der Menschheitsgeschichte als Sintflut beschrieben wird.

Doch ich hätte nicht gedacht, dass die geologische Katastrophe, mit deren Eintreten ich durchaus gerechnet hatte, mit anderen gleichermaßen neuen wie unverständlichen Phänomenen verbunden sein würde, die nicht mein Fachgebiet betreffen: Verhaltensänderungen bei Tieren, Viren- und Bakterienmutationen, pflanzliche Mutationen ... Daraufhin habe ich zu diesem Thema den Ansatz einer Hypothese entwickelt, die noch viel zu verschwommen und allgemein ist, um wissenschaftlich zu sein, doch ich werde sie Ihnen dennoch unterbreiten. Mein Leben ist zu Ende; ich werde meine Forschungen nicht mehr weiterführen können. Ich möchte Ihnen lediglich sagen, worauf ich gestoßen bin. Für die, die mich überleben, so Gott will.

Ich möchte hier deutlich machen, dass ich die Wissenschaft liebe. Und dass ich an die Wissenschaft glaube. Es war meine

Berufung, Forscher zu sein. Zu lange konnte ich nur Gelehrter sein. Das Wissen ist der Schlaf der Intelligenz. Die wirkliche Wissenschaft ist ein Abenteuer. Sie fordert von uns, alles Wissen auszublenden, um uns dem Geheimnis der Welt öffnen zu können. Denn die Welt ist viel komplexer als unser Wissen.

Seit wir in den Bunker gekommen sind, haben mein Team und ich trotz des völligen Desinteresses der Obrigkeit unsere Forschungen weiter betrieben. Und sie blieben nicht fruchtlos.

Wir verfügen seit einigen Jahren über ein weltweites Positionierungssystem, das via Satellit funktioniert und es uns erlaubt, jeden Punkt auf der Erdoberfläche mit nahezu hundertprozentiger Präzision zu lokalisieren. Bei der Untersuchung der letzten verfügbaren Ergebnisse (die Stationen im Ausland hatten bereits zu senden aufgehört, als wir in den Bunker kamen) machten wir eine spektakuläre Entdeckung.

Der Radius der Erde ist plötzlich größer geworden (um etwa hundert Meter) und damit auch ihr Umfang. Das bedeutet, dass der Erdball sich ausgedehnt hat.

Mangels aktueller Messungen wissen wir nicht, ob diese Expansion fortschreitet. Doch wir haben zumindest eine Gewissheit: Die Erdbeben, die unseren Planeten erschüttern, sind direkt auf diesen Radiusanstieg zurückzuführen. Wir verstanden zunächst nicht, weshalb die Erde auch an Orten bebte, die weit von den Übergängen zwischen den tektonischen Platten entfernt liegen. Inzwischen kann ich sagen, dass die Vergrößerung des Erdradius gigantische Risse in der Erdkruste nach sich zieht – diese bricht sowohl an den Linien der alten Risse, als auch innerhalb der stabilen Zonen der lithosphärischen Platten auf.

Die Erdbebenaktivität nimmt stetig zu.

Unsere Beobachtungen über Fotosatellit zeigen uns, dass vielfach Magma aus der Erdkruste austritt. Die Erdbeben werden immer häufiger und immer heftiger.

Ich glaube, dass der Bunker, dessen Konstruktion auf einer Erdbeben-Risikoeinschätzung beruht, die weit hinter den tatsächlichen Gegebenheiten zurückliegt, der verhängnisvollen Zunahme der Erdbebenaktivitäten, die wir feststellen müssen, nicht standhalten wird.

Worauf diese Zunahme des Erdradius zurückzuführen sein mag, kann ich natürlich nicht mit Sicherheit sagen. Doch ich kann eine Hypothese vorschlagen.

Wir wissen, dass der Erdkern radioaktive Elemente enthält: Thorium, Uranium sowie ganz geringe Mengen Plutonium.

Man kann die Hypothese aufstellen, dass diese radioaktiven Elemente, die eine höhere Dichte haben als die Metalle, die den Kern bilden, infolge ihrer gegenseitigen Anziehung dazu neigen, zur Mitte des Erdkerns zu wandern.

Plutonium hat die höchste Dichte und sammelt sich in der Mitte, Uranium lagert sich darum herum an – das ist die Konfiguration, wie sie in schnellen Brütern hergestellt wird, unter Druckbedingungen analog zu denen, die für eine künstliche Atomexplosion erforderlich sind.

Bei einer solchen Konstellation ist es durchaus möglich, dass in der Mitte des Erdkerns die Bedingungen für eine Atomexplosion gigantischen Ausmaßes gegeben sind.

Diese wiederum könnte infolge der anschließenden Schockwelle die von uns konstatierte Zunahme des Erdradius sowie die dadurch bedingten seismischen Phänomene nach sich ziehen.

Ich möchte hinzufügen, dass eine derartige Explosion, bei der beträchtliche Mengen an radioaktiver Materie freigesetzt werden, die Emission radioaktiver Gase in die Atmosphäre und in die Gewässer zur Folge haben würde. Tatsächlich wurde seit Beginn der Krise eine bedeutend höhere Radioaktivität in der Atmosphäre konstatiert.

Könnte diese anomale Radioaktivität das Verhalten von Tieren beeinflussen oder genetische Veränderungen und Mutationen bei Mikroorganismen und Pflanzen hervorrufen? Da diese Fragestellung nicht in mein Fachgebiet fällt, kann ich sie nur an diejenigen weitergeben, die hier sachkundiger sind als ich.

Alle, die mir bei der besagten interdisziplinären Zusammenkunft zugehört haben, wissen, dass ich mich mit den ungewöhnlichen Mammutfriedhöfen in Sibirien beschäftigt habe… und dass ich vermute, dass eine riesige Welle mit der Kapazität, das Festland auf einer Fläche von Hunderten von Kilometern zu überfluten, für ihren Tod und ihr Einfrieren verantwortlich ist.

Wenn ich von den letzten Ereignissen ausgehe sowie von den Erklärungen, die ich dafür angeboten habe, so glaube ich, modellhaft die Voraussetzungen beschreiben zu können, unter denen eine solche Naturkatastrophe möglich wird und die mit unserer gegenwärtigen Situation zu tun haben.

Die Idee dazu kam mir dank eines kleinen Vorfalls, dessen Opfer ich aufgrund meiner Unachtsamkeit wurde. Ich wollte ein Ei in meinem Mikrowellenherd kochen, und das Ei explodierte, was mich ziemlich beeindruckt hätte, wenn nicht unmittelbar danach das Erdbeben erfolgt wäre, das den Stützpunkt erschütterte.

Das Zusammentreffen der beiden Ereignisse ließ mir ein Licht aufgehen.

Man kann die Erde mit einem Ei vergleichen.

Ein Ei besteht aus zwei zähflüssigen Massen unterschiedlicher Dichte, dem Eigelb und dem Eiweiß, die durch eine dünne Membran voneinander getrennt sind.

Als ich nach einer Erklärung für die Explosion des Ofens suchte, stellte ich mir vor, dass das elektromagnetische Feld den Inhalt des Eies in schnelle Drehungen versetzt haben könnte und dass das Reißen der die beiden Substanzen trennenden Membran dazu geführt haben mochte, dass diese sich augenblicklich mischten und dadurch plötzlich Energie freigesetzt wurde…

Inzwischen glaube ich, dass diese Hypothese wahrscheinlich falsch ist… doch sie gab mir die Antwort auf die Frage, die ich mir gestellt hatte.

Die Erde besteht zu drei Vierteln aus zwei Substanzen unterschiedlicher Dichte, nämlich dem Kern und der Mesosphäre. Die beiden Substanzen berühren einander, doch die seismischen

Profile zeigen, dass sie sich nicht miteinander vermischen. Ich glaube, dass eine Atomexplosion durchaus zu einer Vermengung der Materialien aus dem Kern und der Mesosphäre führen könnte.

Bereits die Vermengung auf einer ganz kleinen Fläche würde Folgen nach sich ziehen, die den gesamten Erdball betreffen: Eine so beschaffene Zone wird infolge ihrer größeren Trägheit von einer Rotationsbewegung umgekehrt zur Drehrichtung der Erde erfasst. Dadurch reißt sie in ihrer Bewegung immer größere Materiemengen mit sich.

Folge: ein heftiges Abbremsen der Erdrotation.

Vom Standpunkt des menschlichen Beobachters aus ergibt sich der Eindruck, dass die Sonne in ihrem Lauf innehält und diesen danach für eine Zeit lang in entgegengesetzter Richtung wieder aufnimmt.

Durch die Wirkung der Trägheitskraft bedingt, überfluten die Ozeane dann in West-Ost-Richtung in Form einer riesigen Welle die Erde; einer Welle, die so gewaltig ist, dass sie das Festland über Hunderte von Kilometern überschwemmt und alles mitreißt, was sich unterhalb von fünf- oder sechshundert Metern Höhe befindet.

Ebenso spektakulär sind die Folgen für das Klima: Orkane von ungeheurer Stärke ziehen von Westen nach Osten und wirbeln Staub in die Atmosphäre… was zu einer Verdunklung der Atmosphäre und damit zu einem Temperatursturz führt.

Die durch die Vermengung von Kern und Mesosphäre bedingten Wirbelstürme können in einigen Stunden von selbst zum Stillstand kommen, aber das ist lediglich eine Vermutung. Dann würde die Erdrotation nach und nach wieder ihren normalen Gang aufnehmen. Und erneut würde Wasser das Land überfluten, diesmal von Osten nach Westen.

Ich bin fest davon überzeugt, dass derartige Ereignisse im Lauf der Erdgeschichte bereits mehrfach stattgefunden haben – und dass mindestens einmal Menschen Zeugen davon wurden.

Ich bin fest davon überzeugt, dass derartige Ereignisse soeben erneut stattfinden und dass die abschließende Katastrophe unmittelbar bevorsteht.

Danach wird das Leben wieder seinen Lauf nehmen.

Die Ruinen unserer Städte werden unter mehreren Metern von Schlamm begraben sein. Unser Bunker wird wahrscheinlich, wenn schon nicht völlig zerquetscht, so doch zumindest so erschüttert worden sein, dass ein Überleben darin nicht mehr möglich ist.

Was das amerikanische Staatsgebiet betrifft, so wissen wir, dass ein Überleben an der Oberfläche im Moment der Ausnahmefall ist. Anderswo ist die Situation wahrscheinlich vergleichbar. Wir können von der Möglichkeit einer Auto-Immunität gegenüber allen neuen Viren ausgehen, wie Frau Mary Thomas uns dies exemplarisch vorführt. Vielleicht sind auch andere dazu in der Lage. Wenn sie die Angriffe wilder Tiere und die Erdbeben überstanden haben, müssen sie noch der kommenden Naturkatastrophe und deren Folgen für das menschliche Leben entrinnen.

Es haben Menschen die letzte Sintflut überlebt, und die menschliche Rasse blieb erhalten. Wird es diesmal genauso sein? Das hängt jetzt nurmehr vom Zufall ab.

Wenn ich den Mut gehabt hätte, dies alles schon früher deutlich zu machen, lange vor diesen Ereignissen... hätte sich die Menschheit vielleicht auf die Krise vorbereiten können. Doch wer hätte mir schon geglaubt?

Wenn General Merritt diese Zeilen zu lesen bekäme, würde er mich einsperren oder wegen Defätismus umbringen lassen.

Das kümmert mich nicht.

Wenn Sie dies gelesen haben, bin ich bereits tot. Das habe ich so beschlossen.

Meinem Leben ein Ende zu setzen ist das Einzige, das ich noch in der Hand habe. Ich verabschiede mich von Ihnen.

Bosman steckte die zu drei Vierteln heruntergebrannte Fackel, in deren Licht er Norman Prescots Aufzeichnungen gelesen hatte, in ihre Halterung. Er verbarg seine Ergriffenheit nicht, und Greg spürte im Halbdunkel, dass alle anderen ebenso ergriffen waren.

Dann begann der Colonel: »Ich weiß nicht, was an den Theorien von Professor Prescot Wahres ist. Der Ordner enthält noch etwa dreißig Anlagen mit anscheinend sehr fachspezifischen Daten, die seine Behauptungen stützen sollen. Ich stelle sie Ihnen zur Verfügung, falls jemand mehr darüber wissen möchte. Doch was ich auf alle Fälle sagen kann, ist ...«

Er unterbrach sich und blickte kurz in Richtung Mary.

»... dass er in einem Punkt völlig Unrecht hat. Es stimmt, dass es im Moment unmöglich ist, aus diesem Bunker durch die Eingänge hinauszugelangen, durch die wir hereingekommen sind, doch ich habe auf Ihre Bitte hin aufmerksam die Pläne unserer Unterkunft überprüft. Es gibt einen anderen Ausgang.«

Er machte eine kurze Pause.

»Es gibt einen sehr langen, unterirdischen Stollen, der gebaut wurde, um im Fall einer Übernahme des Bunkers durch den Feind einer kleinen Gruppe von Personen die Flucht zu ermöglichen. Er mündet in einen der Vororte Washingtons. Leider ...«

Der Colonel ließ seinen Blick über die Anwesenden schweifen.

»... kann man nicht sicher sein, ob er nicht vielleicht in ein Gebiet mündet, das von Trümmern blockiert ist.«

»So ist also die Zeit der Entscheidung gekommen«, sagte Mary.

Ein Knistern war zu hören, ähnlich dem von Insektenflügeln. Die Fackel war gerade ausgegangen. Das sowieso schon kümmerliche Licht nahm mit rascher Geschwindigkeit weiter ab. Dann herrschte völlige Dunkelheit. Da war erneut Marys Stimme zu hören: »Ich habe meine Entscheidung getroffen«, sagte sie. »Ich werde von hier weggehen.«

Greg fühlte, wie er von den Fußsohlen bis zur Scheitelspitze zitterte. Sein Atem ging keuchend, als läge ein Gewicht auf seiner Brust. Er wartete. Keiner sagte etwas.

»Wer kommt mit mir?«, fragte Mary.

65

Greg merkte, wie ihm der Boden unter den Füßen wegrutschte, und lag dann mit einem starken Schmerz im Ellenbogen auf der Erde. Er warf einen Blick auf Mary, die mit einer brennenden Fackel in der rechten Hand vor ihm ging. Sie drehte sich halb um.

»Wird es gehen?«, fragte sie.

Ihr Ton war kühl.

Greg stand mühsam wieder auf, ohne zu antworten. Er hatte Schmerzen. Er war nun schon zum dritten Mal hingefallen.

Mary ging weiter.

Greg ballte die Fäuste. Es schien ihr völlig egal zu sein, wie er sich fühlte, ob er müde oder verletzt war. Bei einem Sturz hatte er sich den Wangenknochen aufgerissen; er hatte Blutgeschmack im Mund...

Er war erschöpft.

Schon seit Stunden, die nicht mehr zu zählen waren, stiegen sie den unterirdischen Stollen hinauf. Herumliegende Felsbrocken in allen Größen machten das Vorwärtskommen beschwerlich; bisweilen mussten sie über mehrere Meter hohe Blöcke klettern. Unaufhörlich lösten sich Steine aus der Mauer, und nichts sprach dafür, dass ihnen nicht irgendwann ein Felshaufen endgültig den Durchgang versperren würde...

Und Mary ging unbeirrbar weiter, als sei ihr das alles gleichgültig.

Offensichtlich war sie nicht krank.

Was hatte er hier eigentlich zu suchen?

Er folgte seiner Frau wie ein Hündchen, nur weil sie gesagt

hatte, es müsse sein, und Greg, ganz in ihrem Bann stehend, hatte gehorsam eingewilligt: Gut, in Ordnung, wie du willst, ich folge dir, zeig mir den Weg…

Was war bloß in ihn gefahren?

Nachdem Mary in Peters dunklem Zimmer gefragt hatte, wer mit ihr kommen wolle, hatte Schweigen geherrscht. Sehr lange. Dann war ein Rascheln zu hören gewesen und anschließend verhaltene Schritte. Daraufhin weitere. Einer nach dem anderen hatten alle den Raum verlassen. Mit Ausnahme von James.

Und ihm natürlich.

Wie hätte Greg Mary allein lassen können?

Dann hatte er zu Mary gesagt: »Ich komme mit dir.«

Warum hatte er das gesagt?

Wäre es nicht möglich gewesen, mit ihr zu reden, sie zur Vernunft zu bringen? Sie hatte sich etwas in den Kopf gesetzt, doch man hätte vielleicht mit ihr diskutieren und mehr Garantien von ihr fordern können, stichhaltige Argumente… Man hätte ihr zeigen können, dass sie im Bunker möglicherweise sicherer waren, dass Prescots Theorien wahrscheinlich nicht stimmten, dass sich zwei Dutzend Spitzenforscher unermüdlich darum bemühten, ein Mittel gegen die Krankheit zu finden, und dass sie schließlich auch eines finden würden. Herrgott noch mal, das war doch durchaus denkbar!

Greg entfuhr ein Stöhnen, das er sofort unterdrückte. Mary war unvermittelt stehen geblieben. Vor ihr, im schwachen Licht der Fackel schemenhaft zu erkennen, versperrte ihnen eine dicke Felswand den Weg.

Wenn wir hier nicht durchkommen, sind wir tot, dachte Greg.

Bosman hatte sie deutlich gewarnt: Wenn sie einmal im Stollen waren, konnten sie nicht mehr zurück. Um aus dem Stützpunkt herauszukommen, hatten sie eine Schleusenkammer zur biologischen Isolierung passieren müssen, die nur einmal und nur in eine Richtung funktionierte. Als Mary nach den Anweisungen von Colonel Bosman die Dreifachtür geöffnet hatte, die in den unterirdischen Gang führte, war die Schleusenkammer nicht mehr biologisch isoliert. Es war unmöglich, erneut den Bunker zu betreten oder ihn zu verlassen, ohne ihn zu verseuchen.

»Es gibt einen Durchgang«, sagte Mary. »Zwar eng, aber …«

Greg seufzte tief.

Eigenartigerweise fühlte er nicht nur Erleichterung. Da war nämlich auch eine Stimme ihn ihm, die ihm geduldig zuraunte, dass es am besten sei, endgültig stecken zu bleiben, sich hinzusetzen, ganz ruhig auf den Tod zu warten und dabei Marys Hand zu halten. Einschlafen … Nicht mehr leiden.

Greg machte sich daran, hinter Mary mühsam über die Geröllhaufen zu klettern. Ohne Licht konnte er nur zufälligen Halt finden, und scharfe Kanten schnitten ihm die Hände auf. Er stieß mit dem Kopf gegen einen Felsvorsprung, den er nicht gesehen hatte. Plötzlich gab der Stein unter seinem rechten Fuß nach, und er stürzte schwer. Einige Sekunden lang blieb er am Boden liegen. Zum Glück hatte er reflexartig seinen Kopf mit dem Unterarm geschützt und ihn sich dadurch nicht aufgeschlagen, doch in seinem bereits verletzten Ellenbogen tobte brüllender Schmerz.

Er biss die Zähne zusammen.

Er lag immer noch am Boden und beobachtete das Licht von Marys Fackel, das von der anderen Seite des Felshaufens über das Gewölbe huschte.

Sie sprach kein Wort. Sie hätte sich immerhin Sorgen machen, hätte ihn fragen können, ob er in Ordnung sei – schließlich musste sie gehört haben, dass er hingefallen war! Wie konnte sie so sicher sein, dass er nicht mit zerschmettertem Kopf tot in einem Felswinkel lag?

Mit Wut im Bauch rappelte er sich wieder hoch und begann erneut im Dunkeln hochzuklettern.

Mary stand auf der anderen Seite und wartete auf ihn.

»Machen wir eine Pause«, sagte er und nahm seinen Rucksack von der Schulter.

»Kommt nicht in Frage. Wir müssen weiter.«

Sie setzte sich wieder in Bewegung.

»Ich bin völlig erschöpft! Ich kann nicht mehr!«

Mary machte kehrt. Auf ihrem Gesicht, über das zitternde Schatten zuckten, lag ein schrecklicher Ausdruck.

»Hör auf mit dem Getue, Greg. Ich will einen Mann. Keinen kleinen Jungen, der mir etwas vorjammert.«

Sie drehte sich wieder um und ging einfach weiter.

Greg stand reglos da, wie vom Blitz getroffen. Geballter Hass und abgrundtiefe Verachtung hatten ihn mitten ins Herz getroffen. Einen Moment lang schienen ihn seine Beine nicht mehr tragen zu wollen, doch dann stieg ungeheurer Zorn in seiner Brust auf, und er stieß einen Wutschrei aus.

Der Stollen machte einen Knick. Mary war aus seinem Blickfeld verschwunden.

Greg rannte los, um sie wieder einzuholen.

Sie hatte zehn Meter Vorsprung. Greg erstickte beinahe vor Wut und bahnte sich einen Weg zwischen den Felsblöcken. Er hatte Mühe, bei dem von Mary vorgegebenen Tempo mitzuhalten. Diese schien die Hindernisse leichtfüßig wie eine Katze zu überwinden, ohne auf irgendetwas zu achten.

Als habe sie mit alldem nichts zu tun.

Sie hatte zwei weitere Fackeln in ihrem Rucksack und Lebensmittel für sie beide. Greg stürzte ihr atemlos hinterher. Brachte sie es wirklich fertig, ihn ohne Licht und Nahrung zurückzulassen? Sie betrachtete ihn nur noch als belanglosen Gegenstand, als Last, die sie mitschleppen musste – ihn, der ihr als Einziger bei ihrem völlig wahnwitzigen Unternehmen gefolgt war!

Übergeschnappt... Sie war übergeschnappt.

Es müsste schon ein Wunder geschehen, wenn sie nicht irgendwann mitten in diesem Stollen festsäßen.

Und falls sie es bis zum Ende schafften, müsste ein weiteres Wunder geschehen, sollte der Ausgang nicht von Trümmern versperrt sein.

Und falls es ihnen gelang herauszukommen, müsste wieder ein Wunder geschehen, damit Greg oder selbst Mary nicht einem dieser verdammten Viren zum Opfer fielen, die sich vermutlich bereits fröhlich in seinem Organismus vermehrten, seit sie die biologisch isolierte Zone verlassen hatten!

Und falls sie das alles überleben sollten, dann nur, damit sie aus nächster Nähe das prachtvolle Feuerwerk betrachten durften, für das Merritt und seine weiß bekittelten Psychotiker gerade die Vorbereitungen trafen, und damit sie zusammen mit allem, was auf dieser Erde lebte, in Hitze und Licht verwandelt würden...

Es bestand nicht einmal die Chance von eins zu einer Million, dass sie davonkamen!

Doch nichts schien Marys Selbstsicherheit zu erschüttern.

Selbst James hatte sie gewarnt. Ehe sie sich verabschiedeten, hatte er sie an den Feuersturm erinnert.

»Was veranlasst Sie zu glauben, dass es nicht dazu kommt?«

Mary hatte ihn angeblickt.

»Das, was ich in Ihrem Herzen lese.«

Was hatte sie damit gemeint?

Hatte sie das nur so dahingesagt?

Gregs Zorn war verraucht, und er war wieder müde, viel zu müde, um noch den Versuch zu machen, all das zu begreifen.

Bosmans Zimmer

Auf den Schutzoveralls, die alle Bunkerinsassen tragen mussten, war in Brusthöhe ein großes Abzeichen angebracht, aus dem jeweils Rang und Amt des Trägers hervorgingen. Bosman hatte es sorgfältig abgetrennt. Er warf es in den Mülleimer.

Er war kein Colonel mehr.

Er war nur noch James Bosman.

Nach Marys und Gregs Aufbruch war er wieder in sein Zimmer in der Tageszone zurückgekehrt. Er hatte sich lange im Spiegel betrachtet. Die Worte der jungen Frau hallten in seinem Kopf wider: *Das, was ich in Ihrem Herzen lese...*

Plötzlich war alles klar. Er wusste, wer er war.

Er öffnete seinen Schrank, nahm seine Dienstwaffe heraus und lud sie.

Nun würde er dorthin gehen, wohin sein Herz ihn führte.

Bosman klopfte an die Tür von Merritts Büro. Dessen raue Säuferstimme forderte ihn auf einzutreten.

»Ach, mein Lieber, gerade habe ich an Sie gedacht...«

Auf dem Schreibtisch des Generals stand eine halb leere Flasche Gin. Er nahm sie, führte sie an seine Lippen und trank in langen Zügen, ohne sich um sein wartendes Gegenüber zu kümmern. Dann stellte der alte Trunkenbold die Flasche wieder ab und sah Bosman fragend an.

»General Merritt«, sagte dieser, »ich muss Ihnen sagen, dass ich Ihr Verhalten und das, was Sie durchführen wollen, zutiefst ablehne. Wir haben nichts gemeinsam, und ich bin entschlossen, mich Ihnen zu widersetzen und Sie, soweit es mir möglich ist, an der Ausführung Ihres Plans zu hindern.«

Merritt fiel die Kinnlade herunter. Dann wurde der Körper des Alten von einem merkwürdigen Lachen geschüttelt.

»Sie sind völlig erschöpft, mein Lieber. Schlafen Sie ein wenig.«

Bosman ging um den Schreibtisch herum und packte Merritt am Hals.

»Sie sind am Ende«, sagte er ruhig. »Ab jetzt nehme ich die Dinge in die Hand.«

Der General sah ihn hasserfüllt an.

»Sie waren nie im Krieg, Bosman.«

Bosman lächelte ihn an.

»Sie kennen meine Schwachstelle, General. Aber in einem Punkt irren Sie sich.«

Er zog seine Waffe hervor und hielt sie dem General an die Stirn.

»Ich *bin* im Krieg.«

Stunden um Stunden ... Die Zeit war nicht mehr messbar.

Schritte, Tausende von Schritten ... Greg ging, den Blick auf den Lichtschein von Marys Fackel geheftet. Er ließ sich fast mechanisch führen, als würde ein unsichtbarer Faden seine Augen mit der Flamme verbinden und ihn mitziehen, ohne dass sein Wille dabei auch nur die geringste Rolle spielte.

Wie lange lief er schon, wie lange stieg er schon den immer steiler werdenden Hang hinauf, der von immer zahlreicher werdenden Hindernissen übersät war?

Er war mit seinen Kräften völlig am Ende.

Er ging um Felsblöcke herum, stolperte über Steine. Oft mussten sie sich hochstemmen und klettern. Greg hatte keine Kraft mehr dazu, und doch schaffte es sein Körper irgendwie; er ging wie in Trance und hatte nur eins im Sinn: Mary zu folgen, sie nicht zu verlieren.

Gedanken und Klänge zogen durch sein umnebeltes Gehirn. Er konnte sie weder abstellen noch Gestalt annehmen lassen. Da war nur das Geräusch der Steine unter seinen Schritten, das von den engen Mauern des nicht enden wollenden Gangs widerhallte. Da war sein Körper, der nur noch aus Schmerz bestand. Da war das Licht, das ihn führte.

Und Marys Worte.

Einmal konnte er nur noch taumelnd weitergehen, und er hätte beinahe aufgegeben. Da hörte er Mary, die weit vor ihm ging, etwas sagen. Er hatte instinktiv seinen Schritt beschleunigt und den Abstand zwischen ihnen verringert.

Zuerst verstand er sie nicht; ihm schien, als spreche sie in einer uralten Sprache, die nur sie kannte. In einer Sprache, die nur eine Frau verstehen und sprechen konnte. Und er hatte begonnen, im Rhythmus ihrer Worte zu gehen.

Allmählich drang Marys Stimme in ihn und erfüllte ihn mit neuer Energie. Er konnte noch gehen. Es hatte noch Sinn. Einen Sinn, den er nicht benennen konnte, doch Marys Worte setzten sich in seinem tiefsten Inneren fest.

Sie gaben ihm die Kraft weiterzugehen.

Plötzlich änderte sich etwas in der Atmosphäre.

Mary sprach immer noch. Doch seit einigen Sekunden drang ihre Stimme schwächer zu ihm.

Immer schwächer.

Sie schien ihr Tempo beschleunigt zu haben. Ihre Umrisse im Schein der flackernden Fackel wurden immer schwächer.

Er wollte schneller gehen.

Doch sein Körper reagierte nicht.

Seine Beine waren nur mit großer Mühe dazu zu bringen, einen Schritt zu machen und noch einen und einen weiteren.

Langsam.

Zu langsam.

Gehen war zu etwas Mechanischem geworden, das nur noch den unteren Teil seines Körpers betraf und über das sein Wille keine Kontrolle mehr hatte.

Wie eine Feder, die man immer wieder aufzog... und die bis zum Schluss laufen würde.

Und Mary entfernte sich.

Greg, spürst du, dass die Erde in dir lebt?

Das Echo ihrer Stimme hallte noch in dem dunklen Stollen wider. Aber Mary war verstummt.

Greg konnte nur noch mit Mühe atmen. Marys stummer Schatten schritt weit vor ihm her, im tanzenden Widerschein der Flamme über ihr. Greg merkte, dass er immer schwerfälliger wurde.

Er wollte schneller gehen.

Unmöglich.

Die Luft war dicker; sie drang kaum noch in seine Nasenlöcher und schien ihm Widerstand zu leisten. Trägheit machte sich in seinen Gliedern breit, lähmte ihn geradezu.

Seine Beine weigerten sich weiterzugehen.

Er wollte schreien.

Doch kein Ton kam aus seinem Mund.

Dunkelheit legte sich über den Stollen. Greg sah das Licht der Fackel in weiter Ferne. Doch es war nurmehr ein Punkt.

Dann verschwand Mary.

Er stand im Dunkeln.
Allein.

»Was werden Sie tun? Colonel, antworten Sie mir, Herrgott noch mal. Was werden Sie tun?«

Bosman hielt Merritt noch immer am Hals fest, ohne auf dessen Fragen zu antworten. Er drückte den Lauf seines Maschinengewehrs fester zwischen die Schulterblätter des Wachtpostens, der versuchte, die Tür zur nuklearen Kommandozentrale zu öffnen. Als diese aufging, schob er den Alten in den Saal.

Hinter sich im Flur spürte er die Anwesenheit des Kommandos: ein Dutzend Männer, die alle bereit waren, für Merritt zu sterben. Ganz abgesehen von denjenigen, die um die Zone herum Stellung bezogen hatten und sofort eingreifen würden.

Es war ihm egal. Er wusste, dass sie im Moment nichts tun würden. Bosman hatte zuerst Merritt in seine Gewalt gebracht und dann das Waffenlager geplündert. Sein ganzer Körper war mit Sprengstoff geradezu gespickt, und die Typen wussten, dass, wenn eine ihrer Kugeln ihn träfe, alles im Umkreis von zehn Metern in die Luft fliegen würde. Darunter auch ihr General.

Und der verspürte nicht die geringste Lust dazu.

Tatsächlich machte sich der Alte vor Angst beinahe in die Hose.

Er hatte sogar versucht, ihn von der Gefühlsseite her anzupacken. »Sie werden doch einem alten Mann wie mir nichts zu Leide tun, mein lieber James«, hatte er gejammert. Bosman hatte ihn angesehen und versucht, dieses Rätsel zu ergründen. War es einfach Taktik? Doch Merritts Körper sonderte den ranzigen Geruch der Angst ab. Dieser Gestank war das einzig Ehrliche an dem Mann.

James stieß den Wachtposten aus dem Raum und schloss die Sicherheitsverriegelung der Panzertür. Eine knappe Stunde würde er nun Ruhe haben. Er nahm eine Schnur und fesselte Merritt an einen Stahlmast.

»Antworten Sie mir«, jammerte der Alte. »Was werden Sie tun?«

»Sie wissen sehr gut, was ich tun werde.«

Bosman öffnete einen Sack mit Sprengstoff und verteilte diesen in der nuklearen Kommandozentrale. Es war genug, um den halben Bunker hochgehen zu lassen, doch weshalb sollte er damit geizen? Er wollte sicher sein. Sicher, dass der General nie wieder die Mittel dazu hätte, seinen Wahnsinn an der Welt auszulassen.

»James, sehen Sie mich an …«

Merritt sprach in flehendem Ton.

»Sie sind dabei, eine Dummheit zu machen, mein Lieber. Sie und ich, wir sind Männer. Männer … Das habe ich immer gewusst! Treffen Sie die Entscheidung eines Mannes. Zerstören Sie dieses Werk nicht. Es ist mein Lebenswerk. Alles, was ich bin! Die Menschheit hat sich so etwas schon immer gewünscht, all ihre Bestrebungen haben seit jeher darauf abgezielt. Herrschen … Wir werden herrschen, mein Lieber! Sie und ich! James … James! Mein Sohn!«

Bosman würdigte ihn keines Blickes und legte weiter Sprengstoff aus.

»Colonel!«

Merritt hatte ein tierisches Heulen ausgestoßen, und Bosman drehte sich zu ihm.

»Ich befehle Ihnen, hören Sie, ich befehle Ihnen, mich sofort loszubinden!«

Der General schlug um sich wie ein Geisteskranker, sein Gesicht war knallrot.

»Binden Sie mich los!!!«

Das Heulen wurde zum Schluchzen. Der alte Mann, von einem Schluckauf geschüttelt, sackte in sich zusammen. Er weinte.

Bosman ließ seinen Blick durch den Saal schweifen. Er musste nur noch die Zündvorrichtung betätigen, und alles würde in die Luft fliegen.

»Ein Mann«, ächzte Merritt. »Ein Mann … Wissen Sie, was es heißt, ein Mann zu sein?«

Bosman spürte eine Gefühlsregung, die ihn anwiderte: Mitleid. Er hätte gern den Blick von der Szene abgewandt, die sich ihm bot, doch etwas in ihm wollte sie bis zum Schluss sehen.

»Ein Mann, Herrgott noch mal! Ein Mann …«

Der Alte war nur noch eine Masse aus trägem, schlaffem Fleisch, das mechanisch von Krämpfen geschüttelt wurde. Bosman sah fasziniert zu. Dieser Mann, der so selbstsicher und in der Lage war, den Allermächtigsten dieser Welt seinen Willen aufzuzwingen … das also war seine Wahrheit. Als sei es nur seine Uniform gewesen, die ihn wie ein Schutzpanzer immer aufrecht gehalten hatte.

Bosman lächelte.

»Wissen Sie, dass Sie mich sehr an meinen Vater erinnern?«, sagte er.

Greg saß da. Allein. In der vollkommenen Dunkelheit um ihn her gab es nur noch das Tropfen einer Abflussrinne irgendwo links von ihm. Und seinen kurzen, abgehackten Atem und die Härte der Steine unter seinem Gesäß …

Und die Angst.

Die Angst schwärte wie eine Wunde in seinem Bauch, bis sie ihn schließlich völlig ausfüllte. Es gab keinen Greg Thomas mehr. Es gab nur noch dumpfe, bedrückende Finsternis.

Und es gab die Angst.

Die Verzweiflung. Mary hatte ihn im Stich gelassen.

Warum?

Vielleicht enthüllte sie nun ihre Wahrheit: Sie hatte ihn nie geliebt.

Manchmal hatte er das Gefühl gehabt, alles sei nur Theater, etwa wenn die Hände seiner Mutter ihn umsorgten, seinen Körper wuschen, während sie mit ihren Gedanken ganz woanders war … Woran dachte Mary, wenn ihre Hände auf seinem Körper lagen, woran dachte sie beim Liebesakt? Wo war Mary, wenn er glaubte, ihren Körper zu besitzen?

Sie tat nur so. Um etwas anderes zu verbergen. Ihre geheime, unzugängliche Wahrheit … Jene Wahrheit, die nur Frauen kennen.

Es gibt keine Liebe.

Es gibt keine Liebe!

Ein Schwall schierer Wut stieg in die Finsternis, breitete sich aus und durchdrang das gesamte Universum wie ein kosmischer Schrei, der die grenzenlose Nacht zerriss.

Es gibt nichts! Alles ist nur eine Farce, eine gigantische Posse, ich bin nichts – es gibt nichts. Ich bin nichts!

»Ich hasse dich«, schrie Greg mit aller Kraft. »Ich hasse dich.«

Doch da war niemand, den er hassen konnte. Niemand als er selbst. Er selbst, der nur noch aus Hass bestand.

In der Stille erklang ein Lachen, das sich über alle Orte und Zeiten verbreitete ... Ein ewiges Lachen. Das große Lachen dessen, der begreift.

Das also ist das Leben! Das also ist diese kosmische Komödie, die ein Verrückter erfunden hat, den es nicht gibt.

Und das also bin ich! Ich ich ich ich! Ich!!!

Ich ...

Das Wort war leer. Alles war leer.

Der Körper, der einmal Gregs Körper gewesen war, war leer und sank langsam zu Boden. Er musste sich nur weggleiten lassen.

Sterben.

Alles war bereit. Er hatte die Lage im Griff. Die anderen konnten nichts ausrichten, zumindest nicht für eine geraume Weile. Die Tür der Kommandozentrale bestand aus Panzerstahl. Ansonsten blieb ihnen nur die Möglichkeit, ihn durch einen Belüftungsschlitz mit Gas einzuschläfern, doch damit würden sie gleichzeitig seinen Gefangenen einschläfern ... Er musste nur wachsam bleiben.

Bosman war wachsam.

Er war bereit, beim ersten Anzeichen von Gefahr die Zündvorrichtung auszulösen.

Er war bereit zu sterben.

Er wollte einfach ein wenig nachdenken. Gab es nicht doch eine andere Lösung?

Denn im Grunde hatte er keine Lust zu sterben.

Erst seit kurzem spürte er, wie jene köstliche, kraftvolle Energie durch seinen Körper floss und sein ganzes Wesen durchdrang; erst seit kurzem fühlte er sich lebendig.

Er sah Marys Gesicht vor sich.

Eine lebendige Seele. Eine vibrierende Seele. Jetzt verstand er.

Er war endlich er selbst, und das kam ihm vor, als habe er einen Freund wiedergefunden, den er tot geglaubt hatte. Oder besser, der tot gewesen war…

Gab es eine andere Lösung?

Er konnte versuchen, sich freien Durchgang zu erzwingen, indem er Merritt als Geisel und Schutzschild benutzte, und die nukleare Kommandozentrale aus sicherer Entfernung in die Luft zu jagen… Danach musste er auf Gregs und Marys Spuren durch den Stollen fliehen.

Wie schön es doch wäre, sie wiederzusehen, dachte er… Er hätte sich so gern einmal länger, als es bisher möglich gewesen war, mit Greg unterhalten.

Sie hatten wirklich nie Gelegenheit gehabt, miteinander zu sprechen; sie hatten sich nie die Zeit nehmen können, sich auszutauschen und sich kennen zu lernen… Und dennoch… Es war eigenartig. Sie waren Freunde gewesen. Er spürte es ganz tief in seinem Inneren, einem Ort, zu dem kein Zweifel Zugang fand. Es war eine Freundschaft, die sich durch Gesten, durch Blicke mitteilte.

Und als sie sich verabschiedet hatten, war ihnen das klar geworden.

»Danke, James«, hatte Greg gesagt und ihm die Hand auf die Schulter gelegt.

Und als sie sich gegenüberstanden, lag in dem Blick, den sie gewechselt hatten, die Vertrautheit, die Wertschätzung und die Zusammengehörigkeit zweier Menschen, die sich kennen.

Bosman seufzte.

Ob es möglich war, Greg und Mary wiederzusehen?

Plötzlich hörte man ein lang gezogenes Stöhnen, und Bosman

richtete sich schlagartig auf. Es war der immer noch gefesselte Merritt, der in einem weiteren Anfall von Aufsässigkeit schwach gegen seine Fesseln kämpfte. Er hatte den Blick eines Irren.

Hör auf zu träumen, sagte sich James. Es ist unmöglich.

Wenn er die Kommandozentrale verließ, konnte einer der Typen, wenn er ein wenig schlau war, die Zündvorrichtung entschärfen und dann den Feuersturm auslösen. Dieses Risiko wollte Bosman nicht eingehen. Er wollte Merritts Plan gänzlich vereiteln. Zum Feuersturm sollte es nicht kommen.

Er drehte sich zu seinem Vorgesetzten um. Dieser saß wieder reglos da und wirkte erschöpft. Alt. Unendlich alt.

»Sie haben Recht, General«, sagte Bosman. »Uns verbindet eine sehr starke Gemeinsamkeit. Wir werden gemeinsam sterben.«

Dann drückte er auf den Auslöser.

66

Das Geräusch der Wassertropfen. Der Rhythmus seiner Atemzüge.

Nichts anderes. Nur ein unermesslicher Raum in der Finsternis, aus der sich Wasser- und Atemgeräusche lösen...

Bewusstsein. Grenzenlos. Leere, die einen aufnimmt.

Greg weiß, dass das Wassergeräusch verstummen wird und auch die Laute seines Atems. Er weiß, dass er sterben wird.

Er lächelt.

Oder ist er vielleicht schon tot?

Woran erkennt man, dass man tot ist?

Das Geräusch der Tropfen... Ist das er selbst? Der Laut seines Atems? Ist das er?

Ist es das, was man... Greg nannte?

Es gibt keinen Greg.

Ein Lachen löst sich aus der Stille und verklingt sogleich wieder.

Greg hat nie existiert! Und das ist ein so wohliges, so leichtes Gefühl!

Mary...

Das also ist es, was sie begriffen hat. Etwas früher als Greg. Wie sehr musste sie ihn geliebt haben, mit welch aufmerksamer und reiner Liebe, dass sie ihn diese Erfahrung selbst machen ließ! Allein.

Die Erfahrung mit dem Nichts, die Erfahrung mit der Leere, die der bodenlose Grund von allem ist, die unerschöpfliche, unendlich offene Quelle jeder Geburt und jedes Todes, jeder Form und jedes Augenblicks... Diese Erfahrung, der er sich im Koma angenähert hatte und die er nicht ausleben konnte, weil er nicht darauf verzichten wollte, er selbst zu sein. Schon damals hatte Greg erkannt, dass alles nichtig war, doch er war dem Trugbild, jemand zu sein, weiterhin verhaftet geblieben. Und das war die Hölle. Es hatte Marys bedurft, Marys Präsenz, um ihn daraus zu befreien.

Doch dann ... Sie hatte ihn bewusst allein gelassen.

Wie sehr musste Mary ihn geliebt haben, dass sie ihn so sterben lassen konnte ...

Denn Greg ist tot.

Doch es gibt Leben.

Es gibt das Leben.

Spürst du, Greg, dass die Erde in dir lebt?

Ja, sagte Greg.

Da ist überall ein Gefühl großer Süße. Die Erde begehrt. Die Erde ist Verlangen. Und die Erde fordert, dass der Körper sich erhebt.

Der Körper sagt ja.

Es ist genug Kraft da. Es ist möglich, in dem engen Stollen weiterzugehen, trotz der Dunkelheit. Die Hände streifen an den feuchten Mauern entlang. Die Hände lenken die Schritte. Und die Schritte folgen einander, langsam, einer nach dem anderen.

Die Beine sind leicht, sie umgehen mit kluger Vorsicht alle Hindernisse. Ein Schritt nach dem anderen. Ganz ruhig.

Weshalb soll er eigentlich weitergehen? Warum bleibt er nicht da?

Weil das Verlangen danach besteht.

Die Erde ist Verlangen, und die Erde atmet in Gregs Körper. Die Erde ruft diesen Körper. An die Oberfläche. Ins Freie. Dieser Körper möchte die Morgenluft atmen. Dieser Körper möchte Marys Körper spüren.

»Greg?«

Das ist Marys Stimme!

Ein weiterer Schritt und noch einer. Da ist Licht. Dort vorn. Weit weg. Ein Schatten zeichnet sich ab. Sie kommt auf ihn zu.

Mary. Sie kommt näher.

Greg lacht laut, als Mary ihn umarmt.

Sie wusste es.

Ihr Körper drückt sich warm an den seinen.

Als sie ihn im Dunkeln allein ließ, wusste sie, dass sie nur noch wenige Meter von ihrem Ziel entfernt waren.

67

Tagebuch von David Barnes
Ohne Datum

Lololma ist gestern Abend gestorben. Ich habe ihm die Augen zugedrückt.

»Der Geist zieht sich zurück«, sagte er.

Er strahlte vor Freude.

Der Geist zieht sich zurück …

Lololma sah die Menschheit als einen einzigen Großen Geist, göttlich und schöpferisch. Dieser vereinigte sich in einer Vielzahl unterschiedlicher Gestalten mit der Erde. Jede dieser Gestalten ist ein menschliches Wesen.

Oder besser gesagt – der Versuch eines menschlichen Wesens …

»Himmel und Erde bemühen sich um die Schaffung des Menschen«, hatte er einmal zu mir gesagt. »Jeder von uns ist der vollendete Versuch eines menschlichen Wesens. Manche sind besser geglückt als andere«, hatte er lächelnd hinzugefügt.

Ein menschliches Wesen … Ich glaube, für ihn bedeutete das ein Wesen, in dem sich Himmel und Erde freudig vereinen. Ein Wesen, in dem die Erde in Gestalt eines tanzenden Körpers, der das Leben erfindet und zelebriert, zu Geist geworden ist. Ein Wesen, in dem der Geist zu Fleisch wird, in dem er handeln und wirken kann.

Ein menschliches Wesen.

Himmel und Erde. Ein einziger Körper.

Lololma sah die Geschichte der Welt als gigantischen kosmischen Prozess von Begehren und Befruchtung. Als einen Prozess, der sich im Menschen abspielt. Mitten in uns selbst, mitten in unseren Zellen.

»Siehst du nicht«, so sagte er mir, »dass alle Materie nur nach einem strebt: nach der Vereinigung mit dem Geist. Das kann sich nur im Menschen vollziehen. Deshalb streben alle Atome der Erde nur nach einem: nach der Menschwerdung. Noch das allerkleinste Molekül deines Körpers kann mit dem Geist zusammenfließen, weil es in einem menschlichen Körper lebt! Und weil es in seinem Element ist! Spürst du das nicht in dir selbst, David?«

Eines Tages fragte ich ihn: »Und wenn ich eine Pflanze esse oder ein Tier, erfülle ich dann deren tiefstes Verlangen?«

»Ja«, antwortete er mit ernster Miene. »Wenn du sie bewusst isst. Sonst vergeudest du die Gabe des Lebens.«

»Aber warum entschuldigen sich die Hopi dann bei den Kaninchen, ehe sie sie töten, um sie zu essen? Sie tun ihnen damit doch einen großen Gefallen.«

»Den größten Gefallen überhaupt!«, sagte Lololma lächelnd. »Der größte Traum des Kaninchens ist der, vom Menschen gegessen zu werden. Doch das weiß das Kaninchen nicht. Denn damit sich sein größter Wunsch erfüllt, muss es seine Kaninchengestalt aufgeben. Und so lange es ein Kaninchen ist, will es das nicht.«

Wir schwiegen beide längere Zeit. Dann fügte er hinzu: »Sind wir nicht auch ein wenig in derselben Situation wie das Kaninchen?«

Drei Nächte vor Lololmas Tod hatte ich einen merkwürdigen Traum. Ich ging durch die Wüste, neben mir mein Vater. Da erschien eine Frau. Sie war atemberaubend schön und strahlte in übernatürlichem Licht. Sie bewegte sich in unsere Richtung. Ihre Füße berührten den Boden nicht.

Sie war ganz nahe bei uns, und mein Vater begehrte sie. Er streckte die Hand aus, um sie zu berühren. Da kam plötzlich Wind auf und hüllte sie in eine Sandwolke. Dann löste die Sandwolke sich wirbelnd wieder auf. Von meinem Vater war nur noch ein Haufen bleicher Gebeine übrig.

»Hab keine Angst«, sagte die Frau zu mir. »Du sollst zu einem lebenden Gebet werden.«

Dann sang sie das schönste Lied, das ich je gehört hatte.

Als sie wegging, sagte sie zu mir: »Ich bin die Seele der Erde. Und du wirst mich mit deinen Menschenaugen sehen.«

Dann stieg sie in den Himmel auf. Sie war nun keine Frau mehr, sondern ein wunderschöner, junger, schneeweiß leuchtender Bison.

»Jetzt bist du wirklich ein Indianer geworden«, sagte Lololma zu mir. »Wusstest du, dass der Traum von der weißen Büffelfrau seit Generationen in den Seelen der Indianer spukt?«

Er dachte ein paar Sekunden nach.

»Du wirst mich mit deinen Menschenaugen sehen... Das hat sie gesagt?«

Er legte seine Hand auf meinen Arm.

»Du wirst Zeuge des Großen Übergangs werden, David. Und du kannst mit zum Gewissen der neuen Menschheit werden. Komm nicht vom Weg ab. Und vergiss es nie: ein lebendes Gebet. Ein lebendes Gebet...«

Kurz bevor er starb, sagte er zu mir: »Vielleicht wird es dir eines Tages gegeben sein, einer Frau zu begegnen. Einer Frau aus Fleisch und Blut, die jedoch in ihrem tiefsten Inneren die Schönheit der weißen Büffelfrau besitzt. Halt die Augen offen. Lauf nicht an ihr vorbei. Sie wird dich führen.«

Wir sind nur noch fünf. Andrew und ich. Und drei Frauen, von denen die eine noch nicht mal zwölf ist. Wir beten abwechselnd Tag und Nacht. Wir sind alle bei guter Gesundheit.

68

Hier ist es, hatte sie gesagt, und es klang so, als sei dies ganz offenkundig.

Sie hatten ihre Rucksäcke abgestellt. Ihr Weg endete hier, zumindest für eine Zeit lang.

Es war ein kleiner, mit Nadelbäumen bewachsener Berg von mehreren hundert Metern Höhe. Nicht weit vom Gipfel befand sich an einer Biegung eine Höhle im Felsen. Ein ausgezeichneter Unterschlupf.

Greg machte ein paar Schritte nach draußen. Der Tag brach gerade an. Die Luft war schon lauwarm, und eine leichte Brise strich ihm übers Gesicht. Die Natur zeigte sich freundlich. Von der Erde gingen kraftvolle Energieströme aus, und Greg fühlte, wie diese durch seinen ganzen Körper hindurch zum Himmel flossen.

Er war bei ausgezeichneter Gesundheit.

Mary hatte sich nicht geirrt. Seit sechs Tagen waren sie hier, und Greg war wieder zu Kräften gekommen.

Als sie aus dem unterirdischen Gang krochen, war Greg halb tot vor Erschöpfung gewesen. Die Krankheit hatte seinen Körper zermürbt. Zwar hatte er sich innerlich radikal verändert, aber sein Körper brauchte einige Zeit, ehe er sich für dieses neue Leben gewinnen ließ.

Zuerst hatte Greg zwei Tage und zwei Nächte ununterbrochen geschlafen.

Dann hatte Mary gesagt: »Wir müssen uns wieder auf den Weg machen.«

Er war mühsam aufgestanden.

Seite an Seite waren sie fünf Tage lang marschiert. Anfangs gingen sie durch Trümmer und Ruinen. Die Vororte Washingtons waren völlig zerstört. Überall lagen Leichen, die in der Sonne verwest waren. Manchmal fanden sie in einem Haus, das stehen geblieben war, Konservendosen, die sie in ihre Rucksäcke packten. Sie mussten so lange wie möglich durchhalten.

Dann hatten sie die Randzonen der Stadt hinter sich gelassen und waren durch einen Wald gegangen. Kleine Tiere liefen ihnen über den Weg, schienen sich jedoch nicht für sie zu interessieren. Einige Hunde schnüffelten Gerüchen nach und kümmerten sich nicht weiter um die beiden.

Danach hatten sie landwirtschaftliche Gebiete durchquert. Auf den Feldern wuchs die Ernte, die nie eingebracht werden würde. Es war Erde, die vom Menschen geprägt und gestaltet worden war und auf der der Mensch gesät hatte. Doch nun war der Mensch nicht mehr da.

Sie waren weitergegangen.

Mary suchte nach einem Berg.

»Ich glaube, dass Prescot sich nicht getäuscht hat«, hatte sie gesagt.

»Warum?« hatte Greg gefragt.

»Weil das, was er sagte, sinnvoll klang«, hatte Mary geantwortet.

Greg war völlig verwandelt. Er verstand nun, was Mary nach ihrem Erwachen gesagt hatte: *Ich kann keine Angst mehr haben. Ich bin nicht mehr Mary.*

All das war Greg inzwischen ganz klar geworden. Denn er lebte es.

Doch es gab etwas, das er nicht mit Mary teilte: ihr Verstehen. Sie konnte Sinn erkennen. Das Leben schien ihr, wie sie sagte, strahlend hell und voller Sinn.

Er hatte sie gefragt: »Weshalb bin ich nicht in der Lage, dieses Verstehen mit dir zu teilen?«

»Das Erwachen ist wie eine zweite Geburt«, hatte sie geantwortet. »Es ist kein Ende, sondern ein Anfang. Es ist schlicht das, was ein menschliches Wesen ausmacht. Danach … muss man daran wachsen, jeder gemäß seinen Bedürfnissen.«

Sie hatte ein paar Sekunden nachgedacht.

»Weißt du, im Grunde habe ich immer nach Sinn gesucht. Auch wenn es mir nicht bewusst war, war meine Seele immer am Lauschen, weil sie nach Sinn strebte. Und jetzt höre ich ein wenig. Ich bin offen und werde immer offener für das Geheimnis, das in allem liegt. Und das Geheimnis erleuchtet mich. Doch dein tiefster Wunsch ist wahrscheinlich nicht derselbe. Und dieser Wunsch gehört nur dir allein …«

Sie hatte gelächelt.

»Lass zu, dass du wächst, Greg … Lass deinen Wunsch wachsen.«

Vor ihm breitete sich das Tal aus. Eine Straße schlängelte sich mitten durch die Bäume und Felder, und in der aufgehenden Sonne leuchteten die Häuserfassaden einer kleinen Ortschaft, als seien sie noch von Leben erfüllt.

Wer ist Greg?, fragte er sich.

Er fühlte sich wie ein Schauspieler, der bereit ist, seine Rolle mit Leben zu erfüllen und sie mit vollem Herzen zu spielen – und der nur darauf wartete, dass man ihm das Drehbuch zum Lesen gab. Doch um welche Geschichte auch immer es sich handeln mochte, er akzeptierte sie im Vorhinein. Er erlebte sich als etwas, das völlig offen war und unbegrenzte Möglichkeiten hatte. Greg konnte alles sein. Aber noch war er nichts. Früher hatte er dies hinter einem Ich versteckt, hinter einer Persönlichkeit, mit der er sich umso mehr identifizierte, als sie, wie er dunkel ahnte, nur ein Konstrukt war, das die Leere kaschieren sollte. Jetzt konnte er diese Leere annehmen. Doch er fühlte, dass eine Person namens Greg dazu aufgerufen war, sich in ihr zu bewegen und zu entfalten.

Und das wollte er auch.

Denn diese Person würde mit keiner anderen vergleichbar sein.

Greg war in jedem einzelnen Moment ein einzigartiges Ereignis, gegen dessen Sehnsüchte sich das ganze Universum verschwor.

Die Rolle meines Lebens, dachte er lächelnd. Eine Rolle, die niemand an seiner statt spielen konnte.

Im Grunde war das, was Greg und Mary von nun an miteinander teilten, nur das, was sie verloren hatten. Die Ketten, von denen sie befreit waren. Sie liebten einander, und die Liebe strömte zwischen ihnen, ohne dass sich ihr irgendetwas in den Weg stellen konnte. Doch Greg hatte das Gefühl, dass sie sich mit jedem Augenblick mehr voneinander unterschieden.

Diese Verschiedenheit hatte ihnen früher Angst gemacht. Sie verbargen sie geschickt und zärtlich voreinander, und jeder versuchte, zumeist unbewusst, sich dem anderen anzupassen. Denn Andersartigkeit wäre von ihnen damals als etwas Trennendes empfunden worden. Sie hätten die bleibende Einsamkeit, die damit einherging, nicht ertragen. Doch seitdem hatten Mary und Greg die Einsamkeit durchlebt. Jeder für sich.

Jetzt war ihnen ihre Verschiedenheit eine Quelle der Freude. Der Freude, gegenseitig zu sehen, wie sie sich beständig selbst erneuerten.

Greg drehte sich um. Mary trat aus der Höhle.

»Ich habe Hunger«, sagte sie.

Sie hielt eine Dose mit Bohnen und zwei Gabeln in der Hand. Sie setzten sich auf einen überhängenden Felsen, von dem aus man ins Tal sehen konnte. Die Sonne ging gerade auf. Der Blick war phantastisch. Sie aßen mit großem Appetit. Um sie herum erwachte die Natur. Vögel und Insekten schwirrten fröhlich durch die klare Luft. Alles war friedlich und voller Leben.

Plötzlich änderte sich die Atmosphäre kaum merklich, und Marys Gesicht wurde ernst.

»Jetzt ist es so weit«, sagte sie.

Um sie herum war mit einem Mal alles verstummt. Schwärme von Vögeln stoben von den Bäumen auf, und aus einem tiefer gelegenen Wald erschallten Schreckensschreie.

Mary zog Greg ein paar Meter weiter nach oben auf ein kleines, grasbewachsenes Hochplateau.

»Legen wir uns auf den Boden.«

Dann begann die Erde unter schrecklichem Getöse zu beben.

Die Heftigkeit des Erdbebens war ungeheuerlich. Gregs Körper wurde in alle Richtungen geworfen, mehrmals in die Luft und wieder zu Boden geschleudert, durchgeschüttelt und herumgewirbelt, als versuche die Erde, sich seiner zu entledigen und ihn weit weg von sich in einen bodenlosen Abgrund zu werfen. Greg tat alles furchtbar weh.

Dann wurde es wieder still.

»Mary?«

»Ich bin hier.«

Er richtete sich halb auf und entdeckte sie wenige Meter entfernt. Sie lag am Boden und versuchte, wieder aufzustehen. Doch er konnte sie nur schlecht erkennen. Die Luft schien immer dunkler zu werden, und Greg kniff die Augen zusammen und fragte sich, ob nicht vielleicht sein Kopf einen heftigen Schlag abbekommen habe.

Mary sah fasziniert ins Tal.

»Die Sonne geht unter«, sagte sie.

Es war wie im Traum. Das Tal versank unaufhaltsam im Schatten. Der gesamte Himmel färbte sich glutrot.

Die Sonne ging tatsächlich unter! Genau an der Stelle, wo sie vor wenigen Minuten aufgegangen war. Im Osten.

Hinter ihnen grollte das Gebirge. Heftiger Wind kam auf und schien von der anderen Seite, also von Westen her, gegen den Fels zu peitschen. Mary lief auf einen schmalen Pfad zu, der zum etwas höher gelegenen Gipfel führte. Greg folgte ihr.

»Schau«, rief Mary über das Toben des Sturms hinweg.

Gegenüber der Stelle, an der die Sonne gerade verschwand, stieg langsam, doch unaufhaltsam eine Mauer aus Schatten und Nacht auf, die den ganzen Horizont bedeckte. Eine schwarze Wolkenfront, so niedrig, dass sie die Erde berührte, fraß sich in den Himmel und kam auf Greg und Mary zu.

Der Orkan.

Greg nahm Mary bei der Hand und zog sie nach unten. Der Sturm heulte wie ein Tier und drohte sie umzureißen.

»In die Höhle!«, schrie er.

Mary und Greg duckten sich, um sich vor dem Sturm zu schützen, und kämpften sich gegen dessen Böen bis zum Eingang der Höhle vor. Plötzlich vernahm Greg ein Geräusch, das seine Aufmerksamkeit fesselte. Ein dunkler, tiefer Laut. Ungeheuer stark. Ein langsam anschwellendes Tosen, das den Lärm des Sturms übertönte. Ein Tosen, das von Osten her kam.

Greg drehte sich um.

Was er sah, ließ ihn erstarren.

Soweit das Auge reichte, rückte eine riesige, dunkle Welle unerbittlich ins Tal vor. Häuser wurden mitgerissen, Wälder verschlungen. Einige Kilometer weiter links war ein Hügel einen Moment lang ganz von der ungeheuren Woge bedeckt, von deren Kamm Gischt aufspritzte. Und als die gewaltige, wahnwitzige Flutwelle ihren Lauf ins Landesinnere fortsetzte, war der Hügel nur mehr ein winziges Inselchen inmitten eines endlosen Ozeans aus schwärzlichem, schlammigem Wasser.

Bald schon schäumte das Meer unmittelbar unter ihnen. Es stieg an den Flanken des Berges hoch, der ihnen Unterschlupf bot. Es war eine schäumende, sprudelnde Masse, unter die sich Erde und Trümmer gemischt hatten und die wie Wildwasser brausend den Hang hochschwappte und dabei Bäume ausriss und Felsen überschwemmte.

Wenige Dutzend Meter unter ihnen hörte das Wasser plötzlich zu steigen auf und ebbte dann wieder ab.

Das Meer floss hinter ihnen zurück und nahm alle Überreste menschlichen Lebens mit sich fort.

Greg und Mary gingen in die Höhle.

Epilog

Der Orkan dauerte gut eineinhalb Tage. Der Sturm blies heulend bis ins Höhleninnere und wirbelte Steine und andere Gegenstände auf. Greg und Mary schmiegten sich eng aneinander.

Eine Woche lang herrschte Finsternis. Aus einem bleiernen Himmel strömte unablässig dichter, schlammiger Regen. Dann hörte der Regen auf, und die Dunkelheit lichtete sich allmählich.

Eines Tages entdeckte Greg ein Stück blauen Himmel. Noch am selben Abend war alles wolkenlos. Die Sonne hatte ihren Lauf wieder aufgenommen. Einen eigenartigen, leicht schrägen Lauf. Doch sie ging im Osten auf und im Westen unter.

Unten im Tal waren die Städte und Dörfer, die Felder und Wälder verschwunden. Das Meer war zurückgeströmt und hatte eine dicke Schicht dunkelgrauen Schlamms hinterlassen, die alles bedeckte.

Ein paar Tage später glitzerte etwas graugrün im Sonnenlicht: Es war Gras, das bereits auf dem salzigen, äußerst fruchtbaren Schlamm wuchs.

»Die Ruinen unserer Städte sind unter dieser Mischung aus Erde und Wasser begraben«, sagte Mary eines Tages. »In ein paar tausend Jahren wird nichts mehr davon übrig sein. Nur noch Sand. Die Erde hat alles ausgelöscht.«

»Warum?«, fragte Greg.

»›Menschlich‹, auf lateinisch ›humanus‹, kommt von ›humus‹, das heißt ›Erde‹. Wie das lateinische Wort ›humilitas‹, also ›Demut‹. Demut bedeutet für den Menschen, dass er sich daran erinnern soll, dass er aus Erde besteht und wieder zu Erde wird. Wenn er es vergisst... erinnert ihn die Erde eines Tages daran...«

Sie blieben mehrere Wochen in der Höhle. Greg lernte jagen. Zu seiner großen Überraschung fiel es ihm leicht. Er hatte sich eine Schleuder angefertigt und legte außerdem Schlingen. Er hatte schon einige Kaninchen gefangen. Er liebte es, auf dem Berg herumzulaufen und mit wachen, geschärften Sinnen in einer Symphonie von Klängen, Gerüchen und Farben mit dem vibrierenden Leben zu kommunizieren. Ein unverfälschter Instinkt, der seit seiner Kindheit unter einer dicken Schicht Zivilisation begraben gewesen war, kam wieder zum Vorschein.

Sie nährten sich auch von Getreidehalmen, wilden Zwiebeln, Haselnüssen, Brombeeren, Heidelbeeren und wilden Trauben.

Eines Abends sagte Mary: »Wir müssen aufbrechen. Es gibt noch andere Überlebende. Wir müssen sie finden. Wir müssen wieder eine menschliche Gemeinschaft gründen.«

»Warum jetzt?«, fragte Greg.

»Wir sind wieder zu Kräften gekommen und haben uns in unser neues Leben eingefunden. Nichts hält uns mehr hier. Und außerdem...«

Sie setzte eine geheimnisvolle Miene auf.

»In drei oder vier Monaten kann ich vielleicht nicht mehr so gut laufen wie jetzt... verstehst du?«

Greg hatte sehr wohl verstanden, schüttelte jedoch den Kopf.

Sie lächelte.

»Ich erwarte ein Kind von dir, Greg.«

Er zog Mary an sich und schloss sie fest in die Arme.

In ihren Herzen, die gemeinsam schlugen, lag die Vorfreude auf einen Neubeginn.

Dank

An Christophe Bouquerel, Françoise Chaffanel, Francis Esménard, Thérèse Lauriol, Frédéric Marquet, Jean-Louis Servan-Schreiber, Marc de Smedt, Antoine Trémolières.

Und an Elisabeth Marquet.